HISTOIRE-GÉOGRAPHIE Tle S

PARTIE HISTOIRE

SOUS LA DIRECTION DE

Vincent ADOUMIÉ Lycée Dumont-d'Urville, Toulon (83)
Dominique FOUCHARD Lycée Hélène-Boucher, Paris (75)

AUTEURS

Géraldine ANCEL-GERY Lycée Charles-Baudelaire, Annecy (74)

Christian BARDOT Lycée Lakanal, Sceaux (92)

Catherine BARICHNIKOFF Lycée Carnot, Paris (75)

Fabien BÉNÉZECH Lycée Beaussier, La Seyne-sur-Mer (83)

Gilles DARIER Lycée Gabriel-Fauré, Annecy (74)

Stéphane GENÊT Lycée Choiseul, Tours (37)

Pascale JOUSSELIN-MISERY Lycée Charles-Baudelaire, Cran-Gevrier (74)

Corentin SELLIN Lycée Gerville-Réache, Basse-Terre (Guadeloupe)

Alain VIGNAL Lycée Dumont-d'Urville, Toulon (83)

Pascal ZACHARY Lycée Henri-Poincaré, Nancy (54)

PARTIE GÉOGRAPHIE

SOUS LA DIRECTION DE

Dominique HUSKEN-ULBRICH Lycée français de Singapour

COORDINATEURS D'OUVRAGE

Anne GASNIER Lycée Marguerite-Yourcenar, Le Mans (72)
Fanny MAILLO-VIEL Lycée Christophe-Colomb, Sucy-en-Brie (94)

AUTEURS

Alban BERVAS professeur de chaire supérieure en géographie

Valérie BODINEAU Prag à l'université de Nantes, ESPÉ de l'académie de Nantes (44)

Pascal BONIFACE directeur de l'Institut de relations internationales et stratégiques (IRIS) et enseignant à l'université Paris 8

Nouhedy CZUBOWSKI Lycée Jean-Monnet, Joué-lès-Tours (37)

Sylvia DELANNOY Lycée français de Singapour

Nicolas DEMONFORT Lycée Pierre-Corneille, Rouen (76)

Bénédicte FLORIN maître de conférences en géographie à l'université François-Rabelais de Tours (37)

Thomas GANGNEUX Lycée Descartes, Tours (37)

Frédérique HANNEQUIN IA-IPR d'histoire-géographie, académie de Lyon

Aude LESAGE Lycée Pierre-Corneille, Rouen (76)

Julien PICOLLIER Collège Champollion, Grenoble (38), attaché de cours, université de Savoie, Chambéry (73)

Philippe REKACEWICZ journaliste, géographe et cartographe

Catherine REYNAUD professeur d'histoire-géographie

Emmanuelle RUIZ Cité scolaire de Mauboussin, Mamers (72)

Estelle UGINET Collège Maria-Casares, Rillieux-la-pape (69)

hachette
ÉDUCATION

Les auteurs de la partie Histoire remercient **Julien Briand**, professeur d'histoire-géographie au lycée Martin-Luther-King à Bussy-Saint-Georges (77) ; **Mathieu Brocard**, professeur d'histoire-géographie au Lycée Claude-Gellée à Épinal (88) ; **Bertrand Saintot**, professeur d'histoire-géographie au Lycée Charles-de-Gaulle à Chaumont (52) ; **Jean-Christophe Victor**, chercheur au Laboratoire d'études politiques et cartographiques (LÉPAC) et concepteur du magazine de géopolitique Le Dessous des Cartes (Arte) et **David Yendt**, professeur d'histoire-géographie au Lycée René-Descartes à Saint-Genis-Laval (69) pour leurs relectures, leur aide et leurs conseils.

Couverture : **Frédéric Jély**
Maquette intérieure : **Frédéric Jély – Nicolas Balbo**
Mise en page : **Nicolas Balbo, Marion Clément**
Iconographie : **Anne Mensior, Geoffroy Mauzé** (Histoire) – **Veronica Brown** / Iconoline (Géographie)
Suivi éditorial : **Astrid Rogge** (Histoire) - **Doriane Giuili** (Géographie)
Cartographie : **Romuald Belzacq** / Légendes Cartographie – **AFDEC**
Infographie : **Beata Gierasimczyk** / Domino
Correction : **Alain Le Saux** (Géographie)
Stagiaires : **Julie Domenget-Turbot** (Histoire) – **Sabrina Rayar, Quentin Tenneson** (Géographie)

www.hachette-education.com
ISBN : 978-2-01-135612-3
© Hachette Livre 2014 – 43, quai de Grenelle 75905 Paris Cedex 15

PROGRAMME

Arrêté du 7-1-2013 – J. O. du 23-1-2013

HISTOIRE - Regards historiques sur le monde actuel

*Le professeur peut traiter les thèmes et les questions dans un ordre différent de celui de leur présentation,
à l'exclusion du thème 1 qui ouvre obligatoirement la mise en œuvre du programme.*

Thème 1 introductif. Le rapport des sociétés à leur passé (4-5 heures)

Questions	Mise en œuvre
Les mémoires : lecture historique	Une étude au **choix** parmi les deux suivantes : – l'historien et les mémoires de la Seconde Guerre mondiale en France ; – l'historien et les mémoires de la guerre d'Algérie

Thème 2. Grandes puissances et conflits dans le monde depuis 1945 (14-15 h)

Questions	Mise en œuvre
Les chemins de la puissance	Les États-Unis et le monde depuis 1945. La Chine et le monde depuis 1949.
Un foyer de conflits	Le Proche et le Moyen-Orient, un foyer de conflits depuis la fin de la Seconde Guerre mondiale.

Thème 3. Les échelles de gouvernement dans le monde (11-12 h)

Questions	Mise en œuvre
L'échelle de l'État-nation	Gouverner la France depuis 1946 : État, gouvernement, administration et opinion publique.
L'échelle continentale	Une gouvernance européenne depuis le traité de Maastricht.
L'échelle mondiale	Une gouvernance économique mondiale depuis le sommet du G6 de 1975.

GÉOGRAPHIE - Mondialisation et dynamiques géographiques des territoires

Thème 1 introductif. Clés de lectures d'un monde complexe (4-5 heures)

Questions	Mise en œuvre
Des cartes pour comprendre le monde	L'étude consiste à approcher la complexité du monde par l'interrogation et la confrontation de grilles de lectures géopolitiques, géoéconomiques, géoculturelles et géoenvironnementales. Cette étude, menée principalement à partir de cartes, est l'occasion d'une réflexion critique sur les modes de représentations cartographiques.

Thème 2. Les dynamiques de la mondialisation (8-9 heures)

Questions	Mise en œuvre
La mondialisation, fonctionnement et territoires	Un produit mondialisé (étude de cas). Acteurs, flux, débats. Des territoires inégalement intégrés à la mondialisation. Les espaces maritimes : approche géostratégique.

Thème 3. Dynamiques géographiques de grandes aires continentales (17-18 heures)

Questions	Mise en œuvre
L'Amérique : puissance du Nord, affirmation du Sud	Le continent américain : entre tensions et intégrations régionales. États-Unis - Brésil : rôle mondial, dynamiques territoriales.
L'Afrique : les défis du développement	Le Sahara : ressources, conflits (étude de cas). Le continent africain face au développement et à la mondialisation.
L'Asie du Sud et de l'Est : les enjeux de la croissance	L'Asie du Sud et de l'Est : les défis de la population et de la croissance. Japon - Chine : concurrences régionales, ambitions mondiales.

En histoire comme en géographie, le programme est conçu pour être traité dans un horaire annuel de 29 à 32 heures.

Tableau des capacités et méthodes du programme

I – Maîtriser des repères chronologiques et spatiaux	
1) Identifier et localiser	– nommer et périodiser les continuités et ruptures chronologiques
	– nommer et localiser les grands repères géographiques terrestres
	– situer et caractériser une date dans un contexte chronologique
	– nommer et localiser un lieu dans un espace géographique
2) Changer les échelles et mettre en relation	– situer un événement dans le temps court ou le temps long
	– repérer un lieu ou un espace sur des cartes à échelles ou systèmes de projection différents
	– mettre en relation des faits ou événements de natures, de périodes, de localisations spatiales différentes (approches diachroniques et synchroniques)
	– confronter des situations historiques ou/et géographiques
II – Maîtriser des outils et méthodes spécifiques	
1) Exploiter et confronter des informations	– identifier des documents (nature, auteur, date, conditions de production)
	– prélever, hiérarchiser et confronter des informations selon des approches spécifiques en fonction du document ou du corpus documentaire
	– cerner le sens général d'un document ou d'un corpus documentaire, et le mettre en relation avec la situation historique ou géographique étudiée
	– critiquer des documents de types différents (textes, images, cartes, graphes, etc.)
2) Organiser et synthétiser des informations	– décrire et mettre en récit une situation historique ou géographique
	– réaliser des cartes, croquis et schémas cartographiques, des organigrammes, des diagrammes et schémas fléchés, des graphes de différents types (évolution, répartition)
	– rédiger un texte ou présenter à l'oral un exposé construit et argumenté en utilisant le vocabulaire historique et géographique spécifique
	– lire un document (un texte ou une carte) et en exprimer oralement ou par écrit les idées clés, les parties ou composantes essentielles ; passer de la carte au croquis, de l'observation à la description
3) Utiliser les Tic	– ordinateurs, logiciels, tableaux numériques ou tablettes graphiques pour rédiger des textes, confectionner des cartes, croquis et graphes, des montages documentaires
III – Maîtriser des méthodes de travail personnel	
1) Développer son expression personnelle et son sens critique	– utiliser de manière critique les moteurs de recherche et les ressources en ligne (internet, intranet de l'établissement, blogs)
	– développer un discours oral ou écrit construit et argumenté, le confronter à d'autres points de vue
	– participer à la progression du cours en intervenant à la demande du professeur ou en sollicitant des éclairages ou explications si nécessaire
2) Préparer et organiser son travail de manière autonome	– prendre des notes, faire des fiches de révision, mémoriser les cours (plans, notions et idées clés, faits essentiels, repères chronologiques et spatiaux, documents patrimoniaux)
	– mener à bien une recherche individuelle ou au sein d'un groupe ; prendre part à une production collective
	– utiliser le manuel comme outil de lecture complémentaire du cours, pour préparer le cours ou en approfondir des aspects

SOMMAIRE HISTOIRE

THÈME 1
Le rapport des sociétés à leur passé

SOMMAIRE HISTOIRE

THÈME 2
Grandes puissances et conflits dans le monde depuis 1945

70-155

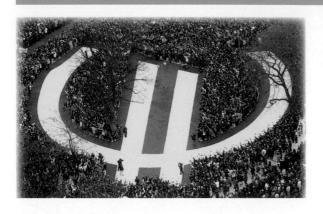

SOMMAIRE GÉOGRAPHIE

THÈME 1
Clés de lecture d'un monde complexe 230-265

THÈME 2
Les dynamiques de la mondialisation 266-323

SOMMAIRE GÉOGRAPHIE

THÈME 3
Dynamiques géographiques des grandes aires continentales
324-429

Bulletin officiel n° 43 du 21 novembre 2013

La présente note de service n° 2013-177 du 13-11-2013 définit l'épreuve d'histoire-géographie en série scientifique à compter de la session 2015 de l'examen du baccalauréat.

ÉPREUVE ÉCRITE : durée 3 heures ; coefficient 3.

L'épreuve écrite d'histoire-géographie au baccalauréat général, série S, porte sur le programme de la classe de terminale de cette série, défini par l'arrêté du **7 janvier 2013** (B.O.E.N. n° 8 du 21 février 2013).

Objectifs de l'épreuve

L'épreuve d'histoire-géographie du baccalauréat en série S a pour objectif d'évaluer l'aptitude du candidat à :
– mobiliser, au service d'une réflexion historique et géographique, les connaissances fondamentales pour la compréhension du monde et la formation civique et culturelle du citoyen ;
– exploiter, hiérarchiser et mettre en relation des informations ;
– analyser et interpréter des documents de sources et de natures diverses ;
– rédiger des réponses construites et argumentées, montrant une maîtrise correcte de la langue ;
– comprendre, interpréter et pratiquer différents langages graphiques.

Structure de l'épreuve

La durée totale de l'épreuve est de **trois heures**.
L'épreuve est composée de **deux parties** :
– dans la première partie, le candidat rédige une composition en réponse à un sujet d'histoire ou de géographie ;
– la deuxième partie se compose d'un exercice portant sur la discipline qui ne fait pas l'objet de la composition :
– en histoire : analyse d'un ou de deux document(s) ;
– en géographie : soit l'analyse d'un ou de deux document(s), soit la réalisation d'un croquis d'organisation spatiale d'un territoire.

Évaluation et notation

L'évaluation de la copie du candidat est globale et doit utiliser tout l'éventail des notes de 0 à 20. À titre indicatif, la première partie peut compter pour 12 points et la deuxième partie pour 8 points.

Nature des exercices

1. La composition

Le candidat traite un sujet parmi deux proposés à son choix dans la même discipline.
En histoire comme en géographie, il doit montrer qu'il sait analyser le sujet et qu'il maîtrise les connaissances nécessaires. Pour traiter le sujet choisi, il produit une réponse organisée et pertinente, comportant une introduction, plusieurs paragraphes et une conclusion. Il peut y intégrer une (ou des) production(s) graphique(s).
Le libellé du sujet peut prendre des formes diverses : reprise partielle ou totale d'un intitulé du programme, question ou affirmation ; il peut être bref ou plus détaillé ; la problématique peut être explicite ou non.

2. L'analyse de documents ou la réalisation d'un croquis

L'exercice d'analyse de document(s), en histoire comme en géographie, comporte un titre, un ou deux documents et, si nécessaire, des notes explicatives. Il est accompagné d'une consigne visant à orienter le travail du candidat.
En géographie, un exercice d'un autre type peut être proposé : réalisation d'un croquis d'organisation spatiale d'un territoire.

2.1. En histoire, l'analyse d'un ou de deux document(s)

Le candidat doit mettre en œuvre les démarches de l'analyse de document en histoire. Il doit faire la preuve de sa **capacité à comprendre le contenu du ou des document(s)**, à en dégager les apports et les limites pour la compréhension de la situation historique abordée. Lorsque deux documents sont proposés, on attend du candidat qu'il les mette en relation en montrant l'intérêt de cette confrontation.

2.2. En géographie, deux types d'exercices peuvent être proposés :

– **soit l'analyse d'un ou de deux document(s)**. Le candidat doit mettre en œuvre les démarches de l'analyse de document en géographie. Il doit faire la preuve de sa capacité à comprendre le contenu du ou des document(s) ainsi que les enjeux spatiaux qu'il(s) exprime(nt), à en dégager les apports et les limites pour la compréhension de la situation géographique abordée. Lorsque deux documents sont proposés, on attend du candidat qu'il les mette en relation en montrant l'intérêt de cette confrontation ;
– **soit la réalisation d'un croquis d'organisation spatiale d'un territoire, en réponse à un sujet** (dans ce cas, un fond de carte est fourni au candidat).

Modalités particulières pour les candidats présentant un handicap

En application des articles D. 351-27 et D. 351-28 du code de l'éducation, le recteur d'académie peut accorder aux candidats présentant un handicap, sur proposition du médecin désigné par la commission des droits et de l'autonomie des personnes handicapées, un aménagement de l'épreuve.

Dans ce cadre, les candidats présentant un trouble moteur ou visuel peuvent demander à bénéficier, pour les exercices de géographie de la deuxième partie de l'épreuve, de l'adaptation suivante : le candidat remplace l'exercice de réalisation d'un croquis d'organisation spatiale d'un territoire par une rédaction d'une page environ portant sur le même sujet.

Cette possibilité d'aménagement de l'épreuve n'exclut pas les autres aménagements (temps majoré, assistance d'un secrétaire, utilisation d'un ordinateur, etc.) dont ces candidats peuvent faire la demande pour la totalité de l'épreuve d'histoire-géographie.

Épreuve orale de contrôle

Durée : 20 minutes (10 minutes d'exposé ; 10 minutes de questionnement).
Temps de préparation : 20 minutes.

L'épreuve porte à la fois sur le programme d'histoire et de géographie de la classe de terminale. Le candidat tire au sort un sujet. Chaque sujet comporte une question d'histoire et une question de géographie.
Les questions du sujet portent sur des thèmes majeurs ou ensembles géographiques du programme. L'une des questions (histoire ou géographie) est accompagnée d'un document.
L'évaluation des réponses de chaque candidat est globale et doit utiliser tout l'éventail des notes de 0 à 20. L'examinateur évalue la maîtrise des connaissances, la clarté de l'exposition et la capacité à tirer parti d'un document.
Le questionnement qui suit l'exposé peut déborder le cadre strict des sujets proposés et porter sur la compréhension d'ensemble des questions étudiées.

HISTOIRE

COMPOSITION

ANALYSE DE DOCUMENT(S)

SOMMAIRE DES PRÉPA BAC

GÉOGRAPHIE

COMPOSITION

ANALYSE DE DOCUMENT(S)

CROQUIS

LA COMPOSITION

Sujet ─────────── **Travail préparatoire au brouillon** ──────

Étape 1 **Analyser le sujet**   **Étape 2** **Élaborer le plan**

ou

Numéroter les pages
du brouillon

①

Analyse du sujet

> *Identifier les mots-clés ;*

> *Délimiter l'espace concerné ;*

> *Lister les connaissances per-
sonnelles qui vont permettre
de traiter le sujet ;*

> *Choisir éventuellement les
productions graphiques à
réaliser.*

Après avoir choisi le
sujet parmi les deux
proposés, mobiliser
les connaissances
nécessaires

2

Plan détaillé

A. Idée-clé du paragraphe 1
  1. Arguments ;
  *2. Exemples, productions
     graphiques.*

B. Idée du paragraphe 2
  1. Arguments ;
  2. Exemples.

C. Idée du paragraphe 3
  1. Arguments ;
  2. Exemples.

Puis organiser les
connaissances

3

*Rédaction de l'introduction
et de la conclusion*

> *L'introduction comporte
  3 étapes :*
  1. la phrase d'accroche ;
  *2. l'explication du sujet
     et la délimitation de l'espace
     concerné.*
  3. l'annonce du plan.
> *La conclusion comporte
  un bilan de son exposé.*

Ne pas écrire
au verso

Étape 3 **Rédiger la composition**

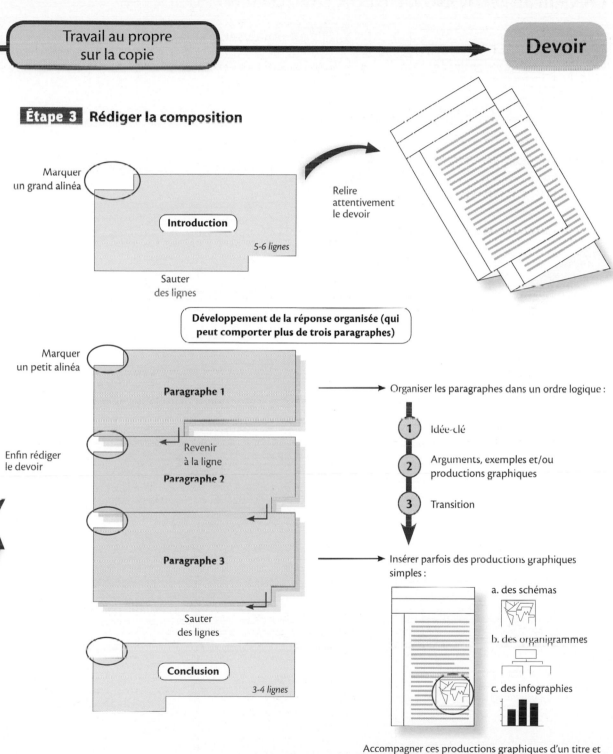

Marquer
un grand alinéa

Introduction

5-6 lignes

Sauter
des lignes

Relire
attentivement
le devoir

Développement de la réponse organisée (qui peut comporter plus de trois paragraphes)

Marquer
un petit alinéa

Paragraphe 1

Enfin rédiger
le devoir

Revenir
à la ligne

Paragraphe 2

Paragraphe 3

Sauter
des lignes

Conclusion

3-4 lignes

Organiser les paragraphes dans un ordre logique :

1 Idée-clé

2 Arguments, exemples et/ou
productions graphiques

3 Transition

Insérer parfois des productions graphiques
simples :

a. des schémas

b. des organigrammes

c. des infographies

Accompagner ces productions graphiques d'un titre et
d'une légende, soigner leur réalisation.
Créer des renvois dans le développement : « Le schéma
montre que… » ou « (voir schéma ci-contre) ».

L'ANALYSE D'UN OU DE DEUX DOCUMENT(S)

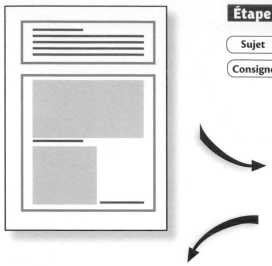

Étape 1   Analyser le sujet et la consigne

Sujet

Consigne

La démarche

> Repérer le chapitre auquel le sujet se rapporte ;

> Repérer les mots clés du sujet et la consigne ;

> Analyser la construction et la ponctuation de la consigne qui envoient un message sur le plan.

Étape 2   Exploiter et confronter les informations

Étape 3   Organiser et synthétiser les informations

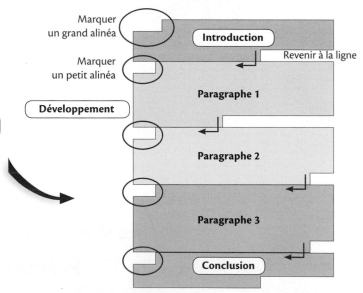

Un ou deux document(s)

Marquer un grand alinéa — Introduction — Revenir à la ligne

Marquer un petit alinéa

Développement — Paragraphe 1

Paragraphe 2

Paragraphe 3

Conclusion

Les informations

> Comprendre le lien entre le sujet et le(s) document(s) (sont-ils représentatifs ?) et entre les documents eux-mêmes (se complètent-ils ? Se contredisent-ils ?).

> Relever toutes les informations du ou des document(s) répondant au sujet.

> À l'aide des connaissances personnelles, compléter et nuancer les informations du ou des document(s).

> Montrer les limites du ou des documents, confronter les documents.

La réponse

> Rédiger une courte introduction qui présente le sujet et le ou les document(s) (auteur, nature et source).

> Rédiger une réponse organisée en deux ou trois paragraphes et composée d'informations du ou des documents et de connaissances personnelles.

> Rédiger une courte conclusion qui montre l'intérêt et les limites du ou des documents pour la compréhension du sujet.

RÉALISATION D'UN CROQUIS

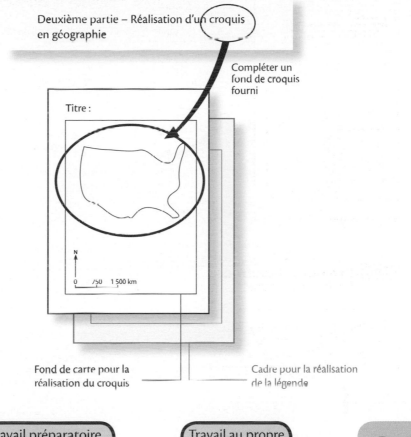

Deuxième partie – Réalisation d'un croquis en géographie

Compléter un fond de croquis fourni

Titre :

N

0   750   1 500 km

Fond de carte pour la réalisation du croquis

Cadre pour la réalisation de la légende

Sujet → Travail préparatoire au brouillon → Travail au propre sur la copie → **Devoir**

Étape 1 Analyser le sujet

Étape 2 Élaborer la légende et choisir les figurés

Étape 3 Réaliser le croquis

Qu'est ce qu'un croquis ?

> Croquis : représentation cartographique simplifiée, qui rend compte de l'organisation et des dynamiques d'un espace.

Ne pas oublier

> De donner un titre au croquis
> D'organiser la légende en parties
> D'utiliser les trois types de figurés (de surface, ponctuels et linéaires)
> De soigner la réalisation du croquis

Salvador Dalí, *La Persistance de la mémoire*, 1931, New-York, MoMA

à leur passé

CHAPITRE 1

L'historien et les mémoires de la Seconde Guerre mondiale en France

La **défaite militaire** de la France en 1940 puis l'**occupation du pays par les nazis** jusqu'en 1944 **ont rompu l'unité de la nation**. Profondément divisés après la guerre, les Français ont construit des mémoires différentes de cette période, selon la façon dont ils l'avaient vécue et selon l'attitude qu'ils avaient adoptée face à l'occupant et face au gouvernement de Vichy. Certaines de ces **mémoires** se sont longtemps **imposées au détriment des autres**. Grâce à la confrontation des témoignages et des sources, les **historiens** ont progressivement mis en lumière les **processus de construction de ces mémoires** et ont contribué à réhabiliter celles qui avaient été **oubliées**.

> Quelles lectures les historiens font-ils des mémoires de la Seconde Guerre mondiale en France depuis 1945 ?

1 **Le Mémorial de la Shoah à Paris**

Ce lieu de mémoire et d'histoire a ouvert en 2005. Une installation photographique de Natacha Nisic rassemble 3 000 photos d'enfants juifs déportés, retrouvées par Serge Klarsfeld et l'association Les Fils et Filles de déportés juifs de France. Le Mémorial est à la fois un musée et un lieu de recherche.

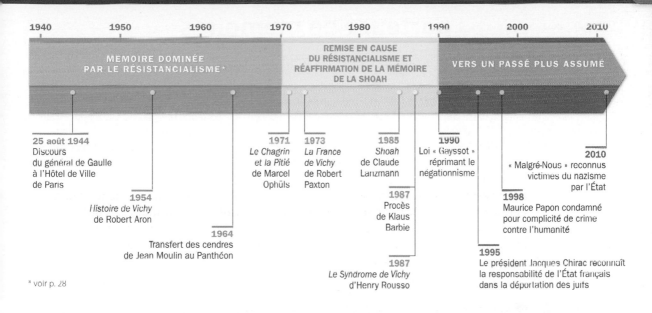

| 1940 | 1950 | 1960 | 1970 | 1980 | 1990 | 2000 | 2010 |

MÉMOIRE DOMINÉE PAR LE RÉSISTANCIALISME*

REMISE EN CAUSE DU RÉSISTANCIALISME ET RÉAFFIRMATION DE LA MÉMOIRE DE LA SHOAH

VERS UN PASSÉ PLUS ASSUMÉ

25 août 1944
Discours du général de Gaulle à l'Hôtel de Ville de Paris

1954
Histoire de Vichy de Robert Aron

1964
Transfert des cendres de Jean Moulin au Panthéon

1971
Le Chagrin et la Pitié de Marcel Ophüls

1973
La France de Vichy de Robert Paxton

1985
Shoah de Claude Lanzmann

1987
Procès de Klaus Barbie

1987
Le Syndrome de Vichy d'Henry Rousso

1990
Loi « Gayssot » réprimant le négationnisme

1995
Le président Jacques Chirac reconnaît la responsabilité de l'État français dans la déportation des juifs

1998
Maurice Papon condamné pour complicité de crime contre l'humanité

2010
« Malgré-Nous » reconnus victimes du nazisme par l'État

* voir p. 28

2 **Le 4 septembre 2013, les présidents français et allemand, François Hollande (1) et Joachim Gauck (2), rendent hommage aux victimes d'Oradour-sur-Glane**

Les deux présidents sont accompagnés d'un survivant du massacre. C'est la première fois qu'un président allemand se rend dans ce lieu de mémoire. Le 10 juin 1944, une division SS massacre la population d'Oradour-sur-Glane (Limousin) et incendie le village, faisant 642 victimes. En 1946, les ruines d'Oradour sont classées monument historique pour que le souvenir des victimes ne s'efface pas.

La Seconde Guerre mondiale, porteuse de mémoires

Notions clés

Histoire

Reconstruction savante et toujours en évolution des événements du passé, qui vise à rechercher la vérité et l'objectivité grâce à un travail croisé sur des sources diverses.

Historiographie

Étude de la façon dont les historiens « fabriquent » l'histoire : dans quel contexte, avec quels outils et dans quel but.

Mémoire

Ensemble des souvenirs qui résultent des événements vécus par des individus, des groupes ou des institutions.
La mémoire est donc par définition plurielle et partielle car elle relève de la subjectivité, de l'expérience particulière vécue.

Témoin et historien

Le **témoin** est un acteur de l'histoire, porteur d'une part du passé pour y avoir participé et qui veut en rendre compte. Son expérience est donc une source précieuse pour appréhender le passé. L'**historien**, préoccupé d'une approche plus globale et objective, se doit de confronter les témoignages entre eux et à d'autres sources.

---

1 La Seconde Guerre mondiale : un événement producteur de mémoires plurielles

DES ÉVÉNEMENTS PRODUCTEURS DE FRACTURES DANS LA SOCIÉTÉ	GROUPES PORTEURS DE MÉMOIRE	CARACTÉRISTIQUES DE CES MÉMOIRES
Appel du 18 juin 1940 refusant la défaite (général de Gaulle)	**RÉSISTANTS GAULLISTES**	**« Résistancialisme » militaire** La Résistance présentée comme celle de la France toute entière pour rétablir l'unité de la nation.
Armistice du 22 juin 1940 acceptant la défaite (maréchal Pétain)	**RÉSISTANTS COMMUNISTES**	**« Résistancialisme » populaire** La Résistance perçue comme le combat du peuple opprimé.
Statut des juifs promulgué par Vichy dès le 3 octobre 1940		
Collaboration officielle entre la France et l'Allemagne nazie : entrevue entre Pétain et Hitler à **Montoire, 24 octobre 1940**	**JUIFS**	**Devoir de mémoire** Mémoire du génocide marquée par la mort de 80 000 juifs de France (dont 76 000 dans les camps). Sentiment de ne pas être entendus et reconnus après le conflit.
Résistance intérieure et extérieure	**COLLABORATIONNISTES**	**Travestissement de l'histoire** Théorie du bouclier et du double jeu du maréchal Pétain. **Négationnisme :** refus de reconnaître la réalité du génocide et des chambres à gaz.
Rafle du Vel' d'Hiv : 16-17 juillet 1942		
Service du travail obligatoire (STO), **1943**	**GROUPES DIVERS :** Tziganes, « Malgré-Nous », engagés STO, enfants de couples franco-allemands, homosexuels, etc.	**Occultation de l'histoire** Mémoires oubliées ou non reconnues. **Des victimes « honteuses »** ou peu organisées.

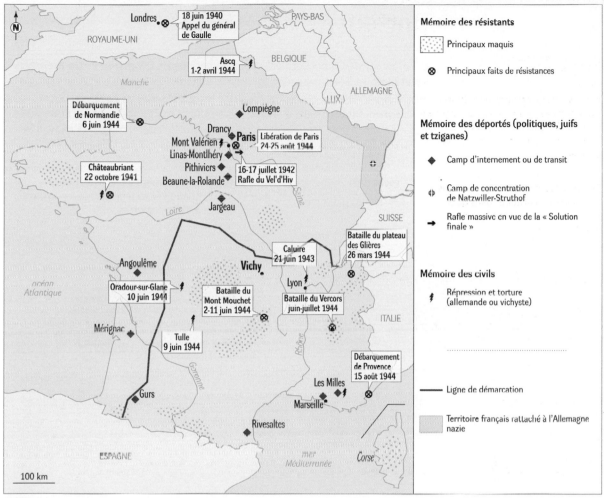

Mémoire des résistants

⬚ Principaux maquis

⊗ Principaux faits de résistances

Mémoire des déportés (politiques, juifs et tziganes)

◆ Camp d'internement ou de transit

⬧ Camp de concentration de Natzwiller-Struthof

➜ Rafle massive en vue de la « Solution finale »

Mémoire des civils

⚡ Répression et torture (allemande ou vichyste)

⎯ Ligne de démarcation

▨ Territoire français rattaché à l'Allemagne nazie

Map labels:
- Londres — 18 juin 1940 Appel du général de Gaulle
- ROYAUME-UNI
- PAYS-BAS
- BELGIQUE
- ALLEMAGNE
- LUX.
- Manche
- Ascq 1-2 avril 1944
- Débarquement de Normandie 6 juin 1944
- Compiègne
- Drancy — Paris — Libération de Paris 24-25 août 1944
- Mont Valérien
- Linas-Montlhéry
- Pithiviers
- Beaune-la-Rolande
- Châteaubriant 22 octobre 1941
- 16-17 juillet 1942 Rafle du Vel'd'Hiv
- Loire
- Jargeau
- SUISSE
- Caluire 21 juin 1943
- Bataille du plateau des Glières 26 mars 1944
- Angoulême
- Vichy
- Lyon
- Oradour-sur-Glane 10 juin 1944
- Bataille du Mont Mouchet 2-11 juin 1944
- Bataille du Vercors juin-juillet 1944
- ITALIE
- Mérignac
- Tulle 9 juin 1944
- Garonne
- Rhône
- Débarquement de Provence 15 août 1944
- Gurs
- Les Milles
- Marseille
- Rivesaltes
- ESPAGNE
- océan Atlantique
- mer Méditerranée
- Corse
- 100 km

2 Une géographie du souvenir : des mémoires qui s'incarnent dans des lieux

3 L'évolution de la mémoire officielle dans les commémorations nationales

Commémoration	Journée de célébration	Date de création
Victoire de 1945 sur le nazisme	**8 mai** (férié depuis 1982) Jour de la capitulation allemande	1946
Journée nationale du souvenir des victimes et héros de la déportation	**Dernier dimanche d'avril** Date proche de l'anniversaire de la libération de nombreux camps	1954
Journée nationale à la mémoire des victimes des crimes racistes et antisémites de l'État français et d'hommage aux « Justes » de France	**Dimanche qui suit le 16 juillet** Référence à la rafle du Vel' d'Hiv	2000
Journée internationale de commémoration en mémoire des victimes de la Shoah	**27 janvier** Jour de la libération du camp d'Auschwitz-Birkenau	2005
Journée nationale commémorant l'appel du général de Gaulle à refuser la défaite et à poursuivre le combat contre l'ennemi	**18 juin** Référence au 18 juin 1940	2006

Daniel Cordier, un acteur-témoin

> **J'ai vécu dans ma chair le tiraillement entre le témoin que je fus et l'historien que je tentais d'être.**

L'itinéraire de Daniel Cordier est emblématique de la **tension entre mémoire et histoire**. Son travail témoigne de la difficulté de rendre compte du passé. Jamais l'historien ne ressuscitera le passé tel que les acteurs l'ont vécu. Ces derniers sont porteurs de souvenirs très forts mais forcément partiels et que leur mémoire a triés, réagencés, déformés parfois. L'intérêt majeur du travail de Daniel Cordier est d'avoir combiné ces deux regards, celui d'acteur et celui d'historien.

> **En quoi l'itinéraire de Daniel Cordier illustre-t-il la tension entre mémoire et histoire ?**

BIOGRAPHIE

Né en 1920, Daniel Cordier est avant la guerre un jeune militant de l'Action française, mouvement d'extrême droite royaliste. En 1940, lorsqu'il entend le maréchal Pétain appeler à l'arrêt des combats, il refuse ce choix. Il se retrouve alors à Londres auprès du général de Gaulle pour continuer le combat. Celui-ci lui donne l'ordre de rejoindre la Résistance. Il est parachuté à Lyon en juillet 1942 et devient, d'août 1942 à juin 1943, le secrétaire de Jean Moulin. Celui-ci est chargé par le général de Gaulle d'unifier les différents mouvements de résistance et de créer le Conseil national de la Résistance. C'est en 1977 qu'il décide de rédiger une biographie de Jean Moulin.

Daniel Cordier dans la Résistance, en 1940 à Londres

1 L'acteur devient historien

En 1977, aux *Dossiers de l'écran*[1], je me trouve en face d'un homme qui venait de publier un livre sur Jean Moulin dans lequel – c'était Henri Frenay[2] – il dénonçait Jean Moulin comme un communiste et un agent communiste de Moscou [...] – ça c'était inacceptable. J'ai essayé de lui répondre, mais que voulez-vous dire quand vous ne savez pas ce que vous voulez dire ? [...] Quand je suis rentré chez moi, je me suis dit [...] Jean Moulin était mon patron [...], et aujourd'hui je suis incapable de le défendre, je suis un salaud. [...] Cet homme est accusé et personne [...] n'a travaillé avec lui, je suis le seul et je profite de la vie et je me tais. Et si je ne réponds pas à Frenay, je suis une ordure. Et à partir de là, j'ai commencé et je continue encore aujourd'hui.

Retranscription de l'émission *À voix nue*, France Culture, 1er juin 2013.

1. Émission de télévision. 2. Résistant à la tête du mouvement Combat et rival de Jean Moulin pour le commandement des mouvements de la Résistance.

2 Les témoignages et l'arrestation de Jean Moulin à Caluire

Afin qu'ils [les historiens] puissent trancher entre les accusations de Frenay et ma réfutation, je devais remplacer mon témoignage par des documents et transformer mes « souvenirs » en « Histoire ». Je commençai par lire la douzaine de *Mémoires* des chefs de la Résistance et de la France libre. Chez tous, j'observais des lacunes, inexactitudes ou contrevérités. Ma méfiance s'est encore accrue lorsque,

Jean Moulin

faisant parfois appel à mes souvenirs, je me suis pris moi-même « la main dans le sac » : certains documents contredisaient la chronologie de ma mémoire ! [...] J'ai compris le danger des témoignages pour établir les faits et la prudence indispensable dans leur utilisation. [...] Deux fois, devant les tribunaux, en 1947 et 1950, René Hardy[1] fut déclaré innocent de l'arrestation de Jean Moulin à Caluire. Principalement sur la foi de grands témoins qui ont jeté le doute sur sa culpabilité. [...] [Le chapitre de *La République des catacombes*[2] consacré à cette arrestation] est fondé non sur les témoignages, qui sont innombrables et contradictoires, mais sur deux documents allemands contemporains. D'une part, le rapport Kaltenbrunner du 29 juin 1943, qui seul relate en détail le déroulement de l'opération de la Gestapo et, d'autre part, le rapport Flora, rédigé le 19 juillet 1943. [...] Depuis soixante ans, on n'a pas trouvé un seul document allemand ou français contredisant ces accusations. Jusqu'à nouvel ordre, je considère donc que le plus probable est la culpabilité de René Hardy.

Entretien avec Daniel Cordier, « La Résistance, entre témoignage et histoire », revue *Geste* n° 3, automne 2006.

1. Technicien de la SNCF, chef de l'organisation de résistance « Sabotage-fer ».
2. Quatrième tome de la biographie de Jean Moulin, de Daniel Cordier.

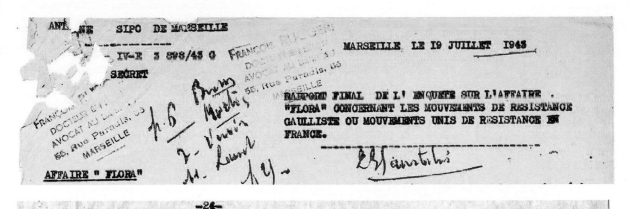

3 Le rapport Flora, 19 juillet 1943

Cette archive, qui dresse la liste des 122 résistants arrêtés entre mars et juillet 1943 en zone sud, fut retrouvée en 1944 dans les locaux de la Gestapo à Marseille. Elle a entraîné l'arrestation de René Hardy mais fut rejetée, en tant qu'archive allemande, lors de son procès en 1947.

4 Entendre la voix d'une époque

Ce passé encore si vivant, pour moi, m'apparaît maintenant comme l'improvisation d'un orchestre de jazz, dont les instruments auraient été perdus et dont une grande partie de l'enregistrement aurait été détruite.

Ce passé qui était parcouru d'enthousiasme brûlant, de dévouement sans calcul, ressemble à un concert joué une seule fois, et que des spécialistes s'efforcent de reconstituer avec des bribes de documents, ou de témoignages. [...]

Mais quelles que soient leur patience et l'exactitude de leurs recherches, jamais plus personne ne percevra dans cette musique la sensibilité particulière des musiciens et de leurs instruments, ni la richesse de sa mélodie et la complexité de son harmonie, telle que « ce jour-là », elle fut exécutée. Tout au plus pourra-t-on tenter la transcription, plus ou moins exacte, des partitions, mais le déchiffrement de chacune d'elles juxtaposée ne restituera jamais la minute exceptionnelle de leur fusion rythmée. Seuls ceux qui y auront assisté conserveront dans leur tête la plénitude des improvisations de ce concert, sans être capables, à cause de leurs souvenirs déformés et de leur vocabulaire impuissant, de faire partager leur plaisir, figé à jamais dans leur mémoire solitaire.

Daniel Cordier, préface à *Jean Moulin l'Inconnu du Panthéon une ambition pour la République*, Éditions Jean-Claude Lattès, 1989.

Questions

De l'acteur à l'historien

1. **Doc. 1** : Quelle mission Daniel Cordier s'est-il fixée en devenant historien ?

2. **Doc. 1 et 2** : Montrez que cette mission est intimement liée à son statut d'acteur de l'histoire.

Concilier histoire et mémoire

3. **Doc. 2, 3 et 4** : À quelles difficultés les historiens et les témoins sont-ils confrontés pour faire le récit de la Résistance ?

4. **Doc. 2 et 3** : Pourquoi y a-t-il tension entre mémoire et histoire ?

Vers la composition du BAC

Capacités et méthodes :
II. 2. Mettre en récit une situation historique.

À partir de l'exemple de Daniel Cordier, vous rédigerez un paragraphe construit qui explique le rapport nécessaire et conflictuel de l'historien et du témoin dans l'écriture de l'histoire de la Résistance.

L'historien et les mémoires de la Résistance

Vocabulaire

Mémorial : monument servant à commémorer un événement ou des personnes disparues.

Résistancialisme : notion élaborée par l'historien Henry Rousso pour qualifier l'idée développée par les gaullistes selon laquelle les Français auraient unanimement et naturellement résisté pendant la guerre.

DATES CLÉS

- **25 août 1944** Discours du général de Gaulle à Paris.
- **1971** Sortie du film *Le Chagrin et la Pitié*.
- **2011** Parution du *Chagrin et le Venin* de l'historien Pierre Laborie.

CHIFFRES CLÉS

- **Effectifs de la résistance extérieure**
  1940 : env. 7 000
  1943 : env. 60 000 (troupes coloniales en majorité)
- **Effectifs de la résistance intérieure**
  1944 : env. 250 000

La question de la mémoire de la Résistance et du comportement des Français pendant la période de guerre a donné lieu à de nombreux travaux d'historiens. La période d'après-guerre, **dominée par les mémoires gaullienne et communiste qualifiées de résistancialistes**, met en avant la figure du résistant. Ces mémoires diffusent l'image d'un pays où **l'esprit de résistance** aurait été majoritaire. Dans les années 1970, s'impose progressivement la représentation d'une France attentiste, que les historiens nuancent aujourd'hui.

> **Quelles évolutions les mémoires de la Résistance ont-elles connu depuis 1945 ?**

1 La mémoire gaullienne de la Résistance

Paris ! Paris outragé ! Paris brisé ! Paris martyrisé ! Mais Paris libéré ! Libéré par lui-même, libéré par son peuple avec le concours des armées de la France, avec l'appui et le concours de la France toute entière, c'est-à-dire de la France qui se bat, c'est-à-dire de la seule France, de la vraie France, de la France éternelle. […]
La nation n'admettrait pas, dans la situation où elle se trouve, que cette unité soit rompue. La nation sait bien qu'il lui faut, pour vaincre, pour se reconstruire et pour être grande, avoir avec elle tous ses enfants. La nation sait bien que […] tous ses fils et toutes ses filles, hormis quelques malheureux traîtres qui se sont livrés à l'ennemi ou lui ont livré les autres et qui connaissent ou qui connaîtront la rigueur des lois, […] marchent et marcheront fraternellement, la main dans la main. Vive la France !

Discours du général de Gaulle devant l'Hôtel de ville de Paris, 25 août 1944.

2 La mémoire communiste de la Résistance

Affiche pour les élections municipales de 1945.

3 La remise en cause du résistancialisme : le choc du *Chagrin et la Pitié*

Jean-Pierre Azéma explique l'importance du film de Marcel Ophüls, sorti en salles en 1971, dans l'histoire des mémoires de la Seconde Guerre mondiale.

C'est un film qui fait date, un repère pour nous dans l'histoire de Vichy après Vichy. [...] Au niveau de la mémoire, *Le Chagrin et la Pitié* a donné une représentation des Français sous Vichy. Ce qui a intéressé Ophüls, ce n'est pas de dire que les Français étaient collabos, mais mous, veules. Il allait à l'encontre de deux mémoires, celle des gaullistes et celle des communistes, qui disaient que la très grande majorité des Français s'étaient engagés d'une manière ou d'une autre dans une résistance active. Ce que veut finalement démontrer Ophüls, il y parvient, c'est que dans le fond, ils ont été attentistes. [...] Donc, il veut dire en clair : tout ça, c'est de la mythologie, une mythologie gaullienne que l'on a supportée pendant dix ans, de 1958 à 1968, alors moi je vais vous montrer autre chose.

Interview de l'historien Jean-Pierre Azéma,
Téléscope, 1994.

4 Un lieu de mémoire de la Résistance : le mont Valérien

Inauguration du Mémorial de la France combattante par le général de Gaulle le 18 juin 1960 au mont Valérien (fort qui a été le principal lieu d'exécution de résistants par les Allemands en France pendant la Seconde Guerre mondiale).

5 L'historien face aux mémoires et au risque d'instrumentalisation de l'Histoire

À la suite du *Chagrin et la Pitié*, il n'y a absolument plus eu la moindre interrogation critique : en gros les Français ont été répugnants, indignes, c'est devenu une vérité d'évidence. [...] Je crois qu'Ophüls a été dépassé par la réception de son œuvre. Il y a eu un effet d'emballement. Un effet d'aveuglement aussi, ou peut-être le besoin de se reconnaître dans cette France décrite comme coupable. [...] Et peu à peu, [le film] a, à son tour, instrumentalisé l'histoire. « Au fond, disait Simone Veil, en montrant que tous les Français avaient été des salauds, ceux qui l'ont été vraiment avaient très bonne conscience puisqu'ils l'étaient comme les autres ». [...] Certains historiens associent l'idée de résistance à l'idée de mythe, dans le sens élémentaire du terme, celui de fable, de légende. Il me semble que nous n'en sommes pas sortis, au contraire : petit à petit, de la démystification on est passé à une véritable dénaturation. Personne ne conteste que la Résistance en France a été minoritaire. Mais quel sens ont les chiffres quand il s'agit de juger et de prendre conscience d'un phénomène comme la Résistance ?

Interview de l'historien Pierre Laborie dans Libération
du 29 janvier 2011, à propos de la sortie de son livre
Le Chagrin et le Venin. La France sous l'Occupation, mémoire et idées reçues.

Questions

Des mémoires plurielles qui évoluent

1. Doc. 1, 2 et 4 : Quel comportement des Français pendant la guerre ces documents mettent-ils en avant ?

2. Doc. 3 : Quelle représentation le film *Le Chagrin et la Pitié* véhicule-t-il ? Pourquoi l'analyse de l'historien permet-elle de comprendre l'impact du film sur la société française ?

Face aux mémoires : distance critique et objectivité scientifique de l'historien

3. Doc. 5 : Pourquoi l'historien Pierre Laborie conteste-t-il la vision que donne le film ?

4. Doc. 5 : Pourquoi Pierre Laborie remet-il en cause la pertinence des chiffres pour comprendre la Résistance ? En quoi est-ce une incitation à réfléchir à ce que veut dire « résister » ?

Vers l'analyse de document du BAC

Capacités et méthodes :
I. 2. Situer un événement dans le temps.

À partir de l'analyse de l'historien Jean-Pierre Azéma (doc. 3), vous montrerez pourquoi le film *Le Chagrin et la Pitié* représente un tournant majeur dans les mémoires de la Résistance de la Seconde Guerre mondiale.

L'historien et les mémoires de l'État français

Jusqu'aux années 1970, il existe une sorte de vérité officielle qui minore le rôle de l'État français dirigé par le maréchal Pétain dans la déportation des juifs et dans sa lutte contre la Résistance.
Sous l'impulsion d'historiens qui dépouillent les archives de la période, le **passé du régime de Vichy** est révélé, faisant évoluer la mémoire officielle.

> **Comment le travail des historiens fait-il évoluer la mémoire officielle du régime de Vichy ?**

DATES CLÉS

○— **1954** *Histoire de Vichy*, Robert Aron.

○— **1956** Censure du film *Nuit et Brouillard*, d'Alain Resnais.

○— **1973** *La France de Vichy*, Robert Paxton.

○— **1995** Discours de Jacques Chirac qui reconnaît officiellement la responsabilité de la France dans la déportation des juifs.

1 Le mythe du bouclier et de l'épée

L'honneur qu'allègue le maréchal Pétain, c'est l'honneur d'un gouvernement qui a su maintenir les données de son indépendance et protège les populations ; en un mot, c'est l'honneur civique. Celui qu'invoque le général de Gaulle, c'est l'honneur militaire pour qui s'avouer vaincu est toujours infâmant. De ces honneurs, il se peut que l'un soit plus impérieux, plus instinctif, plus spontané. L'autre existe, sur un mode sans doute moins éclatant, mais il est pourtant réel. Le premier correspondait à l'aventure exaltante, mais d'apparence désespérée, dont Charles de Gaulle est l'annonciateur. Le second à l'épreuve lente et douloureuse dont Philippe Pétain ne prévoyait ni la durée ni la fin. Tous deux étaient également nécessaires à la France. Selon le mot que l'on prêtera à Pétain et à de Gaulle : « le Maréchal était le bouclier, le Général l'épée ».

Robert Aron*, *Histoire de Vichy*, éd. Fayard, 1954.

* Écrivain français, membre de l'Académie française, auteur d'essais politiques et d'ouvrages historiques.

2 Une responsabilité d'État occultée

Photographies du film *Nuit et Brouillard* d'Alain Resnais, 1956.

La photographie **2a** d'un gendarme français surveillant le camp de Pithiviers (Loiret) date de 1941. Elle est incluse dans le film, au prix d'une retouche à la gouache qui dissimule le képi du gendarme (photographie **2b**), suite à l'intervention de la commission de censure. Ce n'est qu'en 1997 que la photographie non censurée retrouvera sa place dans le film.

2a 2b

LOI PORTANT STATUT DES JUIFS

Projet

DOCUMENT CONFIDENTIEL

ARTICLE Ier.- Est regardé comme juif, pour l'application de la présente loi, toute personne issue de trois grands-parents de race juive ou de deux grands-parents de la même race, si son conjoint lui-même est juif.

ARTICLE 2.- L'accès et l'exercice des fonctions publiques et mandats énumérés ci-après sont interdits aux juifs :

Chef de l'Etat, Membres du Gouvernement, Conseil d'Etat, Conseil de l'Ordre National de la Légion d'honneur, - Cour de Cassation, - Cour des Comptes, Corps des Mines, - Corps des Ponts et Chaussées, Inspection générale des Finances, Cours d'appel, - Tribunaux de 1ère instance et toutes juridictions d'ordre professionnel. *justice de paix.*

Toutes assemblées issues de l'élection

Les juifs ne peuvent être agents relevant du Département des Affaires Etrangères, Secrétaires généraux des Départements ministériels; Directeurs généraux, Directeurs des Administrations centrales des Ministères; Préfets, Sous-Préfets, Secrétaires généraux de Préfectures; fonctionnaires de tous grades attachés à tous services de Police;

Résidents généraux, Gouverneurs généraux, - Gouverneurs et Secrétaires généraux des colonies; *Inspecteurs des colonies*

Recteurs, Inspecteurs généraux de l'Instruction publique, Inspecteurs d'Académie, Proviseurs ou Directeurs d'établissements d'enseignement des ordres secondaire et primaire; *tout personnel enseignant.*

Tous officiers des armées de terre, de mer et de l'air.

---

3 ❚ Pétain et le statut des juifs : la preuve par les archives

Projet de loi sur le statut des juifs édicté par l'État français. Il est annoté de la main de Pétain qui ajoute notamment des interdictions professionnelles comme : « tout personnel enseignant ».

---

4 ❚ L'historien Robert Paxton révèle la nature de Vichy

En 1999, dans la deuxième édition de La France de Vichy, *Robert Paxton précise dans son avant-propos la méthode de travail qu'il a utilisée et les conclusions auxquelles il a abouti.*

Quand je me suis plongé dans les télégrammes et les notes envoyés quotidiennement à Berlin [...], je me suis aperçu que les postulats qui soutenaient l'*Histoire de Vichy* de Robert Aron, l'ouvrage de référence en ces années-là, ne correspondaient pas à ce que j'étais en train de lire. [...] Les principaux documents utilisés par Robert Aron pour son *Histoire de Vichy* sont les transcriptions sténographiques des audiences publiques des procès d'épuration d'après-guerre [...]. La formule du « bouclier », inventée en 1945, n'est qu'un stratagème pour minimiser les initiatives de Vichy, aussi bien en politique intérieure que face à l'Allemagne. [...] Les archives apportent la preuve que Vichy a cherché à dépasser l'accord d'armistice pour instaurer une « collaboration » volontaire (mais militairement neutre) avec l'Allemagne. [...] Plus personne ne peut contester que les premières mesures antijuives de 1940 relevaient d'une initiative purement française, ni que ce soit Vichy lui-même qui a insisté en 1942 pour coopérer à la déportation des juifs vers l'Est.

Robert O. Paxton, *La France de Vichy (1940-1944)*, Éditions du Seuil, 1973, coll. « Points Histoire », 1999.

---

5 ❚ Un tournant dans la mémoire officielle

Il est, dans la vie d'une nation, des moments qui blessent la mémoire, et l'idée que l'on se fait de son pays. Ces moments, il est difficile de les évoquer, parce que l'on ne sait pas toujours trouver les mots justes pour rappeler l'horreur, pour dire le chagrin de celles et ceux qui ont vécu la tragédie. [...] Oui, la folie criminelle de l'occupant a été secondée par des Français, par l'État français. Il y a cinquante-trois ans, le 16 juillet 1942, 450 policiers et gendarmes français, sous l'autorité de leurs chefs, répondaient aux exigences des nazis. Ce jour-là, dans la capitale et en région parisienne, près de dix mille hommes, femmes et enfants juifs furent arrêtés à leur domicile, au petit matin, et rassemblés dans les commissariats de police. [...] la France, ce jour-là, commettait l'irréparable. [...] Suivront d'autres rafles, d'autres arrestations. [...] Soixante-seize mille déportés juifs de France n'en reviendront pas. [...] Mais il y a aussi la France, une certaine idée de la France, droite, généreuse, fidèle à ses traditions, à son génie. Cette France [...] est présente, une et indivisible, dans le cœur de ces Français, ces « Justes parmi les nations » qui, au plus noir de la tourmente, en sauvant au péril de leur vie, comme l'écrit Serge Klarsfeld, les trois quarts de la communauté juive résidant en France, ont donné vie à ce qu'elle a de meilleur.

Extrait du discours de Jacques Chirac, président de la République, à l'occasion de la commémoration de la rafle du Vel' d'Hiv, 16 juillet 1995.

Questions

Une histoire travestie

1. **Doc. 1 et 2** : Quelle image de Pétain et de l'État français ces deux documents véhiculent-ils ?

2. **Doc. 3 et 4** : Sur quels documents Robert Aron s'est-il appuyé pour valider le mythe du bouclier ? Pourquoi ne sont-ils pas fiables ?

Les historiens au service de la vérité

3. **Doc. 4** : En quoi le travail de l'historien Robert Paxton a-t-il modifié le regard porté sur le rôle de Vichy pendant la Seconde Guerre mondiale ?

4. **Doc. 3, 4 et 5** : Quelles données historiques sont prises en compte dans le discours de Jacques Chirac ?

Vers l'analyse de document du BAC

Capacités et méthodes :

II. 1. Cerner le sens général d'un document et le mettre en relation avec la situation historique.

Après avoir présenté la nature et le contexte du **document 5**, montrez qu'il témoigne d'une évolution de la mémoire officielle de la Seconde Guerre mondiale et de la prise en compte des travaux d'historiens sur cette période.

L'historien et les mémoires de la Shoah

Jusqu'aux années 1960, la **mémoire des déportés juifs** (76 000 personnes, 2 500 survivants), peine à s'affirmer dans l'espace public français. Elle s'exprime alors, parfois difficilement, en marge de la mémoire collective et officielle. L'activité des **associations** qui les représentent, les **procès médiatisés** contre des criminels impliqués dans le génocide libèrent la parole des **témoins** et font évoluer tant la mémoire officielle que le travail des historiens.

> **Comment évoluent les mémoires de la Shoah et quelle lecture en font les historiens ?**

DATES CLÉS

- **1961** Procès à Jérusalem d'Adolf Eichmann, SS responsable de l'organisation logistique de l'extermination des juifs.
- **1979** Création de l'association Les Fils et Filles de déportés juifs de France par Serge et Beate Klarsfeld.
- **1998** Maurice Papon, ancien secrétaire général de la préfecture de la Gironde, condamné à 10 ans de prison pour complicité de crime contre l'humanité.
- **2005** Inauguration du Mémorial de la Shoah à Paris.

CHIFFRES CLÉS

Le bilan de la déportation et de la Shoah en France

- Déportés politiques et droit commun : 89 000
  Survivants : 54 000 (60 %)
- Juifs déportés : 76 000
  Survivants : 2 500 (3 %)

1 La difficulté de témoigner de la Shoah

Puis, ce fut le retour : […] ce que nous avions vécu, personne ne voulait le savoir. Ce que nous avions à raconter, personne ne voulait en partager le fardeau. Dans l'Europe libérée du nazisme, qui se souciait vraiment des survivants juifs d'Auschwitz ? Nous n'étions pas des résistants, nous n'étions pas des combattants, pourtant certains étaient de vrais héros, et pour l'histoire qui commençait déjà à s'écrire, pour la mémoire blessée qui forgeait ses premiers mythes réparateurs, nous étions des témoins indésirables. […] D'ailleurs, même les historiens, pendant des décennies, ont mis très longtemps à prendre en compte nos témoignages, et chaque fois que j'y pense, j'éprouve le même sentiment de colère. Mais nous étions, pour eux, des victimes, et nos témoignages étaient donc subjectifs et partiaux. Pendant de longues années, la Shoah n'intéressait personne. […] Mais aussi, par la suite, l'incompréhension voire l'indifférence manifestée à notre égard, comme si nos souffrances étaient trop lourdes pour être partagées, même auprès de nos proches. Et pourtant, pour les rescapés, témoigner est un besoin essentiel, voire une nécessité morale, un devoir envers ceux que l'on a vu mourir.

Extrait du discours de Simone Veil, rescapée d'Auschwitz, « Auschwitz plus jamais », Amsterdam, 26 janvier 2006.

2 Plaque apposée dans une gare parisienne à la mémoire des juifs de France déportés

Depuis 1979, de nombreuses associations, comme celle de Serge Klarsfeld (présent sur la photographie), dépouillent les archives pour retrouver les noms et reconstituer l'itinéraire des 76 000 juifs de France qui ont été déportés vers les camps de la mort.

DE LA GARE DE PARIS-AUSTERLITZ
FURENT DIRIGÉS SUR LES CAMPS
DE PITHIVIERS ET DE BEAUNE-LA-ROLANDE,
AVANT D'ÊTRE DÉPORTÉS ET ASSASSINÉS À AUSCHWITZ :
3 700 JUIFS, TOUS DES HOMMES, LE 14 MAI 1941
ET, DU 19 AU 22 JUILLET 1942,
7 800 JUIFS, DONT LES 4 000 ENFANTS DE
LA RAFLE DU VÉLODROME D'HIVER,
ARRÊTÉS DANS L'AGGLOMÉRATION PARISIENNE
À LA DEMANDE DE L'OCCUPANT ALLEMAND
PAR LA POLICE DE L'AUTORITÉ DE FAIT
DITE "GOUVERNEMENT DE L'ÉTAT FRANÇAIS"
N'OUBLIONS JAMAIS !

Les Fils et Filles des Déportés Juifs de France.

3 L'histoire de la mémoire de la Shoah, sujet de débat entre historiens

François Azouvi. – Je partageais l'idée largement diffuse selon laquelle il y avait eu un silence généralisé en France sur la Shoah après 1945. J'ai ensuite commencé à dépouiller systématiquement un ensemble de journaux, revues et périodiques français publiés dès le lendemain de la Libération et à ma grande surprise, j'ai découvert que l'extermination des Juifs n'a pas fait l'objet de ce grand silence que certains ont décrit pendant de nombreuses années [...].

Henry Rousso. – [...] Si la Shoah est certes présente, elle ne constitue pas en revanche un problème public majeur pour la société, comme c'est le cas à partir des années 1980.

F. A. – [...] La conscience de la Shoah se propage par cercles concentriques. On part d'un petit noyau restreint : les élites intellectuelles. [...] Mais ce monde restreint s'étend très vite et dès les années 1950. On sort du cadre des intellectuels, et l'opinion publique commence à être concernée par la Shoah. [...] Ce qui est en revanche très tardif, c'est précisément la saisie de l'événement par l'État. [...]

H. R. – Toute mon analyse de la mémoire de la Shoah en France repose sur l'idée de rupture [...]. Contrairement à ce qu'affirme François Azouvi, on change radicalement d'échelle parce que la Shoah devient dans les années 1980 une question publique structurelle de la conscience collective internationale. Ce qui n'est absolument pas le cas entre 1945 et 1960.

F. A. – Henry Rousso a parfaitement raison, il existe un « syndrome de Vichy » qui vise à occulter cette face sombre de la France. Dès que la mémoire de Vichy refait surface dans les années 1970, on a tendance à l'agréger à la mémoire de l'extermination des juifs. On en fait un bloc, ce qui me paraît erroné dans la mesure où la mémoire de la Shoah n'a jamais été occultée en France, contrairement à celle de Vichy.

Propos recueillis par Nicolas Zomersztajn pour *Regards*, la revue du Centre communautaire laïc juif, 5 mars 2013.

4 Papon condamné pour complicité de crime contre l'humanité

Une de *Libération*, 3 avril 1998.

Haut fonctionnaire et homme politique important de la Vᵉ République (préfet de police de Paris de 1958 à 1967, ministre du Budget de 1978 à 1981), Maurice Papon est condamné à 10 ans d'emprisonnement par la cour d'assises de la Gironde en 1997. Il est reconnu coupable de complicité dans l'envoi de plusieurs convois de juifs vers les camps de la mort entre 1942 et 1944 alors qu'il était secrétaire général de la préfecture de la Gironde.

Questions

Des mémoires progressivement révélées

1. Doc. 1 : Qu'est-ce qui explique la difficile prise en compte de la parole des témoins dans l'espace public au sortir de la guerre ?

2. Doc. 2 et 4 : Comment la mémoire de la Shoah s'impose-t-elle dans l'espace public ?

Des mémoires objets d'histoire

3. Doc. 3 : Sur quel point l'analyse de ces deux historiens diffère-t-elle ?

4. Doc. 1 à 4 : Sur quelles sources et quels acteurs l'historien s'appuie-t-il pour écrire l'histoire de la Shoah ?

Vers la composition du BAC

Capacités et méthodes : I. 1. Nommer et périodiser les continuités et ruptures chronologiques.

En prenant des exemples précis dans les documents proposés, vous rédigerez un paragraphe construit qui montre comment la mémoire de la Shoah a évolué depuis 1945 et comment elle s'est imposée dans l'espace public.

Le cinéma joue un rôle important dans l'histoire des mémoires de la Seconde Guerre mondiale. Il est un **reflet de son époque** et témoigne de la mémoire dominante d'une période. Mais il contribue aussi à faire évoluer les mémoires ou à les différencier. Ainsi, les films *La Bataille du rail* en 1946 et *Shoah* en 1985 illustrent deux temps des mémoires de la Seconde Guerre mondiale. Les **affiches** qui les présentent au public, par les thèmes qu'elles évoquent, par les choix graphiques qu'elles opèrent, permettent d'analyser **l'itinéraire de ces mémoires**.

> **En quoi les affiches témoignent-elles de l'évolution des mémoires de la Seconde Guerre mondiale en France ?**

1 1946, *La Bataille du rail,* des héros ordinaires

Affiche de *La Bataille du rail*, René Clément, 1946.

La Bataille du rail est le premier film qui traite de la résistance ferroviaire en France. Il connaît un grand succès populaire et reçoit en 1946 le Grand Prix international du premier Festival de Cannes. Il raconte sur un mode qui se veut réaliste la participation des cheminots à la Résistance et à la Libération. Afin de donner à son œuvre un statut de document, René Clément recueille quantité de témoignages et choisit de faire appel à de vrais cheminots, et non à des acteurs professionnels. La voix *off* qui décrit les actions de résistance des cheminots dans la première partie du film renforce l'impression de vérité. Le film exalte l'héroïsme d'hommes dévoués à la lutte contre l'occupant, parfois au prix de leur vie. Aucune allusion n'est faite à la collaboration ni au rôle tenu par la SNCF dans le transport des convois de déportés.

FICHE TECHNIQUE
- **Réalisateur** : René Clément (1913-1996).
- **Commanditaires** : Comité national de libération du cinéma français (fondé par des résistants) et groupe Résistance-Fer (proche du Parti communiste) ; SNCF ; Service cinématographique aux armées.
- **Tournage** : 5 semaines en mars-avril 1945.
- **Prises de vues** : tournées avec le matériel et dans les ateliers de la SNCF, avec des balles réelles ; tanks et canons pris aux Allemands.
- **Genre** : fiction.
- **Durée du film** : 90 min.
- **Sortie en salles** : 1946.

2 1985, *Shoah*, l'ère du témoin

Affiche de *Shoah*, Claude Lanzmann, 1985.

Le film *Shoah* de Claude Lanzmann sort en salles en 1985. Refusant l'utilisation de toute image de l'époque des faits, le réalisateur compose un film de neuf heures et demie à partir d'entrevues de victimes, de criminels, de témoins et de prises de vues des lieux où le génocide a été perpétré. Son impact est tel que le titre du film, *Shoah*, s'impose depuis pour désigner l'extermination des juifs d'Europe.

FICHE TECHNIQUE

- **Réalisateur** : Claude Lanzmann (né en 1925).
- **Tournage** : 350 heures de prises de vues réalisées entre 1974 et 1981.
- **Prises de vues** : sur les lieux du génocide.
- **Personnages** : témoins de la Shoah (victimes, criminels, témoins).
- **Genre** : une « non-fiction » selon C. Lanzmann.
- **Durée du film** : 9 h 30.
- **Sortie en salles** : 1985.

Questions

Des choix graphiques au service de mémoires différentes

1. Décrivez chaque affiche : composition d'ensemble, couleurs dominantes, typographie utilisée.
2. Comment la couleur rouge est-elle utilisée dans chacune des affiches ? Pourquoi ?
3. Comparez la façon dont les hommes sont représentés. Quels acteurs de la guerre ces affiches mettent-elles prioritairement en avant ?

Des affiches témoins et acteurs de l'évolution des mémoires

4. Que pouvez-vous déduire de la différence de composition des deux affiches ?

5. À quel genre cinématographique les deux films appartiennent-ils ?
6. De quelle période mémorielle de la Seconde Guerre mondiale chaque affiche témoigne-t-elle ?

Vers l'analyse de documents du BAC

Capacités et méthodes :
I. 2. Mettre en relation des faits ou événements de natures, de périodes différentes.

À partir de l'étude des affiches de *La Bataille du rail* et de *Shoah*, vous montrerez en quoi elles témoignent des mémoires de leur époque.

L'historien et la construction des mémoires de 1945 aux années 1970

> Comment les mémoires de la Seconde Guerre mondiale se sont-elles construites en France jusqu'aux années 1970 ?

A L'historien et les mémoires immédiates d'après-guerre

a. La guerre, un événement générateur de mémoires plurielles

■ Le traumatisme de la défaite et l'Occupation, la collaboration pronazie de l'État français, les résistances intérieure et extérieure, les victimes par milliers, font de la période 1940-1945 des « années noires ». Elles ont **profondément divisé les Français** et affaibli le pays, tant matériellement que moralement.

■ Aussi, il n'existe aucune mémoire unanime de ces « années noires » : chaque groupe porteur de mémoire **voit le passé en fonction de ce qu'il a vécu et l'interprète à partir de son expérience**. Le travail de l'historien permet de comprendre quelle mémoire s'impose avec plus ou moins de force selon les circonstances et selon le poids politique et social du groupe qui la porte.

b. Le contexte de l'après-guerre

■ Au lendemain de la guerre, **la priorité est à l'unité nationale** et à la reconstruction du pays. Après l'épuration de l'immédiat après-guerre, qui vise à mettre à l'écart ceux qui ont collaboré avec les nazis, l'heure est à la réconciliation. En dépit des vifs débats qu'elles provoquent, des lois d'amnistie sont votées par le Parlement, annulant les inculpations concernant les délits mineurs d'abord, puis l'ensemble des crimes, exceptés les plus graves. La **volonté de refermer la période sombre de Vichy** explique que celle-ci soit alors présentée comme une parenthèse de l'histoire et que son souvenir soit refoulé.

■ À cet enjeu de politique intérieure s'ajoute la question de la **place de la France** dans le **nouveau rapport de forces international** qui est en train de s'établir. Pour s'imposer dans le camp des Alliés victorieux de la guerre, le pays doit apparaître uni et faire oublier sa collaboration avec le régime nazi.

c. Le difficile travail des premiers historiens

■ Dans ce contexte, **le travail des historiens peine à s'affranchir de la pensée dominante**. Dès les années 1950, certains d'entre eux interrogent la nature de la collaboration du régime de Vichy avec l'Allemagne nazie. Mais l'ouvrage qui s'impose est l'*Histoire de Vichy* de Robert Aron, qui défend l'idée que Pétain a joué le rôle de « bouclier » pour protéger les Français et que la collaboration lui a été imposée par les nazis. Or son analyse s'appuie sur les arguments développés par la défense de Pétain lors de son procès et non sur les archives du régime, véhiculant ainsi une **vision faussée de la période**.

■ Les enjeux politiques expliquent que, dès la fin de la guerre, **deux mémoires principales, gaullienne et communiste, s'imposent** dans l'espace public. Elles se rejoignent dans leur **volonté de mettre en avant la Résistance** dans le souvenir à garder du second conflit mondial. C'est ce que l'historien Henry Rousso appelle le résistancialisme.

B Jusqu'aux années 1970, le résistancialisme s'impose face aux autres mémoires

a. Le résistancialisme gaullien

■ La présence du général de Gaulle au pouvoir, de 1944 à 1946 puis de 1958 à 1969, impose la **mémoire gaullienne** comme **mémoire d'État officielle**. Pour retrouver l'unité et la grandeur nationales, la France est présentée comme ayant été, dans son cœur, **unanimement résistante** derrière le général de Gaulle. L'héroïsme et l'efficacité de la Résistance sont mis en avant au détriment de l'action des Alliés, la Résistance est

---

Groupe porteur de mémoire : ensemble d'individus partageant une même mémoire collective.

➤ Tableau des groupes porteurs de mémoire, p. 24

➤ Discours du général de Gaulle, 25 août 1944, p. 28

➤ Censure de *Nuit et Brouillard* d'Alain Resnais, p. 30

Lois d'amnistie : lois votées en 1946, 1947, 1951 et 1953, qui annulent les inculpations pour certaines catégories de crimes. Elles témoignent de la volonté d'oubli d'après-guerre.

➤ Le mythe du bouclier et de l'épée de Robert Aron, p. 30

➤ Affiche de *La Bataille du rail* de René Clément, p. 34

Résistancialisme : voir p. 28.

Henry Rousso
(1954-)
➤ Biographie p. 443

célébrée par-delà ses divisions. Cette mémoire occulte ainsi le rôle du régime de Vichy et la collaboration.

■ **Elle s'incarne dans des lieux** comme le Mémorial de la France combattante inauguré le 18 juin 1960 au mont Valérien. Les **commémorations** officielles se développent. Des **actions pédagogiques** à destination de la jeunesse sont menées, comme le concours national de la Résistance et de la Déportation créé en 1961 pour enraciner cette mémoire et exalter l'œuvre des résistants. En 1964, les cendres de Jean Moulin sont transférées au Panthéon, marquant **l'apogée du résistancialisme**.

b. Le résistancialisme communiste

■ Le Parti communiste bénéficie du prestige de l'URSS dans sa lutte contre le nazisme. Il se revendique comme le **« parti des 75 000 fusillés »** (exagérant le nombre de ses martyrs) et comme un acteur essentiel de la libération intérieure, vue comme un **combat du peuple opprimé** contre l'occupant. Il devient la première organisation politique française et recueille 28,3 % des voix aux élections législatives de 1946.

■ Dans le contexte de guerre froide, les communistes entendent bien **ne pas laisser le monopole du souvenir de la Résistance aux gaullistes**. Parallèlement aux manifestations officielles auxquelles ils participent, ils organisent de nombreuses commémorations. **Leur mémoire s'incarne dans des figures héroïques**, comme celle de Guy Môquet, symbole des sacrifices du parti dans sa lutte contre l'oppression nazie et le régime de Vichy.

c. D'autres mémoires passées sous silence

■ Cette domination des mémoires gaullienne et communiste laisse **peu de place à l'expression d'autres mémoires**. Portées par des groupes moins influents ou considérées comme honteuses, elles sont souvent occultées. L'historienne Évelyne Marsura parle ainsi de la **« mémoire repliée »** des prisonniers de guerre qui symbolisaient la défaite, à l'heure où l'on souhaitait se ranger parmi les vainqueurs.

■ Dès la guerre, des historiens et des témoins s'attachent à conserver des traces du génocide juif pour en faire l'histoire. En 1956 est inauguré à Paris le Mémorial du martyr juif inconnu. Pourtant, **les rescapés des camps peinent à se faire entendre** et l'historienne Annette Wieviorka évoque le **« grand silence »** qui entoure le retour des survivants de la Shoah.

C Le tournant des années 1970

a. Un contexte propice à la relecture du passé

■ Les années 1970 sont un **tournant majeur dans l'historiographie de la Seconde Guerre mondiale**. La mort du général de Gaulle en 1970, le déclin du Parti communiste et l'arrivée à l'âge adulte de la génération née après la guerre permettent le **réexamen critique du comportement des Français et de l'État** pendant l'Occupation.

■ Le développement de thèses négationnistes provoque la mobilisation des associations juives, comme celle des époux Klarsfeld, qui font un travail d'histoire en s'attachant à dresser le bilan du génocide et à rechercher les responsables de la Shoah encore en vie pour les traduire devant la justice.

b. L'ère du témoin

■ Le procès du criminel nazi Eichmann en 1961 à Jérusalem libère la parole des victimes du génocide. La **mémoire juive** de la déportation s'impose alors dans le débat public. C'est le début de ce que les historiens appellent l'**« ère du témoin »**.

■ L'inquiétude provoquée par les guerres au Moyen-Orient (la guerre des Six Jours en 1967 et la guerre du Kippour en 1973) réactive le sentiment d'appartenir à une communauté menacée et rend le **travail de mémoire de la Shoah indispensable**.

Charles de Gaulle
(1890-1970)
▶ Biographie p. 442

➤ Photographie du mont Valérien, p. 29

➤ Affiche du Parti des Fusillés, p. 28

➤ Témoignage de Simone Veil, discours de 2006, p. 32

Shoah : voir p. 32.

Historiographie : voir p. 24.
Négationnisme : position qui remet en cause l'existence du génocide des juifs pendant la Seconde Guerre mondiale.

➤ Plaque commémorative, p. 32

Serge Klarsfeld
(1935-)
▶ Biographie p. 442

L'historien et le renouvellement des mémoires des années 1970 à nos jours

> **Comment le travail des historiens a-t-il contribué à l'évolution des mémoires de la Seconde Guerre mondiale depuis les années 1970 ?**

A Le basculement des représentations de la période de guerre

a. La remise en cause du résistancialisme dans les années 1970

■ En 1971, le film de Marcel Ophüls, *Le Chagrin et la Pitié*, modifie radicalement le regard sur la France de l'Occupation. La **Résistance** y est présentée comme un **phénomène minoritaire**. La population française y apparaît comme majoritairement maréchaliste voire pétainiste et au mieux attentiste face aux persécutions subies par les juifs. Refusé par la télévision publique, le film attire plus de 500 000 spectateurs lors de sa sortie en salles. Son impact est considérable car, comme par un **effet de retour de balancier** par rapport aux mémoires dominantes qui le précèdent, il propage l'image d'une France plutôt lâche et veule, loin des représentations qu'en donnait jusque-là la mémoire officielle.

■ En 1973, **l'historien américain Robert Paxton publie *La France de Vichy***. Il y révèle, grâce à son travail sur les archives allemandes, le **rôle de complice actif et volontaire de l'État français** du maréchal Pétain auprès des nazis dans la **déportation de 76 000 juifs** de France. Cet ouvrage ouvre la voie à de nombreux autres travaux historiques sur ces années sombres.

b. À partir des années 1980, la mémoire centrale de la Shoah

■ Plusieurs **procès, très médiatisés**, jouent un rôle essentiel dans l'affirmation de la mémoire de la Shoah au cœur de l'espace public. En 1987, Klaus Barbie, l'officier SS tortionnaire de Jean Moulin, est condamné à la prison à perpétuité pour crime contre l'humanité. Les condamnations de **hauts fonctionnaires vichyssois**, comme Paul Touvier (1994) ou Maurice Papon (1998), pour **complicité de crimes contre l'humanité** établissent de manière irréfutable le **rôle joué par l'État français dans la déportation des juifs**.

■ Lors de ces procès, **des historiens**, comme Robert Paxton, René Rémond ou François Bédarida, sont **appelés à la barre en tant que « témoins »** pour éclairer le contexte historique des « années noires ». Cette participation divise la communauté des historiens. Henry Rousso considère ainsi que « la capacité d'expertise [de l'historien] s'accommode assez mal des règles et des objectifs qui sont ceux d'une juridiction de jugement », posant dès lors la question du rôle social de l'historien.

B Travaux d'historiens et « devoir de mémoire » depuis les années 1990

a. Évolution des mémoires de la guerre grâce au travail des historiens

■ En 1995, **le président de la République Jacques Chirac reconnaît officiellement la responsabilité de la France dans la déportation des juifs**. Son discours rompt avec la mémoire d'État officielle qui s'était imposée depuis la fin de la guerre. Il rend en même temps **hommage aux « Justes »**, ces anonymes qui ont aidé les victimes de la Shoah durant les « années noires », intégrant ainsi dans la mémoire nationale les travaux des historiens sur cette période.

Maréchalisme : attachement à la personne du maréchal Pétain.

Pétainisme : approbation de la politique menée par le régime de Vichy.

➤ Interview de l'historien Jean-Pierre Azéma, p. 29

➤ *La France de Vichy* de Robert Paxton, p. 31

Robert Paxton
(1932-)
➤ Biographie p. 443

Crime contre l'humanité : voir p. 32.

➤ Condamnation de Maurice Papon, une de *Libération*, p. 33

« Devoir de mémoire » : expression apparue dans les années 1990 qui désigne le devoir moral de se souvenir d'un événement traumatisant afin de rendre hommage aux victimes.

Jacques Chirac
(1932-)
➤ Biographie p. 442

➤ Discours de J. Chirac, 16 juillet 1995, p. 31

■ L'image d'une France majoritairement attentiste et donc complice, qui a succédé dans les années 1970 au mythe résistancialiste gaullien, a cédé la place à une **vision plus nuancée de la société française durant les « années noires »**. De nouveaux travaux d'historiens voient le jour, comme ceux de Pierre Laborie sur le comportement des Français sous l'Occupation. Ils ne remettent pas en cause le caractère très minoritaire de la Résistance armée intérieure mais démontrent qu'elle n'a pu tenir que grâce au soutien silencieux d'une partie de la population.

➤ Interview de l'historien P. Laborie, p. 29

b. Mémoires et histoire : des objectifs différents

■ Face au « devoir de mémoire » qu'exige une partie de la société, le Parlement a voté depuis le début des années 1990 plusieurs lois mémorielles. Bien que de natures différentes, elles ont entraîné **l'inquiétude de certains historiens** qui voient un danger à ce que le politique se mêle de la recherche et de l'enseignement en histoire. Les signataires de la pétition de 2005 « Liberté pour l'histoire » estiment ainsi que « dans un État libre, il n'appartient ni au Parlement ni à l'autorité judiciaire de définir la vérité historique ».

■ L'histoire et la mémoire obéissent à des objectifs différents. Parce qu'ils visent à la **compréhension la plus objective possible du passé**, les historiens doivent **analyser les mémoires, les confronter à d'autres sources**, en travaillant par exemple sur les archives de la période. C'est seulement de cette confrontation que peut jaillir une **vérité historique qui reste toujours complexe, relative et évolutive**, comme en témoignent les nouveaux domaines sur lesquels travaillent les historiens.

> **Loi mémorielle** : loi établissant une vérité officielle sur un événement historique.
> **Histoire** : voir p. 24.
> **Mémoire** : voir p. 24.

➤ Entretien avec Daniel Cordier, p. 26

C L'histoire contemporaine de mémoires oubliées

a. L'affirmation de mémoires occultées

■ Les historiens s'attachent aujourd'hui à questionner d'autres mémoires dont les destins ont occupé une moindre place dans le débat public. Ainsi en est-il du **génocide perpétré contre les Tziganes** : « Combien de personnes ignorent encore, écrit Simone Veil, que les Tziganes furent persécutés, exterminés, que 40 % d'entre eux périrent pendant la Seconde Guerre mondiale ? » Cette indifférence vis-à-vis de « mauvaises victimes », selon l'expression de l'historien Emmanuel Filhol, s'explique par la **longue marginalisation subie par les Tziganes**, y compris après 1945, puisqu'une bonne partie d'entre eux est restée enfermée dans des camps d'internement encore un ou deux ans après la Libération.

■ Il aura fallu attendre 2010 pour que les **« Malgré-Nous »** soient **reconnus officiellement comme victimes du nazisme**. Les historiens se penchent aujourd'hui sur l'histoire, plus méconnue encore, des 15 000 **« Malgré-Elles »** auxquelles le Mémorial d'Alsace-Moselle consacre en 2013 une exposition.

> **« Malgré-Nous »** : terme utilisé pour qualifier les 130 000 Alsaciens et Mosellans incorporés de force dans l'armée allemande ; entre 30 000 et 40 000 d'entre eux mourront au combat ou en captivité.
> **« Malgré-Elles »** : terme utilisé pour qualifier les 15 000 femmes originaires d'Alsace et de Moselle incorporées de force entre 1942 et 1945 dans différentes structures nazies.

b. Une histoire toujours en chantier

■ L'histoire des **enfants « nés de l'ennemi »**, c'est-à-dire de couples franco-allemands pendant la guerre, est **emblématique de ces mémoires oubliées et honteuses** qui ressurgissent lorsque le présent autorise leur questionnement. L'historien Fabrice Virgili montre que le parcours de ces enfants ne devient digne de l'intérêt de la recherche que dans le contexte d'une Europe épargnée par les guerres, en quête d'une identité commune et partagée, comme en témoignent les cérémonies officielles qui associent dans le devoir de mémoire les responsables français et allemands.

■ En interrogeant ces nouveaux champs historiques, les historiens cherchent à mettre en lumière **tous les acteurs** de la période de la Seconde Guerre mondiale, sans se laisser exclusivement guider dans leur réflexion par les mémoires des groupes dominants.

➤ Photographie des présidents français et allemand à Oradour-sur-Glane, p. 23

Prépa BAC

SUJET GUIDÉ

L'historien et le renouvellement des mémoires de la Seconde Guerre mondiale en France depuis les années 1970.

1 Analyser le sujet

MÉTHODE	MISE EN ŒUVRE
Repérer les mots-clés dans l'énoncé et les expliquer.	Répondez aux questions des encadrés ci-dessous.

L'historien et le renouvellement **des mémoires de la Seconde Guerre mondiale en France** depuis les années 1970.

Interrogez-vous sur le rôle de l'historien et la relation qu'il entretient avec la mémoire.
Repères p. 24

Qu'entend-on par « renouvellement » :
– une rupture totale ?
– un changement important ?
– une continuité ?

Justifiez le pluriel du mot « mémoire ».
Repères p. 24

Quelle est l'importance de cette borne chronologique ?
Révision p. 45

2 Présenter le sujet

MÉTHODE	MISE EN ŒUVRE
La présentation du sujet doit tenir compte des mots-clés, des bornes chronologiques et spatiales. Elle annonce ce que l'on veut démontrer dans les paragraphes de la composition.	Parmi les trois phrases suivantes, laquelle correspond le mieux au sujet ? Justifiez votre réponse.

1. Le rôle de l'historien dans le renouvellement des mémoires de la Seconde Guerre mondiale en France depuis les années 1970.

2. Les historiens et l'étude des mémoires de la Seconde Guerre mondiale depuis 1945.

3. Les évolutions des mémoires de la Seconde Guerre mondiale en France depuis les années 1970.

7 Comment présenter votre devoir ?

MÉTHODE	MISE EN ŒUVRE
	Voici un modèle de composition avec un premier paragraphe entièrement rédigé. Dans les paragraphes 2 et 3, partiellement rédigés :

– complétez les connecteurs logiques manquants en utilisant la liste suivante : ainsi ; aussi ; cependant ; donc ; mais ;
– donnez des exemples, chaque fois que cela est demandé.

Les mémoires de la Seconde Guerre mondiale en France sont variées et portées par des acteurs multiples. Les historiens, pour qui elles constituent une ressource et un objet d'études, ont contribué à les faire connaître et à en faire une lecture historique notamment depuis les années

• L'introduction doit :
– définir les termes du sujet afin d'en présenter l'intérêt ;
– annoncer le plan.

• Chaque [paragraphe] comporte une phrase d'introduction, des idées essentielles, des exemples pris dans vos connaissances personnelles, des connecteurs logiques et une phrase de conclusion-transition.

• La conclusion doit faire le bilan de la composition.

1970, période où les sources deviennent plus nombreuses. **Quel est donc le rôle de l'historien dans le renouvellement des mémoires de la Seconde Guerre mondiale en France depuis les années 1970 ?** *On rappellera d'abord le contexte favorable à ce renouvellement. Puis, on analysera le travail de l'historien face à la mémoire officielle et enfin son rôle face à l'émergence de mémoires plurielles.*

[*Depuis les années 1970, le contexte est favorable au renouvellement des mémoires.*
À la fin des années 1960, un réexamen critique de l'histoire officielle est possible. Avec le départ du général de Gaulle du pouvoir et le déclin du parti communiste, la critique des deux mémoires dominantes se développe. Ainsi, le culte d'une France massivement résistante, le résistancialisme, est-il remis en cause.
Par ailleurs, une **nouvelle génération d'historiens** *apparaît. Nés après la guerre ou étrangers, ils portent un regard nouveau sur le conflit. C'est le cas en 1973, de l'historien américain* Robert Paxton *qui publie la France de Vichy. Il y révèle le rôle de complice actif de l'État français du maréchal Pétain auprès des nazis dans la déportation des juifs.*
L'accès à de nouvelles sources *permet aussi cette évolution. Les historiens se penchent sur les* archives *à l'image de Paxton, qui dépouille les télégrammes et notes envoyés par Vichy à Berlin. La recherche de* témoins *participe également à la connaissance. Des associations de déportés juifs s'attachent à rechercher les responsables survivants de la Shoah pour les traduire devant la justice et dresser le bilan le plus précis possible du génocide.*
Une nouvelle vision de la Seconde Guerre mondiale devient possible alors en France.]

[*La mémoire officielle se retrouve ... soumise au regard et à la critique de l'historien.*
La **mémoire officielle** *a longtemps présenté une vision sélective de la guerre...*
Le travail des historiens, notamment leur participation à des procès en tant qu'experts, a favorisé l'évolution de cette mémoire vers une **reconnaissance de la pluralité des acteurs et des vécus**...

➡ **Citez deux exemples de procès.** `Cours 2 p. 38`

..., la tentation des politiques d'établir des vérités historiques officielles soulève le **débat entre histoire et mémoire**...
Au-delà des polémiques, les travaux des historiens permettent une meilleure connaissance de la période de guerre.]

[*Ils rendent ... compte de la complexité de cette période.*
De nouvelles mémoires émergent *qui sont autant de sujets d'étude pour les historiens...*

➡ **Citez deux exemples de nouvelles mémoires étudiées par les historiens.**
`Cours 2 p. 39`

Face à ces mémoires plurielles, le **travail des historiens** *consiste à questionner tous les acteurs de la guerre...*
..., l'historien doit aussi faire face à la **concurrence des mémoires**...
Le rôle de l'historien est ... de présenter de la façon la plus objective cette période tourmentée.]

Les historiens ont permis par leurs travaux d'éclairer d'un jour nouveau l'histoire de la Seconde Guerre mondiale et d'en renouveler les mémoires. Cependant, face au devoir de mémoire que réclame la société actuelle, les historiens sont sans cesse obligés de rappeler que leur rôle est d'expliquer et non de commémorer ou de soutenir des vérités « officielles ».

le +

Vous donnerez un « plus » à votre travail :

– en annonçant une **problématique** sous forme de question dans l'introduction (après la présentation du sujet et avant l'annonce du plan) ;

– en allant à la ligne avec un alinéa après avoir développé une idée essentielle dans un paragraphe : retour à la ligne et alinéa ;

– en prolongeant le sujet dans la conclusion après avoir fait le bilan de la composition.

SUJET EN AUTONOMIE

L'historien et les mémoires de la Résistance et de la collaboration en France depuis la fin de la Seconde Guerre mondiale.

Prépa BAC

1 Analyser la consigne (p. 43, 67, 97, 125, 153, 183, 205)

2 Prélever des informations (p. 43, 67, 97, 125, 183, 205)

3 Apporter des connaissances (p. 97, 125, 183, 205)

4 Confronter les documents (p. 153, 205)

5 Rédiger l'analyse (p. 205)

6 Comment présenter votre devoir ? (p. 43, 67-68)

SUJET GUIDÉ

L'historien et les mémoires officielles de la Seconde Guerre mondiale en France.

CONSIGNE : Vous montrerez ce que révèle ce texte sur les responsabilités de l'État français. Puis vous soulignerez le rôle des historiens dans la connaissance de la Seconde Guerre mondiale et les limites de leur action.

Déposition de Robert Paxton au procès Papon (31 octobre 1997)

L'historien américain R. Paxton est appelé à comparaître comme témoin devant la cour d'assises de Bordeaux lors du procès de Maurice Papon, ancien secrétaire général de la préfecture de Gironde pendant la période de Vichy et accusé de « complicité de crime contre l'humanité ». R. Paxton s'exprime sans notes.

Il faut dire que les nazis avaient besoin de l'administration française. [...] Il y a un thème qui se retrouve partout dans la correspondance des autorités allemandes avec Berlin, c'est le manque de personnel. [...] Dans les documents allemands, on trouve par exemple, en juillet 1942, c'est le moment des rafles, la demande de l'envoi de 150 hommes. Ils n'en recevront que quatre. Il y a donc un manque de personnel chez les Allemands, ils ont besoin de l'administration française [...].

Un tournant a lieu en juin 1943, quand le régime de Vichy commence à prendre ses distances, un petit peu, avec ces opérations qui ont un effet si négatif sur l'opinion publique. L'administration participe en 1943 avec beaucoup plus de réticences à ce genre d'opérations. [...] Jusqu'alors, les Allemands se sont félicités du comportement de l'administration et de la police française. Fin 1943, les nazis envoient des rapports à Berlin disant que ça devient de plus en plus difficile.

Il y a ce tournant, et on voit le résultat sur les chiffres de la déportation. La première année, avec la coopération brutale de la police française, ce sont 42 000 juifs qui partent. En 1943, ça tombe radicalement à 16 000 à peu près. Il y a un ralentissement considérable et cela, pour plusieurs raisons : problèmes de transport et réticence de l'administration. [...] Cela ne veut pas dire que l'attitude de l'administration française est le seul facteur mais on voit le résultat : 76 000 sur 300 000, on entend souvent dire que ce résultat n'est pas si mauvais. C'est une logique qui semble très puissante, et on croit très généralement en France que c'est le régime de Vichy qui a limité les dégâts. [...] Pour expliquer ce chiffre de 76 000, il faut suivre tout le déroulement du processus, il faut examiner tous les facteurs et ils sont multiples, qui ont pu influer sur le nombre de juifs déportés : les possibilités d'évasion, la difficulté de trouver les juifs, les difficultés de transport, les rapports avec l'administration locale, la nature de la population juive, est-ce qu'ils sont facilement repérables ou pas ? Est-ce qu'ils sont assimilés ou pas ? [...] Les juifs citoyens français sont très intégrés, mais le régime de Vichy a rendu cette population beaucoup plus vulnérable, et cela de plusieurs façons : il y a le célèbre fichier des juifs de France, et je vous signale, ce sont des citoyens français aussi bien qu'étrangers. Les lois antijuives sont dirigées contre tous les juifs, y compris les citoyens. Aucun effort pour protéger les citoyens, au début. Donc, les juifs de France, les citoyens et les autres sont répertoriés, ils sont marqués. Il est vrai que le maréchal Pétain, il était parfois capable de dire non, a refusé le port de l'étoile en zone sud, mais quand même, les cartes de rationnement et les cartes d'identité étaient tamponnées en rouge « Juif ».

Le Procès de Maurice Papon, Albin Michel, 1998.

1 Analyser la consigne

MÉTHODE

Il faut distinguer les différentes parties de la consigne, relever les termes essentiels et les définir.

MISE EN ŒUVRE

« Vous montrerez ce que révèle ce texte sur les responsabilités de l'État français. Puis vous soulignerez le rôle des historiens dans la connaissance de la Seconde Guerre mondiale et les limites de leur action. »

1. À quoi correspond l'État français en 1942-1943 ?

2. Quel sens peut-on donner au mot « responsabilités » ?

3. Quel rôle est ici assigné aux historiens ? Pourquoi ?

4. Qui montre les limites de l'action des historiens en remettant en cause leur travail ?

2 Prélever des informations

MISE EN ŒUVRE

À quelle partie de la consigne correspond le texte surligné en bleu dans le document ? En vert ?

6 Comment présenter votre devoir ?

MÉTHODE

Chaque paragraphe comporte des idées essentielles, des informations extraites des documents, des connaissances personnelles. Des connecteurs logiques permettent de donner de la cohérence à l'analyse.

MISE EN ŒUVRE

Voici un exemple de devoir partiellement rédigé. Donnez des exemples chaque fois que cela est demandé.

Dans sa déclaration en 1997, Robert Paxton évoque les responsabilités de l'État français pendant la Seconde Guerre mondiale. Ses propos illustrent le travail des historiens afin de mieux connaître cette période controversée. ⏎

Durant la période 1940-1944, l'État français dirigé par Pétain depuis Vichy définit une politique relayée par de hauts fonctionnaires tel Maurice Papon, alors secrétaire général de la préfecture de Gironde. Cette politique fait le choix de la collaboration avec l'Allemagne nazie ce qui permet aux Allemands de « se féliciter du comportement de l'administration et de la police française ». Un des aspects de cette collaboration est la politique antijuive mise en œuvre par Vichy avec les lois « dirigées contre tous les juifs y compris les citoyens » français ainsi que le marquage « des cartes de rationnement et des cartes d'identité tamponnées en rouge "Juifs" ». ⏎

Ainsi, grâce à « la coopération brutale de la police française » lors des rafles comme celle du Vel' d'Hiv' en juillet 1942, l'État français participe à la déportation de 76 000 juifs. Cependant, en évoquant la prise de distance et les réticences du gouvernement de Vichy vis-à-vis de ces opérations à partir de 1943, Paxton cherche à établir la réalité historique. ⏎

Les historiens participent à des procès en tant qu'experts dans les années 1990.

➡ **À quel type de procès participent certains historiens ?** `Document p. 42`

➡ **Pourquoi Robert Paxton est-il reconnu comme expert ?** `Cours 2 p. 38`

Ainsi, les historiens ont fait évoluer les mémoires de la guerre par leurs travaux sur de nouvelles sources et la mise en relation des faits.

➡ **Citez une source utile aux historiens.** `Document p. 42`

Cependant, cette approche pose la question de la relation entre histoire et mémoire.

➡ **Quelles questions suscite la participation des historiens à des procès ?** `Cours 2 p. 38-39`

Malgré des contestations concernant leur rôle, le travail des historiens a permis une meilleure connaissance de cette période de la Seconde Guerre mondiale.

le +

Vous donnerez un « plus » à votre travail :

– en débutant par une **courte introduction** comportant une annonce des deux paragraphes traités ;

– en allant à la ligne avec un alinéa après avoir développé une idée essentielle dans un paragraphe : ⏎ retour à la ligne et alinéa ;

– en terminant par une **courte conclusion** qui fait le bilan de l'analyse.

Les mémoires de la Seconde Guerre mondiale en France.

CONSIGNE : À partir de l'étude du document, vous expliquerez pourquoi le film de Marcel Ophüls *Le Chagrin et la Pitié* constitue un tournant dans l'histoire de la mémoire de la période de l'Occupation en France.

Le choc du *Chagrin et la Pitié*

Ce film, vous ne le verrez pas sur le petit écran auquel il était destiné. On tient en haut lieu les Français incapables de se regarder dans une glace, tels qu'ils furent, tels qu'ils se dépeignent eux-mêmes, tels qu'ils se jugent.

Tout le monde le sait mais il ne faut pas le dire. Le manteau d'hermine que Charles de Gaulle a jeté sur les guenilles de la France doit à jamais dissimuler qu'elle avait perdu non seulement la guerre, ce qui n'est rien, mais l'honneur. Et, que prise en bloc, elle s'en arrangeait bien.

Le premier choc est dur. Pour peu qu'on ait eu plus de quinze ans en 1940, on en suffoque. Pleurer soulagerait. Mais on ne pleure pas. On rage.

La foule, fervente, agitant des petits drapeaux, acclamant un vieux soldat, parce qu'« en France, ça finit toujours par un militaire » dit cruellement un Anglais. Maurice Chevalier chantant : « ça sent si bon la France… » En 41. En 42. Pendant que le général Huntziger demandait aux Allemands « si nos deux pays ne pouvaient pas aller plus loin sur le plan de la collaboration militaire ». Il ne fallait pas avoir l'odorat sensible. La brochette de vedettes de l'écran partant joyeusement visiter les studios de Berlin, de Vienne, de Munich… Le Dr Goebbels les accueillera. Hitler devant la tour Eiffel, devant l'Opéra, montant les marches de la Madeleine, et, sur son passage, les agents de police saluant spontanément. Spontanément.

Tant et tant d'images qui font mal, de discours chevrotants, de proclamations ignobles ou imbéciles, que l'on croyait oubliés, que nous étions nombreux à avoir volontairement enfouis, pour toujours, dans le sable de la mémoire parce que la vie, ce n'est jamais hier, c'est aujourd'hui.

Oui, le premier choc est dur. Il faut savoir que, au-delà de 40 ans, personne ne peut voir *Le Chagrin et la Pitié* innocemment. Sans retrouver le goût amer de sa propre lâcheté, si l'on fut de la majorité, soit le tremblement de la fureur, si l'on fut des autres.

Françoise Giroud, *L'Express*, 3 mai 1971.

Schéma de synthèse

Lecture historique des mémoires de la Seconde Guerre mondiale

	1945-1970 : LE DÉSIR DE RÉDEMPTION NATIONALE	1970-1990 : UN TOURNANT	Depuis les années 1990 : DE NOUVEAUX ENJEUX
CONTEXTE	Au lendemain de la guerre, la priorité est à l'unité nationale et à la reconstruction.	Le basculement des représentations de la période de guerre.	Vers une histoire plus apaisée et des mémoires objets d'étude pour les historiens.
LES MÉMOIRES DE LA RÉSISTANCE ET DE L'OCCUPATION	Des mémoires dominantes marquées par le résistancialisme : mémoire gaullienne et mémoire communiste.	La remise en cause d'une France unanimement résistante (*Le Chagrin et la Pitié* de M. Ophüls).	Les comportements des Français analysés plus finement : • interrogation poussée sur les différentes formes de Résistance ; • les Justes reconnus.
LES MÉMOIRES DE LA DÉPORTATION	Une mémoire officielle qui occulte la responsabilité de l'État français dans la collaboration et la déportation des juifs.	La preuve par les archives : la responsabilité de l'État français dans la déportation et son choix de collaboration volontaire révélés par les historiens (*La France de Vichy* de R. Paxton).	Reconnaissance officielle de la responsabilité de la France dans la déportation et le génocide des juifs.
LES MÉMOIRES OCCULTÉES	Des mémoires oubliées : des victimes peu entendues dans l'espace public et médiatique.	L'ère du témoin : la Shoah dans l'espace public. Rôle des associations, du cinéma (*Shoah* de C. Lanzmann), procès des criminels impliqués dans le génocide.	L'histoire en chantier de mémoires oubliées : Tziganes, « Malgré-Nous », prisonniers de guerre, enfants de couples franco-allemands, homosexuels, etc.

 culture générale

La Résistance et la collaboration

Témoignages et romans :
• Lucie Aubrac, *Cette exigeante liberté*, L'Archipel, 1997.
• Vercors, *Le Silence de la mer*, Les Éditions de Minuit, 1942, Le Livre de Poche, 1967.

Films de fiction :
• Jean-Pierre Melville, *L'Armée des ombres*, 1969.
• Louis Malle, *Lacombe Lucien*, 1974.

Sites : www.fondationresistance.org
www.memorial-caen.fr

Étude d'historien :
• Robert Paxton, *La France de Vichy, 1940-1944*, Éditions du Seuil, 1999.

La Shoah et la déportation

Témoignages et romans :
• Simone Veil, *Une vie*, Stock, 2007.
• Jorge Semprún, *L'Écriture ou la Vie*, Éditions Gallimard, 1994.

Films documentaires :
• Alain Resnais, *Nuit et brouillard*, 1956.
• Claude Lanzmann, *Shoah*, 1985.

Film de fiction :
• Joseph Losey, *Monsieur Klein*, 1976.

Sites : www.memorialdelashoah.org
www.memorializieu.eu

Étude d'historien :
• Annette Wieviorka, *Auschwitz expliqué à ma fille*, Éditions du Seuil, 1999.

Les mémoires oubliées

Étude d'historien :
• Jacques Sigot, *Ces barbelés que découvre l'histoire*, Wallada, 2010.

Films de fiction :
• Sur les troupes coloniales : Rachid Bouchareb, *Indigènes*, 2006.
• Sur les enfants de couples franco-allemands : Christophe Weber et Olivier Truc, *Enfants de Boches*, 2003.
• Sur la répression contre les Tziganes : Tony Gatlif, *Korkoro* (*Liberté*), 2009.
• Sur les traces laissées par le silence des mémoires : Michel Leclerc, *Le Nom des gens*, 2010.
• Sur la résistance immigrée : Robert Guédiguian, *L'Armée du crime*, 2009.

B.D. :
• Sur les prisonniers de guerre : Jacques Tardi, *Moi René Tardi, prisonnier de guerre au Stalag II B*, Casterman, 2012.

Site : www.memorial-alsace-moselle.com

CHAPITRE 2

L'historien et les mémoires de la guerre d'Algérie

C'est au terme d'une guerre de huit ans que **l'Algérie a obtenu son indépendance en 1962**. Cette guerre a laissé des traces profondes dans les sociétés algérienne et française. Si **sa mémoire a été immédiatement glorifiée en Algérie**, elle a d'abord été **passée sous silence en France**. En Algérie, le **travail des historiens** se heurte toujours à de **nombreux obstacles**. En France, il permet aujourd'hui l'expression des mémoires des acteurs de cette guerre qui fut, longtemps, une « guerre sans nom ».

> **Quelles lectures les historiens font-ils des mémoires de la guerre d'Algérie depuis 1962 ?**

1 **Le Mémorial du martyr à Alger**

Chaque commune d'Algérie possède son monument des martyrs de la guerre d'indépendance. Celui d'Alger, construit dans le quartier El Madania, surplombe la ville. Réalisé d'après une maquette conçue à l'École des Beaux-Arts d'Alger sous la direction de Bachir Yellès, il a été inauguré en 1982 afin de commémorer le 20e anniversaire de l'indépendance de l'Algérie. Ce monument fait partie d'une vaste esplanade où brûle une « flamme éternelle », une crypte, un amphithéâtre et le musée du Moudjahid (combattant).

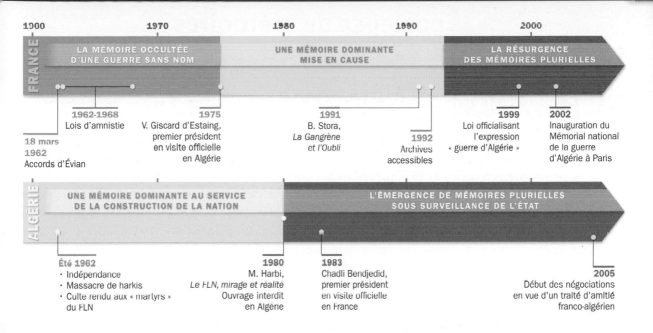

FRANCE			
LA MÉMOIRE OCCULTÉE D'UNE GUERRE SANS NOM	**UNE MÉMOIRE DOMINANTE MISE EN CAUSE**	**LA RÉSURGENCE DES MÉMOIRES PLURIELLES**	

1900 — 1970 — 1980 — 1990 — 2000

18 mars 1962
Accords d'Évian

1962-1968
Lois d'amnistie

1975
V. Giscard d'Estaing, premier président en visite officielle en Algérie

1991
B. Stora, *La Gangrène et l'Oubli*

1992
Archives accessibles

1999
Loi officialisant l'expression « guerre d'Algérie »

2002
Inauguration du Mémorial national de la guerre d'Algérie à Paris

ALGÉRIE		
UNE MÉMOIRE DOMINANTE AU SERVICE DE LA CONSTRUCTION DE LA NATION	**L'ÉMERGENCE DE MÉMOIRES PLURIELLES SOUS SURVEILLANCE DE L'ÉTAT**	

Été 1962
· Indépendance
· Massacre de harkis
· Culte rendu aux « martyrs » du FLN

1980
M. Harbi, *Le FLN, mirage et réalité* Ouvrage interdit en Algérie

1983
Chadli Bendjedid, premier président en visite officielle en France

2005
Début des négociations en vue d'un traité d'amitié franco-algérien

2 **Manifestation à Valence le 14 mars 2009 contre les commémorations du 19 mars 1962**

La date du 19 mars, jour de la signature des accords d'Évian qui mettent officiellement fin à la guerre, est contestée par des associations de pieds-noirs, de harkis, de militaires et d'anciens membres de l'OAS. Ces associations considèrent en effet que les violences se sont poursuivies après cette date.

La guerre d'Algérie, porteuse de mémoires

Notions clés

Histoire

Reconstruction savante et toujours en évolution des événements du passé, qui vise à rechercher la vérité et l'objectivité grâce à un travail croisé sur des sources diverses.

Historiographie

Étude de la façon dont les historiens « fabriquent » l'histoire : dans quel contexte, avec quels outils et dans quel but.

Mémoire

Ensemble des souvenirs qui résultent des événements vécus par des individus, des groupes ou des institutions. La mémoire est donc par définition plurielle et partielle car elle relève de la subjectivité, de l'expérience particulière vécue.

Témoin et historien

Le **témoin** est un acteur de l'histoire, porteur d'une part du passé pour y avoir participé et qui veut en rendre compte. Son expérience est donc une source précieuse pour appréhender le passé. L'**historien** se doit de confronter les témoignages entre eux et à d'autres sources dans une recherche d'objectivité.

---

1 **La guerre d'Algérie : un événement producteur de mémoires plurielles**

DES ÉVÉNEMENTS CONSTRUCTEURS DE MÉMOIRE	GROUPES PORTEURS DE MÉMOIRE	QUELLE MÉMOIRE PORTENT-ILS ?
XIXe-XXe siècles : colonisation de l'Algérie	**MUSULMANS D'ALGÉRIE**	• Statut « d'indigène » pendant la colonisation • Violence de la guerre • Naissance d'une nation grâce à la victoire
8 mai 1945 : répression des manifestations à Sétif		
1er novembre 1954 : déclenchement de l'insurrection du FLN	**FRANÇAIS D'ALGÉRIE** (« Pieds-noirs ») et leurs descendants	• Idéalisation et nostalgie du pays perdu • Traumatisme du rapatriement en France
1956 : envoi du contingent français en Algérie	**ARMÉE FRANÇAISE** • Cadres militaires • Appelés du contingent	Mémoire des anciens combattants • Une épreuve personnelle de 20 à 30 mois en Algérie dans un conflit violent • Mémoire d'un conflit incompris en métropole
17 octobre 1961 : répression de la manifestation des Algériens à Paris		
18 mars 1962 : accords d'Évian		
5 juillet 1962 : indépendance de l'Algérie	**HARKIS** et leurs descendants	• Abandon et trahison de l'armée française • Occultation de leur statut de combattants par la France • Massacre et rejet en Algérie
5 juillet 1962 : enlèvements et assassinats d'Européens à Oran		
Printemps-été 1962 : départ massif des Européens d'Algérie vers la métropole	**OAS** Organisation de l'armée secrète	• Valorisation de la colonisation • Refus de l'indépendance de l'Algérie
Été 1962 : massacres de harkis	**IMMIGRÉS ALGÉRIENS** en France et leurs descendants	• Statut de Français musulmans d'Algérie • Difficultés d'intégration en France

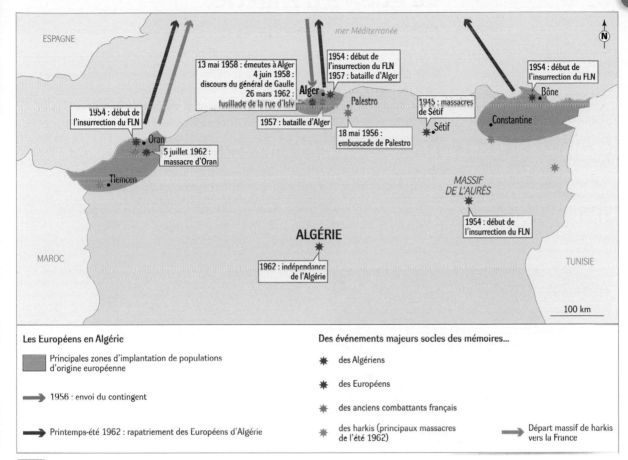

Les Européens en Algérie

▓ Principales zones d'implantation de populations d'origine européenne

➡ 1956 : envoi du contingent

➡ Printemps-été 1962 : rapatriement des Européens d'Algérie

Des événements majeurs socles des mémoires...

✴ des Algériens

✴ des Européens

✴ des anciens combattants français

✴ des harkis (principaux massacres de l'été 1962)

➡ Départ massif de harkis vers la France

2 **Une guerre fondatrice de mémoires plurielles**

3 **Commémorations nationales en Algérie et en France**

Commémoration	Journée de célébration	Date de création
Fête nationale de l'Indépendance	**5 juillet** (jour de l'indépendance en 1962)	1963
Fête nationale de l'Indépendance et de la Jeunesse	**5 juillet** (la jeunesse est associée à ce jour de commémoration)	1966
Fête de la Révolution	**1er novembre** (1er jour de l'insurrection algérienne qui marque le début de la guerre d'Algérie en 1954)	1963
Journée nationale d'hommage aux « morts pour la France » de la guerre d'Algérie et des combats du Maroc et de la Tunisie	**5 décembre** (jour de l'inauguration au quai Branly à Paris du Mémorial national de la guerre d'Algérie et des combats du Maroc et de la Tunisie en 2002)	2003
Journée nationale d'hommage aux harkis	**25 septembre** (pas de signification particulière)	2003
Hommage rendu à tous les morts pour la France	**11 novembre** (jour de l'armistice de la Première Guerre mondiale en 1918)	2012
Journée nationale du souvenir et de recueillement à la mémoire des victimes civiles et militaires de la guerre d'Algérie et des combats en Tunisie et au Maroc	**19 mars** (jour du cessez-le-feu qui fait suite aux accords d'Évian en 1962)	2012

Mohammed Harbi, un acteur-

> « *Pour comprendre ce qui nous arrive aujourd'hui, il faut relire de façon critique l'histoire et ce que nous avons fait hier.* »

Mohammed Harbi a été combattant de la guerre d'indépendance au sein du FLN. Proche des dirigeants du mouvement indépendantiste, il a **conservé de nombreux documents importants de cette période**. Depuis les années 1980, **en tant qu'historien, il publie ses archives et des ouvrages scientifiques en France**. Ses écrits ont été longtemps interdits en Algérie et n'y sont disponibles que depuis une dizaine d'années. Ses nombreux ouvrages, parfois en collaboration avec des historiens français, expriment sa **volonté d'un rapprochement entre les deux pays**.

> Comment le travail de Mohammed Harbi contribue-t-il à éclairer l'histoire du conflit et ses résonances en France et en Algérie ?

Mohammed Harbi (à droite) et le président algérien Ben Bella, au siège du FLN à Alger en mars-avril 1964.

BIOGRAPHIE

Né en 1933, Mohammed Harbi est un nationaliste algérien qui a joué un rôle important dans le combat pour l'indépendance au sein du FLN. En 1962, il est l'un des conseillers du président Ben Bella. En 1965, après le coup d'État de Houari Boumediene, il est arrêté et incarcéré pendant six ans sans être jugé pour s'être opposé au gouvernement. Placé sous surveillance, il s'évade et rejoint la France. Mohammed Harbi devient alors à Paris un universitaire reconnu et l'un des grands historiens de l'Algérie contemporaine.

Vocabulaire

FLN : Front de libération nationale. Mouvement politique créé en novembre 1954 pour obtenir l'indépendance de l'Algérie. Il s'impose en 1962 contre les autres groupes nationalistes algériens.

---

1 ## L'acteur devient historien

Emmanuel Laurentin. – Qu'est-ce qui fait qu'à un moment ou à un autre, vous avez eu envie, après ces années de prison, de résidence surveillée, de vous écarter de l'action pour pouvoir réfléchir à ce qui s'était passé ?

Mohammed Harbi. – En réalité, avant même de penser à retourner à l'objet de mes études, c'est-à-dire l'histoire, […] j'ai pensé essentiellement à relater mon itinéraire, et donc, au départ, j'ai accumulé, avant même l'insurrection de 1954, de la documentation.

E. L. – Donc, vous dites que c'est pour faire votre propre histoire que vous vous êtes lancé là-dedans ?

M. H. – Au départ, c'était cela le projet. Et puis l'expérience et la lecture aidant, je me suis rendu compte que l'héroïsation qui a été faite d'un mouvement qui avait plusieurs facettes ne permettait pas d'aborder sereinement les problèmes de l'avenir et du devenir de l'Algérie. À ce moment-là, j'ai décidé de me pencher moi-même sur l'histoire du pays. Je me suis dit que j'avais vécu le mouvement de l'intérieur, que je l'avais vécu un peu à contre-courant des orientations prises par les dirigeants. Les dirigeants de notre pays, à quelques exceptions près, ne connaissaient pas vraiment le pays ; ils connaissaient partiellement son histoire, et donc les décisions politiques n'étaient pas toujours prises en fonction des réalités sociales, des réalités politiques du pays. À ce moment-là, je me suis dit que cela ne pourrait continuer comme cela, et qu'il fallait permettre aux nouvelles générations d'éviter de renouveler les défaillances.

Transcription de l'émission *La Nouvelle Fabrique de l'histoire*, « Une histoire sous contrôle », France Culture, 21 novembre 2005.

2 Les racines de l'engagement dans le mouvement nationaliste

Mon engagement dans le mouvement national est né dans l'ambiance créée par les événements de mai 1945 (*massacres de Sétif, Guelma et Kherrata, villes du Constantinois victimes d'une répression sanglante après des émeutes populaires*[1]). Deux parents de ma mère ont disparu à Guelma. On n'a jamais éclairci les circonstances, mais on sait qu'ils ont été assassinés. Il y avait aussi l'atmosphère du lycée de Skikda [...]. J'avais 15 ans, l'âge de toutes les aventures. Je me suis engagé dans le Parti du peuple algérien[2], au sein duquel j'ai eu très vite des responsabilités. En y repensant aujourd'hui, je me dis que mes camarades m'ont choisi comme porte-parole parce que, comme fils de notable, j'étais beaucoup plus protégé qu'eux, fils du peuple face à l'administration. [...] Je suis devenu l'interlocuteur de mes professeurs progressistes. C'est mon professeur d'histoire Pierre Souyri, avec lequel j'ai rédigé des tracts, qui m'a le plus influencé.

Propos recueillis par Isabelle Mandraud, *Le Monde hors-série*, février-mars 2012.

1. Répression sanglante d'émeutes nationalistes menée par l'armée française.
2. PPA : parti nationaliste fondé en 1937 par Messali Hadj.

4 Concilier histoire et mémoire ?

Quand des acteurs de l'histoire nous font des révélations, vous, en tant qu'historien, comment les prenez-vous : pour argent comptant ? Avec des pincettes ?

Je ne peux pas prendre pour argent comptant le témoignage d'un acteur. On est obligé de se pencher sur les archives quand on en trouve, ce qui est rare pour une organisation qui a été clandestine. Sinon, on procède à des recoupements des témoignages des acteurs. [...]

Comment, lorsqu'on est soi-même acteur et témoin de l'histoire, peut-on en être également le fidèle rapporteur ?

Je vais vous dire comment ils ont procédé en France. Tous les grands acteurs sont passés par des instituts pour livrer leurs témoignages devant des historiens qui ont étudié la période concernée. Et ces témoignages sont dûment emmagasinés dans des archives. [...] Chez nous, cela se passe autrement. J'ai chez moi plus de 123 ouvrages algériens de témoignages. Ce n'est pas satisfaisant, parce que les gens ne parlent pas de la réalité culturelle, de la réalité sociale, de la stratégie des acteurs. Ils parlent de faits, comme ça... L'histoire, c'est aussi un métier.

Les choses sont-elles claires dans votre esprit, entre le Harbi historien et le Harbi acteur de l'histoire ?

Il y a nécessairement un aspect subjectif dans cette affaire. Mais [...] je peux affirmer que j'ai au moins un minimum de distance à l'égard de mon expérience propre.

Propos de Mohammed Harbi recueillis par Mustapha Benfodil pour *El Watan*, 26 mai 2011.

3 De l'archive à l'histoire

a. L'acteur-témoin réunit des archives...

Un historien œuvre régulièrement à faire connaître au public des documents permettant d'éclairer une histoire dont il a été l'acteur, c'est Mohammed Harbi. Dès 1975, il joignit à son livre sur la scission du MTLD[1] des documents inédits [...]. Il prit dès lors l'habitude d'insérer dans ses livres des documents inédits à l'appui de ses démonstrations. [...] Les vingt années suivantes le voient ainsi publier régulièrement, à côté de ses communications scientifiques, des documents sur l'histoire du nationalisme algérien. En 1987, par exemple, il réagit au livre d'Ali Haroun sur la Fédération de France du FLN, en dénonçant un travail marqué par l'histoire officielle. Il publie alors des documents sur certains faits occultés du FLN en France.

Raphaëlle Branche, *La Guerre d'Algérie : une histoire apaisée ?*, Éditions du Seuil, 2005

1. Mouvement pour le triomphe des libertés démocratiques fondé en 1946.

b. ... l'historien les publie

Mohammed Harbi, *Les Archives de la révolution algérienne*, Éditions Jeune Afrique et Éditions du Jaguar, 1981.

Questions

De l'acteur à l'historien

1. **Doc. 1** : Quelle mission s'est fixée Mohammed Harbi en devenant historien ?
2. **Doc. 2** : Pourquoi peut-on dire que cette mission est intimement liée à son statut d'acteur de l'histoire ?

Concilier histoire et mémoire

3. **Doc. 1 et 3** : Comment Mohammed Harbi concilie-t-il son passé d'acteur politique et son métier d'historien ?
4. **Doc. 1 et 4** : Pourquoi y a-t-il tension entre mémoire et histoire ?

Vers la composition du BAC

Capacités et méthodes :

II. 2. Décrire et mettre en récit une situation historique.

À partir de l'exemple de Mohammed Harbi, vous rédigerez un paragraphe construit qui explique comment un témoin de la guerre d'Algérie peut concilier son expérience vécue et un travail d'historien.

La mémoire officielle de la guerre en France et en Algérie

En France, l'État a mis longtemps à assumer son passé colonial, la guerre elle-même et ses conséquences. Aux demandes de reconnaissance des acteurs ou de leurs descendants, la République a le plus souvent répondu au cas par cas. **En Algérie, la guerre d'indépendance est considérée comme un moment fondateur de la construction de la nation** et, depuis 1962, l'objet de toute l'attention du pouvoir. La mémoire officielle, portée par le FLN, favorise une approche univoque de l'histoire. Ainsi le rôle du MNA a longtemps été occulté.

> **Comment se construisent les mémoires officielles de la guerre d'Algérie en France et en Algérie ?**

Vocabulaire

ALN : Armée de libération nationale, branche armée du FLN.

Harki : soldat algérien musulman engagé dans l'armée française pendant la guerre d'Algérie.

MNA : Mouvement national algérien. Parti nationaliste rival du FLN créé en novembre 1954 par Messali Hadj.

DATES CLÉS

- **1962** Indépendance de l'Algérie.
- **1999** La loi française officialise l'expression « guerre d'Algérie ».
- **19 mars 2013** Célébration de la Journée nationale du souvenir et de recueillement à la mémoire des victimes civiles et militaires de la guerre d'Algérie.

1 L'historien et les mémoires de la guerre d'Algérie

La mémoire collective de cette guerre est éclatée [...]. L'intégration de plusieurs populations venues d'Algérie dans des conditions très différentes (rapatriés européens, « harkis », immigrés et enfants d'immigrés algériens) renforce encore ces divergences. C'est pourquoi la guerre d'Algérie est longtemps restée une guerre sans nom. [...] Les gouvernements de la Ve République ont longtemps cru pouvoir guérir les troubles de la mémoire nationale par une politique de l'oubli, traduite par une série de décrets et de lois d'amnistie échelonnés de 1962 à 1982. [...] Puis les pouvoirs publics ont [...] enfin admis la nécessité de reconnaître et de commémorer la « guerre d'Algérie ». L'officialisation de cette expression par la loi du 18 octobre 1999 a été votée à l'unanimité par les deux assemblées. Au contraire, le choix d'une date de commémoration officielle a profondément divisé les milieux politiques. [...] Le plus difficile reste à faire : s'entendre sur le message que cette commémoration devra transmettre aux générations futures. La difficulté est en effet de donner un sens positif à une guerre qui n'en a pas.

Guy Pervillé dans *Historiens et Géographes*, n° 420, octobre-novembre 2012.

2 Le président Jacques Chirac inaugure le Mémorial national de la guerre d'Algérie, des combats du Maroc et de la Tunisie, 5 décembre 2002

3 Dans les classes, en Algérie, une histoire sous surveillance

Comment enseigner la guerre d'Algérie dans les salles de cours [...] ?
En Algérie, la guerre d'indépendance est le tronc central de l'histoire nationale enseignée [...] avec un trop-plein de mémoire et un trop-plein d'histoire. [...] Un jeune Algérien va retenir de cette histoire la résistance (l'émir Abdelkader), des héros martyrs de l'ALN-FLN, [...] les crimes coloniaux (la torture, la profonde misère et les contrastes de vies entre indigènes et colons) et pour certains le général de Gaulle.
Les manuels sont-ils un terrain d'enjeu politique ?
Jusqu'en 1990, seuls les martyrs faisaient figures de héros et avaient une place dans les manuels scolaires algériens. Ainsi même Messali Hadj, le père de l'idée d'indépendance, y était à peine évoqué. Au début des années 1990, [...] on va faire revenir dans le récit scolaire d'anciens protagonistes de la guerre d'indépendance. L'enjeu était, dans l'urgence, de légitimer le retour au pays de ces « héros oubliés » bannis après l'indépendance et d'expliquer aux jeunes générations pourquoi on faisait appel à eux après les avoir effacés de la mémoire dominante. [...] Les manuels scolaires algériens d'histoire sont une préoccupation certaine pour les gouvernants depuis l'indépendance. [...] Dans les comités de rédaction, les anciens combattants peuvent aller jusqu'à la censure quand il s'agit de la guerre d'indépendance.

Interview de Lydia Aït Saadia-Bouras (auteur de la thèse universitaire *La Nation algérienne à travers les manuels scolaires d'histoire algériens : 1962-2008*), *Le Nouvel Observateur*, 18 mars 2012.

4 « Un seul héros, le peuple », slogan du FLN sur un mur d'Alger, en juin 1962

5 **Algérie-France, des mémoires sous tension**

La loi du 23 février 2005, adoptée par l'Assemblée nationale en France, explique dans son article 4 les « bienfaits d'une colonisation positive ». Les déclarations d'hostilité à cette loi se multiplient, provenant principalement du monde des historiens. En janvier 2006, le président de la République décide de l'abrogation de l'article 4 de la loi du 23 février 2005. Cette abrogation n'est qu'un répit. [...] En Algérie, les déclarations et prises de position se multiplient, pleines de souvenirs de la guerre d'indépendance. [...] La Coordination nationale des enfants des moudjahidine [...] conditionne la signature du traité d'amitié avec la France à une série de revendications. L'association demande « de comptabiliser avec précision le nombre exact d'Algériens tués depuis 1830, ainsi que le nombre de villages brûlés, de tribus décimées et de richesses volées ». Autre fait inédit : l'Algérie entend porter devant les juridictions internationales l'affaire des Algériens exécutés par l'armée française durant la guerre d'Algérie. [...] Le 1er juin 2009, *El Khabar*, grand quotidien arabophone, intitule son éditorial : « Nos martyrs ne sont pas comme vos criminels ». « Les propos du responsable français sur le fait qu'il y a eu des criminels des deux côtés blessent tous les Algériens. C'est un point de vue que la France, depuis longtemps, ne veut en aucun cas faire évoluer malgré tout ce qui s'est passé, pendant la guerre de libération et durant les cent trente ans de colonisation ».

Benjamin Stora, « Mémoires sous tension » *Le Monde* hors-série, février-mars 2012.

Questions

En France, une mémoire de la guerre longtemps occultée

1. **Doc. 1 :** Pourquoi, au lendemain du conflit, la mémoire officielle de la guerre d'Algérie se construit-elle sur l'oubli ?

2. **Doc. 1 et 2 :** Comment évolue la mémoire officielle du conflit à partir des années 2000 ?

En Algérie, une mémoire de la guerre glorifiée

3. **Doc. 3 et 4 :** Pourquoi et comment l'État algérien a-t-il construit une histoire officielle de la guerre d'indépendance ?

4. **Doc. 3 :** Quelles contraintes pèsent sur les historiens en Algérie ?

Mémoires et histoire au cœur des relations franco-algériennes

5. **Doc. 5 :** En quoi la guerre d'indépendance est-elle encore aujourd'hui un sujet sensible des relations franco-algériennes ?

Vers l'analyse de document du **BAC**

Capacités et méthodes :

I. 2. Confronter des situations historiques.

Après avoir présenté le **document 1**, vous montrerez comment, en France, l'État tente aujourd'hui d'inscrire tous les acteurs de la guerre d'Algérie dans la mémoire nationale.

En France, les conflits de mémoire de la guerre d'Algérie

DATES CLÉS

- **17 octobre 1961** Manifestation de travailleurs Nord-Africains à Paris.
- **19 mars 1962** Cessez-le-feu en Algérie.
- **1962** Arrivée des rapatriés en France.

F ace à **l'oubli « officiel » organisé après 1962**, les mémoires de la guerre d'Algérie sont longtemps restées cantonnées dans la sphère privée des différents acteurs. **Depuis les années 1980, ces mémoires refoulées émergent.** Grâce à l'ouverture des archives et aux travaux **universitaires**, **les faits liés à la guerre et à ses conséquences sont mieux connus**. Pour autant, les groupes porteurs de mémoires expriment souvent des points de vue passionnels et concurrents sur le passé. **L'histoire de la guerre d'Algérie écrite par les historiens n'est pas encore acceptée par tous les acteurs ou leurs descendants**.

> **> Pourquoi les mémoires plurielles de la guerre d'Algérie sont-elles encore porteuses de tensions cinquante ans après la fin de la guerre ?**

1a Une mémoire qui resurgit lentement

Pendant les années 1970 et 1980, le souvenir du 17 octobre 1961 est enveloppé d'un épais linceul. Qui se souvient alors qu'un jour d'automne des hommes, des femmes et des enfants qui manifestaient en famille, désarmés, dans les rues de Paris ont été tués par la police à coups de crosse, jetés vivants dans la Seine, retrouvés pendus dans les bois ? […] Il faudra l'arrivée à l'âge adulte de la seconde génération de l'immigration algérienne pour bousculer en profondeur le paysage mémoriel. Ces jeunes ont fréquenté l'école de la République, ils sont électeurs et citoyens français, mais ils ont l'intuition que les préjugés et les regards méprisants dont ils sont victimes sont liés à la guerre d'Algérie. […] Lors de la Marche contre le racisme et pour l'égalité des droits de 1983, qui réunit 100 000 personnes dans les rues de Paris, une dizaine de jeunes issus de l'immigration se retrouvent pour rendre hommage aux Algériens noyés par la police. […] Il aura donc fallu trente, voire quarante ans, pour que le 17 octobre 1961 devienne une page de l'histoire de France. Le temps que les dirigeants politiques des années 1960 quittent la scène, que les historiens travaillent à l'abri des passions, que les archives officielles s'ouvrent et, surtout, que les enfants des immigrés algériens nés en France grandissent.

Anne Chemin, *Le Monde*, 17 octobre 2011.

1b **Fusillade pendant la manifestation de travailleurs Nord-Africains du 17 octobre 1961, boulevard Bonne-Nouvelle, Paris**

2 La mémoire des anciens combattants

Notre association regroupe l'ensemble des associations d'anciens combattants de la capitale concernées par la guerre d'Algérie. […] Nos associations agissent depuis notre retour de guerre, afin de permettre à nos ressortissants anciens combattants de pouvoir bénéficier du droit à réparation qui leur est dû, aider aussi nos camarades malades à se soigner, sans oublier nos veuves. […] La guerre d'Algérie a laissé dans notre pays des souffrances lancinantes, des incompréhensions, des rancœurs durables, des traces profondes au sein de quatre groupes : les soldats, les pieds-noirs, les harkis et les enfants d'immigrés de la deuxième et troisième génération. Il est important de dépasser ces guerres mémorielles. En effet, le refus d'affronter la mémoire collective, de construire une mémoire partagée, fait que chacun se réfugie trop souvent dans sa propre mémoire développant implicitement ainsi une forme communautaire mémorielle.

Discours de Jean Laurans, président de la FNACA de Paris, actes du colloque *Paris et la guerre d'Algérie, une mémoire partagée*, 2009, www.ephmga.com.

4 Le témoignage d'une fille de harki

Être fille de harki comme moi, ce n'est pas subir l'histoire de mes parents mais expliquer ce que sont les harkis à ceux qui ne les connaissent pas. [...] En 1976, une poignée d'hommes [...], dont faisait partie mon père, ont décidé d'unir leurs forces autour d'une association [...]. Mais ces hommes étaient surtout animés par la volonté de ne pas devenir des oubliés de l'histoire, de ne pas oublier leurs origines, leurs cultures, tout en traçant des perspectives d'avenir pour leurs familles. [...] À mon tour, j'ai exprimé à l'âge de 25 ans mon premier témoignage de fille de harki grâce au film de Jean-Pierre Lledo, *Algérie, mes fantômes* [...]. J'ai très vite compris que j'étais avant tout une citoyenne française avec des origines et une double culture. J'aimerais faire connaître cette citoyenneté à ceux qui ont vécu cette histoire de manière douloureuse. [...] Je considère que ce travail de mémoire, il faut le faire pour passer les étapes de la vie, mais pas l'entretenir ni même le glorifier.

Djamila Berritane aux journées de Larrazet,
« La France et l'Algérie, l'histoire et l'avenir en partage », 10 et 11 novembre 2006.

3 Manifestation de harkis et de leurs familles à Paris le 12 mai 2013 pour l'instauration d'une « journée de l'abandon »

Cette commémoration rappellerait le 12 mai 1962, date où, selon eux, le gouvernement français a abandonné les harkis à leur sort en cessant leur évacuation vers la métropole.

5 Les pieds-noirs, de la mémoire à l'histoire

En Algérie, il n'y avait pas de communauté pied noire. Il n'y avait même pas de communauté des Français d'Algérie. Il y avait ceux qui étaient d'Oran et ceux d'Alger, les juifs et les chrétiens [...]. Ensuite l'exode et l'exil ont fait que ces personnes ont joué du lien communautaire, dans l'adversité. Être pied-noir, c'est quoi ? C'est être né en Algérie et avoir vécu 1962, l'arrachement à la terre natale, le déracinement, le mauvais accueil et l'éparpillement en France. Ces éléments ont fait que des personnes se sont senti des affinités et se sont reconnues entre elles. [...] Face à l'adversité et au mauvais accueil, les gens se sont repliés sur leur famille et ont demandé à leurs enfants de poursuivre la revanche sur les métropolitains. [...] Mais cette transmission a pu être conflictuelle pour des enfants scolarisés en France, qui ont été ballottés entre ce qu'ils ont appris à l'école de la guerre d'Algérie et de la présence française en Algérie et ce que leur disaient leurs parents. [...] Certains peuvent aussi porter la douleur de leurs parents, et même considérer que c'est leur propre douleur, et se battre dans des structures politiques plutôt marquées à l'extrême droite. Mais la grande majorité, même si elle a conscience que ses parents ont souffert, a d'abord envie d'en savoir plus et de sortir du manichéisme. [...] Chez les parents, on trouve des livres de mémoire et de photos. Chez les plus jeunes, des livres d'histoire. Ce qu'ils veulent, c'est comprendre.

Interview de Jean-Jacques Jordi, historien, dans *La Croix*, mars 2012.

Questions

Des mémoires conflictuelles

1. Doc. 2, 3 et 4 : Quels sont les groupes mémoriels qui s'opposent au sujet de la guerre d'Algérie ?
2. Doc. 4 et 5 : Comment peut-on expliquer que ces groupes aient des visions si différentes de la présence française en Algérie ainsi que de la guerre ?

Des mémoires en voie d'apaisement ?

3. Doc. 1, 4 et 5 : Montrez que les descendants des acteurs de la guerre d'Algérie aident à faire évoluer les mémoires qui y sont attachées.
4. Doc. 1 et 5 : Quel rôle jouent les historiens dans l'évolution de ces mémoires ?

Vers l'analyse de documents du BAC

Capacités et méthodes :

II. 1. Cerner le sens général d'un document et le mettre en relation avec la situation historique étudiée.

Après avoir présenté la nature et le contexte des **documents 4 et 5**, montrez que la mémoire des rapatriés d'Algérie est une mémoire plurielle.

L'armée française et la torture : une mémoire et une histoire difficiles

Vocabulaire

Bataille d'Alger : Alger devient en 1957 un des lieux d'affrontements entre l'armée française, dirigée par le général Massu, et la branche armée du FLN, dirigée par Ahmed Ben Bella. Les civils en sont les principales victimes. La torture y est largement pratiquée par l'armée.

La spécificité de la violence pendant la guerre d'Algérie, notamment pendant la bataille d'Alger, pose des questions d'ordre historique et moral. **La pratique de la torture par l'armée française**, couverte par des pouvoirs spéciaux délivrés par le pouvoir politique, **est très vite dénoncée malgré la censure**. Après 1962, **le silence s'installe** en dépit des témoignages et des travaux d'historiens comme ceux de Pierre Vidal-Naquet. Au début des **années 2000**, certains hauts responsables militaires brisent le silence et **avouent avoir pratiqué la torture**.

> **Comment la question de la torture a-t-elle émergé dans l'espace public ?**

DATES CLÉS

○— **1957** Torture de prisonniers algériens pendant la bataille d'Alger.

○— **1964 à 1982** Promulgation de 4 lois d'amnistie pour les crimes commis pendant la guerre d'Algérie en liaison avec le conflit.

○— **2000-2001** Publication du témoignage Louisette Ighilahriz sur la torture dans *Le Monde* ; réponses des généraux Massu et Aussaresses.

2 | **Un prisonnier algérien**

Photographie prise à la dérobée par un soldat français, 1957.

1 | Le témoignage d'un général français

La torture ne m'a jamais fait plaisir mais je m'y suis résolu quand je suis arrivé à Alger. À l'époque, elle était déjà généralisée. Si c'était à refaire, ça m'emmerderait mais je referais la même chose car je ne crois pas qu'on puisse faire autrement. Pourtant, j'ai le plus souvent obtenu des résultats considérables sans la moindre torture, simplement par le renseignement et la dénonciation. Je dirais que même mes coups les plus réussis, ça a été sans donner une paire de gifles. [...] Personnellement, je n'ai jamais torturé, et pourtant, je n'ai pas les mains propres. Il m'est arrivé de capturer des types hauts placés au sein du FLN et de me dire : « Celui-là est dangereux pour nous, il faut le tuer » et je l'ai fait, ou je l'ai fait faire, ce qui revient au même. [...] Je ne veux pas accuser le pouvoir civil de l'époque. Affirmer qu'il nous donnait des ordres dans ce domaine serait faux et, surtout, s'abriter derrière, cela reviendrait à dire que les militaires se dégonflent et qu'ils se déchargent de leurs responsabilités.

Interview du général Aussaresses, *Le Monde*, 23 novembre 2000.

3 | La torture « arme-clé de cette guerre »

Il faut aussi dire que la torture a atteint en Algérie une dimension inégalée. Elle était une arme à la disposition des militaires français et présentée comme particulièrement adaptée à une guerre qui n'avait pas comme cible principale un adversaire armé mais une population civile dont on voulait éviter qu'elle ne soutienne les indépendantistes. La torture était l'arme-clé de cette guerre : elle n'était pas fondamentalement utilisée parce qu'elle aurait permis de faire parler (qui dit la vérité sous la torture ?) mais parce qu'elle permettait de terroriser la population, de lui rappeler ainsi la toute-puissance française. Les méthodes utilisées étaient elles-mêmes le signe de cette intention et la « gégène » la symbolise très exactement. Il s'agit très exactement d'une génératrice électrique, c'est-à-dire d'un objet technique, moderne, qui permet d'infliger une souffrance sans toucher le corps de l'autre, sans le mutiler visiblement non plus. On est donc, très précisément, dans le cas d'une violence qui, terme à terme, s'oppose à celle que la propagande française décrivait à loisir comme violence typique du FLN : la mutilation à l'arme blanche.

Raphaëlle Branche (historienne spécialiste de la guerre d'Algérie), *Le Monde* hors-série, février-mars 2012.

5 Des violences dans les deux camps

La thèse de Raphaëlle Branche est un gros plan sur un aspect, particulièrement pénible à regarder en face, de l'action de l'armée française durant la guerre d'Algérie. En même temps, l'image qu'elle renvoie aux anciens combattants français explique la véhémence des réactions de ceux qui n'ont pas voulu s'y reconnaître : ceux qui ont combattu ou « pacifié » sans torturer, ceux qui connaissaient l'existence de la torture mais qui en avaient une vision abstraite d'état-major, et enfin ceux qui l'ont pratiquée mais croient encore se justifier en disant que « ceux d'en face avaient fait bien pire » (sans voir qu'ils se sont ainsi en partie alignés sur leur comportement). Peut-être Raphaëlle Branche aurait-elle pu prévenir ces réactions si elle avait davantage pris en considération les violences extrêmes de l'autre camp et leurs interactions et influences réciproques avec celles de l'armée française. On ne peut lui reprocher de s'en être tenue à son sujet. Depuis lors, la publication par Gilbert Meynier en 2002 d'une *Histoire intérieure du FLN* sans complaisance a montré qu'une histoire de la violence de guerre dans les deux camps à la fois est désormais possible. Elle est aussi nécessaire pour dépasser enfin la guerre des mémoires.

Compte-rendu de Guy Pervillé de l'ouvrage de Raphaëlle Branche, *La torture et l'armée pendant la guerre d'Algérie, 1954-1962*, Paris, Gallimard, 2001, dans les *Annales HSS*, 59-3, 2004, p. 683-684, EHESS, Paris.

Le Monde

ANCE MÉTROPOLITAINE **JEUDI 3 MAI 2001** FONDATEUR : HUBERT BEUVE-MÉRY

EN ÎLE-DE-F
■ Dans « a
tout le ci
et une sél
de sorties
Demandez not

La France face à ses crimes en Algérie

● Nouvelles révélations du général Aussaresses sur la guerre d'Algérie ● Dans un livre, il raconte
 tortures, les exécutions et les massacres auxquels il a participé ou qu'il a ordonnés ● Il dit avoir agi
ur ordre des autorités politiques de l'époque ● Ces faits sont-ils des « crimes contre l'humanité » ?

4 « La France face à ses crimes en Algérie », une du *Monde* du 3 mai 2001

Après avoir publié le 20 juin 2000 le témoignage de Louisette Ighilahriz, torturée en 1957 à Alger, le quotidien poursuit ses investigations et va, dans son édition du 3 mai 2001, jusqu'à évoquer la possibilité de « crimes contre l'humanité ».

Questions

Une mémoire longtemps inavouable

1. **Doc. 1 et 2 :** Que vous apprennent ces documents sur certains agissements de l'armée française pendant la guerre d'Algérie ?

2. **Doc. 3 :** Pourquoi, selon l'historienne Raphaëlle Branche, l'armée française a-t-elle utilisé la torture ?

Une mémoire en partie avouée

3. **Doc. 1 et 4 :** Quel rôle joue la presse dans la révélation de la torture ? Comment évoluent les affirmations successives du général Aussaresses quant à sa responsabilité ?

4. **Doc. 5 :** Comment Guy Pervillé explique-t-il les réactions de certains acteurs de la guerre d'Algérie au sujet de la

torture ? De quelle manière les historiens peuvent-ils aider à les apaiser ?

Vers la composition du **BAC**

Capacités et méthodes :

I. 2. Mettre en relation des faits de périodes différentes.

En prenant des exemples précis dans les documents, vous rédigerez un paragraphe construit expliquant pourquoi la question de la torture a été occultée après la guerre d'Algérie et comment elle a resurgi et évolué depuis les années 2000.

Les relations entre la France et l'Algérie sont au cœur des *Carnets d'Orient* de Jacques Ferrandez. **Cette bande dessinée retrace les deux derniers siècles de l'histoire de l'Algérie**. Elle mêle histoire individuelle et histoire des peuples. L'auteur cherche à rendre la très grande dureté des violences de la guerre sans parti pris, en intégrant tous les points de vue. **Il puise dans les récits des témoins, dans l'imagerie de l'époque, et intègre également les apports de la recherche historique la plus récente**.

> Comment cette bande dessinée combine-t-elle mémoire et histoire de la guerre d'Algérie ?

1 Planche n° 14 des *Carnets d'Orient*, extrait de l'album « Rue de la Bombe » (t. 7)

Au cœur de la bande dessinée, l'auteur insère des vignettes comprenant des documents d'époque comme des coupures de presse. Il produit ainsi un effet de réel. Il mêle différentes techniques picturales, le dessin de bande dessinée et l'aquarelle, cette dernière rappelant la peinture des peintres orientalistes. Dans les bulles, les graphies sont différentes pour montrer le passage de la langue française à la langue arabe.

2 *Terre fatale*, **couverture du tome 10 du second cycle de Jacques Ferrandez, paru en 2009**

Le dernier tome des *Carnets d'Orient* traite de la fin du conflit algérien. Le FLN est traqué par l'armée française qui a toujours recours à la torture tandis que les actions terroristes de l'OAS, qui entend maintenir la présence française en Algérie, se multiplient. Les deux héros, Octave, pied-noir et officier de l'armée française, et Samia, sa compagne algérienne, sont pris dans la tourmente.

FICHE TECHNIQUE

• **Auteur :** Jacques Ferrandez, né à Alger, en 1955. Fils de pieds-noirs, il étudie à l'École des arts décoratifs de Paris.
• **Forme :** tomes 1 à 5 : des premières années de la colonisation de l'Algérie au XIXe siècle à la veille de l'insurrection en 1954 ; tomes 6 à 10 : la guerre d'Algérie de 1954 à 1962.
• **Dates de parution :** dix volumes entre 1987 et 2009.
• **Réalisation :** l'auteur combine un mode de narration classique et le collage de coupures de presse, de documents d'époque.
• **Personnages :** ils représentent les différents groupes et communautés impliqués dans l'histoire de l'Algérie de 1830 à 1962.

Vocabulaire

OAS : Organisation armée secrète pour la défense de l'Algérie française (1961-1962). Elle regroupe les partisans du maintien par tous les moyens (y compris le terrorisme) de la France en Algérie.

Questions

Des choix graphiques révélateurs de la complexité des enjeux de la guerre

1. **Doc. 1 :** À quel épisode de la guerre d'Algérie cette planche renvoie-t-elle ? Comment l'auteur intègre-t-il l'histoire à son récit ?
2. **Doc. 1 et 2 :** À quels groupes ou quelles communautés les personnages mis en scène sont-ils liés ? Comment sont-ils représentés ?
3. **Doc. 1 et 2 :** Par quels éléments graphiques l'auteur illustre-t-il les tensions en Algérie ?

Une fiction emboîtée dans un contexte historique précis

4. **Doc. 2 :** Comment peut-on expliquer le titre du dernier volume de la série ?

5. **Doc. 1 et 2 :** Montrez que les dates de parution des albums sont liées au retour de la mémoire de la guerre d'Algérie dans la sphère politique et médiatique.

Vers la composition du BAC

Capacités et méthodes :

II. 1. Prélever, hiérarchiser et confronter des informations selon des approches spécifiques en fonction du document.

À partir de l'exemple des *Carnets d'Orient*, vous rédigerez un paragraphe construit montrant comment la bande dessinée donne une place aux différents groupes porteurs de mémoire de la guerre d'Algérie.

L'historien et les mémoires de la guerre en France et en Algérie

> Comment les mémoires de la guerre d'Algérie se sont-elles construites en France et en Algérie ?

I. L'historien et les mémoires de la guerre en France

A Au départ, la mémoire occultée d'une « guerre sans nom »

a. Les « événements » d'Algérie

➤ Carte de l'Algérie, p. 49

■ Face à l'insurrection algérienne de 1954, les **gouvernements français** successifs **refusent** de reconnaître qu'ils ont affaire à ce qui est une **véritable guerre**. Pour désigner la situation on parle alors d'« événements » ou de « pacification ».

■ En 1962, la fin de cette guerre jamais nommée souligne le recul de la puissance française : celle-ci perd, dans une **défaite militaire** contre un ennemi luttant pour son émancipation nationale, les derniers restes de **son empire colonial** au Maghreb. **Son image internationale** de grand pays porteur de **valeurs démocratiques et universelles** est, de plus, **écornée**.

b. L'impossible mémoire officielle

■ La mémoire de cette guerre est alors refoulée. Dans le contexte de l'expansion économique des Trente Glorieuses et des mutations que connaît la société, elle est assez vite oubliée par la majorité de la population, d'autant plus qu'**elle ne suscite aucune reconnaissance** ni **commémoration officielles**.

Lois d'amnistie : de 1962 à 1982, différentes lois stipulent que les actes commis pendant la guerre, notamment les actes de torture ou les actions des généraux putschistes, sont amnistiés.

Groupes porteurs de mémoire : ensemble d'individus partageant une même mémoire collective.

■ La guerre d'Algérie est longtemps restée une **« guerre sans nom »**. Dès 1962, les autorités françaises promulguent différentes lois d'amnistie pour les faits liés au conflit. Mais ces mesures, même présentées comme des outils de réconciliation nationale, visent surtout à éviter les contestations de plus en plus nombreuses qui émergent des groupes porteurs de mémoire.

c. Le difficile travail des historiens et des cinéastes face à la guerre

■ En 1958, **Henri Alleg** dénonce la **torture** mais son **ouvrage est censuré** et les journaux qui en font état sont saisis. De 1968 à 1971, le journaliste Yves Courrière publie une vaste histoire de la guerre d'Algérie qui remporte un grand succès. En 1972, soit dix ans après la fin du conflit, l'historien Pierre Vidal-Naquet publie *La Torture dans la République*.

Rapatriés : voir p. 54.

Appelés : jeunes Français ayant combattu en Algérie dans le cadre de leur service militaire (environ 2 millions entre 1956 et 1962).

■ La guerre d'Algérie est l'objet au cinéma de films majeurs suscitant de vifs débats. Tourné en Algérie, *La bataille d'Alger* de **Gillo Pontecorvo** reçoit en 1966 **le Lion d'Or** au festival de Venise mais ne sort pas en salles à la suite de menaces émanant d'associations de rapatriés. Il ne sera diffusé à la télévision qu'en 2004. En 1972, René Vautier tourne ***Avoir 20 ans dans les Aurès***. Film critique contre la guerre, il met en scène un groupe d'appelés réfractaires qui sombre dans l'escalade de la violence. Le réalisateur s'appuie sur des témoignages d'appelés et des faits attestés par plusieurs d'entre eux.

B La montée de mémoires cloisonnées et conflictuelles

a. Un événement générateur de mémoires plurielles

Harki : voir p. 52.
Pieds-noirs : voir p. 54.

■ La guerre d'Algérie a laissé des traces profondes dans les mémoires de ses acteurs dont les principaux groupes sont les **rapatriés d'Algérie**, les **anciens combattants** de l'armée française, les **harkis** et les **immigrés algériens** vivant sur le territoire français. Souvent organisés en associations, ces groupes sont tous en quête de reconnaissance, même s'ils défendent une vision partielle du conflit. Les principaux groupes mémoriels issus de la guerre d'Algérie donnent ainsi des **interprétations cloisonnées et contradictoires des expériences vécues** : harkis contre l'armée française, pieds-noirs contre le général de Gaulle ou les Français de métropole, généraux et officiers supérieurs contre

Charles de Gaulle
(1890-1970)
▶ Biographie p. 442

le pouvoir civil. Tous développent un discours émotionnel les rendant souvent sourds les uns aux autres.

b. Un événement générateur de mémoires concurrentes

■ En 1962, près de **700 000 Français d'Algérie**, les « pieds-noirs », **quittent l'Algérie** dans des conditions souvent précaires. Ils se considèrent comme mal accueillis sur le sol français. Porteurs de la mémoire de l'Algérie française, ils **idéalisent ce territoire perdu**, sentiment désigné par le terme « **Nostalgérie** ». Ils réclament la reconnaissance de leur drame et des compensations financières. La loi d'indemnisation votée en 1970 est jugée insuffisante. Dans le Midi de la France, les rapatriés forment un groupe de pression important grâce à leur poids électoral.

➤ Les pieds-noirs, de la mémoire à l'histoire, texte p. 55

■ Les **militaires de carrière,** principalement des officiers, publient des ouvrages au lendemain du conflit pour expliquer leur action pendant la guerre et **défendre le rôle joué par l'armée** en Algérie. Parallèlement, les appelés du contingent, faute de la reconnaissance de la guerre par l'État, ne peuvent obtenir le statut d'ancien combattant. Ils **s'organisent en associations** mais taisent le plus souvent leur expérience de combattant car beaucoup se considèrent comme les victimes d'une guerre qu'ils n'ont pas choisi de faire.

➤ La mémoire des anciens combattants, texte p. 54

■ **À partir des années 1980, les harkis et leurs enfants se révoltent contre leurs conditions de vie et la relégation sociale dont ils sont victimes**. Ils réclament la reconnaissance officielle de leur drame. À cette époque, plusieurs mouvements antiracistes se développent. Au-delà de leur volonté de lutter contre les succès électoraux de l'extrême droite, ils parviennent à donner une **nouvelle visibilité aux enfants d'immigrants algériens** venus s'installer en France au cours des années 1930-1970.

➤ Le témoignage d'une fille de harki, texte p. 55

c. L'historien face aux silences

■ Il faut attendre **les années 1980**, pour que l'on puisse réellement commencer à voir s'édifier **un travail scientifique cohérent** sur la guerre d'Algérie. En 1988 est organisé le premier colloque universitaire sur la guerre d'Algérie, de nombreux historiens comme Jean-Pierre Rioux, Benjamin Stora ou Mohammed Harbi publient des ouvrages majeurs.

Benjamin Stora (1950-) ➤ Biographie p. 443

■ Parallèlement, Pierre Nora ou Henry Rousso travaillent sur la question des mémoires et permettent d'en mieux comprendre la transmission. La guerre n'est donc plus occultée mais, comme l'écrit l'historien Benjamin Stora, la guerre est encore « ensevelie ».

C Des mémoires aujourd'hui partiellement retrouvées

a. La reconnaissance officielle de la guerre et le retour de la mémoire

■ Depuis les **années 1990, des groupes porteurs de mémoires**, acteurs du conflit ou leurs descendants (enfants de l'immigration algérienne), des écrivains (Didier Daeninckx) ou des historiens (Jean-Luc Einaudi), font entendre leur voix. **Ils remettent sur la scène médiatique des faits connus mais occultés**, comme le 17 octobre 1961. Lors de cette manifestation pacifique d'Algériens organisée à Paris pour protester contre le couvre-feu qui leur est imposé, la police parisienne, sur ordre de la préfecture, réprime brutalement les participants, entraînant la mort de plusieurs dizaines d'entre eux. La politique de l'oubli est remise en cause et pousse les pouvoirs publics à agir. **En juin 1999, les « événements » d'Algérie sont officiellement nommés « guerre d'Algérie »** par un vote à l'unanimité de l'Assemblée nationale. **Les soldats ayant servi en Algérie ont alors le droit à l'appellation « anciens combattants ».**

➤ Texte sur le 17 octobre 1961 et la mémoire des immigrés, p. 54

■ Au début des années 2000, **des témoignages chocs paraissent dans la presse**, comme celui de l'Algérienne Louisette Ighilahriz, torturée à 20 ans. Ils soulèvent une émotion considérable. Parallèlement, dans sa thèse *La Torture et l'Armée pendant la guerre d'Algérie,* l'historienne Raphaëlle Branche éclaire les mécanismes de la torture grâce à son travail unanimement salué sur les archives et sur les témoignages des soldats et officiers.

➤ « La France face à ses crimes en Algérie », une du *Monde* du 3 mai 2001, p. 57

■ Après avoir été longtemps occultée, la guerre d'Algérie s'inscrit ainsi durablement dans le paysage quotidien français. Des monuments, des plaques, des noms de rue, rendent visible la mémoire du conflit.

FNACA : Fédération nationale des anciens combattants en Algérie, Maroc et Tunisie. Association qui vise à défendre les droits des anciens combattants.

Jacques Chirac

(1932-)

▶ Biographie p. 442

➤ Inauguration du Mémorial national de la guerre d'Algérie, des combats du Maroc et de la Tunisie, le 5 décembre 2002 par le président de la République Jacques Chirac, photographie p. 52

➤ Le témoignage d'une fille de harki, p. 55

➤ Texte sur la mémoire des rapatriés d'Algérie, p. 55

FLN : voir p. 50.

b. Des mémoires pas toujours apaisées

■ Même si les actes de reconnaissance effectués par les pouvoirs publics ont une grande portée mémorielle, aucune date, aucun lieu ne donne entière satisfaction. Cinquante ans après la fin de la guerre, la concurrence des mémoires reste vive.

■ Cette concurrence se traduit par **l'impossibilité de trouver une date consensuelle pour commémorer la guerre**. Depuis 2012, la FNACA a obtenu que le 19 mars (accords d'Évian qui mettent fin à la guerre) soit officiellement un jour de commémoration. Mais cette date est jugée inacceptable par d'autres associations de pieds-noirs ou de harkis qui considèrent la guerre inachevée à ce moment, car après cette date, de nombreux civils européens ont été enlevés par le FLN et ont disparu.

■ **Le Mémorial national du quai Branly à Paris ne fait pas l'unanimité**. Les anciens combattants contestent le fait qu'on y fasse figurer le nom de civils. Plus récemment, en octobre 2012, la décision du président de la République de reconnaître officiellement la répression du 17 octobre 1961 a suscité de vives réactions.

c. Le rôle des historiens dans une histoire encore en chantier

■ En France, les historiens ont très vite travaillé sur le conflit mais l'écho de leurs travaux restait soumis aux lectures partisanes. Les historiens de l'après-guerre sont aujourd'hui relayés par des générations n'ayant pas connu le conflit. Leur travail se fonde sur des documents issus d'archives récemment ouvertes. Ils tentent de mettre au jour **la complexité des engagements et des expériences vécues.** Par la confrontation des différentes sources, ils parviennent à contextualiser les mémoires de groupes ; les jeunes générations peuvent s'appuyer sur leurs travaux pour se départir des visions stéréotypées dont ils ont hérité. Les historiens écrivent aussi **l'histoire jusque-là oubliée**, celle de mémoires considérées comme honteuses, à contre-courant des représentations dominantes ou portées par des groupes de mémoire trop peu influents, comme celle des réfractaires pendant la guerre d'Algérie menée par l'historien Tramor Quemeneur. D'autre part, ils analysent la période de la guerre en la rattachant à l'histoire de la colonisation. Enfin, ils **favorisent les échanges entre historiens français et algériens** pour développer des regards croisés.

■ Le travail des historiens permet par ailleurs d'**établir des faits qui viennent contredire parfois une partie de la mémoire de groupe**. Yann Scioldo-Zürcher montre par exemple que contrairement au sentiment exprimé par les pieds-noirs de n'avoir pas été bien accueillis sur le sol français, l'État a pris des mesures décisives pour leur intégration. Florence Dosse, quant à elle, dans *Les héritiers du silence*, fait émerger **la parole des appelés,** de leurs épouses et de leurs enfants devenus aujourd'hui adultes, et superpose ces trois récits pour faire entendre la voix de ceux qui vécurent une expérience traumatisante dont ils ne purent parler au retour de la « guerre sans nom ».

■ La guerre d'Algérie est porteuse d'enjeux de mémoire fondamentaux pour les victimes et leurs descendants, pour les sociétés française et algérienne. **Les historiens sont réticents au « devoir de mémoire » et lui préfèrent le devoir d'histoire**. Ils revendiquent de travailler à distance du pouvoir et des enjeux de mémoire, en France comme en Algérie.

II. L'historien et les mémoires de la guerre en Algérie

Ⓐ Une mémoire dominante comme socle de la nation

a. La « guerre de Libération » et la naissance d'une nation

■ **Le FLN prend la tête de l'Algérie indépendante en 1962** et institue un régime de parti unique. Certains faits sont tus pour présenter la guerre, nommée « guerre de Libération », comme une révolution fondée sur l'**opposition** entre deux communautés antagonistes : les **Algériens** et les **Français**.

■ Le pays se couvre de monuments à la gloire des martyrs morts. **À partir de 1965, les commémorations se multiplient.** Le monument national des martyrs à Alger est inauguré en 1982. L'État organise ce que l'historien Guy Pervillé appelle une « hyper-commémoration obsessionnelle ».

b. L'histoire, les historiens et la mémoire au service du pouvoir

■ En occultant le Mouvement national algérien (MNA) de Messali Hadj, le FLN veut apparaître comme l'acteur unique ayant mené le peuple à la victoire. **Le FLN fonde ainsi sa légitimité en imposant une version officielle de l'histoire.**

■ La « révolution » est présentée comme ayant été menée par le peuple uni derrière le parti. Les historiens estiment les pertes algériennes à 300 000 victimes environ alors que le FLN impose le mythe du « million et demi de martyrs ». Les manuels scolaires se font l'écho de cette histoire en partie fabriquée par le pouvoir.

■ Depuis 1972, les autorités ont lancé une campagne de rassemblement d'archives écrites et orales, mais le travail des historiens est très encadré. Mohammed Harbi s'exile, en 1975, après s'être échappé de prison et publie en France ses archives de militant du FLN.

B Depuis les années 1980, l'émergence de mémoires plurielles sous surveillance de l'État

a. La remise en cause du discours officiel

■ Dans les années 1980, **les émeutes en Kabylie** marquent **un tournant** dans le rapport des Algériens à leur histoire. Les Berbères contestent la politique d'arabisation menée par le FLN et le discours tenu par le parti sur l'histoire du pays. Les jeunes qui se soulèvent en 1988 adhèrent moins au récit du parti unique glorifiant un passé héroïque comme socle de la nation. Le FLN fait des concessions dans un certain nombre de domaines.

■ En 1984, un premier colloque international a rassemblé à Alger des historiens internationaux mais le contenu des communications ne contribue guère à l'émergence d'une histoire plus objective que par le passé.

b. Des historiens encore sous contrôle ?

■ Les mémoires et l'histoire **peinent à se dégager de l'emprise étatique**. Ainsi les historiens rencontrent toujours de nombreux obstacles dans leur travail : les **archives**, bien qu'appartenant au domaine public, sont, par exemple, **difficilement consultables**. Des évolutions se dessinent cependant. La presse algérienne rend davantage compte de rencontres et colloques organisés autour de personnages comme Messali Hadj, réhabilité par le président Bouteflika.

■ Malgré ces évolutions, certains sujets restent toujours interdits ou, au mieux, peu étudiés, comme la violence du FLN, les luttes fratricides pour la prise du pouvoir ou le massacre des harkis. Ces derniers sont toujours présentés comme des traîtres.

C Entre l'Algérie et la France, des mémoires sous tension

a. Une difficile histoire commune

■ **La période coloniale et la guerre d'Algérie** sont des sujets au cœur des relations entre les deux pays. L'histoire commune reste cependant souvent un enjeu diplomatique, utilisée alternativement, par l'un ou l'autre des deux États, pour servir des discours politiques.

■ L'historien Benjamin Stora défend l'idée d'une commission « Vérité et réconciliation » pour permettre de dépasser l'utilisation politique du conflit dans les relations entre les deux pays et d'élaborer scientifiquement le récit historique d'un passé commun.

b. Une réconciliation loin d'être acquise

■ Le rapprochement des deux États reste difficile. **Ainsi, le traité d'amitié franco-algérien, envisagé en 2005, n'a toujours pas abouti.** Et il n'y a, encore aujourd'hui, aucun lieu de commémoration franco-algérien, comme il en existe entre la France et l'Allemagne.

➤ Mémorial du martyr à Alger, photographie p. 46

➤ « Un seul héros, le peuple », slogan du FLN sur un mur d'Alger, en juin 1962, photographie p. 53

➤ Dans les classes, en Algérie, une histoire sous surveillance, texte p. 52

Mohammed Harbi

(1933-)
➤ Biographie p. 50
et p. 442

Sous la direction de
Mohammed Harbi
Benjamin Stora

La Guerre d'Algérie

1954-2004
la fin de l'amnésie

Robert Laffont

1. *La Guerre d'Algérie 1954-2004, la fin de l'amnésie*
Une réflexion menée en commun par un historien français et un historien algérien pour essayer d'élaborer une histoire « objective » d'un passé commun.

➤ Algérie-France, des mémoires sous tension, texte p. 53

➤ Document 1 ci-dessus

SUJET GUIDÉ

L'historien et le renouvellement des mémoires de la guerre d'Algérie.

1 Analyser le sujet

MÉTHODE	MISE EN ŒUVRE
Repérer les mots-clés dans l'énoncé et les expliquer.	Répondez aux questions des encadrés ci-dessous.

L'historien et le renouvellement **des mémoires de la guerre d'Algérie.**

Interrogez-vous sur le rôle de l'historien et la relation qu'il entretient avec la mémoire.
Repères p. 48

Qu'entend-on par « renouvellement » :
– une rupture totale ?
– un changement important ?
– une continuité ?

Justifiez le pluriel du mot « mémoire ».
Repères p. 48
Quel est le cadre spatial du sujet ?

2 Présenter le sujet

MÉTHODE	MISE EN ŒUVRE
La présentation du sujet doit tenir compte des mots-clés, des bornes chronologiques et spatiales. Elle annonce ce que l'on veut démontrer dans les paragraphes de la composition.	Parmi les trois phrases suivantes, laquelle correspond le mieux au sujet ? Justifiez votre réponse. **1.** Le rôle de l'historien dans le renouvellement des mémoires de la guerre d'Algérie. **2.** Les historiens français et le renouvellement des mémoires de la guerre d'Algérie. **3.** Les évolutions des mémoires de la guerre d'Algérie depuis 1962.

7 Comment présenter votre devoir ?

MÉTHODE	MISE EN ŒUVRE
	Voici un modèle de composition avec un premier paragraphe rédigé. Dans les paragraphes 2 et 3, partiellement rédigés : – complétez les connecteurs logiques manquants en utilisant la liste suivante : ainsi ; afin de ; aussi ; cependant ; d'abord ; donc ; ensuite ; mais ; – donnez des exemples, chaque fois que cela est demandé.

- L'introduction doit :
– définir les termes du sujet afin d'en présenter l'intérêt ;
– annoncer le plan.

- Chaque [paragraphe] comporte une phrase d'introduction, des idées essentielles, des exemples pris dans vos connaissances personnelles, des connecteurs logiques et une phrase de conclusion-transition.

- La conclusion doit faire le bilan de la composition.

Les mémoires de la guerre d'Algérie en France et en Algérie sont variées et portées par des acteurs multiples. Les historiens, pour qui elles constituent une ressource et un objet d'études, ont contribué à les faire connaître et à en faire une lecture historique notamment depuis les années 1980, période où les sources deviennent plus nombreuses. **Quel est donc le rôle des historiens dans le renouvellement des mémoires de la guerre d'Algérie ?** *On rappellera d'abord le contexte favorable à ce renouvellement. Puis, on analysera le rôle de l'historien face à la mémoire officielle et enfin son rôle face à l'émergence de mémoires plurielles.* ⮌

[*Depuis les années 1980, le contexte est favorable au renouvellement des mémoires.* ⮌
En France, cette décennie voit la percée électorale du Front national et la montée de certaines formes de racisme qui déclenchent une prise de conscience chez les harkis ou les descendants d'immigrants algériens. La « volonté de savoir » *prend des formes multiples comme la manifestation des Beurs lors de la marche contre le racisme et l'égalité des droits de 1983.* ⮌
En Algérie, les émeutes en Kabylie et l'arrivée à l'âge adulte de nouvelles générations nées après la guerre entraînent une remise en cause du discours du FLN.
L'accès à de nouvelles sources est possible : ouvertures des archives publiques en France en 1992 ; témoignages d'acteurs jusque-là passés sous silence. ⮌
Une nouvelle vision de la guerre d'Algérie devient alors possible.] ⮌

[*La mémoire officielle se retrouve … soumise au regard et à la critique de l'historien.* ⮌
Cette mémoire officielle a longtemps présenté une vision sélective de la guerre en France comme en Algérie…

➡ **Quelles sont les deux visions officielles de la guerre en France et en Algérie ?**
`Étude 1 p. 52-53` `Cours p. 60` `Cours p. 62-63`

… le travail des historiens a favorisé l'évolution de cette mémoire…

➡ **Citez un historien français et un historien algérien en précisant leur rôle face à la mémoire officielle.** `Acteur p. 50-51` `Cours p. 61` `Cours p. 63`

…, la tentation des politiques d'établir des vérités historiques officielles soulève le débat entre histoire et mémoire…
Au-delà des polémiques, les travaux des historiens permettent une meilleure connaissance de la période de guerre.] ⮌

[*Ils rendent … compte de la complexité de cette période.* ⮌
L'historien doit … faire face à la concurrence des mémoires…

➡ **Citez deux exemples de mémoires concurrentes en France.**
`Étude 2 p. 54-55` `Cours p. 61`

Il doit … s'intéresser à l'émergence de nouvelles mémoires qui sont autant de sujets d'étude pour lui.

➡ **Citez un exemple de nouvelle mémoire émergente.** `Cours p. 62`

Face à ces mémoires plurielles, le travail des historiens consiste … à questionner tous les acteurs de la guerre d'Algérie … présenter de la façon la plus objective cette période tourmentée.] ⮌

Les historiens ont permis, par leurs travaux, d'éclairer d'un jour nouveau l'histoire de la guerre d'Algérie et d'en renouveler les mémoires. **Cependant, face au devoir de mémoire que réclame la société actuelle, les historiens sont sans cesse obligés de rappeler que leur rôle est d'expliquer et non de commémorer ou de soutenir des vérités « officielles ».**

le +

Vous donnerez un « plus » à votre travail :

– en annonçant une **problématique** sous forme de question dans l'introduction (après la présentation du sujet et avant l'annonce du plan) ;

– en allant à la ligne avec un alinéa après avoir développé une idée essentielle dans un paragraphe : ⮌ retour à la ligne et alinéa ;

– en prolongeant le sujet dans la **conclusion** après avoir fait le bilan de la composition.

SUJET EN AUTONOMIE

L'historien et les mémoires officielles de la guerre d'Algérie.

Prépa BAC

1 Analyser la consigne (p. 43, 67, 97, 125, 153, 183, 205)

2 Prélever des informations (p. 43, 67, 97, 125, 183, 205)

3 Apporter des connaissances (p. 97, 125, 183, 205)

4 Confronter les documents (p. 153, 205)

5 Rédiger l'analyse (p. 205)

6 Comment présenter votre devoir ? (p. 43, 67-68)

SUJET GUIDÉ

L'historien et les mémoires de la guerre d'Algérie.

CONSIGNE : Après avoir présenté les différents groupes porteurs de mémoire, vous montrerez leurs actions et leurs objectifs, puis vous mettrez en évidence le rôle des historiens face à ces groupes.

La mémoire et l'histoire

Table ronde animée par Henry Rousso[1] à l'occasion de l'université d'été consacrée à « apprendre et enseigner la guerre d'Algérie et le Maghreb contemporain » en août 2001.

Mehdi Lallaoui. – L'association « Au nom de la mémoire » a été fondée en 1990 par un groupe d'amis dans le but de porter un certain nombre d'histoires et d'événements qui nous aide à comprendre le présent. Cette association regroupait, de façon non communautaire, des beurs issus de l'immigration dont certains étaient des manifestants du 17 octobre 1961 […]. La première action autour du 17 octobre 1961 a été menée pour la première fois en 1983, lors de la « marche des beurs » contre le racisme et l'inégalité des droits. […] En effet, en tant que simples citoyens, il nous semblait important de donner un droit au chapitre à cette histoire douloureuse et occultée. […] Avec au cours des prochains mois, le lancement de trois initiatives majeures (la journée nationale en hommage aux harkis, le quarantième anniversaire du 11 octobre 1961, le procès du général Aussaresses[2]), il serait opportun que l'Éducation nationale apporte des réponses aux questionnements qui seront suscités. Nous considérons, en effet, que la société française ne doit pas être interpellée ni par les seuls médias, ni par les seules associations. […]

Henry Rousso. – Je réagis aux propos de Mehdi Lallaoui. La « dénonciation d'une occultation » est un pur fantasme aujourd'hui si l'on pense à la guerre d'Algérie. Dénoncer une occultation est un moyen d'exister politiquement et de se faire entendre. Le jour où l'occultation est levée, l'action d'associations qui luttent pour le « devoir de mémoire » risque de n'avoir plus de raison d'être, d'où la nécessité de trouver sans cesse de nouveaux « tabous ». En outre, certaines associations (dont la vôtre) font la promotion d'une certaine forme d'histoire qui est toujours, avec le rappel du 17 octobre 1961 ou les mutineries de 1917, l'histoire de seuls crimes de l'État. Pourquoi pas ? Mais que diriez-vous d'un enseignant qui limiterait son programme ou d'une association qui limiterait son action aux seuls crimes du communisme ? […]

Mehdi Lallaoui. – C'est un choix politique de dire à certains moments que les victimes de Sétif sont au nombre de cent trois et que l'on ignore le nombre de victimes musulmanes. Poser ce genre de problème permet également de poser la question politique du racisme en France, de la citoyenneté et de la démocratie. S'agissant de l'accès aux archives, la République est-elle la même pour tous ? Ou bien certaines personnes, grâce à leurs titres universitaires, ont-elles le droit d'accéder aux archives et de les interpréter alors que d'autres se voient refuser l'accès car leur démarche est perçue comme politique ? […]

« Les actes de la DESCO », CRDP de l'académie de Versailles, 2002.

1. Historien, directeur de l'Institut d'histoire du temps présent.

2. Général de l'armée française, condamné en 2004 pour « apologie de crimes de guerre ».

1 Analyser la consigne 2 Prélever des informations

Il faut distinguer les différentes parties de la consigne, relever les termes essentiels et les définir.

MISE EN ŒUVRE

« Après avoir présenté les différents groupes porteurs de mémoire, vous montrerez leurs actions et leurs objectifs, puis vous mettrez en évidence le rôle des historiens face à ces groupes. »

1. Qu'est-ce qu'un groupe porteur de mémoire ?

2. Quelle distinction fait-on entre actions et objectifs ?

3. Quelles sont les différentes formes d'intervention des historiens dans le cadre de leur travail ?

4. À quelle partie de la consigne correspond le texte surligné en bleu dans le document ? En orangé ? En vert ?

6 Comment présenter votre devoir ?

Chaque paragraphe comporte des idées essentielles, des informations extraites des documents, des connaissances personnelles. Des connecteurs logiques permettent de donner de la cohérence à l'analyse.

MISE EN ŒUVRE

Voici un exemple de devoir partiellement rédigé. Donnez des exemples chaque fois que cela est demandé.

Cette table ronde permet la confrontation entre un historien, Henry Rousso, et Mehdi Lallaoui, représentant un des groupes porteurs de mémoire de la guerre d'Algérie. ⏎

Il existe, en effet, plusieurs mémoires portées par différents groupes qui se distinguent par leur vécu de la guerre ou les représentations qu'ils en ont. Les populations civiles musulmanes et pieds-noirs qui ont connu la guerre ont souvent été victimes de massacres, de déplacements forcés. C'est notamment le cas des victimes de Sétif. Elles témoignent des souffrances vécues. Elles sont aujourd'hui relayées par les descendants des immigrés algériens, les Beurs issus de l'immigration ou les enfants de pieds noirs. ⏎

Au contraire, d'autres groupes portent la mémoire des combats. Défendant l'Algérie française, ce sont les soldats de l'armée française, militaires de carrière, appelés du contingent, mais aussi supplétifs de cette armée, les harkis. Leurs récits des événements diffèrent en fonction des responsabilités qu'ils avaient. Par exemple, le général Aussaresses reconnaît la torture tout en défendant sa nécessité en temps de guerre. Les combattants du Front de libération nationale (FLN) portent la mémoire de la lutte en faveur de l'indépendance de l'Algérie. ⏎

Ces groupes se différencient par leurs actions et leurs objectifs en faveur de la reconnaissance de leur cause, notamment en France. ⏎

Pour faire connaître leur cause, ils utilisent différents modes d'actions…

➡ **Quels moyens utilisent-ils pour se faire connaître dans l'espace public ?**
  `Cours p. 61`

Leurs objectifs varient en fonction de leurs intérêts. Ainsi, l'association « Au nom de la mémoire » représentée par Mehdi Lallaoui, cherche, depuis 1983, à faire émerger « cette histoire douloureuse et occultée ».

➡ **Recherchez les revendications d'autres groupes de mémoire.** `Repères p. 48`

Face à ces groupes, les historiens confrontent ces mémoires et cherchent à dépasser les lectures partisanes dans un souci d'objectivité. ⏎

Pour accéder à cette connaissance de l'histoire de la guerre d'Algérie et la transmettre, les historiens s'appuient sur différents moyens. Ainsi, ils exploitent et interprètent des documents d'archives devenus accessibles depuis les années 1990. Des colloques sont organisés tels que celui de l'université d'été consacrée à « apprendre et enseigner la guerre d'Algérie et le Maghreb contemporain » en août 2001.

le +

Vous donnerez un « plus » à votre travail :

– en débutant par une **courte introduction** comportant une annonce des deux paragraphes traités ;

– en allant à la ligne avec un alinéa après avoir développé une idée essentielle dans un paragraphe : ⏎ retour à la ligne et alinéa ;

– en terminant par une **courte conclusion** qui fait le bilan de l'analyse.

<table>
<tr><td>MÉTHODE</td><td>MISE EN ŒUVRE</td></tr>
</table>

✒ *Ainsi, ce travail permet de faire évoluer les mémoires, mais soulève aussi de nombreux débats et critiques.*

➡ **Citez une polémique suscitée par le travail des historiens.**

Étude 3 p. 56-57   Cours p. 62-63

Malgré des contestations concernant leur rôle, le travail des historiens a permis une meilleure connaissance de la guerre d'Algérie et de mémoires qui en découlent.

SUJET EN AUTONOMIE

Le cinéma et la difficile mémoire de la guerre d'Algérie.

CONSIGNE : Vous montrerez en quoi la diffusion de ce film témoigne des différents temps de la mémoire de la guerre d'Algérie dans la société française.

1 **Affiche de 2004 du film *La Bataille d'Alger*, de Gillo Pontecorvo**

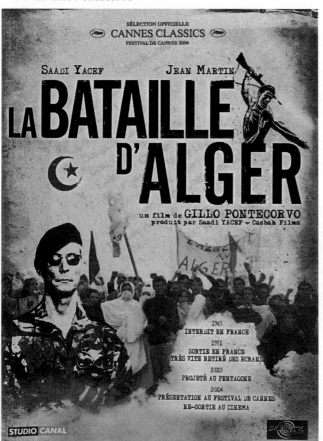

2 **« Une leçon d'histoire »**

En 1966, *La Bataille d'Alger* remporte le lion d'or à Venise. Gillo Pontecorvo, son réalisateur, monte sur scène. La délégation française, elle, quitte la salle. Il aura fallu trente-huit ans, une projection très médiatisée au Pentagone[1], une redécouverte inattendue du film aux États-Unis (et une guerre en Irak ?) pour que la pilule passe… Cette année, *La Bataille d'Alger*, histoire de la montée en puissance puis du démantèlement du FLN, entre 1954 et 1957, figure dans la sélection officielle du Festival de Cannes, et ressort dans une dizaine de salles à Paris et en province. […] Pontecorvo s'amuse de la nouvelle : « C'est étrange qu'il passe aujourd'hui à Cannes… Mais tant mieux ! À l'époque, les Français étaient à vif sur ce sujet, les plaies étaient encore béantes. » […] *La Bataille d'Alger* a été tournée en 1965, dans la casbah[2], grâce au précieux concours de Yacef Saadi, ex-militant du FLN, acteur et coproducteur du film. Celui-ci montre les méthodes employées par les Français pour obtenir des aveux, notamment la torture, mais aussi la détermination jusqu'au-boutiste et meurtrière des Algériens. Pensé comme un documentaire, avec des images travaillées pour ressembler aux actualités de l'époque, ce film est le fruit d'une rigoureuse enquête de plus de six mois qui lui donne valeur de témoignage. « Cette guerre était une partie d'échecs, que ni les colonialistes ni les Algériens n'ont gagnée : c'est l'Histoire et la douleur qui l'ont emporté », raconte Yacef Saadi.

Laurence Debril, *L'Express*, 10 mai 2004.

1. Quartier général de l'armée américaine.
2. Quartier historique d'Alger.

Schéma de synthèse

Lecture historique des mémoires de la guerre d'Algérie

EN FRANCE

1962-1975 :
UN OUBLI ORGANISÉ

- La guerre d'Algérie est un épisode traumatique de l'histoire de la IVe République (« la guerre sans nom »).
- L'État organise l'oubli officiel des « événements » d'Algérie.
- Il fait voter des lois d'amnistie pour les actes commis en temps de guerre.

1975- début des années 1990 :
UN TOURNANT

- Première visite d'un président français en Algérie (1975).
- Émergence du souvenir de la guerre dans l'espace public grâce à certains groupes porteurs de mémoire : harkis, appelés, rapatriés, immigrés algériens.
- Publications de travaux historiques majeurs (B. Stora, G. Pervillé).

Depuis les années 1990 :
DE NOUVEAUX ENJEUX

- Reconnaissances officielles : un nom pour la guerre, un monument, des dates de commémoration.
- Fin de l'occultation de la question de la torture (articles de presse, témoignages, travaux d'historiens).
- Persistance cependant de mémoires conflictuelles (harkis, pieds-noirs, immigrés, appelés, etc.).

EN ALGÉRIE

1962 - début des années 1980 :
UN OUBLI ORGANISÉ

- Le FLN utilise la guerre pour souder la toute nouvelle nation née de la victoire.
- Les mémoires individuelles sont occultées.
- Les discours et les documents exaltent l'héroïsme des martyrs et leur sacrifice.
- Le massacre des harkis, les violences perpétrées par les combattants algériens ainsi que les différents courants au sein des indépendantistes sont niés.

Depuis les années 1980 :
UN TOURNANT PROGRESSIF

- Reconnaissance du rôle de certains acteurs (comme Messali Hadj) en désaccord avec le FLN durant la guerre.
- Des publications plus nombreuses, mais l'accès aux archives reste problématique.
- La question des harkis est toujours occultée.

le + culture générale

La guerre d'Algérie fondatrice de mémoires

Témoignages et romans :
- Pierre Daum, *Ni valise ni cercueil. Les pieds-noirs restés en Algérie après l'indépendance*, Actes Sud, 2012.
- Florence Beaugé, *Algérie, Une guerre sans gloire. Histoire d'une enquête*, Calmann-Lévy, 2005

Films de fiction :
- Gillo Pontecorvo, *La Bataille d'Alger*, 1966.
- Philippe Faucon, *La Trahison*, 2005.
- Florent-Emilio Siri, *L'Ennemi intime*, 2007.

Film documentaire :
- Gabriel Le Bomin et Benjamin Stora, *La Déchirure*, 2012.

B.D. :
- Jacques Ferrandez et Isabelle Bournier, *Des hommes dans la guerre d'Algérie*, Casterman, 2010.

Études d'historiens :
- Benjamin Stora, *Histoire de la guerre d'Algérie*, La Découverte, 2004.
- Sylvie Thénault, *Histoire de la guerre d'indépendance algérienne*, Flammarion, 2005.

- Guy Pervillé, *La Guerre d'Algérie : histoire et mémoires*, CRDP d'Aquitaine, 2008.

Site : www.elwatan.com/independance-algerie-webdoc/

Les mémoires oubliées

Témoignages et romans :
- Yahia Belaskri et Elisabeth Lesne, *Algéries 50*, Magellan & Cie / Cité nationale de l'histoire de l'immigration, 2012.
- Didier Daeninckx, *Meurtres pour mémoire*, Éditions Gallimard, 1984.
- Laurent Mauvignier, *Des hommes*, Les Éditions de Minuit, 2009.

Films documentaires :
- Laurence Giordano et Sandrine Mercier, *Nos guerres d'Algérie, l'histoire en héritage*, mini-série coproduite par France Télévisions, http://programmes.france3.fr/nos-guerres-d-algerie/
- Yasmina Adi, *Ici on noie des Algériens, 17 octobre 1961*, 2011.

Site : www.univ-paris13.fr/benjaminstora/la-memoire

Le porte-avion américain USS George Washington emprunte le canal de Suez pour rejoindre le Golfe persique, 10 octobre 1994

CHAPITRE 3

Les États-Unis et le monde depuis 1945

Après la Seconde Guerre mondiale, les États-Unis s'affirment comme la plus grande puissance économique et militaire mondiale. Pendant la guerre froide, ils prennent la tête du « monde libre ». Au nom de la défense des valeurs de la **démocratie** et du **libéralisme économique**, ils luttent contre la volonté d'expansionnisme mondial de l'**URSS communiste**. **Après l'éclatement de l'URSS en 1991**, ils s'imposent **comme la seule hyperpuissance mondiale** mais connaissent un déclin relatif de leur puissance depuis le début du XXIᵉ siècle.

> Sous quelles formes la puissance américaine s'est-elle exercée dans le monde depuis 1945 ?

1 **La naissance d'une superpuissance**

Les soldats américains plantent le drapeau des États-Unis sur l'île japonaise d'Iwo Jima en février 1945.

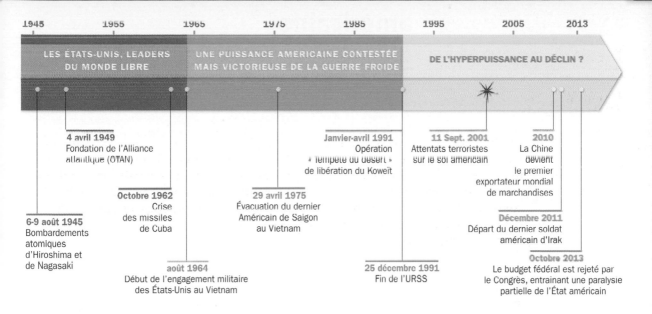

1945   1955   1965   1975   1985   1995   2005   2013

LES ÉTATS-UNIS, LEADERS DU MONDE LIBRE   **UNE PUISSANCE AMÉRICAINE CONTESTÉE MAIS VICTORIEUSE DE LA GUERRE FROIDE**   **DE L'HYPERPUISSANCE AU DÉCLIN ?**

4 avril 1949
Fondation de l'Alliance atlantique (OTAN)

Janvier-avril 1991
Opération
« Tempête du désert »
de libération du Koweït

11 Sept. 2001
Attentats terroristes
sur le sol américain

2010
La Chine
devient
le premier
exportateur mondial
de marchandises

Octobre 1962
Crise
des missiles
de Cuba

29 avril 1975
Évacuation du dernier
Américain de Saigon
au Vietnam

6-9 août 1945
Bombardements
atomiques
d'Hiroshima et
de Nagasaki

Décembre 2011
Départ du dernier soldat
américain d'Irak

août 1964
Début de l'engagement militaire
des États-Unis au Vietnam

25 décembre 1991
Fin de l'URSS

Octobre 2013
Le budget fédéral est rejeté par
le Congrès, entraînant une paralysie
partielle de l'État américain

2   **Les difficultés de l'hyperpuissance**

Des Pakistanais brûlent le drapeau des États-Unis en 2013 pour protester contre les frappes de drones américains.

A. Les origines de la puissance américaine

Superpuissance

Désigne depuis 1945 tout pays qui détient le pouvoir d'influencer l'ordre mondial par ses capacités militaires, ses ressources économiques et son rayonnement culturel.

Hyperpuissance

Concept popularisé par Hubert Védrine (ministre français des Affaires étrangères de 1997 à 2002), pour définir la superpuissance des États-Unis devenue sans rivale après la chute de l'URSS en 1991.

Destinée manifeste : courant de pensée qui prend de l'ampleur dès le XIXᵉ siècle et qui attribue aux États-Unis le rôle d'éclairer et de guider le monde.

Isolationnisme : doctrine de politique extérieure dominante aux États-Unis jusqu'en 1941, qui prône la non-intervention des États-Unis dans les affaires des pays étrangers.

OTAN : Organisation du traité de l'Atlantique Nord (1950). Organisation militaire dominée par les États-Unis et regroupant les pays ayant signé l'Alliance atlantique en 1949 (États-Unis, Canada, pays d'Europe occidentale).

Pacte de Varsovie : alliance militaire conclue en 1955 entre l'URSS et les États communistes européens.

1 Les États-Unis et le monde avant 1945

RAPPEL

1796 – Discours d'adieu du président George Washington

Les États-Unis ne doivent pas s'engager dans les affaires européennes. C'est le début de l'isolationnisme.

« *L'Europe possède un ensemble d'intérêts de base qui n'ont rien à voir ou presque avec nous. À cause de cela, elle s'engage dans de fréquentes controverses dont les causes sont tout à fait étrangères à nos préoccupations. Par conséquent, il n'est pas* *raisonnable que nous nous impliquions par des liens artificiels dans les complications de sa politique ou dans les combinaisons de ses amitiés ou de ses inimitiés […]. Pourquoi, en liant notre destinée à celle d'une quelconque partie de l'Europe, laisser dépendre notre paix et notre prospérité de l'ambition, de la rivalité, de l'intérêt, de l'humeur ou du caprice des Européens ?* »

1823 – Doctrine de Monroe

À l'occasion de l'indépendance des colonies espagnoles d'Amérique latine, le président Monroe interdit aux puissances européennes de s'y implanter au nom de la souveraineté latino-américaine nouvellement acquise. Mais il affirme aussi la prétention des États-Unis à l'hégémonie sur le continent américain tout en rappelant qu'ils n'interviendront jamais dans les affaires européennes. C'est une redéfinition de l'isolationnisme prôné par G. Washington.

« *La politique que nous avons adoptée à l'égard de l'Europe […] est toujours restée la même, elle* *consiste à ne jamais nous interposer dans les affaires intérieures d'aucune des puissances de cette partie de la Terre. […] Il est impossible que les puissances alliées étendent leur système politique à une partie de ce continent, sans mettre en danger notre paix et notre bonheur ; et aucune d'entre elles ne peut croire que nos frères [d'Amérique] du Sud, s'ils le pouvaient, l'adopteraient de leur propre gré. Il nous serait donc également impossible de rester spectateur indifférent de cette intervention, sous quelque forme qu'elle eût lieu.* »

1845 – La destinée manifeste

Reprenant et amplifiant la pensée de l'anglais Thomas Paine rallié, dès 1774, à la cause de l'indépendance des États-Unis (« il est en notre pouvoir de recommencer le monde »), le journaliste new-yorkais John O'Sullivan justifie, dans un article paru en 1845 dans la *Democratic Review*, l'annexion du Texas et la conquête progressive de tout l'Ouest américain.

« *L'accomplissement de notre destinée manifeste est de nous répandre sur tout le continent que la Providence nous a donné, pour assurer le libre épanouissement de nos millions d'habitants qui se multiplient tous les ans.* »

Après la Première Guerre mondiale, le président américain Wilson propose aux puissances européennes belligérantes de réorganiser le monde selon 14 points empruntant aux valeurs fondatrices des États-Unis : libre-échange, droit d'autodétermination des peuples et démocratie libérale appliquée à l'ordre mondial avec la création d'une Société des Nations. Mais le Congrès américain, devenu républicain, refuse de ratifier l'entrée des États-Unis dans la Société des Nations.

« *Ce que nous voulons, c'est que le monde devienne un lieu où tous puissent vivre en sécurité. C'est donc le programme de paix dans le monde qui constitue notre programme.* »

Le président Franklin Delano Roosevelt impose à son allié britannique, avant l'entrée en guerre des États-Unis, des objectifs conformes aux valeurs internationales des États-Unis telles la souveraineté démocratique des nations (point 3) et la liberté des échanges sur mers et océans (point 7).

« *3. Ils respectent le droit qu'ont tous les peuples de choisir la forme de Gouvernement sous laquelle ils entendent vivre […].*
7. Une telle paix doit permettre à tous les hommes de parcourir sans entrave les mers et les océans. »

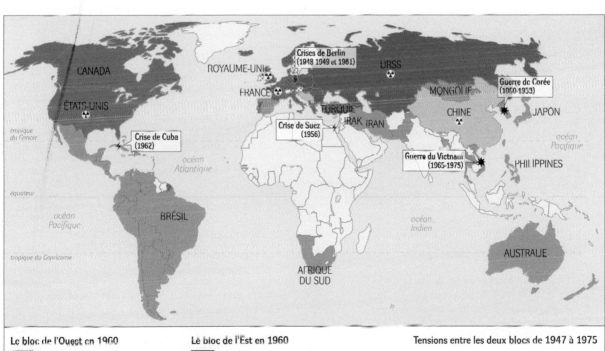

2 **Les alliés des États-Unis et de l'URSS pendant la guerre froide**

Le bloc de l'Ouest en 1960
- Pays membres de l'**OTAN**
- Autres alliés des États-Unis
- Principaux pays ayant reçu l'aide du plan Marshall

Le bloc de l'Est en 1960
- Pays membres du pacte de Varsovie
- Autres alliés de l'URSS
- Pays communistes non alliés de l'URSS

Tensions entre les deux blocs de 1947 à 1975
- ⚡ Crises
- ✹ Conflits armés
- ☢ Pays détenant officiellement l'arme nucléaire

B. Les manifestations de la puissance américaine

1 La superpuissance militaire et stratégique des États-Unis

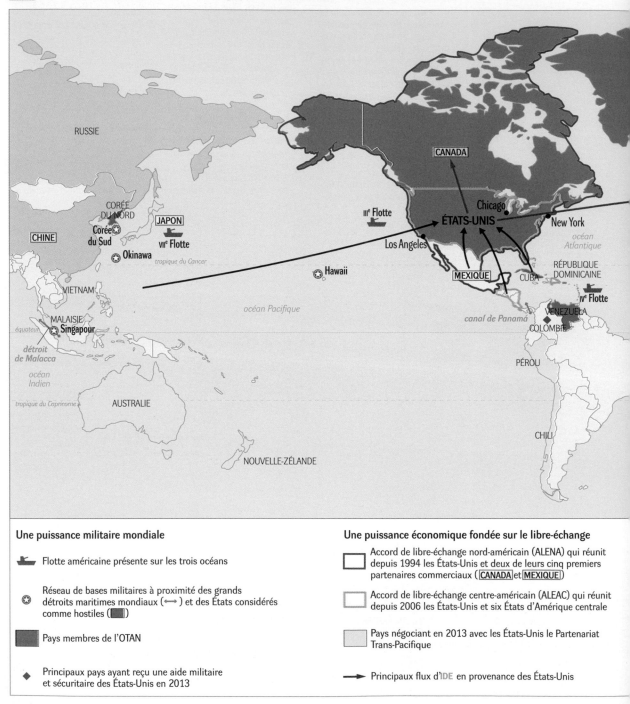

Une puissance militaire mondiale

Flotte américaine présente sur les trois océans

Réseau de bases militaires à proximité des grands détroits maritimes mondiaux (⟷) et des États considérés comme hostiles (▪)

Pays membres de l'OTAN

Principaux pays ayant reçu une aide militaire et sécuritaire des États-Unis en 2013

Une puissance économique fondée sur le libre-échange

Accord de libre-échange nord-américain (ALENA) qui réunit depuis 1994 les États-Unis et deux de leurs cinq premiers partenaires commerciaux (CANADA et MEXIQUE)

Accord de libre-échange centre-américain (ALEAC) qui réunit depuis 2006 les États-Unis et six États d'Amérique centrale

Pays négociant en 2013 avec les États-Unis le Partenariat Trans-Pacifique

Principaux flux d'IDE en provenance des États-Unis

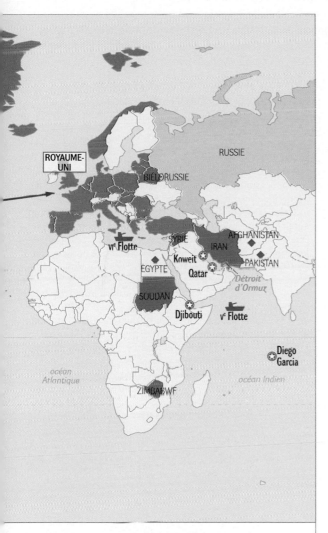

2 Les principales interventions militaires des États-Unis dans le monde de 1945 à 2014

Date de l'intervention	Nature de l'intervention militaire	Effectifs déployés
8 décembre 1941 – 2 septembre 1945	Seconde Guerre mondiale	16 millions de soldats mobilisés
1950-1953	Guerre de Corée (sous mandat ONU)	325 000 soldats (1953)
Juillet – octobre 1958	Occupation militaire du Liban	14 000 fantassins et Marines
1964-1973	Guerre du Vietnam	538 000 soldats (1968)
1965	Invasion de la République dominicaine (opération *Power Pack*)	42 000 Marines et parachutistes
1983	Invasion de l'île de Grenade (opération *Urgent Fury*)	7 300 Marines
Janvier – avril 1991	Libération du Koweït occupé par l'Irak (opération *Desert Storm* sous mandat ONU)	697 000 soldats
Décembre 1992 – mai 1993	Occupation militaire de la Somalie (opération *Restore Hope* sous mandat ONU)	25 000 soldats
2003-2011	Occupation militaire de l'Irak	160 000 soldats (2008)
Depuis 2001	Occupation militaire de l'Afghanistan	63 500 soldats (2013)

Sources : département de la Défense, département d'État.

Une puissance au soft power attractif et sans rival

• Trois grandes métropoles globales (New York, Los Angeles, Chicago) dominant l'industrie mondiale de la culture et du divertissement

→ Flux migratoires massifs en provenance d'Amérique centrale et d'Asie

▢ Rivaux stratégiques et économiques ne disposant pas encore des valeurs attractives du soft power américain

R. Reagan, le président de la puissance militaire retrouvée

« *Je sais que pour l'Amérique il y aura toujours une nouvelle aube brillante.* »

Élu sur le slogan « *America is back* », Ronald Reagan incarne le retour d'une Amérique qui croit à nouveau en sa « destinée manifeste ». Ses deux mandats (1981-1989) sont une période d'exaltation du **hard power** et de la réaffirmation de la puissance des États-Unis qui, à la fin de la décennie, assistent triomphants à l'effondrement final de l'URSS, leur seul rival au niveau mondial.

> **En quoi Ronald Reagan incarne-t-il l'une des deux composantes majeures de la puissance mondiale des États-Unis ?**

BIOGRAPHIE

Ronald Reagan (1911-2004) est un ancien acteur hollywoodien, devenu homme politique républicain et gouverneur de Californie de 1967 à 1975. Élu à la tête des États-Unis à 70 ans, il devient l'un des présidents les plus populaires de tous les temps aux États-Unis. Pour beaucoup d'Américains, il est celui qui a hâté la disparition de l'URSS, qu'il avait lui-même qualifiée « d'empire du mal ».

1 | « *America is back* »

Retournez trois ans en arrière. [...] Nos défenses étaient devenues faibles. Partout autour du monde, la réputation de l'Amérique ne rimait plus avec force et fermeté, mais avec mollesse et doute. Beaucoup à Washington semblaient avoir oublié que les valeurs clés de la foi, la liberté et la famille étaient ce qui avait fait de nous un grand et un bon peuple. Pendant de longues années, il semblait [...] que notre nation souffrait d'un déclin inévitable.

Mais sur cette Terre, il n'y a rien d'inévitable. Et le peuple américain décida qu'il était temps de mettre un terme à ce déclin, de donner à notre pays la renaissance de la liberté et de la foi, qu'il était temps pour un grand renouveau. Et bien, nous républicains avons pris le pouvoir en étant déterminés à faire un nouveau commencement. Et aujourd'hui, l'Amérique est de retour.

Allocution du président Reagan, 10 mai 1984.

2 | « Si la liberté doit survivre... cela dépend de nous »

Pourquoi les Soviétiques sont attaqués par les gens d'Afghanistan quand nos forces américaines et caribéennes ont été saluées comme des libératrices par le peuple de Grenade ? La réponse est : aucun peuple dans l'histoire n'a jamais choisi d'être réduit en esclavage. [...] Chaque habitant du monde veut être libre. C'est la différence entre l'Afghanistan et la Grenade, entre la Corée du Nord et la Corée du Sud. [...] Nous Américains portons un lourd fardeau. [...] Si la liberté doit survivre, si la paix doit être maintenue, cela dépend de nous. Notre engagement en Corée illustre cette forte responsabilité. Nous soutenons pied à pied le peuple coréen depuis trente ans maintenant. Le caractère de notre pays se reflète dans ce soutien apporté si loin de chez nous. Et à la fin, cette force de caractère fera la différence entre l'esclavage et la liberté, mais plus important, entre la guerre et la paix.

Discours du président Reagan aux troupes américaines stationnées en Corée du Sud, 1983.

Vocabulaire

Hard power : puissance militaire et économique détenue par un État.
Soft power : capacité d'influence sans avoir recours à des moyens contraignants.

3 | Ronald Reagan s'adresse aux troupes américaines en Corée du Sud, 1983

Bill Gates, le grand patron devenu philanthrope

❝ *Les Américains sont […] toujours les plus généreux lorsqu'il s'agit de lutter contre la pauvreté dans le monde.* **❞**

Créée en 2000, la fondation de Bill Gates finance, grâce à l'immense fortune acquise par le grand patron lorsqu'il était à la tête de Microsoft, des centaines de projets humanitaires de lutte contre les maladies, la faim ou l'illettrisme.

> En quoi Bill Gates incarne-t-il l'une des deux composantes majeures de la puissance mondiale des États-Unis ?

4 « Le pouvoir de l'innovation »

Lorsque nous avons créé notre fondation, nous avons spécifié dans ses statuts que vingt ans après notre mort, elle aurait dépensé tout son argent et qu'elle aurait cessé d'exister. Nous croyons en effet que l'inégalité sanitaire entre riches et pauvres peut être éliminée durant ce laps de temps. […] C'est ma croyance dans l'innovation qui m'amena à fonder Microsoft. Quand j'étais un adolescent, les ordinateurs avaient la taille d'une voiture et ils étaient beaucoup trop coûteux. […] Aujourd'hui, il y a un ordinateur dans chaque poche. La vitesse de l'innovation s'accélère. C'est aussi vrai pour la polio. Nous avons appris que c'est un virus il y a cent ans. Nous avons développé le vaccin pour le combattre il y a cinquante ans. Et il y a vingt-cinq ans nous nous sommes résolus à l'éradiquer.

Discours de Bill Gates à la conférence Dimbleby, 29 janvier 2013.

5 Bill Gates tient dans ses bras un enfant du Mozambique vacciné par sa fondation, novembre 2003

6 « Un homme d'affaires avisé »

Il n'est pas si surprenant que le roi mondial du logiciel démontre une aussi bonne compréhension de l'efficacité habile du « soft power ». […] Lorsque le patron de Microsoft Bill Gates a dévoilé, lors d'un voyage en Inde la semaine dernière, un don initial de 100 millions de dollars pour aider le pays à traiter l'épidémie de SIDA, le monde assistait à un pur exercice de soft power et des instincts charitables des États-Unis. […] Gates est d'abord et surtout un homme d'affaires avisé. Le potentiel économique de l'Inde souffrira si le gouvernement indien ne parvient pas à endiguer la contamination croissante de sa population par le SIDA. Or, une économie indienne en croissance offre aux investisseurs américains un marché fantastique.

Éditorial du Seattle Times, 19 novembre 2002.

Questions

Les bases idéologiques de la puissance américaine

1. **Doc. 1 et 2 :** Sur quelles valeurs Ronald Reagan affirme-t-il fonder son action ?

2. **Doc. 4 :** Comment Bill Gates explique-t-il le succès de son entreprise ?

Les outils de la puissance américaine

3. **Doc. 2 et 3 :** Quel rôle mondial Ronald Reagan attribue-t-il aux États-Unis ? Quels sont, d'après lui, les moyens pour y parvenir ?

4. **Doc. 4, 5 et 6 :** Montrez les différentes façons dont Bill Gates a contribué et contribue encore à la puissance et au rayonnement mondial des États-Unis.

Vers la composition du BAC

Capacités et méthodes :

II. 2. Décrire et mettre en récit une situation historique.

En vous aidant des exemples de Ronald Reagan et Bill Gates, vous rédigerez un texte construit montrant les différentes formes que peut prendre la puissance américaine dans le monde.

L'année 1947, la doctrine Truman et le plan Marshall

Dès fin 1945, la **Grande Alliance** entre États-Unis et Union soviétique se disloque à cause de l'**expansion communiste** dans les pays d'Europe centrale occupés par l'Armée rouge soviétique (Pologne, Roumanie, Bulgarie). Le communisme s'étendant vers l'Europe méditerranéenne (guerres civiles en Grèce et en Turquie), l'administration américaine Truman choisit, en mars 1947, de venir en aide économiquement aux États européens afin qu'ils soient plus aptes à y résister.

> **Pourquoi l'année 1947 constitue-t-elle un tournant dans la politique étrangère et de défense des États-Unis ?**

DATES CLÉS

- **12 mars 1947** Doctrine Truman.
- **5 juin 1947** Plan Marshall.
- **Janvier 1952** Fin du plan Marshall.

1 La doctrine Truman (12 mars 1947)

À l'heure actuelle de l'histoire mondiale, presque chaque nation doit choisir entre deux modes de vie alternatifs. Trop souvent, pourtant, ce choix ne se fait pas librement. Le premier mode de vie repose sur la volonté de la majorité et il est caractérisé par des institutions libres, un gouvernement représentatif, des élections libres, des garanties assurant la liberté individuelle, la liberté de parole et de religion, et l'absence de toute oppression politique. L'autre mode de vie repose sur la volonté d'une minorité imposée par la force à la majorité. Il s'appuie sur la terreur et l'oppression, une presse et une radio contrôlées, sur des élections truquées et la suppression des libertés personnelles. Je crois que la politique des États-Unis doit consister à soutenir les peuples libres qui résistent à des tentatives d'asservissement par des minorités armées, ou à des pressions venues de l'extérieur. Je crois que nous devons aider tous les peuples libres à déterminer eux-mêmes leur destin. Ce que j'entends par un tel soutien, c'est essentiellement une aide économique et financière qui constitue la base de la stabilité économique et d'une vie politique cohérente.

Harry S. Truman, discours au Congrès, 12 mars 1947.

2 L'annonce du plan Marshall

La vérité, c'est que les besoins de l'Europe en produits alimentaires et autres produits essentiels – essentiellement de l'Amérique – au cours des trois ou quatre années à venir, dépassent à ce point sa capacité de paiement, qu'elle a besoin d'une aide supplémentaire importante, si on veut lui éviter de graves troubles économiques, sociaux et politiques. [...] Les conséquences sur l'économie américaine seront claires pour tous. Il est logique que les États-Unis fassent tout ce qui est en leur pouvoir pour favoriser le retour du monde à une santé économique normale, sans laquelle il ne peut y avoir ni stabilité politique ni paix assurée. Notre politique n'est dirigée contre aucun pays ni doctrine, mais contre la faim, la pauvreté, le désespoir et le chaos, de façon à permettre le retour à ces conditions politiques et sociales dans lesquelles peuvent exister des institutions libres. [...] Tout gouvernement qui consent à nous aider dans la tâche de renaissance trouvera, j'en suis sûr, une coopération complète de la part du gouvernement américain. Tout gouvernement qui manœuvre pour arrêter la renaissance d'autres pays ne peut attendre d'aide de notre part. De plus, les gouvernements, partis politiques ou groupes qui cherchent à perpétuer la misère humaine pour en profiter politiquement ou autrement, rencontreront l'opposition des États-Unis.

Discours du général Marshall à l'université de Harvard, 5 juin 1947.

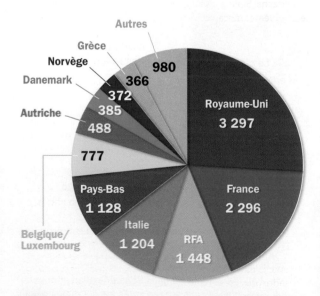

3 L'aide américaine à l'Europe de l'Ouest de 1948 à 1951, en millions de dollars

"It's The Same Thing Without Mechanical Problems"

4 Le plan Marshall dans la presse américaine, dessin de Herblock paru dans le *Washington Post*, 26 janvier 1949

Le maréchal Staline dit au paysan : « C'est la même chose sans les problèmes mécaniques. »

NON ! LA FRANCE NE SERA PAS UN PAYS COLONISÉ !

LES AMÉRICAINS en AMÉRIQUE !

ÉDITÉ PAR LE PARTI COMMUNISTE FRANÇAIS

CETTE AFFICHE A ÉTÉ PAYÉE AVEC LES FONDS COLLECTÉS PAR LES TRAVAILLEURS DES USINES RENAULT

5 Le plan Marshall dans la propagande du Parti communiste français en 1950

6 Le plan Marshall, un « grand danger de guerre »

Le mûrissement du plan Marshall a entraîné en effet deux sortes de conséquences également périlleuses. La première a été d'aggraver les contradictions économiques du plan. Dès lors en effet qu'on a consenti à donner à l'opération politique le pas sur l'aide économique, on a été tenté de concevoir qu'une aide militaire aux gouvernements de l'Europe occidentale pouvait être plus efficace que des dons en dollars et en marchandises. La deuxième conséquence d'ordre politique a été la « guerre froide ». Il aurait été paradoxal [...] que les communistes ne réagissent pas devant une offensive dirigée aussi clairement contre eux. De fait la guerre froide a eu pour conséquence de renforcer leurs positions en Europe orientale et d'entraîner une violente agitation en France et en Italie. Ainsi, le plan Marshall, que ses partisans représentaient comme le moyen pour les États-Unis de conserver la paix au moindre prix, est devenu aujourd'hui un des plus grands dangers de guerre que nous ayons connu depuis la Libération.

Extrait de la revue Esprit, *avril 1948.*

Questions

Les États-Unis et le monde : la doctrine Truman

1. **Doc. 1 :** En quoi la doctrine Truman modifie-t-elle la relation traditionnelle des États-Unis au monde ? Comment le président Truman justifie-t-il ce changement ?

2. **Doc. 1 et 2 :** Montrez que le plan Marshall est une application directe de la doctrine Truman.

Le plan Marshall et sa réception en Europe

3. **Doc. 2 et 3 :** En quoi consiste l'aide américaine du plan Marshall aux pays européens ?

4. **Doc. 4, 5 et 6 :** Le plan Marshall est-il bénéfique pour l'image des États-Unis dans le monde ? Quelles critiques lui sont adressées ?

Vers l'analyse de documents du BAC

Capacités et méthodes :

II. 2. Lire un document et en exprimer oralement ou par écrit les idées clés.

Après avoir présenté la nature des **documents 1 et 2**, vous expliquerez en quoi ils modifient radicalement le rapport des États-Unis avec le monde.

Les mutations de la puissance militaire des États-Unis

Complexe militaro-industriel : ensemble des décideurs politiques, des responsables militaires et des industriels chargés d'assurer la fourniture matérielle des forces armées.

Équilibre de la terreur : situation d'égalité entre les arsenaux nucléaires américains et soviétiques durant la guerre froide. Une guerre directe entre les deux pays entraînerait la destruction des deux belligérants.

Avec la formation des blocs de la **guerre froide**, les États-Unis doivent pour la première fois entretenir une **force militaire permanente et déployée dans le monde entier** (voir carte p. 66-67). Celle-ci s'appuie sur un arsenal nucléaire assurant avec l'URSS un **équilibre de la terreur**, mais aussi sur des interventions extérieures qui peuvent parfois contredire les valeurs démocratiques américaines. Après 1991 et la disparition de l'URSS, le nouveau contexte géopolitique conduit les États-Unis à **repenser l'organisation de leur puissance militaire**.

> **Comment la puissance militaire des États-Unis s'est-elle adaptée face à de nouvelles menaces ?**

DATES CLÉS

- **1949** Création de l'OTAN.
- **1964-1973** Guerre du Vietnam.
- **2003** Début de l'intervention en Irak.
- **2009** Le président Obama reçoit le prix Nobel de la paix.

1 Le complexe militaro-industriel

Un élément essentiel pour conserver la paix est notre système militaire. Nos bras doivent être puissants, prêts pour une action instantanée, de sorte qu'aucun agresseur potentiel ne puisse être tenté de risquer sa propre destruction. Jusqu'au plus récent conflit mondial, les États-Unis n'avaient pas d'industrie d'armement. [...] Nous avons été obligés de créer une industrie d'armement permanente de grande échelle. Cette conjonction d'une immense institution militaire et d'une grande industrie de l'armement est nouvelle dans l'expérience américaine. Son influence totale, économique, politique, spirituelle même, est ressentie dans chaque ville, dans chaque parlement d'État, dans chaque bureau du gouvernement fédéral. Nous reconnaissons le besoin impératif de ce développement.

Allocution du président Eisenhower, 17 janvier 1961.

2 L'évolution du nombre d'armes nucléaires détenues par les cinq grandes puissances nucléaires

	1945	1965	1985	2012
États-Unis	6	31 642	23 368	7 700
URSS / Russie	-	6 144	38 582	8 500
Royaume-Uni	-	271	350	225
France	-	32	360	300
Chine	-	5	222	250

Source : *Bulletin of the Atomic Scientists*, 2013.

4 Repenser la puissance militaire américaine

a. La notion de dissuasion repose sur l'idée d'adversaires rationnels qui craignent les représailles en cas de première frappe. [...] À cet obstacle psychologique, se joint dans le cas d'une organisation décentralisée comme Al-Qaïda, un obstacle physique. Sur qui faire porter ces représailles ? Normalement, il s'agit de territoire, d'un État, de son organisation militaire, de ses bases. Mais quand l'adversaire n'a pas de territoire ni de populations sous son contrôle et que son organisation et ses bases sont décentralisées ? On est alors obligé de se rabattre sur les États suspectés de l'aider ou de lui donner asile. C'est ce que fait le président Bush en déclarant que quiconque abrite ou soutient les terroristes sera considéré comme terroriste.

Pierre Hassner, *Bulletin de la société française de philosophie*, 19 janvier 2002.

b. Les attentats du 11 septembre viennent démontrer de façon spectaculaire que, dans le monde globalisé, le terrorisme l'est aussi. Si cette tragédie impressionne tant le monde, c'est parce que les États-Unis en sont victimes, eux qui se pensaient – et que le monde pensait – invulnérables. Eh bien, non : face à des actions-suicides, même les États-Unis hyperpuissants ne sont pas invulnérables.

Hubert Védrine, *Continuer l'histoire*, Champs actuel, 2008.

3 Débarquement des Marines américains au Liban, janvier 1982

Ils interviennent comme membres de la force des Nations unies de maintien de la paix dans la guerre civile au Liban.

5 Le 11 septembre 2001

Deux avions de ligne détournés par des terroristes viennent percuter les tours du World Trade Center à New York.

---

6 « L'Amérique ne peut à elle seule assurer la paix »

Les États-Unis ont conduit le monde à la construction d'une architecture destinée à maintenir la paix : un plan Marshall et une Organisation des Nations unies, des mécanismes gouvernant les règles de la guerre, et des traités pour protéger les droits de l'homme. [...] Il n'y a pas eu de Troisième Guerre mondiale. La guerre froide s'est terminée lorsque des foules en jubilation ont fait tomber un mur. Le commerce a recousu la plupart des parties du monde. Des milliards d'êtres humains sont sortis de la pauvreté. [...] Pourtant, cette vieille architecture ploie sous le poids de nouvelles menaces : [...] la prolifération [nucléaire], le terrorisme, [...] la résurgence de conflits ethniques ou sectaires, la montée de mouvements sécessionnistes, les insurrections, les États défaillants. [...] Les États-Unis ne vacilleront jamais dans leur engagement en faveur de la sécurité internationale. Mais dans un monde où les menaces sont plus répandues et les missions plus complexes, l'Amérique ne peut pas agir dans l'isolement. L'Amérique ne peut à elle seule assurer la paix.

Discours du président américain Barack Obama
lors de la réception du prix Nobel de la paix, 10 décembre 2009.

Questions

Les fondements de la puissance militaire des États-Unis

1. Doc. 1, 2 et 3 : Par quels moyens les États-Unis assurent-ils leur suprématie militaire sur le monde pendant la guerre froide ?

2. Doc. 1 et 6 : Quelles sont les justifications données par les présidents Eisenhower et Obama à la puissance militaire internationale des États-Unis ?

Une puissance militaire contestée puis repensée

3. Doc. 4 et 5 : Pourquoi les attentats du 11 septembre 2001 ébranlent-ils autant la puissance militaire américaine ?

4. Doc. 6 : Quel contexte stratégique nouveau est présenté par le président Obama ? Quelles nécessaires adaptations en déduit-il pour l'armée américaine ?

Vers la composition du **BAC**

Capacités et méthodes : II. 1. Prélever, hiérarchiser et confronter des informations selon des approches spécifiques en fonction du corpus documentaire.

À l'aide d'exemples précis tirés des documents de cette étude, vous rédigerez un paragraphe construit sur les forces et les limites de la puissance militaire des États-Unis depuis 1945.

La domination culturelle des États-Unis

Accords Blum-Byrnes (28 mai 1946) : accords autorisant un prêt de 500 millions de dollars des États-Unis à la France en échange de la fin des quotas d'importation français sur les films américains.

Comics : bandes dessinées populaires mettant en valeur des super-héros et publiées aux États-Unis depuis les années 1930.

Soft power : voir p. 78.

Les États-Unis profitent de la période de guerre froide pour diffuser parmi les pays alliés leurs valeurs culturelles et morales, parfois véhiculées au travers de l'aide économique (**accords Blum-Byrnes** de 1946). La force de leur cinéma produit dans les studios d'Hollywood est aussi un outil de persuasion dans le bloc soviétique, au-delà du rideau de fer. Ce **soft power** américain demeure aujourd'hui un atout considérable, particulièrement face à leur rival économique et militaire chinois.

> **Comment la domination culturelle des États-Unis constitue-t-elle un pilier essentiel de leur puissance dans le monde ?**

DATES CLÉS

- **1990** Ouverture du premier McDonald's à Moscou.
- **1992** Eurodisney, le plus grand parc à thème américain en Europe, ouvre ses portes à côté de Paris.
- **1997** *Titanic*, film américain de James Cameron, obtient le plus gros succès de tous les temps au box-office français (21,7 millions d'entrées).
- **2009** *Avatar*, film américain de James Cameron, est le plus gros succès cinématographique de l'histoire du cinéma (2,8 milliards de dollars de recettes).

1 Hollywood et l'Italie

En Italie, les élections du 18 avril 1948 risquent de donner la majorité parlementaire aux communistes. L'administration Truman encourage une propagande proaméricaine relayée par les stars d'Hollywood.

Le show d'une heure diffusé sur le canal rouge de la radio italienne entre 21 et 22 heures a été un grand succès. Les Italiens de toute classe sociale ont apprécié le programme à cause de sa spontanéité de ton, de sa cordialité, et grâce aux messages d'amitié et de bonne volonté adressés aux Italiens par les vedettes d'Hollywood. […] Quelques critiques modérées ont été émises sur l'évidente « flatterie » du programme envers les auditeurs italiens. Celles-ci l'attribuaient à sa diffusion à cette date avec des visées clairement électorales. Mais d'autres ont défendu au contraire « la grande prudence et la neutralité démontrées pour éviter les controverses. » […] Il fut très agréable aux Italiens d'entendre Bing Crosby, Walter Pidgeon, Dinah Shore et d'autres parler italien.

Télégramme de l'ambassadeur des États-Unis en Italie James Dunn au secrétaire d'État Marshall, 8 avril 1948.

2 Le rôle du cinéma américain dans le monde

a. Un plan Marshall dans le domaine des idées […] pour aider à briser les barrières qui sont mises au développement des nouvelles formes de l'influence américaine, les magazines, le cinéma et toutes les autres formes de communication à travers le monde entier. La liberté de circulation des idées fait partie intégrante de notre politique étrangère. […] Rien n'est comparable aux films de cinéma dans leur capacité à empoigner et à tenir les masses afin de leur communiquer des informations, afin d'influencer leurs comportements d'une manière remarquable et stupéfiante. Leur impact peut en effet modifier l'évolution de l'histoire.

Déclaration du sénateur William Benton, secrétaire d'État adjoint aux Affaires étrangères, mars 1950, cité par Kerry Segrave, *American Films Abroad : Hollywood's Domination of the World's Movie Screens*, McFarland, 1997.

b. Il ne peut pas être mis en doute que le cinéma est un moyen essentiel pour communiquer des idées. Il peut agir sur les attitudes et les comportements de très nombreuses façons, depuis l'adhésion directe à une doctrine politique ou sociale jusqu'à la subtile influence qui caractérise toutes les formes d'expression artistique […].

Arrêt de la Cour suprême des États-Unis (*Burstyn* vs *Wilson*), avril 1952.

3 L'exportation de la culture américaine, un fondement du soft power

Les créateurs basés aux États-Unis sont habitués à un marché intérieur qui comporte déjà toutes les cultures et toutes les sensibilités du globe ; leur production a donc le monde pour horizon. Qu'il s'agisse d'audiovisuel (près des trois quarts des images projetées sur les petits et grands écrans du monde sont d'origine américaine), de musique ou même de cuisine (de McDonald's aux restaurants Tex-Mex), les produits *made in USA* sont partout recherchés justement pour cette qualité spéciale de ne pas appartenir à une culture particulière, mais à toutes et à tous. Dans ce sens, l'Amérique n'exporte pas « sa » culture […] mais représente simplement le lieu central du mélange et de la fabrication d'une sorte de *World Culture*. […] CNN ou MTV s'adaptent de plus en plus aux différents marchés et émettent en plusieurs langues avec des journalistes ou des animateurs locaux. Hollywood recycle des scénarios français, finance ses *blockbusters* avec du capital allemand ou japonais et commence à produire hors des États-Unis. La culture de masse mondialisée se nourrit et dépend des cultures locales autant qu'elle les influence. […] L'Amérique est au centre du monde parce que le monde entier est en Amérique.

Alfredo Valladão, « Les État-Unis, un acteur central » *Sciences Humaines* hors-série n° 17, juin-juillet 1997.

4 **Les super-héros des comics américains en Chine**

Un groupe de jeunes chinoises se fait photographier à côté de deux héros de comics américains (Iron Man et Spiderman) lors de l'exposition annuelle des jeux en ligne de Shanghai de 2011.

5 **Des manifestants sud-coréens utilisent McDonald's pour dénoncer la guerre américaine en Irak en 2003**

Questions

Une arme au temps de la guerre froide

1. **Doc. 1 :** Comment le rayonnement culturel américain peut-il aider la diplomatie du pays pendant la guerre froide ?

2. **Doc. 2 :** Quels sont les atouts propres au cinéma ?

Une aide au maintien de l'hyperpuissance ?

3. **Doc. 3 et 4 :** Comment peut s'expliquer la grande capacité d'exportation de la culture américaine ?

4. **Doc. 3 et 5 :** Montrez que ce soft power culturel des États-Unis est un atout qui a cependant des limites.

Vers la composition du **BAC**

Capacités et méthodes :

II. 1. Cerner le sens général d'un corpus documentaire et le mettre en relation avec la situation historique étudiée.

À l'aide des documents de cette étude, vous rédigerez un paragraphe construit expliquant pourquoi le rayonnement culturel américain renforce la puissance internationale du pays depuis 1945.

La puissance des multinationales des États-Unis en Amérique latine

Depuis le XIXᵉ siècle et la doctrine Monroe, **les États-Unis s'affirment comme la puissance économique et militaire dominante auprès des jeunes États d'Amérique latine**. Pendant la guerre froide, où l'affrontement direct avec le communisme est proscrit, **les entreprises américaines jouent un rôle essentiel de contrôle des économies sud-américaines** jusqu'à appuyer les dictatures militaires soutenues par la **CIA**. Après la fin de la guerre froide, ces **firmes multinationales** doivent affronter une concurrence croissante des firmes locales.

> Quel rôle jouent les firmes multinationales américaines dans l'affirmation et le maintien de la puissance des États-Unis en Amérique latine ?

DATES CLÉS

○— **1970** Les États-Unis contrôlent 80 % de la production de cuivre chilienne.

○— **2007** Nationalisation complète du pétrole vénézuélien.

○— **2012** Il n'y a plus de multinationale américaine parmi les 9 premières plus grandes entreprises implantées en Amérique du Sud.

1 La puissance de la multinationale américaine United Fruit

a. Les implantations d'United Fruit en Amérique centrale : *Carte réalisée par United Fruit en 1950.*

b. L'activité d'United Fruit vue par le prix Nobel de littérature chilien Pablo Neruda (1950)

Lorsque la trompette sonna
tout était déjà prêt sur terre.
Jéhovah répartit le monde entre Coca-Cola, Anaconda,
Ford Motors, et autres cartels.
L'*United Fruit* se réserva le plus juteux,
le Centre côtier de ma terre,
la douce hanche américaine.

Elle rebaptisa ses terres en « Républiques Bananières »,
et sur les morts en leur sommeil, sur les héros plein d'inquiétude
qui avaient conquis la grandeur, la liberté et les drapeaux,
Elle instaura l'opéra bouffe :
elle aliéna l'initiative,
offrit des trônes de Césars. […]

Pablo Neruda, « La United Fruit Company » (extrait), recueilli dans *Chant général*. Traduction de Claude Couffon, Éditions Gallimard, 1984.

2 Les multinationales américaines et la lutte anticommuniste au Chili

En 1970, International Telephone and Telegraph (ITT) est l'une des cinq plus grandes firmes américaines et possède 70 % des télécommunications chiliennes.

L'élection présidentielle au Chili se résuma rapidement à une course à trois. Le parti national conservateur, renforcé par les élections législatives de 1969, supporta l'ancien président âgé de 74 ans, Jorge Alessandri. […] Salvador Allende était une nouvelle fois le candidat de la gauche réunie dans une coalition incluant marxistes et non marxistes […]. Les responsables de la CIA rencontrèrent plusieurs fois les dirigeants de la firme ITT en juillet. Ils refusèrent la proposition d'ITT de leur fournir directement des fonds pour Alessandri mais ils conseillèrent ITT sur la meilleure manière de financer Alessandri. ITT donna 350 000 dollars à Alessandri durant la campagne

[Allende est élu le 4 septembre 1970]. La réponse politique du gouvernement des États-Unis à la présidence d'Allende fut un mélange d'actions diplomatiques, clandestines, militaires et économiques. Il est impossible de comprendre l'action clandestine sans connaître la pression économique sous-jacente. En 1970, les investissements directs étrangers des firmes américaines représentaient 1,1 milliard de dollars sur un total de 1,67 milliard. Les firmes américaines et étrangères jouaient un rôle capital dans presque tous les secteurs critiques de l'économie chilienne. Ainsi, les firmes américaines contrôlaient 80 % de la production de cuivre représentant les quatre cinquièmes des revenus en devises du pays.

Rapport de la commission du renseignement du Sénat des États-Unis sur les opérations clandestines, 1975.

3 Une manifestation populaire de soutien à la nationalisation du pétrole au Venezuela, 2008

4 Wal-Mart en Amérique latine : l'importation de l'*American way of life*

5 Les dix premières entreprises en Amérique latine par le chiffre d'affaires, 2012

		Secteur	Pays d'origine
1.	Petrobras	Pétrole/gaz	Brésil
2.	PDVSA	Pétrole/gaz	Venezuela
3.	Pemex	Pétrole/gaz	Mexique
4.	Vale	Mines	Brésil
5.	América Móvil	Téléphonie	Mexique
6.	Petrobras Distribuidora	Stations service	Brésil
7.	Odebrecht	Pétrochimie	Brésil
8.	Ecopetrol	Pétrole/gaz	Colombie
9.	JBS Friboi	Agroalimentaire	Brésil
10.	Wal-Mart Latin America	Grande distribution	États-Unis

Questions

Les multinationales américaines dans l'Amérique latine de la guerre froide

1. **Doc. 1 et 2 :** Dans quels secteurs économiques les multinationales américaines sont-elles très présentes durant la guerre froide ? Pourquoi ?

2. **Doc. 1 et 2 :** Montrez que leur intervention dans la vie politique de l'Amérique latine sert à la fois leurs intérêts et ceux du gouvernement américain.

Une présence remodelée après 1991

3. **Doc. 3 et 5 :** Comment évolue la présence des multinationale américaines en Amérique latine depuis la fin de la guerre froide ?

4. **Doc. 4 et 5 :** Quelle est celle qui est la plus présente aujourd'hui ? Montrez qu'elle symbolise le changement des formes de la puissance internationale américaine.

Vers l'analyse de document du **BAC**

Capacités et méthodes : II. 1. Prélever, hiérarchiser et confronter des informations selon des approches spécifiques en fonction du document.

Après avoir présenté la nature du **document 2**, vous montrerez en quoi les firmes multinationales américaines ont renforcé la puissance des États-Unis en Amérique latine durant la guerre froide.

Le cinéma américain et la

Depuis les débuts de la guerre froide, le cinéma hollywoodien est un **outil de diffusion mondiale des valeurs** libérales américaines (voir Étude 3 p. 84-85). Il s'intéresse aussi à la **description des grandes opérations militaires** internationales des États-Unis, comme la guerre du Vietnam. Mais la violence de ce conflit ainsi que sa contestation par une partie de l'opinion publique des États-Unis posent aux studios hollywoodiens le problème de la représentation d'une guerre finalement perdue.

> **Comment le cinéma américain passe-t-il d'une propagande guerrière à une représentation critique de l'engagement militaire au Vietnam ?**

1 **Une œuvre de propagande pendant la guerre : les *Bérets Verts* de John Wayne, 1968**

Le journaliste Beckworth prend dans ses bras un enfant vietnamien soigné par les Bérets verts américains.

En 1968, après avoir rendu visite aux troupes américaines au Vietnam l'année précédente, l'acteur et héros de western John Wayne décide de produire un film rendant hommage aux combattants des États-Unis. Avec l'appui officiel de l'armée de terre et un financement massif, John Wayne met en scène un journaliste antimilitariste, Beckworth, qui devient partisan de la guerre du Vietnam en accompagnant sur le terrain les forces spéciales (les Bérets verts). Éreinté par les critiques de la presse pour son simplisme, le film remporte cependant un succès commercial massif et reste jusqu'en 1973 la seule production majeure des studios d'Hollywood sur la guerre du Vietnam.

FICHE TECHNIQUE

- **Réalisateur :** John Wayne.
- **Scénario :** d'après le roman *Les Bérets verts* de Robin Moore.
- **Producteur :** seul film produit par un grand studio américain (Warner) sur la guerre du Vietnam pendant son déroulement.

La scène montre une attaque de village vietnamien par l'armée américaine.

Fort du succès planétaire et critique du *Parrain* et de *Conversations secrètes*, le réalisateur prodige Francis Ford Coppola souhaite réaliser dès 1975, selon ses propres termes, le film définitif sur la guerre du Vietnam. Dans un souci de réalisme maximal, le tournage se déroule aux Philippines, mais son retard – plus de deux ans et demi – en fait l'un des films les plus chers de l'histoire du cinéma américain (31 millions de dollars). Récompensé par une Palme d'or au festival de Cannes, *Apocalypse Now* raconte les horreurs de la guerre au travers de la mission secrète d'un officier américain chargé d'en éliminer un autre devenu fou.

FICHE TECHNIQUE

- **Réalisateur** : Francis Ford Coppola.
- **Scénario** : d'après le roman *Au cœur des ténèbres* de Joseph Conrad.
- **Musique** : utilise *La Chevauchée des Walkyries* du compositeur allemand Richard Wagner [scène de l'attaque des hélicoptères].
- **Prix** : Palme d'or du festival de Cannes 1979.

Questions

Le cinéma américain, outil de propagande lors de la guerre du Vietnam

1. **Doc. 1** : Quels éléments de cette image du film relèvent d'une propagande favorable aux États-Unis ?
2. **Doc. 1** : Quelle est la mission principale des Américains au Vietnam selon ce document ?

La reconstitution de la guerre du Vietnam par le cinéma américain après le traumatisme de la défaite

3. **Doc. 2** : Quels éléments de la puissance militaire américaine au Vietnam sont mis en valeur dans cette scène d'*Apocalypse Now* ?

4. **Doc. 2** : En quoi ce passage d'*Apocalypse Now* donne-t-elle une perception négative de l'intervention américaine au Vietnam ?

Vers la composition du **BAC**

Capacités et méthodes : *II. 1. Prélever, hiérarchiser et confronter des informations selon des approches spécifiques en fonction du corpus documentaire.*

À partir des documents, vous rédigerez un développement construit répondant à la question : comment le cinéma américain a-t-il successivement représenté la puissance militaire au Vietnam ?

Les États-Unis à la tête du monde libre pendant la guerre froide (1945-1991)

> **Comment la guerre froide permet-elle aux États-Unis d'imposer leur puissance dans le monde ?**

A Une puissance mondiale assumée pour la première fois

a. La formation des blocs de guerre froide

■ À la fin de la Seconde Guerre mondiale, la détention de l'**arme atomique** et la **puissance industrielle** acquise par l'effort de guerre font jouer aux États-Unis un **rôle diplomatique central dans l'organisation de la paix mondiale**. Ce rôle est conforté par la création dès juin 1945 d'une Organisation des Nations unies installée à New York. Mais la conquête de l'Europe centrale par l'URSS, contraire aux engagements de Staline à Yalta, entraîne la rupture de la Grande Alliance à partir de 1947.

■ Les États-Unis décident de **venir en aide économiquement aux pays européens** pour qu'ils puissent résister à ce que l'administration Truman appelle la « subversion communiste ». À partir de 1947, le plan Marshall sépare économiquement et idéologiquement l'Europe de l'Ouest, alliée des États-Unis, de l'Europe de l'Est, sous domination communiste. Les États-Unis s'imposent alors comme **les dirigeants du « monde libre »** au nom de la démocratie et du libéralisme économique.

b. La militarisation des alliances américaines contre le communisme

■ En 1949, alors que l'URSS accède à l'arme atomique, l'aide américaine se militarise avec la formation de l'**Alliance atlantique** et de son organisation militaire permanente, l'**OTAN**, qui place les armées européennes sous commandement américain en contrepartie d'une protection nucléaire américaine. **Des alliances identiques sont conclues dans toutes les régions du monde** : pacte de Rio en 1947 en Amérique latine, pacte de Bagdad en 1954 au Moyen-Orient et OTASE en Asie du Sud-Est en 1954.

■ Pour la première fois depuis leur fondation, les États-Unis s'engagent dans des alliances militaires extérieures pour contenir l'avancée du communisme. Cette logique de militarisation des blocs les amène à une **intervention militaire massive en Corée** (1950-1953) après l'attaque communiste. Elle contraint aussi les États-Unis à développer des **forces armées conséquentes** et une **industrie de défense** qui capte une part importante de la richesse nationale. À la fin des années 1960, les dépenses militaires représentent 8 % du PIB américain.

B Une puissance multiforme dans la guerre froide

a. L'américanisation du capitalisme mondial

■ L'hégémonie des États-Unis sur le « monde libre » s'appuie aussi sur la diffusion de leurs valeurs politiques et de leurs repères culturels parmi les pays alliés. Le plan Marshall et la libéralisation des échanges commerciaux promue par le *General Agreement on Tariffs and Trade* (**GATT**) après 1947 profitent aux firmes transnationales (**FTN**) américaines comme IBM, ITT ou General Electric. Elles s'implantent en Europe et en Amérique latine et y jouent un rôle politique important.

■ En 1990, à la fin de la guerre froide, les États-Unis comptent **167 des 500 premières firmes multinationales** (**FMN**) mondiales par leur chiffre d'affaires. Au-delà de leurs capitaux, les firmes américaines propagent leurs **méthodes de production et de gestion** des entreprises (management), comme lors des missions de productivité imposées aux élites et cadres dirigeants européens durant le plan Marshall.

➤ La doctrine Truman, texte p. 80
➤ L'aide américaine à l'Europe de l'Ouest, diagramme p. 80

Harry Truman
(1884-1972)
➤ Biographie p. 443

➤ Le complexe militaro-industriel, texte p. 82

GATT : *General Agreement on Tariffs and Trade.* Accord international de libéralisation et d'abaissement des tarifs douaniers renouvelé régulièrement entre 1947 et 1995.
FMN ou **FTN** : voir p. 86.

➤ Les multinationales américaines et la lutte anticommuniste au Chili, texte p. 86

b. La diffusion de l'*American way of life*

➤ *American way of life*, voir p. 86

■ **L'*American way of life* s'impose progressivement dans les sociétés latino-américaines et ouest-européennes** de l'après-guerre avec l'émergence de la grande distribution commerciale.

Libre-échange : doctrine économique qui préconise la suppression de toute entrave aux échanges.

■ La diffusion du **libre-échange** est aussi favorable au cinéma hollywoodien, qui peut exporter ses films produits en masse et porteurs d'une vision américaine sur le monde : l'administration Truman impose entre 1946 et 1950 la levée des quotas d'importation sur les films américains en France, Italie, RFA et Grande-Bretagne.

➤ Le rôle du cinéma américain dans le monde, texte p. 84

■ Cette influence américaine grandissante sur les modes de vie et de pensée des sociétés ouest-européennes et latino-américaines **provoque parfois un certain rejet de de la part de leurs dirigeants ou d'une partie de la population**.

➤ L'exportation de la culture américaine, texte p. 84

C Une victoire ambiguë sur le communisme

a. La puissance américaine chahutée des années 1970

■ Au début des années 1970, l'intervention militaire au Vietnam et le soutien à des dictatures en Amérique latine entraînent une **remise en cause du bien fondé moral de la politique extérieure des États-Unis**. Une partie de la jeunesse américaine refuse de partir combattre au Vietnam et manifeste pour la paix, tandis que la France du général de Gaulle, ayant retiré son armée de l'OTAN, conteste le leadership américain sur le camp occidental. Cette crise morale est accentuée par la crise économique de 1973, consécutive à la suspension de la conversion du dollar en or par le président Nixon (août 1971).

■ Si les présidences Ford (1974-1977) puis Carter (1977-1981) esquissent un retour à une diplomatie morale et multilatérale (signature des accords d'Helsinki en 1975, fin du soutien au régime autoritaire du Shah d'Iran), elles se traduisent par un **affaiblissement de la puissance américaine dans le monde**. Les États-Unis se révèlent ainsi incapables de faire libérer rapidement les cinquante deux otages détenus par les révolutionnaires islamistes iraniens entre novembre 1979 et janvier 1981.

Initiative de défense stratégique (IDS) : projet de défense présenté par l'administration Reagan en 1983 qui planifie la construction d'un bouclier anti-missiles balistiques

➤ Document 1 ci-dessous

b. Le retour à l'hégémonie

■ La présidence de **Ronald Reagan** (1981-1989) est celle du **retour à une hégémonie assumée** par une hausse considérable des dépenses militaires (+ 40 % entre 1982 et 1988) et une relance de la course aux armements (**Initiative de défense stratégique de 1983**) afin de distancer une URSS économiquement de plus en plus fragile. Ce « retour de l'Amérique » permet à Ronald Reagan de redonner à l'armée américaine un rôle international majeur et d'imposer à son homologue soviétique Gorbatchev, après 1985, un désarmement bilatéral. Le traité de Washington de 1987 supprime les missiles nucléaires à courte et moyenne portée en Europe et amorce la dislocation du bloc soviétique et de l'URSS.

 Ronald Reagan
(1911-2004)
▶ Biographie p. 78
et p. 443

➤ « Si la liberté doit survivre… cela dépend de nous », texte p. 78

➤ « America is back », texte p. 78
➤ Débarquement des Marines américains au Liban, janvier 1982, photographie p. 82

■ La fin de la décennie 1980 est contradictoire pour les États-Unis : **leurs valeurs démocratiques et libérales paraissent triompher** dans les anciens pays communistes d'Europe de l'Est (ouverture du premier McDonald's à Moscou en 1990) alors que **leur hégémonie culturelle reste contestée en Europe de l'Ouest**.

1. Le drapeau américain brûlé par les preneurs d'otages iraniens de l'ambassade des États-Unis, novembre 1979

Les États-Unis depuis 1991 : hyperpuissance ou déclin ?

> **La fin de la guerre froide confère-t-elle aux États-Unis le monopole de la puissance mondiale ?**

A 1991-2001 : la décennie de l'hyperpuissance

a. Les États-Unis « gendarmes » du nouvel ordre mondial

■ L'année 1991 consacre la superpuissance américaine tandis que l'URSS disparaît. Les États-Unis forment autour de leurs forces militaires une large coalition qui obtient un mandat du Conseil de sécurité de l'ONU pour libérer le Koweït après l'invasion irakienne. La réussite triomphale de cette opération *Desert Storm* entre janvier et avril 1991 autorise le président George Bush Senior à évoquer **un nouvel ordre mondial dont les États-Unis seraient les garants** par leur force militaire.

■ La réticence des États-Unis à se déployer sous mandat onusien après l'échec de leur intervention en Somalie (1993) les amène à **privilégier l'OTAN comme outil de régulation des relations internationales**. En 1994-1995, les avions américains de l'OTAN effectuent leurs premières missions de guerre en Bosnie, où leurs bombardements sur les forces serbes contraignent les belligérants à une paix signée aux États-Unis (accords de Dayton en décembre 1995).

■ Après avoir intégré dès 1997 dans l'OTAN d'anciens États communistes comme la Pologne, la Hongrie et la République tchèque, les États-Unis procèdent en avril 1999 au bombardement de Belgrade par les avions de l'OTAN, afin de faire cesser l'épuration ethnique menée au Kosovo par le régime serbe de Milosevic. La même année, le ministre des Affaires étrangères français Hubert Védrine popularise la **notion d'hyperpuissance pour qualifier des États-Unis sans rivaux stratégiques** au niveau mondial.

b. Les États-Unis « vainqueurs » de la mondialisation

■ La décennie 1990 est celle de la libéralisation accrue du commerce mondial. Dès 1994, les États-Unis forment une grande zone de libre-échange avec leurs voisins frontaliers du Canada et du Mexique, mise en place par l'Accord de libre-échange nord-américain (ALENA) et achevée en 2008. En 1995, les États-Unis sont les principaux promoteurs de la **création de l'Organisation mondiale du commerce** (OMC), dont le but est d'étendre le libre-échange des biens et des services à l'échelle de la planète.

■ Sous la présidence du démocrate Bill Clinton (1993-2001), les États-Unis **s'identifient pleinement à la mondialisation de l'économie** que le politologue Benjamin Barber, dans son expression « McWorld », voit comme presque exclusivement américaine. Ils poussent à l'intégration complète de la Chine dans le commerce mondial (admission à l'OMC en 2001) car ils la considèrent comme « leur atelier ». Les grandes multinationales (Apple, Nike ou Wal-Mart) utilisent le faible coût de la main-d'œuvre chinoise pour fabriquer leurs produits vendus ensuite, avec une forte marge bénéficiaire, en Europe, en Amérique latine ou... aux États-Unis.

■ Conseillé par Joseph Nye, qui a théorisé dès 1990 le soft power américain, le président Clinton pense que **la diffusion universelle de la culture, du mode de vie et de pensée des États-Unis suffit à assurer leur paix et leur prospérité,** d'où une baisse importante des dépenses de défense, réduites d'un tiers entre 1993 et 2000.

B Les attentats du 11 septembre 2001 et leurs conséquences

a. Une « guerre mondiale » perdue contre « l'axe du mal »

■ Les **attentats meurtriers du 11 septembre 2001** à New York et Washington surprennent le peuple américain. Ils constituent la **première attaque ennemie sur le territoire métro-**

➤ L'évolution du nombre d'armes nucléaires détenues par les cinq grandes puissances nucléaires, tableau p. 82

➤ Document 1 p. 93

Hyperpuissance : voir notions clés p. 74.

➤ La superpuissance militaire et stratégique des États-Unis, carte p. 76-77

OMC : organisation née en 1995 pour encadrer et promouvoir la libéralisation des échanges internationaux.

Soft power : voir p. 78.

➤ Les super-héros des comics américains en Chine, photographie p. 85

politain des États-Unis depuis la seconde guerre anglo-américaine de **1812**. Ils visent de surcroît des emblèmes du hard power (le Pentagone) et du soft power (le World Trade Center).

■ Entouré de conseillers formés durant la guerre froide, l'inexpérimenté président Bush Junior adopte une politique unilatérale en décidant de **mener une « guerre mondiale » contre un supposé « axe du mal »** (la Corée du Nord, l'Iran et l'Irak) qui **financerait le terrorisme d'Al-Qaïda**. Les États-Unis se déploient en Afghanistan dès la fin 2001 pour traquer les chefs de cette organisation terroriste. En 2003, le président Bush envoie l'armée américaine renverser le régime dictatorial de Saddam Hussein en Irak dans le but de reconstruire un Grand Moyen-Orient démocratique.

■ Ces deux opérations **mettent à mal la puissance des États-Unis**. L'opération irakienne, conduite sans l'assentiment du conseil de sécurité de l'ONU, s'enlise rapidement face à la résistance locale et les exactions commises par les soldats américains (torture à la prison d'Abou Ghraib) ruinent l'image des États-Unis dans le monde. La présence des États-Unis en Afghanistan ne parvient pas à éradiquer le terrorisme et il faut attendre dix ans pour qu'Oussama Ben Laden, chef historique d'Al-Qaïda, soit finalement éliminé en mai 2011 au Pakistan par les forces spéciales américaines.

b. L'obligation de nouvelles stratégies pour enrayer le déclin de l'hyperpuissance

■ La polarisation stratégique des États-Unis vers le Moyen-Orient durant la décennie 2000 permet l'**émergence d'un rival régional comme le Venezuela d'Hugo Chavez dans la chasse gardée traditionnelle de l'Amérique latine**. Chavez n'hésite pas à nationaliser le pétrole vénézuélien et à exproprier des firmes américaines comme Exxon-Mobil pour contrer la puissance étasunienne.

■ La montée en puissance économique de la Chine, qui réalise le deuxième PIB mondial dès 2010, est mal appréhendée d'autant que **la Chine est devenue le premier créancier de l'État américain**. En 2012, la Chine dégage un excédent de 540 milliards de dollars dans ses relations commerciales avec les États-Unis et **détient environ 10 % de la dette fédérale américaine**. La Chine protège la prolifération nucléaire de son allié nord-coréen entre 2006 et 2009. **Elle n'hésite pas à défier plus nettement les États-Unis** en mer de Chine pour réaffirmer sa souveraineté sur Taïwan.

■ À partir de 2009, Barack Obama renoue avec le multilatéralisme. Le nouveau président démocrate accepte de mener **un dialogue plus constructif avec l'ONU et ses principaux partenaires occidentaux**. Il se désengage progressivement des conflits les plus sensibles (Irak puis Afghanistan). Il organise la **reconfiguration des forces militaires américaines** qui n'ont plus pour mission d'être, à elles seules, « les gendarmes » de la démocratie. Il annonce aussi un **retour stratégique vers l'Asie-Pacifique** et négocie, à partir de 2011, un traité de libre-échange avec onze pays de cette région (Partenariat Trans-Pacifique).

▶ Photographie des attentats du 11 septembre 2011, p. 83

Hard power : voir p. 78.
Unilatéralisme : organisation de la politique extérieure d'un État sans tenir compte des positions des acteurs concernés (autres États, organisations internationales, etc.).

Oussama Ben Laden
(1957-2011)
▶ Biographie p. 442

▶ Une manifestation populaire de soutien à la nationalisation du pétrole au Venezuela, 2008, photographie p. 87

Multilatéralisme : organisation de la politique extérieure d'un État conformément aux principes démocratiques en tenant compte des positions de tous les acteurs concernés.

Barack Obama
(1961-)
▶ Biographie p. 443

▶ « L'Amérique ne peut à elle seule assurer la paix », texte p. 83

1. Tract distribué par l'armée américaine à la population somalienne, décembre 1992

Prépa BAC

1 Analyser le sujet (p. 40, 64, 94, 122, 150, 180, 202)
2 Présenter le sujet (p. 40, 64, 94, 122, 150, 180, 202)
3 Construire un plan (p. 95, 122-123, 150-151, 180, 202)
4 Rédiger l'introduction et la conclusion (p. 151)
5 Bâtir la réponse organisée (p. 181)
6 Rédiger la réponse organisée (p. 203)
7 Comment présenter votre devoir ? (p. 40-41, 64-65)

SUJET GUIDÉ

La puissance des États-Unis dans le monde depuis 1945.

1 Analyser le sujet

MÉTHODE	MISE EN ŒUVRE
Repérer les mots-clés dans l'énoncé et les expliquer.	Répondez aux questions des encadrés ci-dessous.

La puissance des États-Unis dans le monde **depuis 1945.**

Dans quels domaines s'exprime la puissance des États-Unis ?

Il s'agit de montrer l'intérêt stratégique des États-Unis pour le reste du monde et son évolution.

Quelle est l'importance de cette borne chronologique ?

2 Présenter le sujet

MÉTHODE

La présentation du sujet doit tenir compte des mots-clés, des bornes chronologiques et spatiales. Elle annonce ce que l'on veut démontrer dans les paragraphes de la composition.

le +

Vous pouvez annoncer ce que vous allez démontrer sous la forme d'une question. Ce n'est pas obligatoire pour la composition du baccalauréat de Terminale S, mais cela donnera un « plus » à votre travail.

MISE EN ŒUVRE

Parmi les trois phrases suivantes, laquelle correspond le mieux au sujet ? Justifiez votre réponse.

1. Les manifestations de la puissance des États-Unis dans le monde.

2. Les manifestations de la puissance des États-Unis durant la guerre froide.

3. Les évolutions de la puissance des États-Unis dans le monde depuis la fin de la Seconde Guerre mondiale.

Il s'agit d'éliminer, dans les propositions ci-dessus, celles qui ne correspondent pas entièrement au sujet.

Vous pouvez y arriver facilement en vous posant les bonnes questions, comme celles qui sont indiquées ci-dessous.

– *Quelle proposition est trop géographique et n'a pas la profondeur chronologique nécessaire (il faut débuter en 1945) ?*

– *Quelle proposition réduit le sujet à des bornes chronologiques trop étroites (ne traiter qu'une partie de la chronologie imposée par le sujet) ?*

– *Quelle proposition traite toute la plage chronologique imposée par le sujet et utilise le mot clé de « puissance » tout en suggérant une évolution ?*

3 Construire un plan

Le plan doit être élaboré au brouillon en tenant compte de l'analyse et de la présentation du sujet.

Après avoir mobilisé ses connaissances (mots-clés, événements, dates, etc.), il s'agit de s'interroger sur la nature du plan :

– le plan thématique met en évidence dans chacun des paragraphes un thème majeur du sujet ;

– le plan chronologique est organisé en périodes délimitées par des dates-ruptures.

Un plan de composition peut être constitué de deux ou trois paragraphes qui doivent être équilibrés.

Vous pouvez vous reporter aux différentes pages du manuel qui traitent du sujet :

Étude 1 p. 80-81	L'année 1947, la doctrine Truman et le plan Marshall
Étude 2 p. 82-83	Les mutations de la puissance militaire des États-Unis
Étude 3 p. 84-85	La domination culturelle des États-Unis
Étude 4 p. 86-87	La puissance des multinationales des États-Unis en Amérique latine
Cours 1 p. 90-91	Les États-Unis à la tête du monde libre pendant la guerre froide (1945-1991)
Cours 2 p. 92-93	Les États-Unis depuis 1991 : hyperpuissance ou déclin ?

Dans le tableau ci-dessous, en fonction des connaissances mobilisées, retrouvez les différents paragraphes de la composition.

Plan chronologique Plan thématique	...	...	...
...	– Puissance industrielle acquise par l'effort de guerre – Plan Marshall – Firmes multinationales – GATT – *American way of life*	– ALENA – OMC – Extension du modèle libéral américain	– Concurrence économique des pays émergents – Dette des États-Unis – Crise économique 2008
...	– Arme atomique – Conseil de sécurité de l'ONU – OTAN, OTASE, etc. – Conflits de guerre froide	– Guerre du Golfe – Accords de Dayton – Gendarmes du monde – Extension de l'OTAN	– 11 septembre 2001 – Unilatéralisme – Guerre en Irak – Guerre en Afghanistan – Contestation en Amérique latine : Hugo Chavez

SUJET EN AUTONOMIE

Les États-Unis et le monde depuis 1945.

Prépa BAC

1 Analyser la consigne (p. 43, 67, 97, 125, 153, 183, 205)
2 Prélever des informations (p. 43, 67, 97, 125, 183, 205)
3 Apporter des connaissances (p. 97, 125, 183, 205)
4 Confronter les documents (p. 153, 205)
5 Rédiger l'analyse (p. 205)
6 Comment présenter votre devoir ? (p. 43, 67-68)

SUJET GUIDÉ

Les États-Unis et le monde depuis 1991.

CONSIGNE : En vous appuyant sur le document, vous montrerez que les États-Unis doivent s'adapter à une nouvelle situation internationale. Vous présenterez les moyens dont ils disposent ainsi que leurs objectifs.

Discours de Bill Clinton, président des États-Unis d'Amérique, à l'Assemblée générale des Nations unies, le 27 septembre 1993

Les États-Unis occupent une position unique dans les affaires du monde aujourd'hui. Nous le reconnaissons et nous nous en réjouissons. Désormais, avec la fin de la guerre froide, je connais beaucoup de personnes qui demandent si les États-Unis prévoient de se retirer ou de rester actifs dans le monde, et dans quel but. Beaucoup se demandent aussi cela dans notre propre pays. Laissez-moi répondre à cette question aussi clairement et calmement que possible. Les États-Unis ont l'intention de demeurer engagés et leaders. Nous ne pouvons pas résoudre tous les problèmes, mais nous devons et nous tiendrons un rôle central pour le changement et la paix.

Dans une nouvelle période de périls et d'opportunités, notre objectif prépondérant doit être d'étendre et de renforcer la communauté mondiale des démocraties de marché. Pendant la guerre froide, nous cherchions à contenir la menace pour la survie d'institutions libres. Maintenant, nous cherchons à élargir le cercle des nations qui vivent avec ces institutions libres [...]. De la Pologne à l'Érythrée, du Guatemala à la Corée du Sud, il y a un désir ardent parmi les peuples qui souhaitent être maîtres de leurs propres destinées économiques et politiques.

Nous travaillerons à renforcer les démocraties de marché en revitalisant notre propre économie, en ouvrant le commerce mondial grâce au GATT, à l'ALENA et à d'autres accords. [...] Afin d'encourager les accords commerciaux qui contribuent à la paix, nous travaillerons en partenariat avec les autres et à travers des institutions multilatérales comme les Nations Unies. C'est notre intérêt national d'agir ainsi. Mais nous ne devons pas hésiter à agir unilatéralement lorsque nos intérêts ou ceux de nos alliés sont menacés. [...]

Mais nous sommes confrontés à des difficultés qui remettent en cause notre travail et assombrissent la marche vers la liberté. Si nous ne stoppons pas la prolifération des armes les plus destructrices, aucune démocratie ne sera en sécurité. Si nous ne renforçons pas la capacité à résoudre les conflits parmi et à l'intérieur des nations, ces conflits empêcheront la naissance d'institutions libres, menaceront le développement de régions entières et continueront de faire des victimes innocentes.

---

1 Analyser la consigne

Il faut distinguer les différentes parties de la consigne, relever les termes essentiels et les définir.

« En vous appuyant sur le document, vous montrerez que les États-Unis doivent s'adapter à une nouvelle situation internationale. Vous présenterez les moyens dont ils disposent ainsi que leurs objectifs. »

2 Prélever des informations
3 Apporter des connaissances

Prélever les informations : il faut repérer dans les documents les informations qui correspondent à chaque partie de la consigne.

Apporter des connaissances : il s'agit de reformuler les informations des documents et de compléter par des notions, des exemples, des dates, etc.

La consigne comporte deux parties. Dans le tableau ci-dessous :

– les informations de la partie 1 ont été prélevées : retrouvez dans le document les informations correspondant à la partie 2 ;

– les connaissances de la partie 2 ont été apportées : retrouvez dans votre cours les connaissances correspondant à la partie 1.

Parties de la consigne	Informations fournies par les documents	Connaissances
Les États-Unis doivent s'adapter à une nouvelle situation internationale.	– Avec la fin de la guerre froide ; [...] de la Pologne à l'Érythrée, du Guatemala à la Corée du Sud, il y a un désir ardent parmi les peuples qui souhaitent être maîtres de leurs propres destinées économiques et politiques. – Une nouvelle période de périls et d'opportunités ; [...] la prolifération des armes les plus destructrices ; [...] les conflits parmi et à l'intérieur des nations.	Cours 2 p. 92-93 Étude 2 p. 82-83 Introduction au chapitre p. 72-73 Repères p. 74-77
Les moyens dont ils disposent ainsi que leurs objectifs.	...	– Diffuser le modèle américain et conforter le leadership des États-Unis : hyperpuissance. – Affirmation de la puissance militaire : interventions au Koweït (1991), en Somalie (1993), en Bosnie (1995), élargissement de l'OTAN. – Extension du modèle libéral à travers l'ALENA et l'OMC. – Soft power : diffusion de la culture américaine par le cinéma, les firmes multinationales, etc.

SUJET EN AUTONOMIE

Les États-Unis et le monde.

CONSIGNE : Vous expliquerez pourquoi il est possible, à travers ce discours, de parler d'une réaffirmation de la puissance des États-Unis. Puis vous montrerez la capacité de ce pays à influencer l'ordre mondial.

« *America is back* »

Sur la scène internationale, nous avions le sentiment désagréable d'avoir perdu le respect de nos amis et de nos ennemis. Certains se demandaient si nous étions capables de défendre la paix et la démocratie. […]

Certains insistent aujourd'hui sur le fait que des économies budgétaires supplémentaires pourraient être faites en réduisant le budget de la défense. C'est ignorer le fait que la défense nationale relève uniquement de la responsabilité du gouvernement fédéral ; c'est même sa principale responsabilité. Et pourtant les dépenses militaires représentent moins d'un tiers du budget total. Pendant les années Kennedy, elles correspondaient à presque la moitié du budget puis, pendant plusieurs années, on a laissé notre capacité militaire se détériorer jusqu'à un degré inquiétant. Nous sommes seulement en train de restaurer, à travers une modernisation essentielle de nos forces conventionnelles et stratégiques, notre capacité à répondre à nos besoins actuels et futurs en matière de sécurité. […]

Nous n'avons jamais été des agresseurs. Nous avons toujours lutté pour défendre la liberté et la démocratie. Nous n'avons pas d'ambitions territoriales. Nous n'occupons aucun pays. Nous ne construisons pas de mur pour enfermer notre peuple. Les Américains construisent l'avenir. Et notre vision d'une vie meilleure pour les agriculteurs, les marchands et les travailleurs, des Amériques à l'Asie, commence par une simple condition : il vaut mieux décider de l'avenir avec des votes qu'avec des balles. […]

Nous pouvons établir des bases solides pour des relations pacifiques avec l'Union soviétique, consolider les relations avec nos alliés ; parvenir à une réduction réelle et équitable des armes nucléaires ; renforcer nos efforts de paix au Moyen-Orient, en Amérique centrale, dans le Sud de l'Afrique ; soutenir le développement des pays, notamment nos voisins du bloc occidental ; et participer au développement d'institutions démocratiques à travers le monde. […]

Ce soir, je veux m'adresser au peuple de l'Union soviétique pour lui dire qu'il est vrai que nos gouvernements ont d'importantes différences mais nous n'avons jamais combattu l'un contre l'autre dans une guerre. Peuple d'Union soviétique, il n'y a qu'une seule politique sensée pour votre pays et le mien afin de préserver notre civilisation : une guerre nucléaire ne peut pas être gagnée et ne doit jamais avoir lieu. La seule raison pour nos deux nations de posséder des armes nucléaires est d'être sûr qu'elles ne seront jamais utilisées. Ne serait-il pas alors mieux d'en finir avec elles entièrement ?

Discours du président Ronald Reagan devant le Congrès, 25 janvier 1984.

Schéma de synthèse

Les mutations de la superpuissance américaine depuis 1945

1947-1991	1991-2001	Depuis 2001
Présidents des États-Unis : Truman (1945-53), Eisenhower (1953-61), Kennedy (1961-63), Johnson (1963-69), Nixon (1969-74), Ford (1974-76), Carter (1977-81), Reagan (1981-89)	**Présidents des États-Unis :** G. H. Bush Senior (1989-93), Bill Clinton (1993-2001)	**Présidents des États-Unis :** G. W. Bush (2001-2009), Barack Obama (2009-)
LA SUPERPUISSANCE DÉMOCRATIQUE ET LIBÉRALE DE LA GUERRE FROIDE	**L'HYPERPUISSANCE SANS RIVALE**	**LA DÉCENNIE D'UN DÉCLIN RELATIF**

- Une superpuissance nucléaire qui utilise son *hard power* militaire pour contenir l'avancée du communisme (guerre de Corée, guerre du Vietnam).

- Une superpuissance économique qui utilise la présence de ses FTN dans le camp occidental pour diffuser sa culture et son mode de vie (*soft power*).

- Une hyperpuissance régulatrice de l'ordre mondial sous mandat de l'ONU (guerre du Golfe) ou au travers de l'OTAN.

- Une hyperpuissance qui diffuse son *soft power* chez les ennemis d'hier (Russie, Chine).

- Des États-Unis touchés au cœur par les attentats du 11 septembre 2001.

- L'échec militaire en Irak (2003-2011) et en Afghanistan (2003-2013).

- L'avance économique sur la Chine qui se réduit après la crise financière de 2008.

- La dégradation relative de l'image internationale.

- L'abandon de l'unilatéralisme et le retour au multilatéralisme.

le + culture générale

Les États-Unis, superpuissance de la guerre froide (1945-1991)

Témoignage :
- Ronald Reagan, *The Reagan Diaries*, Harper, 2009.

Étude scientifique :
- Pierre Mélandri, Serge Ricard (dir.), *Les États-Unis et la fin de la guerre froide*, L'Harmattan, 2005.

Films de fiction :
- Sydney Pollack, *Les Trois Jours du Condor*, 1975.
- Oliver Stone, *Platoon*, 1987.
- Ben Affleck, *Argo*, 2012.

Site : www2.gwu.edu/~nsarchiv/ (site de publication des archives déclassifiées de sécurité nationale par l'université George Washington)

Les États-Unis, hyperpuissance (1991-2001)

Témoignage :
- Bill Clinton, *Ma vie*, Odile Jacob, 2005.

Étude scientifique :
- Gérard Dorel, *Atlas de l'empire américain*, Autrement, 2012.

Films de fiction :
- David O. Russell, *Les Rois du désert*, 1999.

- Ridley Scott, *La Chute du faucon noir*, 2001.

Série télévisée :
- Aaron Sorkin, *The West Wing*, 1999-2006.

Sites : http://bushlibrary.tamu.edu/index.php
www.clintonfoundation.org/clinton-presidential-center

Le déclin relatif de l'hyperpuissance (depuis 2001)

Témoignages et récits :
- George W. Bush, *Instants décisifs*, Plon, 2010.
- Bob Woodward, *Les Guerres d'Obama*, Éditions Gallimard, 2011.

Étude scientifique :
- Emmanuel Todd, *Après l'empire, essai sur la décomposition du système américain*, Éditions Gallimard, 2002.

Films de fiction :
- Kathryn Bigelow, *Démineurs*, 2009.
- Kathryn Bigelow, *Zero Dark Thirty*, 2013.

Séries télévisées :
- Robert Cochoran et Joel Surnow, *24*, 2001-2009.
- Howard Gordon et Alex Gansa, *Homeland*, 2011.

Sites : www.ifri.org
www.frstrategie.org

La Chine et le monde depuis 1949

La Chine impériale a été pendant des siècles « **l'empire du Milieu** » rayonnant sur l'Asie. Mais, figée dans ses traditions, elle subit des années 1840 au milieu du XXe siècle un **long déclin** qu'aggravent les multiples formes d'ingérence des Européens et du Japon. Quand **les communistes s'emparent du pouvoir à Pékin en octobre 1949**, le pays est à la fois pauvre et dépendant. Il devient pourtant, **au début du XXIe siècle, la seconde économie mondiale** et, s'appuyant sur ce levier, renoue avec la puissance dans tous les domaines.

> **Depuis 1949, quelles voies la Chine a-t-elle suivies pour s'imposer comme grande puissance ?**

1 « **Étudier l'économie avancée de l'Union soviétique pour développer notre pays** », **affiche de propagande chinoise, 1953**

Cette affiche est de trois ans postérieure au traité « d'amitié, d'alliance et d'assistance mutuelle » signé par Mao et Staline le 14 février 1950. Elle illustre la dépendance dans laquelle se trouve la Chine par rapport aux coopérants envoyés par l'URSS. L'ingénieur soviétique, à gauche, forme ses collègues chinois, respectueux de son savoir.

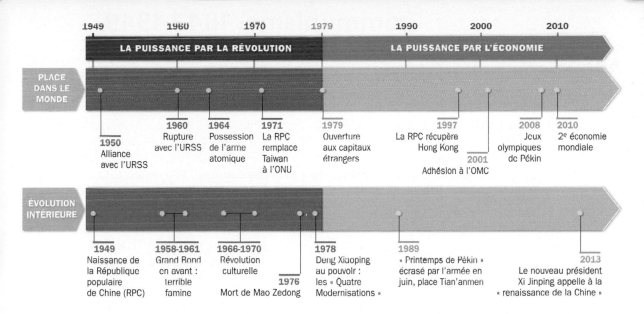

| 1949 | 1960 | 1970 | 1979 | 1990 | 2000 | 2010 |

LA PUISSANCE PAR LA RÉVOLUTION | **LA PUISSANCE PAR L'ÉCONOMIE**

PLACE DANS LE MONDE

1950
Alliance avec l'URSS

1960
Rupture avec l'URSS

1964
Possession de l'arme atomique

1971
La RPC remplace Taiwan à l'ONU

1979
Ouverture aux capitaux étrangers

1997
La RPC récupère Hong Kong

2001
Adhésion à l'OMC

2008
Jeux olympiques de Pékin

2010
2e économie mondiale

ÉVOLUTION INTÉRIEURE

1949
Naissance de la République populaire de Chine (RPC)

1958-1961
Grand Bond en avant : terrible famine

1966-1970
Révolution culturelle

1976
Mort de Mao Zedong

1978
Deng Xiaoping au pouvoir : les « Quatre Modernisations »

1989
« Printemps de Pékin » écrasé par l'armée en juin, place Tian'anmen

2013
Le nouveau président Xi Jinping appelle à la « renaissance de la Chine »

2 **Un ingénieur chinois travaillant avec des ouvriers africains sur le chantier du futur siège de l'Union africaine à Addis-Abeba, 2010**

La Chine a entièrement financé (200 millions de dollars) ce gratte-ciel dominant la capitale de l'Éthiopie du haut de ses 111 mètres. Le jour de l'inauguration, en 2012, le président en exercice de l'Union africaine a proposé « une motion de remerciement et de gratitude envers la République populaire de Chine pour ce merveilleux bâtiment ».

A. De la dépendance au communisme, 1842-1949

1 Un long combat contre la tutelle étrangère

1842-1933	Les « traités inégaux » imposés par les Européens et le Japon font quasiment de la Chine une colonie.
1911-1912	Sous l'impulsion de Sun Yat-sen, la république remplace un empire accusé d'avoir livré la Chine aux puissances étrangères.
1919	Le « mouvement du 4-Mai » marque un réveil national.
1921	Le Parti communiste chinois (PCC) est créé dans un but à la fois révolutionnaire (renverser le capitalisme) et national (recouvrer l'indépendance).
1925	Chiang Kai-shek, chef nationaliste, devient président de la République et entend moderniser le pays avec l'appui des Occidentaux.
1937-1945	L'armée japonaise occupe toute la Chine littorale.
1946-1949	Guerre civile entre nationalistes et communistes.
Octobre 1949	Mao Zedong proclame la République populaire de Chine (RPC) à Pékin ; Chiang Kai-shek, vaincu, transfère la République nationaliste sur l'île de Formose (Taiwan).

2 Les puissances étrangères et le « gâteau » chinois
Le Petit Journal, le 16 janvier 1898. **(1)** Grande-Bretagne ; **(2)** Allemagne ; **(3)** Russie ; **(4)** France ; **(5)** Japon.

3 Affiche officielle chinoise appelant à célébrer le 40ᵉ anniversaire du mouvement du 4 mai 1919

Le slogan indique : « La jeunesse doit devenir l'avant-garde de la construction du socialisme. »

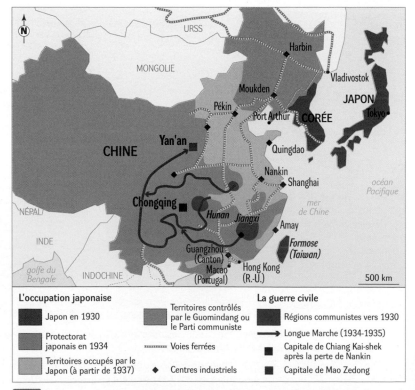

L'occupation japonaise
- Japon en 1930
- Protectorat japonais en 1934
- Territoires occupés par le Japon (à partir de 1937)

- Territoires contrôlés par le Guomindang ou le Parti communiste
- Voies ferrées
- ◆ Centres industriels

La guerre civile
- Régions communistes vers 1930
- → Longue Marche (1934-1935)
- ■ Capitale de Chiang Kai-shek après la perte de Nankin
- ■ Capitale de Mao Zedong

4 La Chine des années 1930 : guerre civile et occupation japonaise

B. La Chine communiste en quête de puissance, à partir de 1949

Communisme

Selon Karl Marx, dernier stade de l'évolution du socialisme. Après la prise du pouvoir par les ouvriers qui établissent une dictature temporaire imposant à la bourgeoisie une transformation radicale de la société, le communisme apparaît. Il correspond à une société égalitaire, sans classes sociales et sans État où chaque individu reçoit « selon ses besoins ».

Confucianisme

Pensée élaborée par Kongfuzi (latinisé en Confucius), qui vécut de 555 à 479 avant J.-C. Son enseignement repose sur la raison combinée au respect des usages. Le régime impérial le transforme en une doctrine figée exaltant l'obéissance aux autorités établies. Assimilé à l'immobilisme de la Chine ancienne, il est rejeté au XXᵉ siècle par les courants réformateurs avant de connaître un renouveau (néoconfucianisme contemporain).

Néoconfucianisme contemporain

Courant de pensée encouragé par le pouvoir actuel, qui, sous couvert « d'harmonie », vante la stabilité politique et sociale du pays.

Pays émergents

Leur PIB par habitant est inférieur à celui des pays développés, mais ils connaissent une croissance économique rapide et leur niveau de vie ainsi que les structures économiques convergent progressivement vers ceux des pays développés.

Socialisme

Au sens marxiste, système économique et social défini par la propriété collective des moyens de production et d'échanges (entreprises) avec rémunération versée à chacun « selon son travail ».

---

1 **Depuis 1949 : un parti unique, cinq dirigeants majeurs**

Mao Zedong, le « Grand Timonier » (1949-1974)

Le fondateur de la RPC a tenté de refaire du pays une grande puissance, en promouvant une voie chinoise vers le communisme qui posait Pékin en rival de Moscou auprès du tiers monde. Il a également dans ce but voulu moderniser à marche forcée sa société, l'industrialiser et renforcer son armée, dotée de l'arme atomique en 1964.

Deng Xiaoping, le « Petit Timonier » (1978-1997)

Ce proche compagnon de Mao, écarté du pouvoir dans les décennies 1960-1970, devient le maître de la Chine en 1978 et le reste jusqu'à sa mort en 1997. Il donne priorité à la modernisation de l'économie : ses réformes sont à l'origine de la forte croissance amorcée dans la décennie 1990. Il laisse en revanche inchangé un régime politique qui réserve au PCC le monopole du pouvoir.

Jiang Zemin (1998-2003)

Cet ingénieur de formation, dont la carrière politique s'est déroulée à Shanghai, ville à la pointe de la modernité en Chine, prolonge la politique de réformes impulsée par Deng Xiaoping. Il préside au retour de Hong Kong puis de Macao à la RPC.

Hu Jintao (2003-2013)

Il prolonge à son tour l'action de son prédécesseur et mentor durant ses deux mandats de président de la RPC. S'il a dit vouloir bâtir en Chine une « société harmonieuse », il restera surtout associé au retour de son pays au premier rang de la scène mondiale.

Xi Jinping (2013-)

Né en 1953, il est un « prince rouge » issu de familles liées depuis longtemps aux cercles dirigeants. Choisi comme président de la RPC par le PCC dès 2012, il accède officiellement à cette fonction en mars 2013. Il veut réaliser le « rêve chinois » : créer une puissance faisant jeu égal avec les États-Unis.

C. Aspects de la puissance chinoise au début du XXIᵉ siècle

1 La Chine dans le monde au début du XXIᵉ siècle

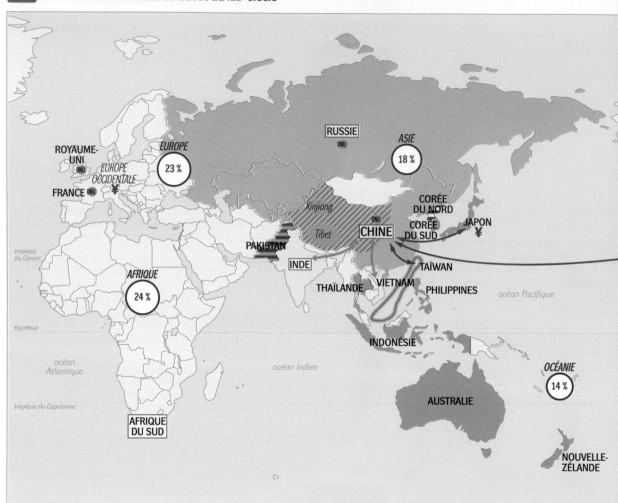

L'héritage de la période maoïste

État alliés de la Chine de longue date

États alliés aux États-Unis contre la Chine communiste dans les années 1950

États proches de l'ex-URSS en Asie (relations longtemps mauvaises avec la Chine)

L'intégration au système mondial depuis les années 1970

ⓄNU États membres permanents du Conseil de sécurité de l'ONU

INDE BRICS, grandes puissances émergentes

États membres de l'Organisation de coopération de Shanghai

¥ Principaux partenaires économiques

⬌ Normalisation récente des relations avec la Chine

6% Zones d'accueil des investissements directs à l'étranger (IDE) des entreprises chinoises, hors Hong Kong et paradis fiscaux en 2010 (en % du total)

Les problèmes actuels

◄► Rivalités géopolitiques majeures

☐ Zones de tension

⬭ Tendances séparatistes en Chine

▨ Régions chinoises en marge du développement économique

2 Chine et Europe de l'Ouest, 1950-2001 : un basculement de puissance ?

	Chine	Europe de l'Ouest
Population en millions d'habitants		
– 1950	546,8	304,9
2001	1 275,4	392,1
PIB en milliards de dollars constants		
– 1950	239,9	1 396,2
– 2001	4 569,8	7 550,3
PIB par habitant en dollars constants		
– 1950	439	4 579
– 2001	3 583	19 256

Source : Angus Maddison, *L'Économie mondiale : statistiques historiques*, OCDE, 2003.

3 La **diaspora** chinoise au début du XXIe siècle, un levier d'influence

a. Le rôle de la diaspora chinoise

La Chine tiendrait-elle enfin son empire colonial ? En Asie du Sud-Est, sa diaspora a en tout cas acquis un poids économique sans précédent. Grâce à la puissance de ses actifs, elle contrôlerait 60 à 70 % des PIB indonésien, thaïlandais et malaisien, 68 % du chiffre d'affaires des 250 plus grandes sociétés des Philippines […]. Avec 30 millions d'expatriés (+ 4 % par an), la Chine dispose de la plus grande diaspora du monde. Très riches, ces Chinois de l'extérieur constituent un atout majeur dans la mondialisation.

L'Expansion, 1er novembre 2003.

b. La diaspora chinoise dans les cinq principaux pays d'accueil en Asie en 2012 (ce continent accueille 80 % des Chinois installés outre-mer)

Pays	Diaspora chinoise (millions de personnes)	% de la population du pays
Singapour	3,4	76,8
Malaisie	7	30
Thaïlande	7,3	12
Indonésie	7,3	3,1
Vietnam	2,3	3

Vocabulaire

Diaspora : communauté formée à l'étranger par les expatriés d'un pays.

Mao Zedong, « l'Empereur rouge »

« Compter sur ses propres forces et lutter avec endurance. »

Mao Zedong est le fondateur et le premier dirigeant de la République populaire de Chine. Durant plus de trois décennies, « le Grand Timonier », à la fois **idéologue** et **homme d'appareil**, cherche à redonner à la Chine son statut de grande puissance. Il estime qu'elle retrouvera ce rang en guidant le monde vers le communisme, par la mobilisation permanente de son peuple.

> **En quoi l'idéologie communiste constitue-t-elle pour Mao le levier de la puissance chinoise retrouvée ?**

BIOGRAPHIE

Étudiant à Pékin, il s'initie au marxisme et adhère dès 1921 au Parti communiste chinois (PCC). Contraint, par l'armée nationaliste, à quitter la région où il avait établi une « république socialiste paysanne », il guide en 1934-1935 une retraite désastreuse que la propagande transforme en épopée, la Longue Marche. Il prend alors la tête du PCC. Après 1949, cumulant les fonctions au sein du parti unique et de l'État, Mao préside aux choix essentiels du pays jusqu'au début des années 1970 en opposant les factions les unes aux autres et en mobilisant les foules.

Mao Zedong devant une assemblée du Parti communiste chinois, 1960

2 Mao, la paix, le socialisme et le tiers monde

Pour établir une paix durable dans le monde, nous devons continuer à développer notre coopération amicale avec les pays frères du camp socialiste et renforcer notre solidarité avec les pays attachés à la paix. Nous devons nous efforcer d'établir avec tous les pays désireux de vivre en paix avec nous des relations diplomatiques normales sur la base du respect mutuel de l'intégrité territoriale et de la souveraineté ainsi que de l'égalité et des avantages réciproques. Nous devons enfin apporter un soutien actif aux mouvements d'indépendance et de libération nationales des pays d'Asie, d'Afrique et d'Amérique latine, aux mouvements pour la paix et aux justes luttes de tous les pays du monde.

Allocution d'ouverture au VIIIe Congrès du Parti communiste chinois, septembre 1956.

3 L'avenir de la Chine selon Mao

Les choses se développent sans cesse. Quarante-cinq ans seulement se sont écoulés depuis la Révolution de 1911, et aujourd'hui l'aspect de la Chine est totalement différent. Encore quarante-cinq ans, et en l'an 2001, qui marquera l'entrée dans le XXIe siècle, la Chine aura vu de nouveaux et plus importants changements. Elle sera devenue un puissant pays socialiste industrialisé. Et il le faut bien, car, avec sa superficie de 9 600 000 kilomètres carrés et ses 600 millions d'habitants, la Chine se doit d'apporter une plus grande contribution à l'humanité. Notre contribution, pendant longtemps, a été bien minime, et cela est regrettable. Nous devons pourtant être modestes. Pas seulement maintenant, mais encore dans quarante-cinq ans, et toujours. Dans les relations internationales, nous autres Chinois devons liquider le chauvinisme de grande puissance, résolument, radicalement, intégralement, totalement.

Allocution prononcée à la mémoire de Sun Yat-sen, novembre 1956.

Vocabulaire

Économie socialiste de marché : économie où le libéralisme économique se développe au sein d'un système politique autoritaire se proclamant toujours communiste.

Zone économique spéciale (ZES) : territoire où les entreprises bénéficient de facilités douanières, d'impôts et de contraintes allégés par rapport aux normes nationales.

1 **Durant la Révolution culturelle, des enfants honorent Mao Zedong en récitant son *Petit Livre rouge* (1968)**

Deng Xiaoping, le réformateur pragmatique

« *Peu importe que le chat soit gris ou noir pourvu qu'il attrape les souris.* »

Plus ouvert sur le monde que Mao Zedong et plus pragmatique, « le Petit Timonier » engage des réformes qui font de la Chine une prospère « économie sociale de marché ». Il entend mettre l'**efficacité économique** au service à la fois du régime communiste, ce qui suppose l'amélioration du sort de la population, et de la restauration de la grandeur chinoise.

> **En quoi la politique économique de Deng Xiaoping modifie-t-elle le rapport de la Chine au monde ?**

---

4 · Deng Xiaoping et les ZES

Mieux vaut, pour critère de jugement, se demander si ce qui est en cause est bénéfique ou non au développement des forces productives de la société socialiste [...]. Quant aux zones économiques spéciales, les avis ont dès le départ divergé. On s'inquiétait : s'agissait-il de capitalisme ? Le succès qu'est Shenzhen a fourni une réponse claire [...]. Les ZES appartiennent à la famille socialiste et non à la famille capitaliste [...]. Nous sommes avantagés puisque [...] le pouvoir politique est entre nos mains.

Document n° 7 du Comité central du Parti communiste chinois, 1992.

BIOGRAPHIE

Secrétaire général du PCC, il entre en désaccord avec Mao lors du Grand Bond en avant. Victime de la Révolution culturelle, il survit cependant et est finalement promu à la tête du PCC en 1978. À des postes divers, il en reste ensuite le principal dirigeant jusqu'en 1993.

Deng Xiaoping lors de sa visite officielle aux États-Unis en 1979

5 · Portrait géant de Deng Xiaoping à Shenzhen (1990)

6 · La politique de Deng Xiaoping

La Chine a été pendant longtemps, très longtemps, une grande puissance – la première puissance économique mondiale même. [...] Après un siècle et demi d'humiliation (les guerres de l'opium, le maoïsme...), en 1980 donc, la Chine ne pesait que 2 ou 3 % de l'économie mondiale. Il y a, à ce moment-là, à Pékin, une réaction teintée d'un certain nationalisme, celle symbolisée par Deng Xiaoping : comment est-ce possible que nous la Chine, qui étions une grande puissance économique, militaire, stratégique [...], qu'aujourd'hui nous ne soyons plus rien ? [...] Piqué au vif, l'empire reprend alors le chemin du développement économique. Il renonce aux deux grands dogmes du communisme maoïste : l'autosuffisance et la socialisation généralisée de l'économie.

Entretien avec Érik Israelewicz (auteur de *Quand la Chine change le monde*, 2005), « Le Siècle chinois », *Le Monde*, hors-série, octobre 2011.

Questions

Les caractéristiques du communisme chinois

1. **Doc. 3 et 4 :** Montrez que les deux dirigeants sont l'un et l'autre soucieux de la grandeur de la Chine.
2. **Doc. 1 et 5 :** Quels sont les points communs dans leur manière d'exercer le pouvoir ?

Utopie ou réforme ?

3. **Doc. 2 et 3 :** Pourquoi peut-on estimer que l'idéal révolutionnaire est privilégié par Mao Zedong ?

4. **Doc. 4 et 6 :** Pourquoi peut-on qualifier Deng Xiaoping de réformateur pragmatique ?

Vers la composition du BAC

Capacités et méthodes : *II. 1. Prélever, hiérarchiser et confronter des informations.*

En croisant les portraits de Mao et de Deng, vous rédigerez un paragraphe expliquant les différentes conceptions de la puissance chinoise dans le monde.

La Chine et le tiers monde : le cas de l'Afrique

La Chine communiste, paysanne et longtemps dominée par l'Occident, se veut un **modèle pour les nations pauvres qui accèdent à l'indépendance** après 1945. Elle voit dans le tiers monde le levier de la lutte anticapitaliste et coopère avec les pays et les mouvements révolutionnaires. **Le fulgurant essor économique engagé dans les années 1990 change la donne**. La Chine, devenue le leader des **BRICS**, **importe** désormais du monde en voie de développement **ses produits bruts** et lui **vend ses produits manufacturés**, comme l'illustrent ses relations avec le continent africain.

> **Comment interpréter l'évolution des relations entre la Chine et l'Afrique depuis les années 1960 ?**

DATES CLÉS

- **1965** Théorie des deux mondes.
- **1992** Le commerce sino-africain dépasse 1,5 milliard de dollars.
- **2010** La Chine devient le 1er partenaire commercial de l'Afrique.

1 La théorie des deux mondes

Si l'on prend le monde dans son ensemble, l'Amérique du Nord et l'Europe occidentale peuvent être tenues pour ses « villes » et l'Asie, l'Afrique et l'Amérique latine en seraient la « campagne » […]. Dans un sens, la révolution connaît aujourd'hui une situation qui voit les villes encerclées par la campagne. Finalement, c'est de la lutte révolutionnaire des peuples d'Asie, d'Afrique et d'Amérique latine où vit l'écrasante majorité de la population mondiale que dépend la cause révolutionnaire mondiale.

Lin Biao (successeur désigné de Mao), *Vive la victorieuse guerre du peuple*, septembre 1965.

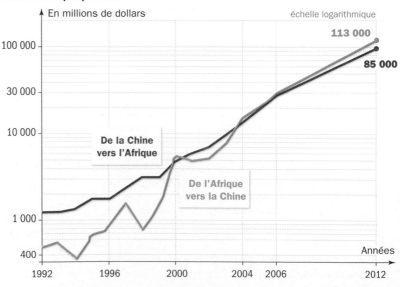

2 Affiche chinoise de propagande, 1968

« Le président Mao est le grand libérateur du peuple révolutionnaire dans le monde. »

3 L'essor du commerce entre la Chine et l'Afrique

a. Évolution en valeur (en millions de dollars)

1956	1960	1980	2000	2010	2011
12	100	1 100	10 500	127 700	166 300

Source : ministère du Commerce chinois, 2012.

b. Évolution par produits

En millions de dollars — échelle logarithmique

- 113 000
- 85 000

De la Chine vers l'Afrique

De l'Afrique vers la Chine

Années : 1992, 1996, 2000, 2004, 2006, 2012

4 **Un professeur de l'institut Confucius de Pretoria (Afrique du Sud) enseigne le chinois dans une école secondaire, 2013**

Les instituts Confucius sont des instituts culturels rendant hommage au célèbre philosophe (551-479 av. J. C.) qui a influencé la civilisation de la Chine jusqu'à nos jours. Ils diffusent la langue et les éléments de la culture chinoise. En 2013, on en compte 440 répartis dans 120 pays et régions du monde, dont une quarantaine en Afrique.

5 **« Une stratégie active vis-à-vis de l'Afrique »**

Les relations économiques entre l'Afrique et la Chine sont longtemps restées limitées par l'éloignement géographique et par de faibles complémentarités. Le développement industriel chinois a changé la donne. Le besoin de matières premières et la volonté d'en diversifier les sources, la recherche de marchés extérieurs dynamiques et de territoires ouverts à l'internationalisation de ses firmes ont conduit la Chine à adopter une stratégie active vis-à-vis de l'Afrique […]. La présence de ses entreprises a permis à la Chine de devenir le premier partenaire commercial de l'Afrique. […] Les bénéfices de la présence chinoise en Afrique sont évidents… pour la Chine. Soulignons que si les marchés africains représentent moins de 5 % des exportations chinoises, le débouché africain est beaucoup plus élevé pour certaines catégories de produits, notamment les véhicules utilitaires (28 %), les fils et tissus (13 %), le matériel de BTP (12,5 %). L'Afrique constitue aussi un terrain d'expérimentation de certains produits ou services innovants (services médicaux, financiers, informations aux agriculteurs par téléphonie), avant leur éventuelle diffusion à l'échelle mondiale. […] Les importations de produits chinois et l'activité chinoise en Afrique donnent aux investisseurs et aux consommateurs africains accès à des biens moins coûteux. Cependant […] dans le textile-habillement, la concurrence des produits importés de Chine a éliminé beaucoup de firmes africaines peu productives et a fait disparaître des dizaines de milliers d'emplois.

Agnès Chevallier, « La présence chinoise en Afrique »,
La Lettre du CEPII, n° 328, 20 décembre 2012.

Questions

Exporter la révolution

1. **Doc. 1 :** Comment Lin Biao analyse-t-il le monde des années 1960 ? Quel rôle les pays du tiers monde doivent-ils jouer ?

2. **Doc. 2 :** Par quels moyens la Chine envisage-t-elle de propager la révolution anticapitaliste mondiale ? Comment les Africains sont-ils représentés sur cette affiche ?

Une Chine « néocoloniale » ?

3. **Doc. 3 et 5 :** Comment les rapports commerciaux entre la Chine et l'Afrique évoluent-ils depuis les années 1990 ?

4. **Doc. 4 et 5 :** Quelles nouvelles formes la présence chinoise en Afrique prend-elle aujourd'hui ? Quelles en sont les conséquences ?

Vers la composition du BAC

Capacités et méthodes :

II. 1. Cerner le sens général d'un corpus documentaire et le mettre en relation avec la situation historique étudiée.

En prenant des exemples précis dans les documents, vous rédigerez un paragraphe construit sur l'évolution des relations entre la Chine et l'Afrique depuis les années 1960.

Les relations entre la Chine et les États-Unis depuis les années 1950

Dans les années 1950-1960, la Chine fait des États-Unis l'**ennemi déclaré** : c'est à la fois le **champion du capitalisme mondial** et un puissant soutien à des voisins hostiles, notamment le Japon et Taiwan. À partir de 1971-1972, **les relations se normalisent** et **deviennent intenses** sur le plan économique dès lors que la Chine s'ouvre aux échanges extérieurs. L'interdépendance est telle que certains évoquent **un monde désormais dominé par une « Chinamerica ».**

> **Comment et pourquoi l'hostilité aux États-Unis a-t-elle laissé place à un partenariat qui n'exclut pas une certaine rivalité ?**

DATES CLÉS

○— **1954** Accords de défense entre les États-Unis et Taiwan.

○— **1962** La Chine refuse la coexistence pacifique.

○— **1971** La Chine de Mao remplace Taiwan au Conseil permanent de l'ONU.

○— **1972** Visite du président américain Nixon en Chine.

○— **2012** Le PIB de la Chine représente la moitié de celui des États-Unis.

1   **Navires américains apportant du matériel à la Chine nationaliste (Taiwan) en août 1958**

2   **Mao Zedong refuse la coexistence pacifique**

La caractéristique de la situation actuelle est que [...] les forces du socialisme ont acquis une supériorité écrasante sur celles de l'impérialisme. Dans ces conditions, si les impérialistes veulent absolument faire la guerre, nous ne pourrons faire autrement que de nous résoudre à les écraser. Certes, si une guerre atomique éclate, la moitié de la population du monde sera peut-être anéantie, mais il resterait encore l'autre moitié. L'impérialisme serait alors liquidé et le monde entier socialiste. Les réactionnaires, hier réputés puissants, sont en fait des tigres de papier qu'il convient de mépriser au point de vue stratégique. Il nous faut donc lutter contre ceux qui ont chaque jour peur de la guerre.

Mao Zedong, *Le Quotidien du Peuple*, 31 décembre 1962.

3   **Un tournant : le président américain Nixon à Pékin, en février 1972**

a. Un voyage historique

L'accueil de la Chine a été en gros ce que l'on pouvait attendre : courtois en haut lieu, réservé mais curieux de la part de « masses » qui n'ont pas été « mobilisées » pour la circonstance. Le passage le plus important du communiqué est sans conteste la nouvelle reculade annoncée par Washington sur la question de Taiwan. En affirmant que l'objectif de son gouvernement est de voir le problème réglé pacifiquement par les Chinois eux-mêmes et de retirer en fin de compte toutes ses troupes de l'île, Richard Nixon a confirmé et accentué l'évolution [de son pays]. [...] Il reste à voir si le développement progressif du commerce ira jusqu'au « nouveau plan Marshall » dont parlait André Malraux. [...] Les échanges culturels et touristiques vont maintenant passer dans les mœurs.

Éditorial du *Monde*, 29 février 1972.

b. Poignée de main entre le président américain Nixon et Mao Zedong à Pékin (21 février 1972)

4 Le cinéma : un nouveau champ de bataille pour la Chine

Il y avait du beau monde, dimanche à Qingdao, la ville côtière chinoise. Catherine Zeta-Jones, Nicole Kidman ou encore Leonardo DiCaprio et John Travolta ont fait le déplacement. Sans compter des représentants de Disney, d'Universal ou encore de Paramount. Une bonne partie du gratin du cinéma mondial, donc. Tous étaient invités afin de donner une résonance médiatique maximale à l'événement organisé par le groupe chinois Wanda : le coup d'envoi à la création d'une cité du cinéma comprenant notamment un studio géant, un investissement de 3,6 milliards d'euros. [...] Comme en témoigne cet investissement massif, l'un des principaux objectifs de Wanda est aujourd'hui de devenir incontournable dans le cinéma. Cette volonté est apparue clairement l'année dernière lorsque le groupe a annoncé le rachat, pour 2,6 milliards de dollars, d'AMC, le deuxième plus grand réseau de salles de cinéma sur le territoire américain. [...] Le but est clair : maîtriser une partie de la chaîne de diffusion, pour augmenter sa capacité, ensuite, à produire des films à succès. Un objectif totalement cohérent avec le souhait des autorités centrales chinoises. Celles-ci ont fait de la culture l'un de leurs chevaux de bataille. Pékin supporte de moins en moins la mainmise des États-Unis sur l'industrie mondiale du divertissement et s'est fixé pour objectif d'augmenter son propre « soft power ».

Les Échos, 22 septembre 2013.

5 La Chine et les États-Unis aujourd'hui : deux puissances encore inégales

Critères (chiffres 2012)	États-Unis (rang mondial)	Chine (rang mondial)
Poids mondial		
– Superficie en milliers de km²	9 363 (4e)	9 596 (3e)
– Population en millions d'habitants	311 (3e)	1 350 (1er)
– PIB en milliards de dollars	16 198 (1er)	8 250 (2e)
Capacités militaires		
– Budget de la défense en milliards de dollars	739	89 (estimation)
– Moyens nucléaires	14 SNLE[1], 450 ICBM[2], 90 bombardiers[3]	2 SNLE, 60 ICBM, nombre inconnu de bombardiers
– Porte-avions en service	11	1
Niveau de développement		
– PIB par habitant en dollars	51 056	6 094
– IDH	0,937 (3e)	0,699 (101e)
Dynamiques		
– Croissance de la population en moyenne annuelle 2002-2012	0,9 %	0,6 %
– % des moins de 15 ans	20 %	17 %
– Croissance du PIB sur la période 2002-2012 : moyenne annuelle	1,6 %	10,6 %
– Recherche et développement : montant en milliards de dollars	412,4 (1er)	177,3 (3e)
– Solde de la balance des paiements courants en millions de dollars	– 473 439	+ 201 000

1. Sous-marins nucléaires lanceurs d'engins. 2. Missiles balistiques intercontinentaux de têtes nucléaires. 3. Lanceurs d'armes atomiques.

Vocabulaire

Balance des paiements courants : ensemble des flux de capitaux entre un pays et le reste du monde, du fait du commerce extérieur, des investissements étrangers, etc. Si le solde est négatif, le pays dépend de financements étrangers.

IDH : l'indicateur de développement humain mesure le niveau de développement des pays en conjuguant le PIB par habitant, l'espérance de vie à la naissance et le niveau d'instruction de la population. Il varie de 0 à 1.

Soft power : voir p. 78.

Questions

Les relations à l'époque de Mao

1. **Doc. 2 :** Que représentent les États-Unis pour Mao Zedong ? Quel sens donnez-vous à l'expression « tigres de papier » ?

2. **Doc. 1, 2 et 3 :** En quoi la rencontre évoquée dans le doc. 3 marque-t-elle un revirement par rapport aux doc. 1 et 2 ? Dans quel contexte international s'inscrit-elle ?

Vers une interdépendance ?

3. **Doc. 4 et 5 :** Montrez l'ambivalence des relations entre la Chine et les États-Unis. Peut-on parler de « Chinamerica » ?

4. **Doc. 5 :** Quelles sont encore les faiblesses de la Chine par rapport aux États-Unis ?

Vers la composition du BAC

Capacités et méthodes :
II. 1. Cerner le sens général d'un corpus documentaire et le mettre en relation avec la situation historique étudiée.

En prenant des exemples précis dans les documents, vous rédigerez un paragraphe construit expliquant comment évoluent les relations entre les États-Unis et la Chine depuis les années 1960.

Le régime communiste, les étudiants et la science

Préférant **les « rouges »** (les communistes convaincus) **aux « experts »**, la Chine de Mao se défie des lettrés comme des savants, les uns et les autres **suspects de chercher à se démarquer des « masses »** (les travailleurs manuels). Durant la Révolution culturelle, les jeunes gens sont même appelés à critiquer voire à persécuter les autorités intellectuelles et contraints d'aller travailler dans les fermes.
La modernisation voulue par **Deng Xiaoping valorise** au contraire **la recherche scientifique et technologique**, désormais considérée comme un atout dans la compétition internationale.

> Pourquoi, après s'en être défiée, la Chine fait-elle aujourd'hui de la recherche scientifique et technique une priorité ?

DATES CLÉS

- **1968-1970** Persécution des intellectuels durant la Révolution culturelle.
- **1994** Campagne à l'égard de la jeunesse : « Nous aimons la science. »
- **2010** La Chine représente plus de 11 % des dépenses mondiales de R&D.
- **2013** La Chine pose un engin sur la Lune.

1 **La persécution des « jeunes instruits » durant la Révolution culturelle**

Entre 1968 et 1980, près de dix-sept millions de jeunes Chinois scolarisés, âgés de quinze ans et plus, ont été envoyés autoritairement des villes vers les campagnes pour s'y « faire rééduquer par les paysans pauvres et moyens-inférieurs », selon la consigne donnée par Mao Zedong. Ces « jeunes instruits », les *zhiqing*, littéralement les jeunes possédant des connaissances, devaient se transformer en « paysans d'un type nouveau », « dotés d'une conscience socialiste et de culture » pour le reste de leurs jours. Les envois ou départs de jeunes diplômés de l'enseignement primaire ou secondaire, parfois de l'enseignement supérieur, à la campagne avaient en fait commencé en Chine dès 1955, mais à une échelle beaucoup plus réduite, et sur la base du volontariat. À la fin 1968, c'est-à-dire à partir de la fin de la Révolution culturelle stricto sensu, c'est un mouvement de masse, le *xiaxiang*, qui est lancé dans l'urgence. C'est une simple directive personnelle de six lignes de Mao du 21 décembre 1968, radiodiffusée dans tout le pays, publiée le lendemain dans *Le Quotidien du Peuple* qui est à son origine. Le mouvement s'interrompra à la fin des années soixante-dix, peu après la mort de Mao, avec le début des réformes.

Monique de Saint-Martin, « À propos de la Révolution culturelle chinoise », Revue *Mouvements* n° 41, Éditions La Découverte, 2005.

2 **« Apprendre pour la mère patrie », affiche officielle, 1986**

3 **La Chine dans l'effort mondial de recherche et développement**

	Dépenses de R&D en milliards de dollars (% du total mondial)		Chercheurs en 2007, nombre en milliers (% du total mondial)	Nombre de brevets déposés en 2010
	en 2002	en 2011		
Chine	39,2 (5,1 %)	177,3 (12,7 %)	1 423 (21,6 %)	12 337
États-Unis	277,1 (36 %)	412,4 (29,5 %)	1 426 (21,6 %)	44 855
Japon	108,2 (14,1 %)	156 (11,1 %)	710 (10,8 %)	32 156

4 Le 15 décembre 2013, des scientifiques du Centre spatial de Pékin se félicitent de leur réussite : l'engin baptisé « Lapin de Jade » a foulé le sol lunaire.

5 Un retour accru des étudiants chinois partis à l'étranger ?

La Chine a connu une forte augmentation du nombre d'étudiants qui reviennent au pays après des études à l'étranger, a déclaré, jeudi, le ministère de l'Éducation. Plus de 272 000 personnes sont rentrées l'année dernière, 86 700 de plus qu'en 2011… selon les autorités. Dans le même temps, 399 600 étudiants sont partis à l'étranger, chiffre en hausse de 17,65 %. Le pays encourage activement les élèves à rentrer chez eux après avoir étudié à l'étranger, a expliqué Zhang Xiuqin, directrice du département de la coopération et des échanges internationaux au ministère de l'Éducation, à l'occasion d'une conférence de presse. « Nous organisons des concours d'entrepreneurs et encourageons les entreprises à embaucher des talents de l'étranger », a-t-elle souligné. « Le but est d'attirer davantage de talents à revenir en Chine et d'éviter une fuite des cerveaux, ce qui est un problème mondial ». Selon le gouvernement, sur 2,64 millions étudiants partis à l'étranger depuis 1978, 1,09 million de jeunes Chinois (environ les deux cinquièmes) sont de retour. Cependant, Mme Zhang a fait remarquer que le nombre de rapatriés a augmenté ces dernières années.

Le Quotidien du Peuple (organe officiel du PCC), mars 2013.

Questions

La défiance à l'encontre des « jeunes instruits »

1. Doc. 1 : Comment expliquer la défiance à l'encontre des étudiants dans le cadre du maoïsme ?

2. Doc. 1 : Montrez que ce texte souligne l'aspect dictatorial du régime de Mao Zedong.

Le savoir scientifique et technique comme atout de puissance

3. Doc. 2, 3, 4 et 5 : Pourquoi la promotion de l'éducation scientifique et technique est-elle devenue une priorité pour la Chine ?

4. Doc. 2 et 5 : Commentez l'affiche (doc. 2). Rapprochez-la du texte (doc. 5) pour expliquer en quoi l'accent mis sur l'éducation contribue à changer la société chinoise.

5. Doc. 3 et 4 : Caractérisez la place qu'occupe désormais la Chine dans le paysage mondial de la recherche scientifique et technique.

Vers l'analyse de documents du **BAC**

Capacités et méthodes :

II. 1. Identifier des documents ; prélever, hiérarchiser et confronter des informations selon des approches spécifiques en fonction du document.

Après avoir présenté la nature des **documents 1 et 5**, vous montrerez que l'évolution des rapports entre le pouvoir et la jeunesse étudiante est liée à l'attitude de la Chine face au monde.

La nouvelle affirmation de la Chine en Asie orientale

Vocabulaire

Organisation de coopération de Shanghai (OCS) : initiée par la Chine sous le nom de « groupe de Shanghai » en 1996, elle associe ce pays à la Russie et aux républiques d'Asie centrale pour faire face à la poussée islamiste et aux revendications autonomistes. L'OCS a mis ensuite en place une coopération militaire et commerciale (pétrole et gaz).

Pendant plus d'un millénaire, la Chine a été le pôle organisateur de l'Asie orientale. Elle se nommait elle-même « **empire du Milieu** » (*Zhongguo*) et se voyait en foyer civilisateur de périphéries « barbares ». Par son poids et son spectaculaire essor depuis trente ans, **le pays retrouve** dans la région **un rôle central**.

> **Comment son récent essor économique a-t-il redonné à la Chine un rôle de puissance régionale majeure en Asie ?**

DATES CLÉS

- **1950-1953** Guerre de Corée. La Corée du Nord, aidée par l'URSS et la Chine, tente en vain de s'emparer de la Corée du Sud soutenue par les Occidentaux.
- **1965** L'ASEAN (Association of Southeast Asian Nations) est fondée pour isoler la Chine communiste en Asie.
- **1970-1980** Rapprochement sur le terrain économique entre la RPC et ses voisins : Japon, Taiwan, etc.
- **1997-1999** La RPC récupère Hong Kong puis Macao.
- **2001** Création de l'Organisation de coopération de Shanghai.
- **2010** Zone de libre-échange entre la RPC et six pays de l'ASEAN.
- **2011-2013** Tensions récurrentes en mer de Chine entre Pékin et ses voisins.

朝鮮人民軍中國人民志願軍勝利萬歲！

1 « **Vive la victoire de l'Armée populaire coréenne et les bénévoles de l'Armée du peuple chinois !** » Affiche de propagande chinoise, 1951.

2 **L'évolution de l'économie chinoise dans l'aire Asie-Pacifique (1990-2011)**

Part des pays (en %) dans le PNB mondial évaluée en parité de pouvoir d'achat en dollars constants de 1990		
	1990	**2011**
Pays émergents de cette aire		
– Chine	6,6	20,2
– Inde	4,2	7,8
– NPI d'Asie[1]	2,3	3,3
– Russie	4,4	2,3
Pays développés de cet espace		
– Japon	8,8	4,7
– États-Unis + Canada	24	19,2

1. Nouveaux pays industrialisés : Corée du Sud, Taiwan, Singapour

Source : *Images économiques du monde 2013*, A. Colin, 2012.

3 **L'affirmation d'une puissance**

a. L'ouverture de la Chine a donné une nouvelle impulsion à la division internationale du travail en Asie. La moitié de ses importations vient de ce continent. La Chine importe des pays développés de la région (le Japon, Taiwan, la Corée du Sud, Hong Kong, Singapour) des produits semi-finis, des composants, des biens d'équipement. Pour une bonne part, ils servent à faire tourner ses industries exportatrices […].

Françoise Lemoine, *La Chine*, Pearson Education, 2009.

b. La Chine effectue la majeure partie de ses échanges avec les pays asiatiques environnants. Ménager ces partenaires, c'est s'assurer des débouchés pour ses produits, nouer des liens de sous-traitance, bénéficier d'un traitement de faveur dans l'octroi des marchés publics. Malgré la disproportion des populations et des économies en présence, la Chine s'efforce donc de recueillir un accueil favorable dès qu'il s'agit de nouer des partenariats durables au sein d'organisations régionales comme l'Organisation de Coopération de Shanghai (OCS). Un rien de modération sied donc à un pays sûr de lui et de ses forces. En mettant en place une zone de libre-échange, une coopération monétaire et en facilitant la circulation des capitaux au sein d'une économie de plus en plus fortement régionalisée, la Chine est assurée de travailler d'abord à son profit. […] La Chine affiche des ambitions maritimes fortes. La maîtrise des espaces maritimes ouverts à la circulation des biens et des personnes lui est vitale. Dans ce domaine, le pays balance en permanence entre réinterprétation du droit maritime international et instauration de rapports de force militaires par le développement de forces aéronavales, d'un réseau de base pour ses sous-marins et bientôt ses porte-avions.

Philippe Pelletier (dir.), *Géopolitique de l'Asie*, coll. « Nouveaux Continents », Nathan, 2012.

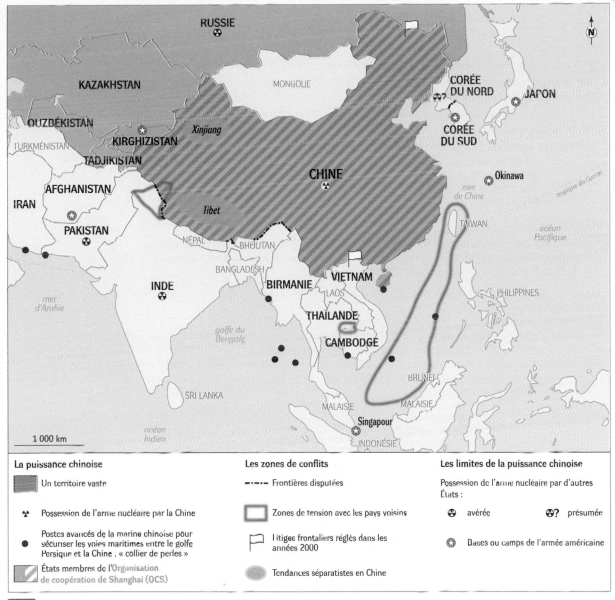

4 **La puissance de la Chine en Asie au milieu des années 2010**

Légende :

La puissance chinoise
- Un territoire vaste
- Possession de l'arme nucléaire par la Chine
- Postes avancés de la marine chinoise pour sécuriser les voies maritimes entre le golfe Persique et la Chine . « collier de perles »
- États membres de l'Organisation de coopération de Shanghai (OCS)

Les zones de conflits
- Frontières disputées
- Zones de tension avec les pays voisins
- Litiges frontaliers réglés dans les années 2000
- Tendances séparatistes en Chine

Les limites de la puissance chinoise
- Possession de l'arme nucléaire par d'autres États :
  - avérée
  - présumée
- Bases ou camps de l'armée américaine

Questions

La réaffirmation progressive de la Chine en Asie

1. Doc. 1 : Quel rôle la Chine entend-elle jouer en Asie orientale en participant à la guerre de Corée ?

2. Doc. 2 : Comment évolue le poids économique de la Chine dans l'aire Asie-Pacifique entre 1990 et 2011 ?

La grande puissance de l'Asie orientale contemporaine

3. Doc. 3 : Sur quels mécanismes repose l'intégration économique de l'Asie orientale ? Quels facteurs assurent à la Chine un rôle clé dans ce processus ?

4. Doc. 4 : Quels leviers donnent à la Chine un rôle géopolitique majeur dans l'aire Asie-Pacifique ? Pourquoi la Chine inquiète-t-elle certains pays voisins ?

Vers l'analyse de document du BAC

Capacités et méthodes : II. 1. Cerner le sens général d'un document et le mettre en relation avec la situation étudiée.

Après avoir présenté le **document 4**, relevez les manifestations de la puissance chinoise en Asie, ses conséquences sur l'environnement régional ainsi que ses limites.

L'affiche officielle, miroi

ans un **pays aussi massivement analphabète** que l'est la Chine des années 1950-1960, **l'image joue un rôle clé** dans la mobilisation des esprits. S'inscrivant dans une ancienne tradition, le régime multiplie les posters officiels. Composés par des artistes ou par des anonymes au sein des écoles des beaux-arts, ces posters furent longtemps les seuls à être affichés dans les lieux publics et repris dans la presse écrite. Par le contenu comme par le style, **ces images révèlent les conceptions du régime ainsi que sa vision du monde et de la place qu'y tient la Chine**.

> Comment l'affiche officielle illustre-t-elle l'évolution du rapport de la Chine au monde ?

1 « **Tous les peuples du monde unis pour vaincre l'impérialisme américain ! Pour vaincre le révisionnisme soviétique ! Pour vaincre les réactionnaires de toutes les nations !** », atelier de propagande des Beaux-Arts de Shanghai, 1969

Cette affiche appelle « les peuples du monde » à combattre les trois catégories d'ennemis que se donnait la Chine des années 1960 :
– « l'impérialisme américain » ;
– « le révisionnisme soviétique » : Mao reproche à l'URSS de « réviser » Marx, de le trahir en abandonnant la lutte anticapitaliste par souci d'apaiser les relations avec le monde occidental ;
– les « réactionnaires » sont au sens premier ceux qui veulent restaurer le passé, sur le plan politique, mais le terme désigne ici plus largement tous ceux qui n'adhèrent pas à l'idéal révolutionnaire incarné par le PCC.

全世界人民团结起来，打倒美帝！打倒苏修！打倒各国反动派！

中国2010年上海世博会
EXPO 2010 SHANGHAI CHINA

上海市迎世博600天行动社会动员指挥部
上海世博会事务协调局

2 Affiche éditée par le Comité national d'organisation de l'Exposition universelle de Shanghai, 2010

La dernière Exposition universelle s'est tenue à Shanghai de mai à octobre 2010, sur le thème « meilleure ville, vie meilleure ». Elle a accueilli 70 millions de visiteurs, circulant entre les pavillons des 180 pays participants.

L'affiche présente au premier plan en bleu la **mascotte Haibao** : elle a la forme de l'idéogramme chinois signifiant « humanité », tandis que le logo en haut à gauche évoque le caractère signifiant « monde », stylisé sous forme de trois personnes unies.

Le pavillon de la Chine, à l'arrière-plan, a la forme d'un temple traditionnel : le bâtiment, haut de 63 mètres, est le plus vaste de l'exposition et présente les diverses provinces de la Chine.

Questions

Des choix graphiques opposés

1. Doc. 1 et 2 : Comparez les foules présentes au premier plan sur les deux affiches : quelles différences relevez-vous ? Comment comprenez-vous ces différences ?

2. Doc. 1 et 2 : Comment peut-on interpréter la présence du bâtiment au second plan de l'affiche 2 par contraste avec la figure de Mao Zedong qui domine l'affiche 1 ?

3. Doc. 1 et 2 : Comparez les teintes dominantes et les styles graphiques de chacune des affiches. Que peut-on en conclure ?

Deux affiches témoins de leur temps

4. Doc. 1 : En vous référant aux ennemis mentionnés, précisez le contexte de cette affiche éditée en 1969.

5. Doc. 2 : Relevez les éléments qui suggèrent l'image d'une Chine pacifique et ouverte à l'universel.

Vers l'analyse de documents du **BAC**

Capacités et méthodes :

I. 2. Confronter des situations historiques.

Montrez que ces deux affiches se rattachent à l'histoire générale du pays et révèlent deux visions opposées du rapport entre la Chine et le monde extérieur.

L'ère maoïste : retrouver la puissance par la révolution (1949-1979)

> **Par quelles voies la Chine de Mao Zedong s'est-elle affirmée sur la scène internationale ?**

Mao Zedong
(1893-1976)
▶Biographie p. 106
et p. 443

A « L'URSS d'aujourd'hui, c'est la Chine de demain » (Mao Zedong)

a. La situation en 1949

➤ Carte p. 102

■ En **octobre 1949**, le **Parti communiste chinois** (PCC) dirigé par Mao Zedong prend en charge un **pays meurtri par des décennies de stagnation économique, de divisions intérieures, de domination étrangère et de guerres**. Commencée en juillet 1937, la brutale occupation des régions littorales par l'armée japonaise ne s'achève qu'à l'été 1945. L'agriculture occupe à cette date les trois quarts des actifs mais peine à nourrir une population de plus de 500 millions d'habitants, dont le revenu moyen égale la moitié de celui des Africains.

■ Au prix d'une **guerre civile de trois ans (1946-1949)**, les communistes l'emportent sur leurs rivaux nationalistes menés par Chiang Kai-shek. Ces derniers se réfugient sur l'île de Taiwan où, sous protection américaine, ils prolongent la république d'avant-guerre. Le PCC s'est imposé en incarnant la double promesse d'une modernisation de la société et d'une fierté nationale recouvrée.

■ **Comme dans la Russie de 1917, une révolution se réclamant du socialisme triomphe dans une nation paysanne**. La tâche est immense et le PCC se divise sur les moyens à mettre en œuvre même si, pour l'essentiel, Mao fixe la stratégie.

➤ Discours de Mao, p. 106

b. La reproduction du modèle soviétique

■ Dans un premier temps, le nouveau régime imite le modèle soviétique : **l'économie est collectivisée**, y compris le secteur agricole. Priorité est donnée à l'industrie lourde dans le cadre de plans autoritaires et centralisés. Les opposants, qualifiés « d'ennemis de classe », sont tués ou déportés au *laogaï*, censé les « rééduquer » par le travail.

Laogaï : système concentrationnaire chinois équivalent du goulag soviétique.

■ **L'URSS envoie des milliers de techniciens** pour aider la Chine à mettre en place équipements et usines, tandis que **Pékin s'aligne sur Moscou durant la guerre froide**. Lors de la guerre de Corée, Mao mobilise des centaines de milliers de « volontaires » pour aider la Corée du Nord. Cette dernière a tenté de réunifier la péninsule à son profit mais se heurte aux forces, américaines essentiellement, qui défendent l'indépendance de la partie Sud dans le cadre d'un mandat de l'ONU.

➤ Affiche de propagande chinoise,
1953, p. 100

➤ Affiche de propagande chinoise,
1951, p. 114

B « Compter sur ses propres forces » (Mao Zedong)

a. La rupture sino-soviétique

Coexistence pacifique :
voir p. 110.

■ À partir de 1956, l'entente laisse place à la rupture, officialisée en 1960 par le rappel brutal des conseillers soviétiques. Ce schisme a des mobiles idéologiques : **le PCC dénonce la déstalinisation et la coexistence pacifique** voulues par Khrouchtchev.

➤ Mao Zedong refuse la
coexistence pacifique, texte p. 110

■ Des considérations géopolitiques jouent également : deux vastes États ayant une longue frontière commune sont enclins à la défiance, d'autant que la Chine en conteste le tracé. Alors que l'URSS mène dans le tiers monde une diplomatie active, **Pékin se veut le champion d'un communisme adapté aux nations pauvres**.

➤ La théorie des deux mondes,
texte p. 108

b. Un communisme aux couleurs de la Chine

■ La rupture conduit Mao à préconiser une **voie chinoise vers le communisme**. Sur le plan intérieur, cette voie insiste sur la composante rurale de la société et le primat de l'action politique : il faut mobiliser les masses pour développer l'économie et réaliser l'idéal égalitaire au plus vite en « comptant sur ses propres forces ».

■ La volonté de forcer le cours de l'histoire s'exprime notamment lors du **Grand Bond en avant** puis de la **Révolution culturelle**, dans un contexte de culte de la personnalité de Mao qui s'appuie sur les jeunes générations encadrées par les Gardes rouges.

c. Une Chine isolée

■ En politique étrangère, Mao dénonce l'**impérialisme** soviétique au même titre que celui des États-Unis. Les relations se tendent à un point tel que l'armée chinoise attaque en 1962 l'Inde de Nehru, proche de Moscou bien qu'officiellement non alignée, puis affronte même durant quelques semaines en 1969 l'Armée rouge.

■ Mais la rupture avec Moscou laisse la Chine isolée. **Quelques pays occidentaux, dont la France gaullienne, nouent des liens avec elle**, mais elle est privée d'alliés, en dehors de l'Albanie et de quelques nations ou mouvements révolutionnaires du tiers monde tels les Khmers rouges au Cambodge. Bien que mythifiée par certains groupes d'extrême gauche occidentaux en quête d'un modèle communiste alternatif au stalinisme, **l'expérience maoïste n'a qu'une audience limitée sur la scène internationale**.

C La sortie du maoïsme

a. Se réinsérer dans le jeu international

■ La fin de la Révolution culturelle ranime les dissensions au sein du PCC avant de se clore par la **victoire des « réalistes »**, qui donnent priorité à la prise en compte des contraintes qui pèsent sur le pays.

■ Sur le plan extérieur, **Zhou Enlai**, inamovible ministre des Affaires étrangères, s'emploie à **réinsérer son pays dans le jeu diplomatique**. Dès 1971, il donne suite aux ouvertures de l'administration Nixon qui mise sur la Chine pour faire contrepoids à l'URSS. Ce rapprochement avec les États-Unis s'opère au prix d'une entorse à l'anti-impérialisme affiché mais permet à la **République populaire de Chine d'intégrer à l'ONU** à la place de la Chine nationaliste et de normaliser ses relations avec tous les pays occidentaux.

b. La priorité au développement

■ En 1978, avec l'arrivée de **Deng Xiaoping** au pouvoir, la Chine entre dans une nouvelle ère. Le nouvel homme fort du pays lance, dès le mois de décembre 1978, le **programme des « Quatre Modernisations »** dans l'agriculture, l'industrie, les **sciences**, la technologie et l'armement.

■ Priorité absolue est donnée au développement, ne serait-ce que pour faire face au défi du nombre : **la population a presque doublé en trente ans**. Un levier privilégié consiste à **inscrire le pays dans le processus de mondialisation**, en rupture avec la volonté d'autarcie qu'affichait Mao Zedong.

> **Grand Bond en avant :** en 1958-1962, mobilisation intensive de la paysannerie afin d'industrialiser les campagnes et d'accentuer l'aspect collectif de la vie rurale au sein de communes populaires regroupant plusieurs villages. La désorganisation qu'il entraîne engendre une dramatique famine.
> **Révolution culturelle :** voir p. 112.
> **Impérialisme :** voir p. 110.
> **Maoïsme :** idéologie révolutionnaire définie par Mao Zedong et popularisée par le *Petit Livre rouge*, édité à des millions d'exemplaires dans de nombreuses langues.

➤ Document 1 ci-dessous.

> **Réalistes :** le terme désigne ici les dirigeants communistes qui privilégient l'efficacité économique par rapport aux dogmes marxistes que défendent les « orthodoxes » (ou « conservateurs »).

➤ Poignée de main entre le président américain Nixon et Mao Zedong à Pékin (21 février 1972), photographie p. 110

➤ « Apprendre pour la mère patrie », affiche officielle (1986), p. 112

Deng Xiaoping
(1904-1997)
➤ Biographie p. 107 et p. 442

1. Mao Zedong reçoit les Khmers rouges qui combattent au Cambodge un gouvernement jugé pro-américain, 1970
À droite, Ieng Sary, chargé de collecter en Chine de l'argent pour les Khmers, serre la main de Mao. Pol Pot est à l'arrière-plan.

Depuis les années 1980 : l'économie au service de la puissance

> Comment expliquer le retour rapide de la Chine au premier rang sur la scène internationale ?

A La métamorphose du « modèle chinois » : priorité à l'économie

a. « Le socialisme de marché »

> La politique de Deng Xiaoping, texte p. 107

■ Soucieux d'efficacité, **Deng Xiaoping restaure** à partir de 1978 **les mécanismes de marché** que connaissait la société chinoise d'avant 1949.

Économie socialiste de marché : voir p. 106.

■ Des marges d'initiative sont accordées aux paysans, le droit de propriété est institué pour la petite entreprise commerciale ou artisanale, la fixation des prix par l'administration est assouplie, **progressivement l'État privatise les groupes industriels**. Le PCC entend promouvoir une « économie socialiste de marché ».

b. Un facteur décisif de changement : le contexte international

■ La politique qu'engage Deng Xiaoping et que poursuivent avec continuité ses successeurs répond autant à l'évolution internationale qu'à des nécessités intérieures. **La prospérité des voisins asiatiques donne des arguments aux réformateurs** qui veulent libéraliser l'économie : aussi pauvres que la Chine continentale dans les années 1950, Taiwan, Hong Kong et la Corée du Sud – restés capitalistes – enregistrent des progrès tels qu'ils intègrent le cercle des pays développés dès les années 1980.

Investissements directs à l'étranger (IDE) : capitaux investis par des entreprises hors de leur pays d'origine.
Zone économique spéciale (ZES) : voir p. 106.
OMC : organisation née en 1995 pour encadrer et promouvoir la libéralisation des échanges internationaux.
G20 : forum qui rassemble les dix-neuf premières économies mondiales plus l'Union européenne.

■ La **crise du bloc soviétique**, observée de très près à Pékin, joue dans le même sens. Les réformateurs chinois estiment comme leurs homologues soviétiques que la stagnation de l'URSS résulte du caractère bureaucratisé de son appareil économique. Mais, à leurs yeux, au tournant des années 1980-1990, **Gorbatchev échoue parce qu'il mène de front libéralisation économique et politique** alors que le niveau de vie des Soviétiques stagne. Eux jugent prioritaire de **stimuler d'abord la croissance** pour réconcilier la population avec le régime afin de préserver la domination du PCC.

c. Le pari de la mondialisation

■ Cette politique nouvelle choisit d'inscrire la Chine dans la mondialisation pour tirer parti de l'atout que constitue son **énorme réservoir de main-d'œuvre à bas coût** : il s'agit d'attirer des capitaux et d'importer par ce biais les technologies avancées. La Chine devient en peu d'années l'« atelier du monde ». Elle aimante les investissements directs étrangers (IDE) dans ses zones économiques spéciales (ZES) ; ses productions manufacturées progressent de manière fulgurante dans les industries de main-d'œuvre ; ses exportations s'envolent, notamment vers l'Amérique du Nord, le Japon, l'Europe occidentale ; **ses ports deviennent les premiers du monde**.

> Deng Xiaoping et les ZES, texte p. 107

■ Dès 2010, la Chine supplante le Japon comme seconde économie mondiale puis **surclasse les États-Unis comme premier pays marchand**, à la fois exportateur et importateur. Elle entend désormais privilégier l'innovation scientifique et technologique.

B L'essor économique est mis au service d'une politique de puissance

a. La Chine, nouveau pivot de l'économie mondiale

■ La Chine joue un **rôle actif dans les instances économiques internationales**, notamment à l'Organisation mondiale du commerce (OMC), où elle est entrée en 2001, et au G20. Elle devient un pivot de l'économie planétaire : sur le plan commercial et industriel, elle est le plus important partenaire bilatéral d'un nombre croissant de pays, en Asie orientale mais aussi en Europe et en Amérique latine.

1. Volvo racheté par le groupe chinois Geely, dessin de presse de Liu Jun Hb, 3 août 2010

■ **Les capitaux chinois alimentent les circuits financiers internationaux.** Ils contribuent à **financer l'endettement des États-Unis** et à amortir les effets des crises financières, comme en 2008.

b. Des ambitions internationales qui s'affirment

■ L'essor économique stimule les ambitions extérieures : Xi Jinping, désigné président de la Chine en 2013, identifie le « rêve chinois » à « la renaissance de la nation ». Le pays se donne les moyens de le réaliser : **l'appareil militaire est modernisé** à grands frais, en privilégiant l'arsenal nucléaire et la marine de guerre. Il se lance dans l'aventure spatiale. Membre permanent du Conseil de sécurité, il fait entendre sa voix à l'ONU. Il resserre ses liens avec les autres grands pays émergents, la Russie, l'Inde, le Brésil, l'Afrique du Sud.

■ Signe de consécration et source de prestige pour le régime, la Chine accueille de grands événements internationaux : les Jeux olympiques d'été se tiennent à Pékin en 2008, **Shanghai organise deux ans plus tard l'Exposition universelle.**

■ Sur le plan diplomatique, la Chine se veut une « puissance pacifique », respectueuse de la souveraineté de tous les États. **Elle vante un monde multipolaire tout en se posant en interlocuteur privilégié de Washington.**

C Les limites de la « renaissance chinoise »

a. Changement social et immobilisme politique : des dynamiques potentiellement contradictoires

■ Les réformes, combinées aux immenses ressources naturelles et humaines du pays, donnent des résultats spectaculaires. La société se transforme, **le revenu moyen par habitant progresse.** Toutefois, **les inégalités s'accentuent et les protestations sont vives** contre le chômage, l'insécurité sociale engendrée par une libéralisation débridée, la corruption des autorités ou leurs négligences en matière sanitaire et environnementale. **Des tensions régionales se réveillent** dans les provinces occidentales (Tibet, Xinjiang). **La population vieillit rapidement** en raison de la politique de l'enfant unique lancée en 1979, ce qui suscite de sérieuses difficultés susceptibles de freiner la croissance.

■ Le pouvoir contient les protestations par la répression combinée aux promesses de la prospérité. Les médias et Internet sont étroitement contrôlés ; les dissidents qui exigent la démocratie sont emprisonnés, exilés, voire écrasés comme à Pékin au printemps 1989. Le régime semble avoir les capacités de subsister en s'adaptant, mais il paraît vulnérable.

b. La puissance reste avant tout régionale

■ **La Chine polarise de plus en plus l'Asie orientale.** Cette région lui fournit l'essentiel de ses IDE, via notamment la nombreuse diaspora chinoise. Elle **rassemble ses principaux partenaires commerciaux, dont le Japon.** Pékin est partie prenante ou associée aux organisations économiques régionales anciennes (l'Association des nations d'Asie du Sud-Est, née en 1967) ou nouvelles, tel le groupe de Shanghai, fondé en 2001.

■ Ses projets suscitent des inquiétudes. La Chine nourrit des **revendications territoriales au détriment de ses voisins.** Elle voit dans **Taiwan** une « province perdue » qui a vocation à revenir à la mère patrie au même titre que Hong Kong et Macao, récupérés respectivement en 1997 et 1999. Elle réclame à la Corée du Sud, au Japon et à plusieurs pays d'Asie du Sud-Est des îles ou des archipels au nom de « droits historiques inaliénables ».

■ Par ailleurs, la Chine reste une puissance émergente. **L'économie,** encore peu innovante, **est tributaire des marchés extérieurs.**

Diaspora : voir p. 105.

Groupe de Shanghai : créé à l'initiative de Pékin, il associe la Chine à la Russie et aux anciennes républiques soviétiques d'Asie centrale, pour combattre les tendances séparatistes et développer une coopération économique et militaire.

➤ Depuis 1949 : un parti unique, cinq dirigeants majeurs, doc. 1 p. 103

➤ Affiche de l'Exposition universelle de Shanghai, 2010, p. 117

2. Le « Printemps de Pékin »
En mai 1989 sur la place Tian'anmen, les manifestants, étudiants surtout, exigent la démocratie. Le 3 juin, le rassemblement est écrasé par l'armée au prix de nombreuses victimes.

➤ Navires américains apportant du matériel à la Chine nationaliste (Taiwan), septembre 1958, photographie p. 110

➤ La Chine et les États-Unis aujourd'hui : deux puissances encore inégales, tableau p. 111

Prépa BAC

1 Analyser le sujet (p. 40, 64, 94, 122, 150, 180, 202)
2 Présenter le sujet (p. 40, 64, 94, 122, 150, 180, 202)
3 Construire un plan (p. 95, 122-123, 150-151, 180, 202)
4 Rédiger l'introduction et la conclusion (p. 151)
5 Bâtir la réponse organisée (p. 181)
6 Rédiger la réponse organisée (p. 203)
7 Comment présenter votre devoir ? (p. 40-41, 64-65)

SUJET GUIDÉ

L'affirmation de la puissance chinoise depuis 1949.

1 Analyser le sujet

MÉTHODE	MISE EN ŒUVRE
Repérer les mots-clés dans l'énoncé et les expliquer.	Répondez aux questions des encadrés ci-dessous.

L'affirmation de la puissance chinoise **depuis 1949.**

Qu'entend-on par « affirmation » ?

Dans quels domaines s'exprime la puissance de la Chine ?

Quelle est l'importance de cette borne chronologique ?
Repères p. 102-105

2 Présenter le sujet

MÉTHODE	MISE EN ŒUVRE
La présentation du sujet doit tenir compte des mots-clés, des bornes chronologiques et spatiales. Elle annonce ce que l'on veut démontrer dans les paragraphes de la composition.	Parmi les trois phrases suivantes, laquelle correspond le mieux au sujet ? Justifiez votre réponse.

1. Les différentes manières dont s'affirme la puissance de la Chine depuis la mise en place de la République populaire de Chine en 1949.

2. Les aspects politiques et économiques de la puissance chinoise depuis 1949.

3. Les réussites et les limites de la puissance de la Chine.

3 Construire un plan

MÉTHODE	MISE EN ŒUVRE
Le plan doit être élaboré au brouillon en tenant compte de l'analyse et de la présentation du sujet. *Mobiliser ses connaissances* Répertorier les mots-clés, les événements, les dates, les personnalités, etc.	Reproduisez et complétez l'axe chronologique en retrouvant les événements qui correspondent aux dates indiquées. Frise p. 101 Cours 1 p. 118-119 Cours 2 p. 120-121

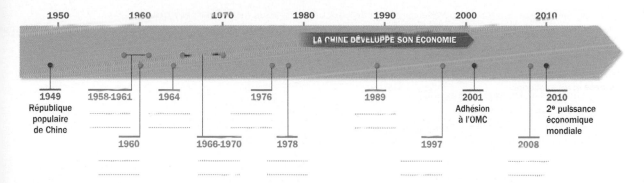

1950   1960   1970   1980   1990   2000   2010

LA CHINE DÉVELOPPE SON ÉCONOMIE

1949
République
populaire
de Chine

1958-1961

1964

1976

1989

2001
Adhésion
à l'OMC

2010
2ᵉ puissance
économique
mondiale

1960

1966-1970

1978

1997

2008

Classer ses connaissances
En s'interrogeant sur la nature
du plan :
– le plan thématique met
en évidence dans chacun
des paragraphes un thème
majeur du sujet ;
– le plan chronologique est
organisé en périodes délimitées
par des dates-ruptures.

Un plan de composition peut
être constitué de deux ou trois
paragraphes qui doivent être
équilibrés.

Le plan chronologique est ici le plus indiqué. Sur la frise que vous avez complétée :
– une date-rupture est indiquée (2001) : retrouvez une autre date rupture et dites à quoi
  elle correspond ;
– le titre d'un des paragraphes du plan est indiqué (*La Chine développe son économie*) :
  proposez un titre pour les deux autres paragraphes du plan.

SUJET EN AUTONOMIE

La Chine et le monde depuis 1949.

SUJET EN AUTONOMIE

L'émergence de la puissance chinoise depuis la fin des années 1970.

Prépa BAC

1 Analyser la consigne (p. 43, 67, 97, 125, 153, 183, 205)
2 Prélever des informations (p. 43, 67, 97, 125, 183, 205)
3 Apporter des connaissances (p. 97, 125, 183, 205)
4 Confronter les documents (p. 153, 205)
5 Rédiger l'analyse (p. 205)
6 Comment présenter votre devoir ? (p. 43, 67-68)

SUJET GUIDÉ

L'affirmation de la puissance de la Chine à la fin du XXe siècle.

> **CONSIGNE :** Après avoir rappelé le contexte des documents, vous montrerez sur quels éléments s'appuie la puissance chinoise et quelles en sont les limites à la fin du XXe siècle.

---

1 Discours de Deng Xiaoping, 1991

Il était temps que Shanghai se développe. Désormais, il va falloir mettre les bouchées doubles. Lorsque nous avons créé les quatre zones économiques spéciales, nous avons surtout tenu compte des facteurs géographiques. [...] Apparemment, nous avons négligé les atouts de Shanghai, l'esprit d'entreprise et le haut niveau d'instruction de ses habitants. Il aurait fallu démarrer l'exploitation de la région de Pudong il y a plusieurs années, au même moment que la zone économique spéciale de Shenzhen. Si Pudong se développe, les répercussions seront immenses car le développement ne devrait pas s'arrêter à cette zone mais rayonner sur tout Shanghai et de là sur toute la région [...]. Pourvu que nous tenions les engagements pris et que nous agissions selon les usages internationaux, les capitaux afflueront à Shanghai. [...]

La finance revêt aujourd'hui une importance capitale : elle est véritablement le nerf de l'économie moderne. Maîtriser cet art nous ouvrirait toutes les portes. Shanghai était autrefois un grand centre financier où l'on changeait librement les monnaies. Shanghai devra retrouver son statut d'antan. Si la Chine veut se faire une place au soleil dans le monde de la haute finance, elle devra compter avant tout sur Shanghai.

Deng Xiaoping, *Textes choisis*, Éditions en langues étrangères, Pékin, 1993.

---

2 Affiche célébrant le 50e anniversaire de la République populaire de Chine à la veille de l'entrée dans le XXIe siècle

Jiang Zemin, successeur de Deng Xiaoping depuis 1993, avec en arrière-plan Shanghai et le lancement d'une fusée Longue Marche.

Les 50 ans du régime communiste en Chine.

Maîtrise technologique et naissance d'une nouvelle puissance spatiale.

Pudong, centre des affaires de Shanghai.

Le Secrétaire général du Parti communiste chinois et chef de l'État au premier plan de cette affiche de propagande.

1 Analyser la consigne

Il faut distinguer les différentes parties de la consigne, relever les **termes essentiels** et les définir.

« Après avoir rappelé le contexte des documents, vous montrerez sur quels éléments s'appuie la puissance chinoise et quelles en sont les limites à la fin du XXᵉ siècle. »

2 Prélever des informations
3 Apporter des connaissances

Prélever les informations : il faut repérer dans les documents les informations qui correspondent à chaque partie de la consigne.

Apporter des connaissances : il s'agit de reformuler les informations des documents et de compléter par des notions, des exemples, des dates, etc.

Les documents doivent toujours être replacés dans leur contexte. Puis il faut répondre aux deux parties de la consigne. Dans le tableau ci-dessous :

– les informations sur le contexte et celles de la partie 3 ont été prélevées : retrouvez dans les documents les informations correspondant à la partie 2 ;

– les connaissances sur le contexte ont été apportées : retrouvez dans votre cours les connaissances correspondant aux parties 2 et 3.

Parties de la consigne	Informations fournies par les documents	Connaissances
Le contexte	– Deng Xiaoping ; les quatre zones économiques spéciales ; usages internationaux. – 1949-1999, célébration du 50ᵉ anniversaire de la République populaire de Chine ; Deng Xiaoping au premier plan de cette affiche.	– 1978 : Deng Xiaoping succède à Mao ; choix de l'ouverture aux capitaux étrangers et de l'économie socialiste de marché ; la Chine est alors candidate à l'entrée à l'OMC. – Les 50 ans du régime communiste en Chine. Le secrétaire général du Parti communiste chinois, également chef de l'État, témoigne du rôle majeur de l'État dans les choix économiques.
Les éléments sur lesquels s'appuie la puissance chinoise	…	Cours 2 p. 120-121 Étude 3 p. 112-113 Étude 4 p. 114-115
Les limites à la fin du XXᵉ siècle	– Affiche de propagande. – « Nous avons négligé les atouts de Shanghai, l'esprit d'entreprise et le haut niveau d'instruction de ses habitants. »	Cours 2 p. 120-121 Étude 3 p. 112-113 Étude 4 p. 114-115

SUJET EN AUTONOMIE

La puissance de la Chine pendant la période maoïste.

CONSIGNE : Après avoir présenté les documents, vous montrerez sur quels éléments s'appuie la puissance chinoise pendant la période maoïste. Puis vous expliquerez les objectifs qu'elle vise.

1 La Chine face à la décolonisation

Nous avons réussi à nous opposer au colonialisme […] et à encourager la coopération politique, économique et culturelle parce que nous autres, peuples d'Afrique et d'Asie, nous avons en commun le même sort et les mêmes désirs.

Pour la même raison, je déclare que le peuple chinois apporte toute sa sympathie et son appui à la lutte des peuples d'Algérie, du Maroc et de la Tunisie pour leur autodétermination et leur indépendance, à la lutte du peuple de Palestine pour les droits humains, à la lutte pour le rétablissement de la souveraineté indonésienne sur l'ouest d'Irian [Nouvelle-Guinée occidentale, alors possession des Pays-Bas] et à la juste lutte pour l'indépendance nationale et la liberté des peuples que livrent tous les peuples d'Asie et d'Afrique pour secouer le joug du colonialisme.

Zhou Enlai, ministre des Affaires étrangères chinois,
discours à la conférence de Bandung, 1955.

2 Affiche de 1971 : « Nous libérerons définitivement Taïwan. »

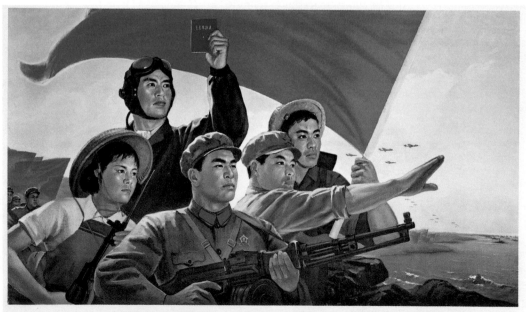

一定要解放台湾！

Les chemins de la puissance de 1949 à nos jours

	1949-1979	Depuis 1979
	LA PUISSANCE PAR LA RÉVOLUTION	**LA PUISSANCE PAR L'ÉCONOMIE**
BUTS	Conforter en Chine et étendre dans le monde la révolution anticapitaliste.	Refaire de la Chine une grande puissance.
MOYENS	• Mobiliser la population (Grand Bond en avant, Révolution culturelle). • Trouver des alliés (URSS puis le tiers monde).	Favoriser une « émergence pacifique » par : • l'essor économique ; • une participation active aux grandes instances internationales (OMC, G20, BRICS, etc.).
OBSTACLES	• Pauvreté persistante. • Croissance faible. • Explosion démographique : 546,8 millions d'habitants en 1950, 965 millions en 1979.	• Réticences en Asie orientale. • Position dominante des grandes puissances occidentales. • Tensions entre l'immobilisme politique et les changements économiques et sociaux.
BILAN	• La Chine n'est plus dépendante mais reste isolée. • La population souffre : en 1979, le PIB/hab. est de 800 dollars contre 5 700 à Taiwan.	• Fulgurante montée de la puissance internationale : l'économie chinoise passe du 8e rang mondial en 1989 au 2e rang mondial en 2010. • Interrogations sur l'avenir : vieillissement accéléré de la population, tensions régionales, clivage entre immobilisme politique et mutations sociales.

 culture générale

La Chine de Mao Zedong et le monde extérieur

Études d'historiens :
- Marie-Claude Bergère, *La Chine de 1949 à nos jours*, Armand Colin, 2000.
- Alain Roux, *La Chine au XXe siècle*, Armand Colin, 2006.
- « La Chine, 2 000 ans d'empire », revue *L'Histoire*, n° spécial 300, juillet-août 2005.

Documents :
- « Chine, 2 000 ans d'histoire », *Textes et documents pour la classe*, n° 1021, octobre 2011.

Film de fiction :
- Zhang Yimou, *Vivre*, 1994.

Site : http://cecmc.ehess.fr

L'essor économique depuis les années 1980

Étude :
- Thierry Sanjuan (dir.), *Dictionnaire de la Chine contemporaine*, Armand Colin, 2006.

Site : http://www.tresor.economie.gouv.fr/pays/chine

La renaissance de la Chine comme puissance

Études :
- François Lenglet, *La Guerre des empires : Chine contre États-Unis*, Fayard, 2010.

- Caroline Puel, *Les Trente Ans qui ont changé la Chine (1980-2010)*, Buchet-Chastel, 2011.

Documents :
- Wei Jingsheng, *Lettres de prison, 1981-1993*, Plon, 1998.
- Thierry Sanjuan, « Le Défi chinois », *Documentation Photographique*, n° 8064, août 2008.
- *Le Monde*, hors-série « Le Siècle chinois », novembre 2011.

Romans :
- Liu Xiaobo, *Vivre dans la vérité*, Éditions Gallimard, 2012.
- Gao Xingjian, *La Montagne de l'âme*, Éditions de l'Aube, 1995.
- Mo Yan, *Le Pays de l'alcool*, Le Seuil, 2000.

Sites : www.rdv-histoire.com (14e rendez-vous de l'Histoire à Blois sur la Chine, 2011)
www.ceri-sciencespo.com
www.ifri.org
www.fig.saint-die-des-vosges.fr (Festival international de géographie sur le thème « La Chine, une puissance mondiale », 2013)

Films de fiction :
- Zhang Yimou, *Happy times*, 2000.
- Jia Zhang-ke, *Still life*, 2006.
- Jia Zhang-ke, *A touch of sin*, 2013.

Le Proche et le Moyen-Orient, un foyer de conflits depuis la fin de la Seconde Guerre mondiale

Le Proche et le Moyen-Orient désignent des régions à l'est de la Méditerranée, **stratégiques pour les intérêts des grandes puissances**. Après la Seconde Guerre mondiale, ces régions, constituées d'une mosaïque de peuples et de religions, et longtemps dominées par l'**Europe**, passent peu à peu sous l'**influence des États-Unis et de l'URSS** avec le développement de la guerre froide. Dans ce contexte particulier, la construction de jeunes États indépendants fait l'objet de nombreux **conflits** où s'entrecroisent des enjeux locaux, régionaux et internationaux qui perdurent jusqu'à nos jours.

> **Pourquoi le Proche et le Moyen-Orient constituent-ils un foyer majeur de conflits depuis 1945 ?**

1 Au terme du mandat britannique, le refus par les États arabes du plan des Nations unies pour le partage de la Palestine, débouche sur la première guerre israélo-arabe

Le 7 mai 1948, devant la gare de Jérusalem abandonnée par les troupes britanniques, des soldats arabes sont en faction dans l'attente d'une attaque des troupes juives. Les inscriptions sur la gare sont en anglais, en arabe et en hébreu.

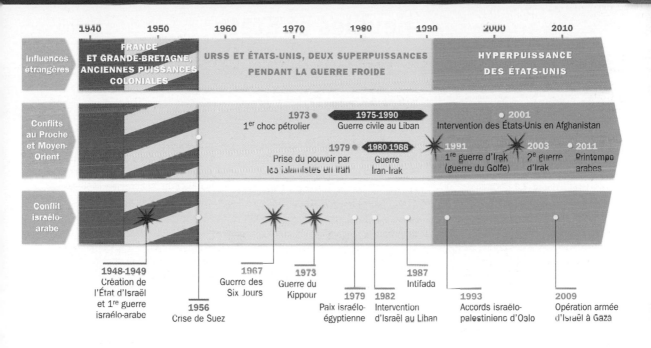

| | 1940 | 1950 | 1960 | 1970 | 1980 | 1990 | 2000 | 2010 |

Influences étrangères
FRANCE ET GRANDE-BRETAGNE, ANCIENNES PUISSANCES COLONIALES | URSS ET ÉTATS-UNIS, DEUX SUPERPUISSANCES PENDANT LA GUERRE FROIDE | HYPERPUISSANCE DES ÉTATS-UNIS

Conflits au Proche et Moyen-Orient
1973 ● 1er choc pétrolier
1975-1990 Guerre civile au Liban
● 2001 Intervention des États-Unis en Afghanistan
1979 ● Prise du pouvoir par les islamistes en Iran
1980-1988 Guerre Iran-Irak
1991 1re guerre d'Irak (guerre du Golfe)
2003 2e guerre d'Irak
● 2011 Printemps arabes

Conflit israélo-arabe
1948-1949 Création de l'État d'Israël et 1re guerre israélo-arabe
1956 Crise de Suez
1967 Guerre des Six Jours
1973 Guerre du Kippour
1979 Paix israélo-égyptienne
1982 Intervention d'Israël au Liban
1987 Intifada
1993 Accords israélo-palestiniens d'Oslo
2009 Opération armée d'Israël à Gaza

2 **Intervention militaire des États-Unis en Irak (2003)**

Des soldats américains utilisent leur véhicule pour renverser la statue de Saddam Hussein à Bagdad, le 9 avril 2003, le jour de la prise de la ville.

A. Le Proche et le Moyen-Orient, peuples et États

Notions clés

Proche et Moyen-Orient

Dans la tradition géographique française, le « Proche-Orient » désigne les régions de la Méditerranée orientale, de la Turquie à l'Égypte. L'expression « Moyen-Orient », d'inspiration anglo-saxonne, englobe le Proche-Orient dans un ensemble régional à dominante musulmane allant de l'Égypte à l'Iran et du Caucase à la péninsule Arabique.

Musulmans / Arabes

Les musulmans sont des fidèles de la religion islamique. Les Arabes constituent un peuple, qui se définit par l'usage de la langue arabe. Tous les musulmans ne sont pas arabes : au Proche et Moyen-Orient, les musulmans sont aussi turcs, perses, etc. 95 % des Arabes sont musulmans, mais il existe aussi des Arabes chrétiens, en Égypte, au Liban et en Syrie.

Islam / Islamisme

L'islam est une religion née en Arabie au VIIe siècle. L'islamisme est un mouvement radical qui voit dans l'islam une idéologie politique et religieuse ayant pour but l'islamisation de l'État et de la société.

Sunnites / Chiites

Les sunnites et les chiites appartiennent à deux branches de l'islam qui ne reconnaissent pas la même succession du prophète Mahomet. Les sunnites sont majoritaires dans le monde musulman et considèrent les chiites comme des hérétiques, vénérant les chefs de leur communauté, qui seraient inspirés par Dieu. Le courant chiite est très sensible au martyr et à l'injustice sociale.

Palestine / Israël

La Palestine est une ancienne région géographique du Proche-Orient, s'étendant le long de la Méditerranée. Ses limites actuelles correspondent à la Palestine qui a été administrée par les Britanniques de 1918 à 1948. Israël est un État créé en 1948 dans cette région de Palestine, après le plan de partage de l'ONU adopté en 1947.

Juifs / Israéliens

Le terme de « juifs » se définit au sens strict par la religion, désignant les fidèles du judaïsme ; selon une loi votée par l'État d'Israël en 1950, tout juif dans le monde a le droit d'immigrer en Israël. Les Israéliens sont des citoyens de l'État d'Israël. Si 76 % des Israéliens sont de confession juive, les autres citoyens sont majoritairement des Arabes musulmans restés en Israël après la division de la Palestine en 1949.

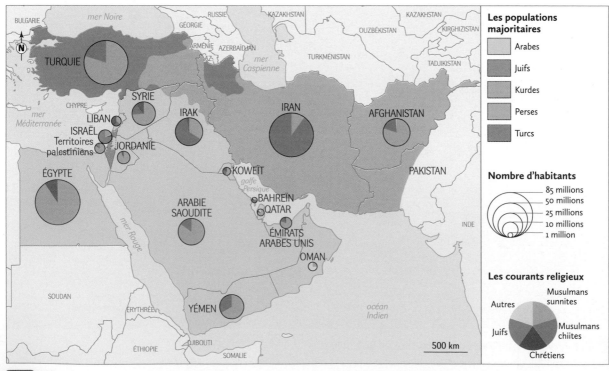

1 Diversité des peuples et des religions

Israël : une démocratie sur le modèle occidental

Le 14 mai 1948, **David Ben Gourion** proclame l'État d'Israël sur une partie de la Palestine du mandat[1] britannique. Le régime politique est une démocratie parlementaire, dirigée par un Premier ministre. L'État d'Israël se construit avec l'arrivée de plusieurs vagues d'immigrants juifs, dont une partie rescapée de la Shoah. La vie politique israélienne est dominée par les travaillistes (plutôt favorables aux négociations avec les Palestiniens) et le Likoud (droite israélienne, plutôt favorable à la poursuite de la colonisation en Cisjordanie). Israël est l'allié des États-Unis au Moyen-Orient.

1. Voir **vocabulaire** p. 148.

David Ben Gourion
(1886-1973)

Les monarchies du Golfe

Riches de leur rente pétrolière, les monarchies du golfe Persique présentent des régimes conservateurs et autoritaires. L'Arabie saoudite, fondée en 1932 par Ibn Saoud, défend les valeurs musulmanes traditionnelles et jouit d'une certaine prééminence sur les autres pétromonarchies. Le Qatar tend à jouer un rôle de plus en plus important dans la géopolitique régionale en s'appuyant sur les médias (Al Jazeera) et en soutenant les mouvements islamistes lors des « Printemps arabes ». L'installation de nombreuses bases militaires américaines révèle l'alliance de ces régimes avec les États-Unis.

Ibn Saoud
(1880-1953)

Égypte, Irak, Syrie : des régimes « progressistes socialistes » autoritaires

Les figures les plus marquantes de ces États sont **Gamal Abdel Nasser** (Égypte), **Hafez el-Assad** (Syrie) ou **Saddam Hussein** (Irak), qui s'appuient sur des régimes mêlant projets socialistes, laïcité et nationalisme arabe. Ils fondent un pouvoir présidentiel qui dérive progressivement vers une dictature, s'appuyant sur l'armée et la police. Leur alliance traditionnelle avec l'URSS et leur régime de nature républicaine et laïque ont longtemps placé ces États en rivalité avec les monarchies conservatrices du Golfe.

Gamal Abdel Nasser
(1918-1970)

Iran : entre monarchie et République islamique

Au lendemain de la Seconde Guerre mondiale, l'Iran est une monarchie dirigée par le Shah, **M. R. Pahlavi**, qui constitue un allié clé des États-Unis face à l'URSS. Monarque autoritaire, il tente de moderniser son pays, grâce aux revenus du pétrole. Il est renversé en 1979 par **Rouhollah Khomeiny** qui fonde une République islamique. Conservateur en politique intérieure, le nouveau régime affiche des ambitions de puissance régionale et un discours de lutte contre l'Occident en politique extérieure.

Rouhollah Khomeiny
(1902-1989)

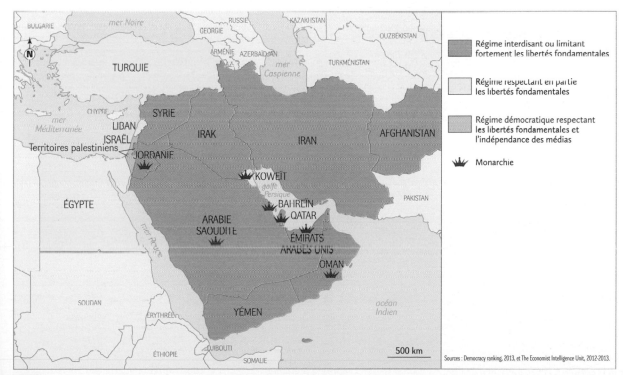

3 **Les régimes politiques au Proche et Moyen-Orient en 2013**

B. Géopolitique du Proche et du Moyen-Orient

1 Les principaux conflits au Proche et Moyen-Orient depuis 1948 : des enjeux complexes

	Enjeu local	Enjeu régional	Enjeu international
1948-1949 : 1re guerre israélo-arabe	• Juifs et Arabes palestiniens, deux peuples pour un seul territoire : la Palestine	• États arabes : refus de la création d'Israël	• Grande-Bretagne : guerre de décolonisation
1956 : crise de Suez	• Égypte : nationalisation du canal de Suez	• Israël : renverser un régime hostile (Nasser) à son existence et garantir la libre circulation sur le canal	• France et Grande-Bretagne : renverser un régime (Nasser) hostile à leur influence au Proche et Moyen-Orient et garantir la libre circulation sur le canal
1967 : guerre des Six Jours	• Israël : contrôler des régions stratégiques	• Israël : guerre préventive contre des États arabes hostiles	• États-Unis et URSS : enjeu de guerre froide
1973 : guerre du Kippour	• Palestiniens : retrait des territoires occupés par Israël	• Égypte-Syrie : affaiblissement d'Israël et relance du processus de négociation	• États-Unis et URSS : enjeu de guerre froide • États arabes exportateurs de pétrole : utilisation de l'arme pétrolière (1er choc pétrolier)
1975-1990 : guerre civile au Liban	• Liban : affrontements entre communautés libanaises et combattants palestiniens	• Israël : éliminer la résistance armée palestinienne • Syrie : ambitions régionales	• ONU : présence des Casques bleus
1980-1988 : guerre Iran-Irak	• Litige frontalier entre l'Irak et l'Iran	• Rivalité entre États arabes sunnites et l'Iran chiite	• États-Unis et ses alliés : renverser un régime hostile (République islamique d'Iran)
1991 : 1re guerre d'Irak	• Irak : non-reconnaissance de l'existence du Koweït	• Irak : pétrole du golfe Persique • États arabes : empêcher la modification de frontières par la force	• ONU et communauté internationale : violation du droit international et sécurisation de l'approvisionnement en ressources pétrolières
2003 : 2e guerre d'Irak	• Opposition irakienne : renverser un régime autoritaire	• Monarchies du Golfe : renverser un régime facteur de déstabilisation	• États-Unis : remodeler politiquement le Moyen-Orient sur le modèle démocratique occidental

2 Évolution du territoire d'Israël de 1947 à 1967

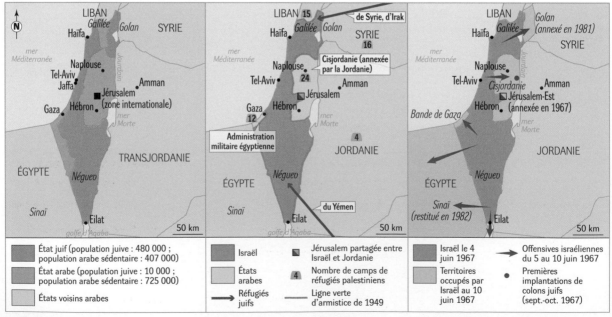

a. Novembre 1947 : plan de partage de l'ONU (jamais appliqué)	**b. 1948-1949 : après la première guerre israélo-arabe**	**c. 1967 : après la guerre des Six Jours**

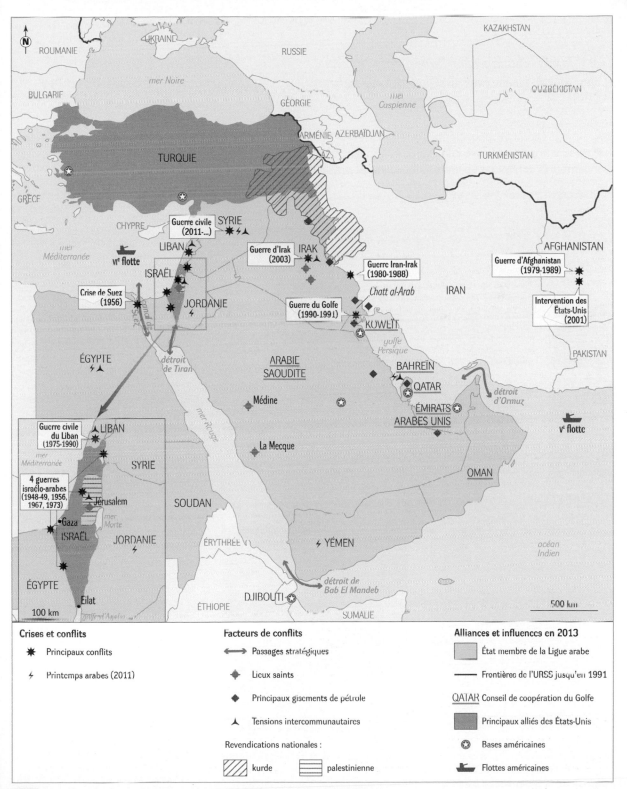

Crises et conflits

* **✹** Principaux conflits

* **⚡** Printemps arabes (2011)

Facteurs de conflits

* **⟷** Passages stratégiques

* **◆** Lieux saints

* **◆** Principaux gisements de pétrole

* **⚓** Tensions intercommunautaires

Revendications nationales :

* ⧄ kurde
* ☰ palestinienne

Alliances et influences en 2013

* État membre de la Ligue arabe

* — Frontières de l'URSS jusqu'en 1991

* <u>QATAR</u> Conseil de coopération du Golfe

* Principaux alliés des États-Unis

* ⊛ Bases américaines

* ⚓ Flottes américaines

3 Géopolitique des conflits au Proche et Moyen-Orient depuis 1948

Arafat et Rabin, de la guerre à la paix

> « *Je suis venu ici tenant d'une main le rameau d'olivier et de l'autre mon fusil de révolutionnaire.* »
> (Yasser Arafat, 1974)

> « *Combattre le terrorisme* […] *et poursuivre le processus de paix.* »
> (Yitzhak Rabin, années 1990)

Dans leurs combats pour affirmer l'identité de leur peuple respectif, Yasser Arafat et Yitzhak Rabin se sont imposés comme deux héros nationaux, mais aussi comme deux adversaires historiques. Ils incarnent la confrontation entre Palestiniens et Israéliens dans la deuxième moitié du XXᵉ siècle.

> Comment Yasser Arafat et Yitzhak Rabin illustrent-ils les évolutions du conflit israélo-palestinien ?

BIOGRAPHIES

Yasser Arafat (1929-2004) organise la lutte armée des Palestiniens contre Israël et soutient les actions terroristes à l'étranger menées par l'Organisation de libération de la Palestine (OLP), dont il prend la direction en 1969. Puis, ayant fait le choix de la négociation politique, il devient un interlocuteur incontournable dans les relations israélo-arabes. Après les accords d'Oslo, il est le premier président de l'Autorité palestinienne de 1996 jusqu'à sa mort.

En tant que responsable militaire, **Yitzhak Rabin (1922-1995)** joue un rôle de premier plan dans les guerres israélo-arabes depuis l'indépendance d'Israël (1948). Son prestige lui permet d'entamer une carrière politique où il se montre d'abord un adversaire implacable de l'OLP. Progressivement persuadé de l'inefficacité de la solution militaire, il soutient les accords d'Oslo, mais est assassiné le 4 novembre 1995 par un étudiant juif d'extrême-droite hostile au processus de paix avec les Palestiniens.

3 Le dialogue direct entre Palestiniens et Israéliens

Cet échange de lettres est l'aboutissement des négociations d'Oslo.

Monsieur le Premier ministre,
L'OLP reconnaît le droit de l'État d'Israël à vivre en paix et dans la sécurité […]. L'OLP considère que la signature de la Déclaration de principes constitue un événement historique inaugurant une époque nouvelle de coexistence pacifique. En conséquence, l'OLP renonce à recourir au terrorisme et à tout autre acte de violence […].

Yasser Arafat, 9 septembre 1993.

Monsieur le Président,
En réponse à votre lettre du 9 septembre 1993, je souhaite vous confirmer qu'à la lumière des engagements de l'OLP qui y figurent, le gouvernement d'Israël a décidé de reconnaître l'OLP comme le représentant du peuple palestinien et d'engager des négociations avec l'OLP dans le cadre du processus de paix au Proche-Orient.

Yitzhak Rabin, Premier ministre d'Israël, 10 septembre 1993.

1 Yitzhak Rabin (1), chef d'état-major, aux côtés de Moshe Dayan, ministre de la Défense (2). Il sont à Jérusalem-Est qui vient d'être conquise pendant la guerre des Six Jours (1967).

2 Yasser Arafat et la lutte armée (1970)
Il est entouré de combattants du Fatah (fédayins) qui mènent une guérilla contre Israël depuis la Jordanie.

Vocabulaire

Baas : parti politique panarabe, socialiste et laïc, existant en Syrie et en Irak.

Fédayins : voir p. 148.

Panarabisme : volonté d'unifier les peuples arabes en dépassant les clivages religieux.

Sionisme : mouvement fondé à la fin du XIXᵉ siècle par des juifs européens pour la création d'un État juif en Palestine.

Saddam Hussein et les ambitions d'un chef nationaliste

66 *Frères arabes, musulmans et croyants, où que vous soyez, ceci est votre jour.* 99 (1990)

S'appuyant sur le **panarabisme**, Saddam Hussein veut imposer l'Irak à la tête des États arabes de la région. La répression qu'il mène contre les populations chiites dans les villes saintes d'Irak et ses ambitions régionales se heurtent à l'Iran, nouvelle République islamique.

> En quoi Saddam Hussein a-t-il été un acteur majeur des tensions au Proche et Moyen-Orient ?

BIOGRAPHIE

De confession sunnite, Saddam Hussein (1937-2006) accède au pouvoir en 1969, à la suite d'un coup d'État du parti Baas, et cumule toutes les hautes fonctions de l'État à partir de 1979. Il engage son pays dans trois guerres : en 1980 contre l'Iran ; en 1991 et en 2003 contre des coalitions internationales, menées par les États-Unis. Il est arrêté par les Américains après la chute de Bagdad. Il est condamné à mort par un tribunal irakien et exécuté.

4 Déclaration de guerre à l'Iran

Puisque depuis leur accession au pouvoir, les dirigeants iraniens ne respectent pas les accords, qu'ils s'immiscent dans les affaires intérieures de l'Irak et qu'ils soutiennent [...] les chefs de la rébellion qu'appuient les États-Unis et le sionisme, et parce qu'ils ont refusé de nous restituer les territoires irakiens que nous avons été obligés de libérer par la force, je déclare devant vous que nous considérons comme nuls et non avenus les accords du 6 mars 1975 [...]. Ainsi, comme il l'a toujours été dans l'histoire, le Chatt al-Arab doit être irakien et arabe de nom et de fait, et jouir de tous les droits qui découlent de la pleine souveraineté de l'Irak. [...] La religion n'est qu'un voile pour dissimuler le racisme et la haine millénaire des Persans à l'égard des Arabes.

Discours du 17 septembre 1980.

5 Affiche de propagande pendant la guerre Iran-Irak, 1984

Saddam Hussein représenté à côté de Saladin, chef politique et militaire du Moyen Âge qui a unifié les musulmans et repris Jérusalem aux croisés chrétiens.

6 Panarabisme et défense de l'islam

Frères arabes, musulmans et croyants, où que vous soyez, ceci est votre jour. Sauvez La Mecque et la tombe du Prophète de l'occupation. Les colonialistes, pour garantir leurs intérêts pétroliers, ont mis sur pied ces États pétroliers difformes. Par ce biais, ils ont gardé la richesse hors de portée des masses de cette nation. Cette nouvelle richesse est tombée aux mains de la minorité pour être exploitée au profit de l'étranger et de ce petit groupe de dirigeants. [...] Ô Arabes, ô musulmans et croyants du monde entier ; le jour est venu de vous soulever et de défendre La Mecque capturée par les avant-gardes américaines et sionistes.

Déclaration à la télévision irakienne le 10 août 1990.

Questions

Deux acteurs symboliques du conflit israélo-palestinien

1. **Doc. 1 et 2 :** Dans ce conflit quels sont les choix initiaux faits par Yasser Arafat et Yithzak Rabin pour affirmer l'identité de leur peuple dans la région ?

2. **Doc. 3 :** Sur quel préalable au processus de paix s'accordent-ils dans cet échange de lettres ? Quelles conséquences sur leurs actions futures en tirent-ils ?

Un acteur illustrant les différentes échelles de conflits

3. **Doc. 4 :** Montrez que S. Hussein situe les enjeux du conflit avec l'Iran dans un cadre avant tout régional.

4. **Doc. 5 et 6 :** Comment S. Hussein élargit-il les enjeux des conflits au Moyen-Orient à l'échelle internationale ?

Vers la composition du BAC

Capacités et méthodes :
II. 2. décrire et mettre en récit une situation historique, rédiger un texte construit et argumenté.

En vous appuyant sur les exemples de Yasser Arafat, Yitzhak Rabin et Saddam Hussein, rédigez un texte construit montrant que les conflits au Moyen-Orient ont plusieurs formes et s'expriment à différentes échelles.

Le pétrole, un enjeu stratégique

Dès le début du XXe siècle, les **Britanniques** exploitent des gisements pétroliers en Iran, en Irak et dans les Émirats du golfe Persique. Les **Américains** commencent à s'intéresser à la région après 1945, notamment en Arabie saoudite. Les Occidentaux **contrôlent les sociétés pétrolières** qui travaillent au Moyen-Orient, en échange de **royalties** versées aux États de la région. À partir des années 1970, **les États producteurs s'émancipent** de cette tutelle en créant des compagnies nationales (Irak, 1972 ; Arabie saoudite, 1976). En 2013, le Moyen-Orient détenait près de 60 % des réserves mondiales de pétrole.

> **Pourquoi la ressource pétrolière est-elle au cœur des tensions au Moyen-Orient ?**

DATES CLÉS

○– **Années 1950** Les Occidentaux contrôlent la majorité des compagnies concessionnaires.

○– **1960** Création de l'OPEP.

○– **1973** Guerre du Kippour et premier choc pétrolier.

○– **1990** Les armées irakiennes détruisent 5 % des puits de pétrole du Koweït.

1 **La politique pétrolière américaine après 1945**

La participation américaine à la mise en valeur du pétrole au Proche-Orient est juste car les intérêts américains détiennent une part importante des réserves prouvées de la région […]. La politique américaine du pétrole au Proche-Orient doit reposer sur ces deux objectifs primordiaux : a. la pleine mise en valeur de la production pétrolière du Proche-Orient et b. la stabilisation et sauvegarde des droits de concession des Américains.

J. C. Hurewitz (universitaire américain et ancien agent de renseignement pour le Moyen-Orient), *Diplomatie au Proche et Moyen-Orient*, New York, 1957.

2 **Le capital des grandes compagnies pétrolières (années 1950).** Les compagnies concessionnaires réunissent des sociétés pétrolières occidentales qui s'associent pour se partager les coûts d'exploitation.

Nom de la compagnie concessionnaire	Origine nationale des capitaux investis
Iraq Petroleum Co	G.-B. : 47,5 % ; É.-U. : 23,75 % ; France : 23,75 % ; autres : 5 %
Arabian American Oil Co (Arabie saoudite)	É.-U. : 100 %
Kuwait Oil Co	G.-B. : 50 % ; É.-U. : 50 %
National Iranian Oil Co (Anglo-Iranian Oil Co jusqu'en 1951)	Iran : 100 %

3 **Le pétrole au cœur des tensions de la guerre froide**

En Iran, la nationalisation de la compagnie pétrolière, l'Anglo-Iranian Oil Company (1951), contrôlée par les Britanniques, et l'influence grandissante du parti Toudeh (communiste) inquiètent le gouvernement américain.

Il est d'une importance critique pour les États-Unis que l'Iran reste une nation indépendante et souveraine, non dominée par l'URSS. La perte de l'Iran par défaut ou par intervention soviétique […] permettrait aux communistes de refuser au monde libre l'accès au pétrole iranien, ou menacerait d'autres ressources pétrolières moyen-orientales.

Rapport au Conseil national de sécurité, Washington, novembre 1952, classé top secret (déclassifié en 2000).

4 **L'arme du pétrole**

Nicolas Sarkis, conseiller de l'OPEP, répond aux questions d'un journaliste au lendemain de la guerre israélo-arabe du Kippour (1973), où le pétrole fut utilisé pour la première fois comme une arme politique.

Le pétrole arabe devrait être utilisé tous les jours comme arme politique, en temps de guerre, comme en temps de paix. Il l'est déjà un peu, remarquez. En fait, le mot « arme » pétrolière prête à confusion dans la mesure où il est conçu exclusivement en termes d'embargo ou de réduction des importations. Mais ce n'est là que l'aspect que l'on pourrait qualifier de « négatif » de l'emploi du pétrole comme arme politique. Il y a un autre aspect « positif » qu'on perd souvent de vue, c'est l'énorme possibilité que le pétrole offre aux Arabes pour étendre le réseau de leurs amitiés dans le monde, et pour développer leurs relations politiques et économiques avec les pays qui utilisent leur pétrole ou qui en bénéficient sous une forme ou sous une autre.

Nicolas Sarkis, *Le Pétrole à l'heure arabe*, Stock, 1975.

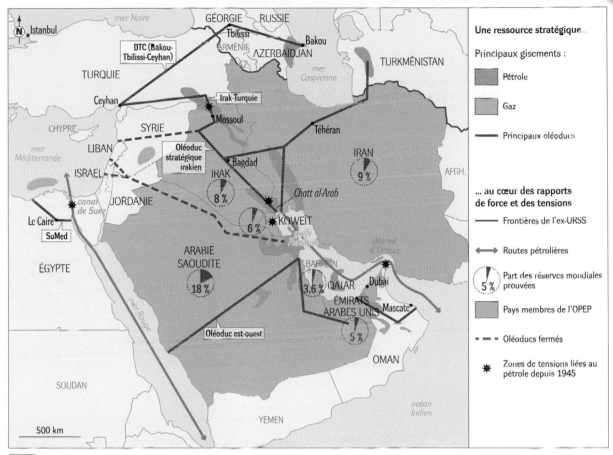

Une ressource stratégique...

Principaux gisements :

- ▨ Pétrole
- ▨ Gaz
- ▬▬ Principaux oléoducs

... au cœur des rapports de force et des tensions

- ▬▬ Frontières de l'ex-URSS
- ◄──► Routes pétrolières
- ◉ 5 % Part des réserves mondiales prouvées
- ▨ Pays membres de l'OPEP
- ▬ ▬ Oléoducs fermés
- ✳ Zones de tensions liées au pétrole depuis 1945

5 Une région stratégique au cœur de l'exploitation et des routes du pétrole

6 Soldats américains devant un blindé irakien détruit au Koweït (1991)

À l'arrière-plan, quelques-uns des 700 puits de pétrole incendiés lors de la retraite des armées irakiennes (5 % des réserves koweïtiennes).

Questions

Une ressource convoitée

1. **Doc. 1 et 5 :** En quoi cette région est-elle stratégique pour les grandes puissances ?
2. **Doc. 1 et 2 :** Comment les Occidentaux contrôlent-ils l'exploitation pétrolière dans les années 1950 ?

Un facteur de tensions internationales

3. **Doc. 3 et 5 :** Montrez que le pétrole constitue une source de tension dans le cadre de la guerre froide.
4. **Doc. 4 et 6 :** Comment les États arabes peuvent-ils utiliser le pétrole comme arme politique ?

Vers l'analyse de documents du **BAC**

Capacités et méthodes :

II. 1. Identifier des documents ; prélever, hiérarchiser et confronter des informations.

Après avoir présenté les **documents 3 et 5**, vous montrerez que la localisation des ressources pétrolières constitue un enjeu géopolitique, source de tensions au Moyen-Orient.

La crise de Suez, 1956

Arrivé au pouvoir en Égypte en 1952, **Nasser**, soucieux de dégager le pays de la domination occidentale, **développe un discours nationaliste**. Quand il nationalise la Compagnie du canal de Suez, contrôlée par les Européens, **la France et la Grande-Bretagne saisissent le prétexte pour intervenir militairement en Égypte** afin de maintenir leur influence au Proche-Orient et de garantir la liberté de circulation sur le canal. **Elles s'appuient sur Israël**, qui veut mener une « guerre préventive » contre un État qui multiplie les gestes d'hostilité à son égard.

> En quoi la crise de Suez révèle-t-elle l'importance stratégique du Proche-Orient ?

DATES CLÉS

- **26 juillet 1956** Nationalisation du canal de Suez.
- **Octobre-novembre 1956** Interventions militaires israélo-franco-anglaises.
- **27 novembre 1956** Début de l'intervention des Casques bleus de l'ONU.

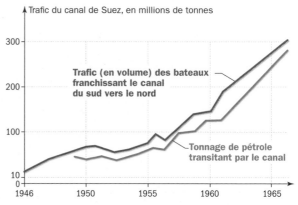

Source : A. Nouschi, *Pétrole et relations internationales depuis 1945*, Armand Colin, 1999.

1 Le trafic du canal de Suez

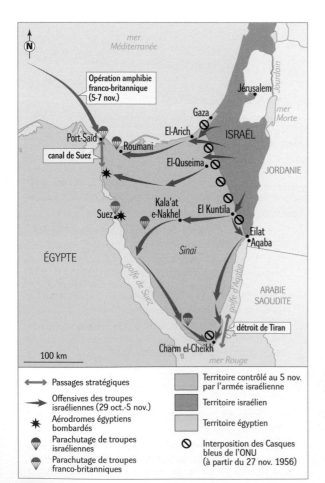

2 Les interventions militaires en 1956

3 « Un canal égyptien »

Dans l'accord conclu le 22 février 1866, l'article 16 stipulait que la Compagnie universelle du canal maritime de Suez, étant une société égyptienne, serait régie par les lois et les institutions de ce pays. Mais jusqu'à ce jour, cette société n'a jamais été soumise aux lois du pays et à ses institutions, car elle s'est toujours considérée comme un État dans l'État. […] Ce canal qui a humilié bien des ministres et bien des ministères est pourtant un canal égyptien, une société égyptienne par actions dont l'Angleterre nous a dépossédés, dont elle nous a ravi 44 % des actions[1]. Les bénéfices de la société du canal de Suez pour l'année 1955 ont atteint 35 millions de livres et nous qui avons eu 120 000 morts durant le percement du canal, nous ne touchons qu'un million de livres. La nationalisation du canal de Suez est devenue un fait accompli : nos fonds nous reviennent […]. Aujourd'hui, ce seront les Égyptiens comme vous qui dirigeront la Compagnie du canal et la navigation dans le canal, c'est-à-dire dans la terre d'Égypte.

Discours de Nasser publié
dans *Le Journal d'Égypte,* 27 juillet 1956.

1. Le capital égyptien de la société avait été cédé pour rembourser des emprunts du vice-roi d'Égypte et était désormais en grande partie propriété d'actionnaires britanniques et français.

4 Bateaux coulés par l'Égypte à l'entrée du canal de Suez (octobre 1956)

Pour Nasser, il s'agit de provoquer la fermeture de ce passage stratégique pour les Européens entre la Méditerranée et l'océan Indien.

5 La réaction de l'URSS et des États-Unis

a. Je dois, avec une totale sincérité, vous déclarer que la guerre, que la France et l'Angleterre, utilisant Israël, ont déclenchée contre l'État égyptien, est grosse de conséquences extrêmement dangereuses pour la paix générale. La majorité écrasante des États membres de l'Organisation des Nations unies s'est prononcée[1] [...] pour un arrêt immédiat des hostilités et le retrait des troupes étrangères du territoire de l'Égypte. Néanmoins, les opérations militaires en Égypte ne cessent de s'étendre [...]. Le gouvernement soviétique est pleinement résolu à recourir à l'emploi de la force pour écraser les agresseurs et rétablir la paix en Orient.

Lettre du président du Conseil des ministres soviétique au président du
Conseil français et au Premier ministre britannique, 5 novembre 1956.

1. Sur un texte présenté par les États-Unis.

b. Sur les marchés des bourses mondiales, une attaque contre la livre sterling se développait avec une rapidité qui pouvait nous mettre dans une situation économique désastreuse. Ce furent surtout les spéculations contre la livre sterling sur le marché américain ou par ordre américain qui aggravèrent notre position. Nos réserves diminuèrent de [...] 279 millions en novembre, ce dernier chiffre représentant environ 15 % de la totalité de nos réserves. C'était une situation catastrophique.

Extrait des *Mémoires* d'Anthony Eden,
ancien Premier ministre britannique, Plon, 1960.

Questions

Un enjeu de décolonisation

1. **Doc. 1, 3 et 4 :** Quelles sont les raisons de la nationalisation du canal par Nasser ? Quel enjeu ce canal représente-t-il pour les puissances européennes ?

2. **Doc. 2 :** Comment les puissances européennes réagissent-elles ? Sur quel allié s'appuient-elles ?

Une dimension internationale

3. **Doc. 5 :** Comment l'URSS et les États-Unis font-ils pression sur la France et la Grande-Bretagne pour mettre fin à cette intervention ?

4. **Doc. 2 et 5 :** Comment l'ONU intervient-elle dans le règlement de la crise ?

Vers la composition du BAC

Capacités et méthodes :
I. 2. Mettre en relation des faits de localisations spatiales différentes.

En prenant des exemples précis dans les documents, vous rédigerez un paragraphe construit montrant que la crise de Suez doit se lire à différentes échelles (enjeux, acteurs).

La guerre des Six Jours, 5-10 juin 1967

Vocabulaire

Territoires occupés : après la guerre des Six Jours, territoires contrôlés (Cisjordanie, Gaza, Sinaï) ou annexés (Jérusalem-Est le 28 juin 1967, plateau du Golan en 1981) par Israël.

DATES CLÉS

○─ **22 mai 1967** Nasser décide la fermeture du détroit de Tiran.

○─ **10 juin 1967** Victoire israélienne (occupation du Sinaï et de Jérusalem-Est).

○─ **22 novembre 1967** Résolution 242 du Conseil de sécurité de l'ONU.
▶ Voir aussi **carte 2c** p. 132.

Depuis 1949, en l'absence de traités de paix, **Israël est en état de guerre avec les États arabes voisins**. Au printemps 1967, plusieurs incidents font monter la tension : aux bombardements de villages israéliens par la Syrie répond la destruction en vol d'avions syriens par Israël en avril et Nasser, le président égyptien, multiplie les gestes d'hostilité. Le **5 juin 1967**, l'**État hébreu** prend l'initiative d'une « **frappe préventive** » **contre l'Égypte** et emporte en cinq jours une **victoire décisive** contre les forces arabes (voir **carte 2c** p. 132).

> **Comment la guerre des Six Jours a-t-elle modifié la géopolitique du Proche-Orient ?**

1 La montée des tensions

a. La pression de l'Égypte
Le détroit de Tiran[1] se trouve dans les eaux territoriales arabes. Nous ne permettons plus le passage par le golfe d'Aqaba[2] de navires israéliens ni de bateaux tiers transportant du matériel stratégique à destination d'Israël. C'est dans ce but que nos forces se trouvent à Charm el Cheik[3]. Si les dirigeants israéliens et le général Rabin[4] désirent la guerre, ils seront les bienvenus, nous les attendons.

Discours devant des officiers de Nasser, président égyptien, 24 mai 1967.

1., 2. et 3. Voir doc. 2 p. 138.
4. Chef d'état-major de l'armée israélienne.

b. Les causes de la guerre selon les Israéliens
Et, après la campagne du Sinaï[1], il y a 11 ans, et après la guerre des Six Jours, je peux vous assurer que ce n'est pas notre désir d'agrandir la surface d'Israël qui a entraîné ces deux guerres. Si l'Égypte avait tenu ses engagements contenus dans les accords d'armistice et les décisions du Conseil de sécurité de l'ONU[2] et relatifs à la liberté de navigation dans le canal de Suez et surtout dans le détroit de Tiran et le golfe d'Aqaba, et si les dirigeants égyptiens et syriens n'avaient pas déclaré tous les jours que leur but est d'anéantir Israël, il ne nous serait jamais venu à l'esprit de sortir des frontières fixées par les accords d'armistice[3].

Lettre de Ben Gourion (fondateur de l'État hébreu) au général de Gaulle, 6 décembre 1967.

1. Crise de Suez en 1956.
2. Démilitarisation du Sinaï, où Nasser fait de nouveau pénétrer son armée en mai 1967.
3. Signés entre Israël et les États arabes frontaliers à l'issue de la première guerre israélo-arabe en 1948-1949.

2 Les forces en présence

Forces en présence	🚶🚶🚶	🛡	✈
Égypte	140 000	950	560
Jordanie	40 000	260	413
Syrie	32 000	310	51
Irak	3 000	–	158
Total forces arabes	**215 000**	**1 520**	**1 182**
Israël	**125 000**	**1 050**	**326**

3 Les frappes aériennes israéliennes
Des soldats israéliens devant un avion égyptien bombardé sur un aéroport dans le Sinaï (Égypte), 8 juin 1967.

4 **Ben Gourion (1) devant le Mur occidental dit Mur des lamentations**

Après la bataille de Jérusalem (7 juin 1967), qui a permis à Israël de prendre la vieille ville de Jérusalem aux Jordaniens, le fondateur de l'État hébreu se rend devant ce lieu saint pour les juifs. Le 28 juin, Israël proclame Jérusalem « réunifiée ».

5 **Les décisions de l'ONU**

Ces résolutions serviront de base à toutes les négociations ulté rieures sur le conflit israélo-arabe.

a. L'Assemblée générale [...] demande à Israël de reporter toutes les mesures déjà prises et de s'abstenir immédiatement de toute action qui changerait le statut de Jérusalem.

Résolution 2253, 4 juillet 1967.

b. Le Conseil de sécurité,

1. affirme que l'accomplissement des principes de la Charte [de l'ONU] exige l'instauration d'une paix juste et durable au Proche-Orient qui devrait comprendre l'application des deux principes suivants :

a. retrait des forces armées israéliennes de(s) territoires occupés[1] au cours du récent conflit ;

b. fin de toute revendication ou de tout état de belligérance, respect et reconnaissance de la souveraineté, de l'intégrité territoriale et de l'indépendance politique de chaque État de la région et de son droit de vivre en paix à l'intérieur de frontières sûres et reconnues, à l'abri de menaces ou d'actes de violence ;

2. affirme d'autre part la nécessité :

a. de garantir la liberté de navigation sur les voies d'eau internationales de la région ;

b. de réaliser un juste règlement du problème des réfugiés[2].

Résolution 242, 22 novembre 1967.

1. « *from occupied territories* », selon la formulation anglaise volontairement ambiguë et interprétée différemment selon les deux camps (« des » ou « de » territoires).
2. Réfugiés palestiniens qui ont quitté les territoires occupés par les Israéliens depuis 1948.

Questions

Un conflit de dimension régionale

1. **Doc. 1** : Quelles sont les tensions à l'origine de ce conflit ?
2. **Doc. 2 et 3** : Montrez l'importance des forces mobilisées lors de la guerre des Six Jours.
3. **Doc. 4 et carte doc. 2c p. 132** : Quelles sont les conséquences territoriales de ce conflit ?

La position de l'ONU

4. **Doc. 5** : Montrez que l'ONU adopte des décisions visant à satisfaire les deux camps.

Vers l'analyse de document du BAC

Capacités et méthodes :

II. 1. Cerner le sens général d'un document et le mettre en relation avec la situation historique étudiée.

Après avoir présenté le **document 5**, vous montrerez en quoi ces résolutions de l'ONU témoignent que les relations entre Israël et les États arabes voisins entretiennent un état permanent de tensions au Proche-Orient.

L'islamisme, un facteur de conflits au Proche et Moyen-Orient ?

Vocabulaire

Ayatollah : haut dignitaire religieux chiite.

Djihad : ce terme souvent traduit par « guerre sainte » renvoie pourtant à une notion plus vaste d'« effort pour la foi », qui comprend aussi bien les efforts pour être un meilleur musulman que le combat contre des non-musulmans.

Hamas : mouvement islamiste sunnite palestinien créé en 1987 pendant l'**Intifada** (voir p. 149).

Hezbollah : mouvement islamiste chiite fondé au Liban en 1982.

DATES CLÉS

- **1964** Publication de *Ma'alim fi tarîq* (*Jalons sur la route*) du Frère musulman Sayyid Qotb.
- **1979** L'Iran devient une république islamiste.
- **1981** Assassinat du président égyptien Anouar El-Sadate.
- **1988** Charte du Hamas.

2 La charte du Hamas, 1988

Le Hamas se présente comme une section des Frères musulmans en Palestine.
Art. 6 – Le Mouvement de la résistance islamique est un mouvement palestinien spécifique qui fait allégeance à Allah, adopte l'islam comme règle de vie, et œuvre afin que la bannière d'Allah flotte sur chaque pouce de la Palestine. […]
Art. 13 – […] Il n'y a pas d'autre solution au problème palestinien que le djihad. […]
Art. 15 – Le djihad pour la libération de la Palestine est une obligation individuelle. Quand un ennemi occupe une partie des terres d'islam, le djihad devient une obligation pour chaque musulman. Dans la lutte contre l'occupation juive de la Palestine, l'étendard du djihad doit être levé. Nous devons instiller dans l'esprit des musulmans que la cause palestinienne est une cause religieuse. Elle doit être réglée sur cette base parce que la Palestine abrite des lieux saints islamiques comme la mosquée al-Aqsa, unie à la mosquée de La Mecque […].

Née en Égypte dans les années 1920, la confrérie des Frères musulmans est le premier groupe islamiste « moderne ». Ce mouvement sunnite **rejette violemment les valeurs occidentales** et prône une réislamisation des sociétés musulmanes. Il passe d'un discours anticolonialiste à la dénonciation de certains régimes arabes issus de l'indépendance. L'audience des Frères musulmans s'étend à une grande partie du Moyen-Orient, mais ils restent longtemps écartés du pouvoir politique. En 1979, **l'Iran devient le seul État où des islamistes**, appartenant au courant chiite, **arrivent au pouvoir**, sous la direction de l'**ayatollah Khomeiny** ; le pouvoir religieux iranien affiche des ambitions de puissance régionale, s'appuyant notamment sur les mouvements islamistes de la région.

> **L'islamisme peut-il constituer un facteur de conflits dans la région ?**

1 Une définition de la société islamique

Sayyid Qotb radicalise la pensée des Frères musulmans ; il est en effet considéré comme le théoricien du djihad contemporain, visant à lutter contre tous les gouvernements « incroyants ». Il est emprisonné et exécuté sur ordre de Nasser en 1966.
La société de l'ignorance antéislamique, c'est toute société autre que la société islamique. Si nous voulons la définir de manière objective, elle est, dirons-nous, toute société qui n'est pas au service de Dieu. Par cette définition objective, nous faisons entrer dans la catégorie de société de l'ignorance antéislamique toutes les sociétés qui existent de nos jours sur la terre : les sociétés communistes en premier lieu, les sociétés juives et chrétiennes, […] les sociétés qui prétendent être musulmanes par leur croyance, mais ne sont pas au service de Dieu l'unique dans l'organisation de la vie.

Sayyid Qotb, *Ma'alim fi tarîq* (*Jalons sur la route*), Le Caire, 1964.

3 L'assassinat d'Anouar El-Sadate, 6 octobre 1981

Le président égyptien, qui a signé des accords de paix avec Israël en 1979, est assassiné lors d'une parade militaire par des soldats appartenant à un groupe islamiste influencé par la pensée de Sayyid Qotb.

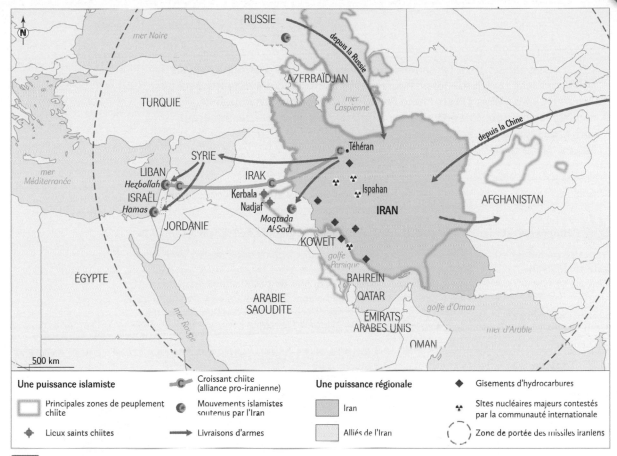

Une puissance islamiste
- C Croissant chiite (alliance pro-iranienne)
- ☐ Principales zones de peuplement chiite
- ☾ Mouvements islamistes soutenus par l'Iran
- ◆ Lieux saints chiites
- → Livraisons d'armes

Une puissance régionale
- ☐ Iran
- ☐ Alliés de l'Iran

- ◆ Gisements d'hydrocarbures
- ☢ Sites nucléaires majeurs contestés par la communauté internationale
- ⌇ Zone de portée des missiles iraniens

4 ● **L'Iran, un exemple de puissance islamiste et régionale**

5 ● **Manifestation de soutien au Hezbollah libanais à Téhéran**

Habillées en kamikazes, des Iraniennes défilent le 31 juillet 2006, pour marquer leur soutien au parti islamiste chiite du Hezbollah (le « Parti de Dieu ») et à son chef Hassan Nasrallah dans leur lutte contre Israël.

Questions

Un facteur de déstabilisation

1. **Doc. 1, 2 et 3 :** Quelles sociétés ne sont pas islamiques, selon Sayyid Qotb ? Comment ses conceptions influencent-elles l'action des Frères musulmans ?

Un facteur d'accroissement des tensions

2. **Doc. 2 :** Pourquoi les objectifs du Hamas accroissent-ils les tensions en Palestine ?

3. **Doc. 4 et 5 :** En quoi la politique iranienne peut-elle contribuer à aggraver les tensions internationales au Proche et Moyen-Orient ?

Vers la composition du BAC

Capacités et méthodes :

II. 2. Décrire et mettre en récit une situation historique ; rédiger un texte construit et argumenté.

En prenant des exemples précis dans les documents, vous rédigerez un texte construit qui montre comment l'islamisme peut être un facteur de déstabilisation des États et d'aggravation des tensions au Proche et Moyen-Orient.

Photojournalisme et conflits

Depuis les années 1930, **les conflits sont couverts par des photojournalistes** qui fournissent des reportages photographiques, principalement à la presse écrite. Depuis 1955, les « **World Press Photo Awards** » récompensent chaque année les **meilleures photographies de presse**, parmi lesquelles on trouve de **nombreux clichés des conflits du Proche et du Moyen-Orient**. Les deux photographies étudiées font partie des clichés primés.

> **Quelles images des conflits les photographies de presse véhiculent-elles ?**

1 **Réfugiés palestiniens à Beyrouth (Liban) en 1976, photographie de Françoise Demulder**

Françoise Demulder est la première femme à gagner le prestigieux prix World Press en 1977, avec cette photographie.
Ce cliché montre un quartier pauvre de Beyrouth où s'entassent près de 30 000 réfugiés palestiniens, pris dans des affrontements entre milices chrétiennes (les Phalanges) et musulmanes (combattants de l'OLP). Le 12 février 1976, le quartier est pris d'assaut par des combattants chrétiens (au premier plan sur le cliché), qui chassent les Palestiniens avant de raser leurs habitations.

2 Affrontements entre soldats israéliens et civils palestiniens à Hébron en 1997, photographie de Wendy Lamm

Wendy Lamm, photographe américaine au service de l'Agence France Presse, obtient le premier prix dans la catégorie « Spot news » ; cette catégorie regroupe les clichés non-planifiés par le photographe, déterminés par l'événement.

La décision d'Israël de construire un nouveau quartier juif à Jérusalem-Est (annexé par les Israéliens en 1967) provoque des émeutes à Hébron (Cisjordanie) ; la coexistence de colons juifs et d'Arabes palestiniens a toujours engendré dans cette ville de fortes tensions entre les deux communautés. En janvier 1997, la ville est divisée en deux zones, l'une sous le contrôle de l'Autorité palestinienne, l'autre sous le contrôle de l'armée israélienne.

Questions

Des photographies qui témoignent des conflits

1. Identifiez les acteurs des conflits présentés par ces deux photographies.

2. Quels témoignages ces photographies apportent-elles sur la place des civils dans les conflits de la région ?

Le regard des photographes sur les conflits

3. Décrivez la composition de chacune des photographies (différents plans, position des personnes).

4. Quelles émotions se dégagent de ces clichés ? Comment les deux photographes les suggèrent-elles ?

5. Comment les combats et les combattants (miliciens chrétiens et armée israélienne) sont-ils présentés ?

Vers l'analyse de documents du **BAC**

Capacités et méthodes : II. 1. Prélever, hiérarchiser et confronter des informations selon des approches spécifiques en fonction du document.

À partir de l'analyse de ces deux photographies, vous montrerez comment elles témoignent à la fois des conflits du Moyen-Orient, mais aussi du regard des photographes sur ceux-ci.

Une région prise entre convoitises étrangères et affirmations nationales

> Comment les ambitions étrangères et les revendications nationales se heurtent-elles pour devenir des sources de conflits au Proche et au Moyen-Orient ?

A Des facteurs permanents de tensions

a. Une région stratégique

■ Berceau des trois grandes religions monothéistes, le Proche et le Moyen-Orient abritent des **lieux saints** qui constituent un **fort enjeu symbolique** pour les populations locales, mais aussi pour les Occidentaux. Carrefour terrestre et maritime, la région est également vitale pour contrôler le **trafic commercial entre l'Occident et l'Asie**.

OPEP : voir p. 136.

➤ Tableau des compagnies pétrolières, p. 136

➤ L'arme du pétrole, texte p. 136

➤ Carte de la diversité des peuples et des religions p. 130

■ Elle renferme, de plus, une **grande part des réserves pétrolières mondiales**, source de richesse essentielle pour les États producteurs et de convoitises pour les puissances industrielles. Jusqu'à la fin des années 1960, ces dernières contrôlent l'essentiel des zones de production et les prix par l'intermédiaire de sociétés pétrolières à capitaux occidentaux. Dès 1960, cependant, la création de l'**OPEP** montre la volonté des États arabes de s'organiser pour peser davantage sur les cours du pétrole. Si on ne peut pas véritablement parler de guerre pour le pétrole, celui-ci est en arrière-plan de tous les conflits et tensions qui ont affecté le Proche et le Moyen-Orient. C'est, en effet, à la fois un **enjeu vital** pour les puissances occidentales et une **arme politique** aux mains des États producteurs.

b. Des constructions étatiques fragiles

■ La région abrite une mosaïque de peuples et de religions, séparés par des **frontières** dont la totalité des tracés ont été établis par le Royaume-Uni et la France et qui font l'objet de **nombreuses contestations**.

■ Sans tradition démocratique, la construction des États de la région s'avère fragile. Souvent autoritaires, ils subissent de nombreux **coups d'État** (années 1950-1960 en Égypte, Syrie et Irak) ou doivent affronter la multiplication des **assassinats politiques** et des **contestations plus ou moins violentes** (Printemps arabes de 2011).

B Les ambitions occidentales depuis 1945

a. La fin de l'emprise européenne

■ **Anciennes puissances coloniales** au Proche et Moyen-Orient, **la France et la Grande-Bretagne** gardent leur influence sur la région au lendemain de la Seconde Guerre mondiale, mais se heurtent aux sentiments nationalistes des jeunes États issus des indépendances.

Gamal Abdel Nasser
(1918-1970)
▶ Biographie p. 443

➤ Discours de Nasser, p. 138

■ Le **canal de Suez** et les richesses pétrolières qui y transitent en font une **zone stratégique** et une source importante de revenus pour les Occidentaux. Dernier symbole de la colonisation en Égypte, la société exploitant le canal est nationalisée par Nasser en 1956. Cette nationalisation déclenche une **intervention militaire de la France et de la Grande-Bretagne**, avec l'appui d'**Israël**. La pression conjointe des États-Unis et de l'URSS les contraint à se retirer.

■ Défait sur le plan militaire, **Nasser remporte une victoire politique** retentissante dans le tiers monde. La crise de Suez marque l'**effacement définitif des puissances européennes dans la région**.

b. La rivalité soviéto-américaine

Pacte de Bagdad : alliance militaire (1955) qui réunit l'Irak, l'Iran, la Turquie, le Pakistan et le Royaume-Uni, destinée à contenir l'influence de l'URSS au sud, vers le Proche et Moyen-Orient.

■ Le Proche et le Moyen-Orient deviennent alors un **terrain d'affrontement entre les superpuissances** dans le contexte de la guerre froide. La politique américaine d'endiguement dirigée contre l'URSS aboutit à la signature du **Pacte de Bagdad** (1955). **Israël** et les monarchies pétrolières conservatrices du golfe Persique sont placés peu à peu sous la **protection américaine**. Pour contrebalancer l'influence des États-Unis, **les Soviétiques soutiennent la Syrie, l'Égypte et l'Irak**, notamment en intensifiant leurs livraisons d'armes. Cet affrontement par États interposés prend une vigueur particulière lors des conflits israélo-arabes de 1967 et 1973.

➤ Déclaration d'Eisenhower, p. 154

c. Les États-Unis dans les conflits depuis 1991, une hyperpuissance interventionniste

■ Au lendemain de la guerre froide, les États-Unis jouent un rôle accru dans les conflits au Moyen-Orient, portant l'influence américaine à son apogée dans la région. L'**invasion du Koweït par Saddam Hussein en 1990** entraîne une condamnation de l'ONU. Elle mandate une **coalition menée par les États-Unis** qui met rapidement en échec l'armée irakienne.

Saddam Hussein
(1937-2006)
▶ Biographie p. 135 et p. 442

➤ Soldats américains devant un blindé irakien détruit au Koweït, photographie p. 137

■ Mais les attentats du 11 septembre 2001 défient à nouveau l'hyperpuissance américaine. Sa réponse se traduit par une **guerre contre un « axe du mal »** dont le cœur se trouverait au Moyen-Orient. En octobre 2001, les États-Unis décident d'engager une guerre contre les Talibans en **Afghanistan**, aidés par une coalition munie d'un mandat des Nations unies. Mais les armées américaines et britanniques iront seules combattre Saddam Hussein en 2003. Après avoir renversé ces deux dictatures, les États-Unis cherchent à remodeler politiquement le Moyen-Orient, en appuyant la création de régimes démocratiques alliés. Mais, **devant la persistance des tensions** (terrorisme, guérillas) et le fonctionnement difficile de ces nouveaux États (rivalités communautaires), les **États-Unis du président Obama** privilégient une **politique de dialogue** avec le monde arabo-iranien et de **limitation de l'engagement militaire** (retrait des troupes d'Irak en 2011).

C L'essor de l'islamisme depuis les années 1970

a. Des échecs et une victoire en Iran

■ Pour les mouvements islamistes, « l'islam est la solution » face aux échecs (persistance des inégalités sociales, défaites militaires contre Israël) et au caractère autoritaire des gouvernements nationalistes mis en place après 1945. À partir des années 1970, **les manifestations islamistes se multiplient alors contre ces régimes**, n'hésitant pas à recourir à la violence, sous forme d'attentats (Égypte) ou de guerre civile (Liban, Irak). Partout la répression s'abat sur ces mouvements, faisant parfois des milliers de morts (Syrie, 1982).

➤ Une définition de la société islamique, texte p. 142

➤ L'assassinat d'Anouar El-Sadate, photographie p. 142

■ Seul, en **Iran**, l'islamisme arrive au pouvoir. **Une République islamique est instaurée par l'ayatollah Khomeiny** en 1979. Mais la politique étrangère iranienne semble autant guidée par ses ambitions nationalistes de puissance régionale que par la promotion de l'islamisme. Cette attitude est aussi celle des partis islamistes de la région (**Hezbollah** libanais, **Hamas** palestinien), qui tirent surtout leur dynamisme de l'**affichage d'un nationalisme anti-occidental et anti-israélien**.

Rouhollah Khomeiny
(1902-1989)
▶ Biographie p. 442

➤ Carte de l'Iran, p. 143

b. Les nouveaux visages de l'islamisme contemporain

■ Depuis les années 1990, **un autre type d'islamisme se diffuse, plus radical mais sans réel projet politique**; il mène une lutte terroriste fondée sur le **djihad** à l'échelle internationale, à l'image du **réseau Al-Qaïda**.

Hezbollah : voir p. 142.
Hamas : voir p. 142.
Djihad : voir p. 142.

■ En réussissant peu à peu à se substituer au nationalisme arabe pour exprimer les revendications des populations moyen-orientales, **l'islamisme a gagné de l'influence dans toute la région**. Ainsi, dans les années 2000, les progrès de la démocratie dans cette région du monde ont fourni une opportunité politique aux **islamistes modérés**, qui parviennent au pouvoir par des **élections en Turquie** (2002) et **en Égypte** (2011-2013), décrédibilisant la stratégie d'affrontement armé des djihadistes. Mais la résistance des dictatures, à l'exemple de la Syrie, relance le combat des plus radicaux.

Le conflit israélo-arabe depuis 1948

> **Pourquoi le conflit israélo-arabe est-il au cœur des tensions permanentes au Proche et Moyen-Orient ?**

Mandat : ancienne possession coloniale confiée à une puissance européenne en vue de la conduire à l'indépendance.

David Ben Gourion
(1886-1973)
▶ Biographie p. 442

➤ Cartes de l'évolution du territoire d'Israël 2a et 2b p. 132

➤ Carte des interventions militaires en 1956, p. 138

➤ Étude 3 sur la guerre des Six Jours, p. 140-141

➤ Carte 2c p. 132

Ligue arabe : association des États arabes dont le but est de développer la concertation politique entre ses membres.

➤ L'assassinat d'Anouar El-Sadate, photographie p. 142

Yasser Arafat
(1929-2004)
▶ Biographie p. 134
et p. 442

Fédayins : combattants palestiniens.

A Les conflits israélo-arabes (1948 – années 1970)

a. La naissance de l'État d'Israël

■ La fin du **mandat** britannique en Palestine et le plan de partage de l'ONU entraînent la **création de l'État d'Israël**, proclamée par David Ben Gourion le 14 mai 1948. Cette création est immédiatement **rejetée par les États arabes**.

■ La première guerre israélo-arabe (1948-1949) permet à Israël d'agrandir le territoire attribué par l'ONU lors du plan de partage envisagé en 1947. Cette victoire entraîne l'exode de plus de 700 000 Palestiniens, qui deviennent des réfugiés dans les États arabes voisins. Parallèlement, les communautés juives, installées dans ces derniers et contraintes au départ, immigrent en Israël.

b. Trois affrontements majeurs

■ L'**hostilité à Israël**, commune au monde arabe, entretient un état de guerre permanent au Proche-Orient jusqu'en 1979. Elle **se traduit par trois autres conflits**.

■ Lors de la **crise de Suez (1956)**, Israël envahit le territoire égyptien, appuyé par la France et la Grande-Bretagne. Même si, sous la pression américaine, l'État hébreu doit rapidement évacuer le Sinaï, il accentue, aux yeux des Arabes, son image de pays associé au colonialisme européen.

■ La **guerre des Six Jours (1967)** bouleverse la géopolitique de la région. La conquête de nouveaux territoires par Israël lui permet d'engager une **politique d'implantation de « colonies »** dans les territoires occupés, lourde de conséquences pour l'avenir. Cette guerre scelle aussi l'**alliance définitive d'Israël avec les États-Unis** et le soutien soviétique aux États arabes de la région.

■ La **guerre du Kippour (1973)**, confirmant la suprématie militaire de l'État hébreu, a été le conflit israélo-arabe le plus internationalisé. Les deux superpuissances américaine et soviétique se sont massivement engagées en livrant du matériel militaire à leurs alliés respectifs. Les pays arabes exportateurs de pétrole utilisent pour la première fois l'**arme pétrolière** (diminution brutale des exportations), pour faire pression sur les soutiens d'Israël.

c. La paix séparée avec l'Égypte

■ Les échecs militaires arabes successifs et les risques d'extension du conflit accélèrent la reprise des **négociations grâce à la médiation américaine**. Elles aboutissent aux accords de « Camp David », sous l'égide des États-Unis, permettant une paix séparée entre l'Égypte et Israël en 1979.

■ Ce rapprochement entraîne l'exclusion de l'Égypte de la **Ligue arabe**. Il est aussi à l'origine de l'assassinat de Sadate par un groupe extrémiste islamiste.

B L'OLP et la question palestinienne (années 1970–1980)

a. Une lutte depuis l'extérieur de la Palestine

■ Aux yeux des Palestiniens, les défaites militaires des États arabes montrent leur inefficacité à défendre leur cause, longtemps réduite à un simple problème de réfugiés. À partir des années 1970, **un nationalisme palestinien se réaffirme**, en s'incarnant dans les combats de l'**OLP** et de son chef, Yasser Arafat. Leurs revendications portent sur le retour des réfugiés, la libération des territoires occupés, l'unité de la Palestine et le refus de la reconnaissance de l'État d'Israël. L'OLP s'engage dans des actions de guérilla et de terrorisme, menées par les **fédayins** depuis les camps de réfugiés en Jordanie et au Liban.

■ Véritable État dans l'État dans les pays d'accueil, la **présence de l'OLP** y maintient les tensions avec Israël, devenant alors un **facteur de déstabilisation régionale. En 1970,** l'armée jordanienne chasse les combattants palestiniens réfugiés sur son sol, faisant des milliers de morts (« **septembre noir** »). Au **Liban,** ce sont les milices chrétiennes qui les affrontent, participant ainsi au déclenchement d'une **guerre civile (1975)** dans ce pays multiconfessionnel.

b. Une lutte à l'intérieur des territoires occupés

■ En 1987, en Cisjordanie et à Gaza, éclate l'**Intifada,** soulèvement spontané des Palestiniens des territoires occupés, contre l'armée israélienne. Rompant avec la traditionnelle lutte armée et le terrorisme de l'OLP, **ce mouvement, fortement médiatisé, redonne une visibilité à la cause palestinienne sur la scène internationale.**

C Les difficultés d'un processus de paix depuis les années 1990

a. Vers l'autonomie palestinienne

■ Un contexte international favorable (fin de la première guerre du Golfe et de la guerre froide), l'assouplissement des positions de l'OLP et d'Israël permettent une avancée historique dans le processus de paix avec les **accords d'Oslo en 1993 entre Yasser Arafat et Yitzhak Rabin.** Jetant les bases d'une autonomie palestinienne, ces accords prévoient la mise en place d'une Autorité palestinienne possédant des pouvoirs dans certains domaines (éducation, santé, police) sur Gaza et une partie de la Cisjordanie.

b. Les facteurs de blocage

■ Depuis les années 2000, le processus de paix est bloqué par la montée des tensions dans chacun des deux camps : du côté **israélien,** l'assassinat d'Yitzhak Rabin, le **retour au pouvoir de la droite,** moins favorable au dialogue avec les Palestiniens, et la poursuite de la **colonisation en Cisjordanie** ; du côté **palestinien,** la reprise de l'Intifada (2000) et la **multiplication des attentats-suicides** par des groupes radicaux palestiniens, le **contrôle de la bande de Gaza** par le **Hamas** en 2006. S'y ajoute le problématique futur statut de la ville de Jérusalem, revendiquée comme capitale aussi bien par les Israéliens que par les Palestiniens.

➤ Yasser Arafat et la lutte armée, photographie p. 134

Intifada : révolte palestinienne des territoires occupés qui se caractérise par des jets de pierre contre les soldats israéliens et des actes de désobéissance civile.

Yitzhak Rabin
(1922-1995)
➤ Biographie p. 134 et p. 443

➤ « Oslo ou le rêve fracassé », texte p. 152

➤ Document 1 ci-dessous

Hamas : voir p. 142.

➤ Document 1 ci-dessous
➤ Document 2 ci-dessous

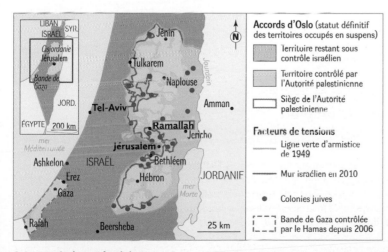

1. Les territoires palestiniens

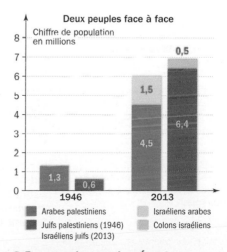

Deux peuples face à face

2. Deux peuples pour deux États ?

1 Analyser le sujet (p. 40, 64, 94, 122, 150, 180, 202)
2 Présenter le sujet (p. 40, 64, 94, 122, 150, 180, 202)
3 Construire un plan (p. 95, 122-123, 150-151, 180, 202)
4 Rédiger l'introduction et la conclusion (p. 151)
5 Bâtir la réponse organisée (p. 181)
6 Rédiger la réponse organisée (p. 203)
7 Comment présenter votre devoir ? (p. 40-41, 64-65)

SUJET GUIDÉ

La Palestine, un foyer de conflits depuis 1948.

1 Analyser le sujet

MÉTHODE

Repérer les mots-clés dans l'énoncé et les expliquer.

MISE EN ŒUVRE

La Palestine, un foyer de conflits depuis 1948.

Territoire situé au Proche-Orient habité par deux peuples, Juifs et Arabes. D'abord sous mandat britannique, la Palestine voit la création de l'État d'Israël en 1948 sur une partie de son territoire ; le territoire restant est soumis à des tutelles diverses au cours de la période qui suit : Égypte, Jordanie, Israël et Arabes palestiniens.

La Palestine est l'enjeu de **plusieurs types de conflits** : guerre civile, conflits régionaux et internationaux. **Les facteurs de ces conflits sont** multiples (décolonisation, nationalismes opposés, revendications territoriales). Ils s'expriment sous des formes très variées : guerres, révoltes, déplacements de populations, attentats, etc.

Le sujet prend en compte l'ensemble de la période étudiée de 1948, année de la création de l'État d'Israël, à nos jours. **Des dates charnières doivent définir des périodes homogènes** pour l'histoire de la Palestine.

2 Présenter le sujet

MÉTHODE

La présentation du sujet doit tenir compte des mots-clés, des bornes chronologiques et spatiales. Elle annonce ce que l'on veut démontrer dans les paragraphes de la composition.

MISE EN ŒUVRE

Parmi les trois phrases suivantes, laquelle correspond le mieux au sujet ? Justifiez votre réponse.

1. Étudier les causes des affrontements entre Palestiniens et Israéliens.

2. Étudier les guerres qui ont marqué la Palestine depuis 1948.

3. Étudier quelles sont les différentes étapes dans les conflits et les tensions que connaît la Palestine depuis 1948.

3 Construire un plan

MÉTHODE

Le plan doit être élaboré au brouillon en tenant compte de l'analyse et de la présentation du sujet.

MISE EN ŒUVRE

La situation en Palestine ayant évolué depuis 1948, le plan chronologique est ici le plus indiqué.
Le titre du premier paragraphe du plan, correspondant à la période 1948-1978, est indiqué en rouge sur la frise p. 151. Identifiez les deux autres paragraphes du plan (dates-ruptures et titres).

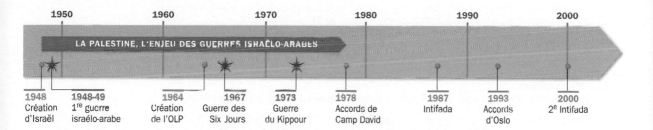

La Palestine, l'enjeu des guerres israélo-arabes

1948	1948-49	1964	1967	1973	1978	1987	1993	2000
Création d'Israël	1re guerre israélo-arabe	Création de l'OLP	Guerre des Six Jours	Guerre du Kippour	Accords de Camp David	Intifada	Accords d'Oslo	2e Intifada

4 Rédiger l'introduction et la conclusion

MÉTHODE

- **L'introduction doit :**
- – définir les termes du sujet afin d'en présenter l'intérêt ;
- – annoncer le plan (en utilisant des phrases courtes reliées entre elles par des connecteurs logiques).

- **La conclusion doit faire le bilan de la composition.**

le +

Vous donnerez un « plus » à votre travail :
- – en annonçant une problématique sous forme de question dans l'introduction (après la présentation du sujet et avant l'annonce du plan) ;
- – en prolongeant le sujet dans la conclusion après avoir fait le bilan de la composition.

MISE EN ŒUVRE

1. Voici un exemple d'introduction partiellement rédigée. Complétez l'annonce du plan en tenant compte de la méthode indiquée.

De 1948, date de la création de l'État d'Israël, jusqu'à aujourd'hui, la Palestine est au cœur de nombreux conflits régionaux et internationaux. Cette période a été marquée par des guerres, des déplacements de populations, des négociations ou encore des actes de terrorisme. Nous verrons tout d'abord que la Palestine est, de 1948 à 1978, l'enjeu des guerres israélo-arabes. Puis, ...

2. Quels défauts présente la conclusion suivante ?

Aujourd'hui encore, la question palestinienne touche de nombreux civils et est loin d'être réglée. C'est aussi le cas depuis 2011 dans un autre territoire du Moyen-Orient, la Syrie.

3. Rédigez une conclusion correcte à ce sujet.

Pour faire le bilan de votre composition, aidez-vous des réponses aux questions suivantes :
- – À quelles échelles ont eu lieu les conflits en Palestine depuis 1948 ?
- – Pourquoi les tensions persistent-elles aujourd'hui entre Israéliens et Palestiniens ?

SUJET EN AUTONOMIE

Le Proche et Moyen-Orient, un foyer de conflits depuis la fin de la Seconde Guerre mondiale.

Prépa BAC

1 Analyser la consigne (p. 43, 67, 97, 125, 153, 183, 205)

2 Prélever des informations (p. 43, 67, 97, 125, 183, 205)

3 Apporter des connaissances (p. 97, 125, 183, 205)

4 Confronter les documents (p. 153, 205)

5 Rédiger l'analyse (p. 205)

6 Comment présenter votre devoir ? (p. 43, 67-68)

SUJET GUIDÉ

La question palestinienne depuis les années 1990.

> **CONSIGNE :** En confrontant les deux documents, vous rappellerez ce que les accords d'Oslo ont institué. Puis vous expliquerez les obstacles au règlement de la question palestinienne.

1 Des accords d'Oslo au mur de séparation entre Israël et les territoires palestiniens

Rencontre entre Yitzhak Rabin et Yasser Arafat à Washington en présence du président américain, Bill Clinton, en 1993.

Mur de séparation entre Israël et les territoires palestiniens, construit par l'État israélien depuis 2002 à la suite de la seconde Intifada.

2 « Oslo ou le rêve fracassé »

Le 13 septembre 1993, naissait un formidable espoir au Proche-Orient. La signature, à Washington, de la « Déclaration de principes » par Yitzhak Rabin, Premier ministre d'Israël, et Yasser Arafat, président du comité exécutif de l'Organisation de libération de la Palestine (OLP), leur poignée de main historique encouragée par le président américain Bill Clinton, instauraient un changement fondamental dans la région : pour la première fois, Israéliens et Palestiniens se reconnaissaient mutuellement, convenaient de chercher ensemble les moyens de parvenir à une paix durable. Les premiers acceptaient de reconnaître l'OLP comme seul représentant du peuple palestinien, laquelle a donné naissance à l'Autorité palestinienne. [...] Les Palestiniens reconnaissaient de leur côté le droit à l'existence d'Israël, qui s'engageait à retirer son armée de certaines parties des territoires palestiniens. Cet héritage d'Oslo perdure : c'est grâce à lui qu'Israéliens et Palestiniens restent liés par des arrangements économiques, ainsi que par des instances de concertation et de coordination en matière sécuritaire, sans

lesquelles la stabilité relative qui prévaut en Cisjordanie aurait volé en éclats. [...]

Oslo prévoyait que des négociations sur le « statut final » s'engageaient dans un délai de cinq ans, ce qui n'a jamais eu lieu. [...] Si la perspective de la création d'un État palestinien était claire pour les Palestiniens, elle n'allait pas de soi pour les Israéliens. La période de grâce aura duré moins de deux ans. Succédant à Rabin en 1996, Benyamin Netanyahou avait pour priorité de détricoter les accords d'Oslo, définitivement enterrés avec le début de la seconde Intifada, en 2000. [...] Outre qu'Israël exerce un contrôle total sur 61 % de la Cisjordanie (la zone C), le nombre des colons israéliens a plus que doublé en vingt ans, passant de 262 500 en 1993 à 520 000 aujourd'hui, dont 200 000 à Jérusalem-Est. Depuis la reprise des pourparlers, l'État juif a annoncé la construction de plus de 3 600 nouveaux logements dans des colonies. Tout comme les Américains, les Palestiniens ont de facto accepté la poursuite de la colonisation.

Laurent Zecchini, *Le Monde*, 19 septembre 2013.

1 Analyser la consigne

Il faut distinguer les différentes parties de la consigne, relever les termes essentiels et les définir.

« En confrontant les deux documents, vous rappellerez ce que les accords d'Oslo ont institué.
Puis vous expliquerez les obstacles au règlement de la question palestinienne. »

4 Confronter les documents

Il s'agit de saisir des points communs, des oppositions, des complémentarités ou des évolutions. Pour cela, il faut mettre en relation les informations contenues dans les documents. La confrontation permet de dégager des thèmes qui composent chaque partie de la consigne.

Pour dégager les thèmes abordés dans la première partie de la consigne, « ce que les accords d'Oslo ont institué », reproduisez et complétez le tableau suivant.

Thèmes abordés dans la 1re partie de la consigne	Document 1	Document 2
Des négociations qui se sont déroulées en 1992 à Oslo sous l'égide des États-Unis et qui aboutissent pour la première fois entre Israéliens et Palestiniens.	…	…
Les accords d'Oslo, signés en 1993 à Washington par Yasser Arafat et le Premier ministre israélien Yitzhak Rabin, reconnaissent officiellement l'existence politique de la Palestine, première étape vers la création d'un État palestinien.	…	« Les premiers acceptaient de reconnaître l'OLP comme seul représentant du peuple palestinien, laquelle a donné naissance à l'Autorité palestinienne. »

Pour la deuxième partie de la consigne, « les obstacles au règlement de la question palestinienne », les deux documents mettent en évidence les oppositions au processus de paix engagé à Oslo.

Retrouvez dans chacun des documents une information le montrant :

– Quel type d'obstacle est évoqué uniquement dans le document 1 ?

– Quel autre type d'obstacle est évoqué uniquement dans le document 2 ?

Le Moyen-Orient, entre convoitises internationales et affirmations nationales.

> **CONSIGNE :** En confrontant les deux documents, vous expliquerez pourquoi le Moyen-Orient est l'objet de convoitises. Puis vous montrerez les tensions que cela entraîne dans les années 1950.

1 La déclaration d'Eisenhower (5 janvier 1957)

Cette déclaration du président américain, qui vient d'être réélu, présente la nouvelle ligne politique des États-Unis qui sera adoptée par le Congrès le 9 mars 1957.

La raison de l'intérêt de la Russie dans le Moyen-Orient est uniquement celui d'une politique de puissance [...]. Le canal de Suez permet aux nations d'Asie et d'Europe d'effectuer des transports commerciaux qui sont essentiels à l'équilibre et à la prospérité économiques de ces pays. Le Moyen-Orient constitue une porte entre l'Europe, l'Asie et l'Afrique. [Le Moyen-Orient] contient environ les deux tiers des gisements de pétrole actuellement connus dans le monde et il pourvoit normalement aux besoins de pétrole de nombreux pays d'Europe, d'Afrique et d'Asie. [...]

Tous ces faits mettent en relief l'immense importance du Moyen-Orient. Si les pays de cette région venaient à perdre leur indépendance, s'il leur arrivait de passer sous la domination de puissances étrangères hostiles à la liberté, cela constituerait une tragédie pour la région en question.

Il existe d'autres facteurs dont l'importance transcende celle des facteurs matériels. Le Moyen-Orient est le berceau des trois grandes religions mahomé-tane, chrétienne et judaïque. La Mecque et Jérusalem sont autre chose que des lieux géographiques. Elles symbolisent des religions dont l'enseignement affirme la suprématie de l'esprit sur la matière [...]. Il serait intolérable de voir les lieux saints du Moyen-Orient soumis à l'autorité d'une puissance qui glorifie le matérialisme athée[1] [...].

L'action que je propose autoriserait le pouvoir exécutif à entreprendre dans cette région des programmes d'assistance militaire et de coopération avec tout pays ou groupe de pays désireux de bénéficier d'une telle aide. [...] Elle permettrait que cette assistance et cette coopération comprennent l'emploi des forces armées des États-Unis pour assurer et protéger l'intégrité territoriale et l'indépendance politique des pays, qui demanderaient cette aide contre une agression armée dirigée contre eux par toute nation dominée par le communisme international.

1. Référence au communisme.

2 La réaction égyptienne à la « doctrine Eisenhower »

Dans une déclaration faite à la radio du Caire, le colonel Anouar Sadate[1], directeur du journal *Al Goumhourya*, a vivement critiqué mercredi soir le projet Eisenhower d'aide au Moyen-Orient, le qualifiant de « corollaire à la politique d'agression franco-britannique ».

Après avoir rendu hommage à l'attitude des États-Unis au moment de l'intervention alliée en Égypte, le colonel Sadate a déclaré que la « doctrine Eisenhower » était en contradiction totale avec cette attitude. Il a affirmé que l'emploi éventuel par les États-Unis de la force au Moyen-Orient « constituerait une violation flagrante de la charte des Nations unies ».

Abordant ensuite la question de l'aide économique et militaire que les États-Unis se proposent de fournir aux pays du Moyen-Orient, le colonel a dit encore : « Il est maintenant notoire que le gouvernement américain ne donne rien pour rien. » « Nous le disons tout haut, a déclaré en conclusion le directeur d'*Al Goumhourya* : l'Égypte ne permettra pas que l'influence franco-britannique soit remplacée par l'influence d'une autre puissance, qu'elle soit occidentale ou orientale. »

Le Monde, 11 janvier 1957.

1. Le colonel Sadate est généralement considéré comme un porte-parole officieux du colonel Nasser. Sa déclaration peut donc être considérée comme un signe de raidissement des dirigeants égyptiens à l'égard du projet Eisenhower.

Schéma de synthèse

Le Proche et le Moyen-Orient, un foyer de conflits depuis la fin de la Seconde Guerre mondiale

DES ACTEURS MULTIPLES...	... AVEC DES INTÉRÊTS DIFFÉRENTS...	... QUI CONVOITENT LES MÊMES ENJEUX...	... ENTRAÎNANT DES CONFLITS À DIFFÉRENTES ÉCHELLES
Une mosaïque de communautés ethniques et religieuses	**Revendications Identitaires des communautés** qui réclament des droits, l'autonomie, un État	• Présence de lieux saints (Jérusalem, La Mecque, Médine, Nadjaf, Kerbala)	**Des guerres civiles** · Guerre civile palestinienne (1947-1948) · Liban (1975-1990) · Syrie (2011-...)
Des États-nations en construction	**Revendications idéologiques** · Nationalisme · Panarabisme · Sionisme · Islamisme	• Des frontières contestées car imposées de l'extérieur • Des ressources pétrolières très importantes	**Des guerres régionales interétatiques** · Guerres israélo-arabes (1947-1948, 1956, 1967, 1973) · Guerre Iran-Irak (1980-1988)
Des puissances extérieures à la région	**Contrôle de zones d'influence** · Appui sur des communautés ou des États alliés	• Des routes terrestres et maritimes stratégiques (canal de Suez, golfe Persique)	**Des interventions militaires Internationales** · Crise de Suez (1956) · Guerres d'Afghanistan (1979-1989, 2001) · Guerres du Golfe (1991, 2003)

le + culture générale

Les conflits au Proche et Moyen-Orient

B.D. :

• Deux cahiers sur les tensions en Palestine et la présence américaine en Irak : Joe Sacco, *Reportages*, Futuropolis, 2011.

• Sur l'Iran de 1979 de la Révolution islamique : Marjane Satrapi, *Persepolis*, L'Association, 2007.

Film documentaire :

• Sur Israël et la guerre du Liban en 1982 : *Valse avec Bachir*, film d'animation d'Ari Folman, 2008.

Site :

• De nombreux outils pour comprendre l'histoire et l'actualité du Moyen-Orient : www.lesclesdumoyenorient.com

Étude :

• Sur la géopolitique du Moyen-Orient par l'étude des cartes : Jean-Christophe Victor, *Le Dessous des cartes, atlas géopolitique*, Tallandier, 2005.

Le conflit israélo-palestinien

Site :

• Dossier éducatif sur Israël et la Palestine : http://education.francetv.fr/israel_palestine/accueil.html

Essai :

• Sur la nécessité d'une compréhension de l'ennemi dans le cadre du conflit israélo-palestinien : Amos Öz, *Comment guérir un fanatique*, Éditions Gallimard, coll. « Arcades », 2006.

Étude d'historiens :

• Sur une histoire de la Palestine qui réunit des historiens israéliens et palestiniens exprimant leur point de vue respectif autour de trois dates clés du conflit : *Histoire de l'autre*, éditions Liana Levi, Piccolo, 2004.

CHAPITRE 6

Gouverner la France depuis 1946 :
État, gouvernement, administration et opinion publique

Vieil **État-nation** longtemps centralisé, la France s'est construite **progressivement** sous l'action du régime monarchique puis républicain, qui a tenté de fortifier la **cohésion de sa population** et de faire du pays une **grande puissance**. Après la Seconde Guerre mondiale, la reconstruction passe par un **accroissement du rôle de l'État** et par une **participation plus importante des Français à la vie politique** (vote des femmes). Cependant, à partir des années 1980, le contexte de la **mondialisation** et les **revendications de l'opinion publique** en période de crise économique ont **transformé le rôle de l'État** et la façon de **gouverner**.

 Comment la conception du rôle de l'État évolue-t-elle en France depuis 1946 ?

1 La présentation de la Constitution de la Vᵉ République par le général de Gaulle à Paris, le 4 septembre 1958.

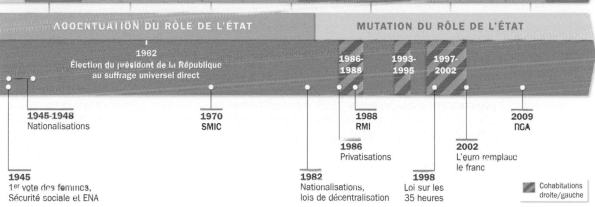

| 1950 | 1960 | 1970 | 1980 | 1990 | 2000 | 2010 |

| 1946▶ | IVᵉ RÉPUBLIQUE | ◀1960 | | Vᵉ RÉPUBLIQUE | | |

| PRÉSIDENTS | 1947-1954 Vincent Auriol | 1954-59 René Coty | 1959-1969 Charles de Gaulle | 1969-74 Georges Pompidou | 1974-1981 V. Giscard d'Estaing | 1981-1995 François Mitterrand | 1995-2007 Jacques Chirac | 2007-12 Nicolas Sarkozy | 2012 François Hollande |

ACCENTUATION DU RÔLE DE L'ÉTAT   **MUTATION DU RÔLE DE L'ÉTAT**

1962
Élection du président de la République
au suffrage universel direct

1986-1988   1993-1995   1997-2002

1945-1948
Nationalisations

1970
SMIC

1988
RMI

2009
RSA

1945
1ᵉʳ vote des femmes,
Sécurité sociale et ENA

1986
Privatisations

1982
Nationalisations,
lois de décentralisation

1998
Loi sur les
35 heures

2002
L'euro remplace
le franc

Cohabitations
droite/gauche

2   **Les manifestations de rue, expression d'une opinion publique qui veut peser dans les choix gouvernementaux**

Manifestation contre la réforme des retraites devant le Sénat, à Paris, le 20 octobre 2010.

159

Vie politique et institutions de la France depuis 1946

Notions clés

Administration
Système chargé de gérer les différents services publics organisés par l'État, et sous le contrôle de celui-ci.

Décentralisation
Processus aboutissant au transfert d'une partie des compétences de l'État central vers des collectivités territoriales (régions, départements, communes, etc.).

État-nation
État qui correspond à un territoire où vit une population ayant conscience de former un seul peuple partageant une même langue, une même histoire, une culture et des valeurs communes.

Gouvernement
D'une manière générale, ce sont les organes de l'État et le personnel politique assurant le pouvoir exécutif.

Au sens strictement politique, il s'agit, pour la France, de l'ensemble des ministres travaillant sous la conduite des responsables du pouvoir exécutif (Premier ministre et président de la République).

Opinion publique
Expression, souvent relayée par les médias, des idées défendues par une partie importante des citoyens d'un pays.

1 L'évolution des forces politiques à l'Assemblée nationale depuis 1946

RAPPEL

Composition de l'Assemblée nationale / Caractéristiques essentielles

Élection législative de 1946

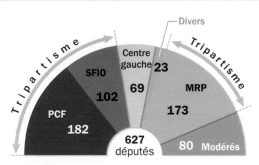

80 Nombre de sièges obtenus par parti

1re législature de la IVe République.
Mode de scrutin **proportionnel**, favorisant la représentation de tous les partis, mais rendant difficile l'établissement de majorités solides ou obligeant à des regroupements peu durables comme le **tripartisme**.

Élection législative de 1981

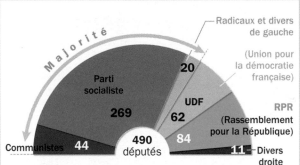

44 Nombre de sièges obtenus par parti

1re alternance de la Ve République : la gauche au pouvoir.
Accentuation de la logique bipolaire : gauche (PS/PCF) contre droite (RPR/UDF).

Élection législative de 1986

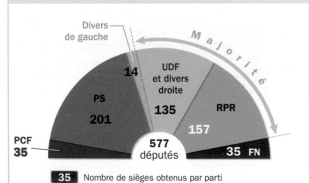

35 Nombre de sièges obtenus par parti

1re cohabitation : un président de gauche (F. Mitterrand) et une majorité de droite (RPR/UDF).

Élection législative de 2012

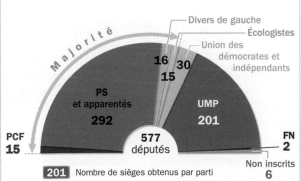

201 Nombre de sièges obtenus par parti

Retour de la gauche au pouvoir après la victoire de F. Hollande aux présidentielles.

2 Les Institutions de la IVe République

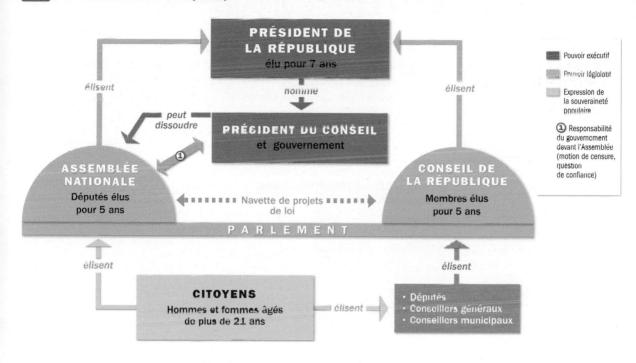

PRÉSIDENT DE LA RÉPUBLIQUE
élu pour 7 ans

nomme

peut dissoudre

PRÉSIDENT DU CONSEIL
et gouvernement

ASSEMBLÉE NATIONALE
Députés élus pour 5 ans

élisent

CONSEIL DE LA RÉPUBLIQUE
Membres élus pour 5 ans

Navette de projets de loi

P A R L E M E N T

élisent

CITOYENS
Hommes et femmes âgés de plus de 21 ans

élisent

élisent

- Députés
- Conseillers généraux
- Conseillers municipaux

■ Pouvoir exécutif
▨ Pouvoir législatif
□ Expression de la souveraineté populaire

① Responsabilité du gouvernement devant l'Assemblée (motion de censure, question de confiance)

3 Les institutions de la Ve République

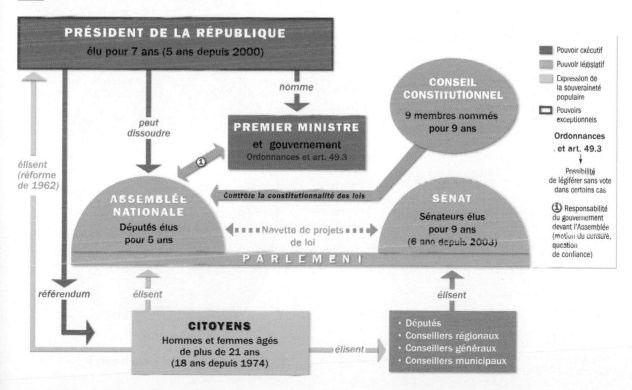

PRÉSIDENT DE LA RÉPUBLIQUE
élu pour 7 ans (5 ans depuis 2000)

nomme

peut dissoudre

PREMIER MINISTRE
et gouvernement
Ordonnances et art. 49.3

CONSEIL CONSTITUTIONNEL
9 membres nommés pour 9 ans

Contrôle la constitutionnalité des lois

ASSEMBLÉE NATIONALE
Députés élus pour 5 ans

élisent (réforme de 1962)

SÉNAT
Sénateurs élus pour 9 ans
(6 ans depuis 2003)

Navette de projets de loi

P A R L E M E N T

référendum

élisent

élisent

CITOYENS
Hommes et femmes âgés de plus de 21 ans
(18 ans depuis 1974)

élisent

- Députés
- Conseillers régionaux
- Conseillers généraux
- Conseillers municipaux

■ Pouvoir exécutif
▨ Pouvoir législatif
□ Expression de la souveraineté populaire
▢ Pouvoirs exceptionnels

Ordonnances et art. 49.3
↓
Possibilité de légiférer sans vote dans certains cas

① Responsabilité du gouvernement devant l'Assemblée (motion de censure, question de confiance)

Charles de Gaulle, le « monarque républicain

> **Quelle conception de l'État et du pouvoir ces deux**

« Qui a jamais cru que le général de Gaulle étant appelé à la barre devrait se contenter d'inaugurer les chrysanthèmes ? »

Partisan d'un pouvoir exécutif fort, Charles de Gaulle exprime ses idées dès 1946 dans le discours de Bayeux et son opposition à la IVᵉ République. Son retour au pouvoir en 1958 lui donne l'occasion de faire adopter la Constitution de la Vᵉ République en accord avec sa conception du pouvoir. Celle-ci est adoptée par référendum et installe un régime semi-présidentiel qui reste globalement toujours en place aujourd'hui.

BIOGRAPHIE

Charles de Gaulle (1890-1970), militaire de carrière, est promu général en 1940 et refuse la défaite française. Réfugié à Londres, il prononce son célèbre appel radiodiffusé du 18 juin et dirige la Résistance. Chef du Gouvernement provisoire à la Libération, il démissionne dès 1946, mais est rappelé au pouvoir à la suite de la crise de mai 1958, avant de devenir le premier président de la Vᵉ République, réélu au suffrage universel direct en 1965. Il démissionne en 1969.

1 L'architecture de la Vᵉ République

Que le pays puisse être effectivement dirigé par ceux qu'il mandate et leur accorde la confiance qui anime la légitimité. Qu'il existe, au-dessus des luttes politiques, un arbitre national, élu par les citoyens qui détiennent un mandat public, chargé d'assurer le fonctionnement régulier des institutions, ayant le droit de recourir au jugement du peuple souverain, répondant, en cas d'extrême péril, de l'indépendance, de l'honneur, de l'intégrité de la France et du salut de la République. Qu'il existe un gouvernement qui soit fait pour gouverner, à qui on en laisse le temps et la possibilité, qui ne se détourne pas vers autre chose que sa tâche, et qui, par là, mérite l'adhésion du pays. Qu'il existe un parlement destiné à représenter la volonté politique de la nation, à voter les lois, à contrôler l'exécutif, sans prétendre sortir de son rôle.

Discours du général de Gaulle, 4 septembre 1958.

2 De Gaulle appelle à modifier la Constitution

La clé de voûte de notre régime, c'est l'institution nouvelle d'un président de la République désigné par la raison et le sentiment des Français pour être le chef de l'État et le guide de la France. [...] La Constitution lui confère, à présent, la charge insigne du destin de la France et celui de la République.
Suivant la Constitution, le président est, en effet, garant de l'indépendance et de l'intégrité du pays, ainsi que des traités qui l'engagent. Bref, il répond de la France. D'autre part, il lui appartient d'assurer la continuité de l'État et le fonctionnement des pouvoirs. Bref, il répond de la République. [...] C'est lui qui désigne les ministres et, d'abord, choisit le premier. C'est lui qui réunit et préside leurs Conseils. C'est lui, qui, sur leur rapport, prend, sous forme de décrets ou d'ordonnances, toutes les décisions importantes de l'État. [...] Je crois donc devoir faire au pays la proposition que voici : [...] le Président de la République sera dorénavant élu au suffrage universel.

Allocution radiotélévisée du général de Gaulle, 20 septembre 1962.

Vocabulaire

Régime semi-présidentiel : système dans lequel le président de la République détient l'essentiel du pouvoir exécutif, mais dans lequel le gouvernement reste responsable de ses actions devant l'Assemblée nationale. Cette dernière conserve la possibilité de renverser le gouvernement.

3 De Gaulle, le nouveau Roi-Soleil
Caricature de Moisan, 1961.

François Mitterrand, l'opposant devenu successeur

ommes politiques de bord opposé ont-ils développée ?

Défenseur du régime parlementaire de la IVe République, François Mitterrand dénonce la prise du pouvoir par le général de Gaulle et la Constitution de 1958, en particulier dans son pamphlet *Le Coup d'État permanent* (1964). Élu président de la République en 1981, Il se retrouve au cœur d'un système qu'il a longtemps combattu.

❝ *J'appelle le régime gaulliste dictature parce que, tout compte fait, c'est à cela qu'il ressemble le plus.* ❞

5 François Mitterrand vu par le caricaturiste Wiaz, novembre 1981

BIOGRAPHIE

François Mitterrand (1916-1996) est avocat de formation. Adversaire résolu du général de Gaulle à partir de 1958, candidat de la gauche aux présidentielles de 1965, il parvient à le mettre en ballottage. Il l'emporte à sa troisième tentative, aux présidentielles de 1981. Réélu en 1988, il affronte deux cohabitations.

4 La critique de la Ve République

Qu'est-ce que la Ve République sinon la possession du pouvoir par un seul homme dont la moindre défaillance est guettée avec une égale attention par ses adversaires et par le clan de ses amis ? [...] J'appelle le régime gaulliste dictature parce que, tout compte fait, c'est à cela qu'il ressemble le plus, parce que c'est vers un renforcement continu du pouvoir personnel qu'inéluctablement il tend, parce qu'il ne dépend plus de lui de changer de cap. Je veux bien que cette dictature s'instaure en dépit de de Gaulle. Je veux bien, par complaisance, appeler ce dictateur d'un nom plus aimable : consul, podestat, roi sans couronne [...]. Cette conception romantique d'une société politique à la merci de l'humeur d'un seul homme n'étonnera que ceux qui oublient que de Gaulle appartient plus au XIXe siècle qu'au XXe.

François Mitterrand, *Le Coup d'État permanent*, Plon, 1964.

6 La pratique du pouvoir présidentiel

Le président de la République s'explique à la télévision sur le rôle qu'il entend tenir en tant que président, dans un contexte de cohabitation ; Jacques Chirac est alors Premier ministre.

Je suppose que vous ne voulez pas d'un président ectoplasme, eh bien moi non plus. Je crois vraiment que la France a besoin d'un président qui préside dans les domaines qui sont les siens. [...] D'abord, la France a besoin d'un président qui décide en matière de politique étrangère, la position de la France dans le monde, et en matière de défense : notre armée, notre sécurité, notamment. [...] Deuxièmement, elle a besoin d'un président qui, sur d'autres questions, chaque fois que l'unité nationale apparaît comme ébréchée ou menacée, arbitre entre les intérêts concurrents. Et puis, elle a aussi besoin, dans la même personne, d'un président qui préserve les institutions et qui protège les plus faibles, qui exprime, disons, son avis, son conseil.

François Mitterrand, entretien avec la journaliste Christine Ockrent sur TF1, 17 septembre 1987.

Vocabulaire

Cohabitation : période durant laquelle le Premier ministre est issu d'une majorité parlementaire opposée au chef de l'État.

Régime parlementaire : système politique dominé par l'instance législative (le Parlement), qui détient des avantages sur le pouvoir exécutif (motion de censure permettant de renverser le gouvernement).

Questions

Deux conceptions politiques opposées

1. **Doc. 1 et 2 :** Montrez que le général de Gaulle fait du président de la République la « clé de voûte » des institutions.

2. **Doc. 3 et 4 :** Quelles critiques sont adressées au régime mis en place par le général de Gaulle ?

Une fonction qui fait l'homme ?

3. **Doc. 6 :** Comment François Mitterrand envisage-t-il son rôle dans le contexte de la cohabitation ?

4. **Doc. 1 et 6 :** En quoi ces deux documents présentent-ils des conceptions proches de la fonction de président ?

5. **Doc. 3 et 5 :** Quel message ces deux caricatures veulent-elles faire passer ?

Vers l'analyse de document du BAC

Capacités et méthodes : II. 1. Cerner le sens général d'un document et le mettre en relation avec la situation historique étudiée.

Après avoir présenté la nature et le contexte du document 2, montrez que ce discours du général de Gaulle oriente la Ve République vers un régime de plus en plus présidentiel.

L'École nationale d'administration

Fruit d'une réflexion ancienne sur la formation des élites administratives, l'École nationale d'administration (ENA) est créée en 1945 pour **préparer aux carrières de hauts fonctionnaires**. Elle est rapidement devenue une voie d'excellence pour les futurs responsables administratifs du pays, mais aussi un **réservoir d'hommes politiques et de chefs d'entreprise**. Sa délocalisation à Strasbourg, décidée en 1991, s'est achevée en 2005, mais **l'ENA subit toujours de vives critiques** qui font d'elle un symbole de la technocratie.

> **Quelle est la place de l'ENA dans l'administration de la France depuis 1945 ?**

Vocabulaire

Conseil d'État : institution chargée de conseiller le gouvernement dans l'élaboration des projets de loi et de régler les conflits impliquant les administrations publiques.

Cour des comptes : institution destinée à contrôler la régularité de la gestion financière de l'État, de la Sécurité sociale et des organismes publics.

Fonctionnaire : personne travaillant dans la fonction publique.

Pantouflage : pour un haut fonctionnaire, désigne le fait de quitter le service de l'État pour aller travailler dans le secteur privé.

Technocratie : terme parfois péjoratif désignant un système dans lequel le pouvoir serait aux mains d'experts spécialistes de questions techniques plutôt que soucieux d'enjeux humains.

DATES CLÉS

- **1945** Création de l'ENA.
- **1991** Décision de délocalisation de l'ENA à Strasbourg.
- **2000** Près de la moitié des énarques partent vers le secteur privé.
- **2010** 36 % de femmes à l'ENA.

1 La création de l'ENA

Article 5. Il est créé une École nationale d'administration chargée de la formation des fonctionnaires qui se destinent au Conseil d'État, à la Cour des comptes, aux carrières diplomatiques ou préfectorales, à l'inspection générale des finances, au corps des administrateurs civils [...].

Les femmes ont accès à l'École nationale d'administration, sous réserve des règles spéciales d'admission à certains emplois.

Article 7. Les conditions d'entrée à l'école, l'organisation de la scolarité et des stages, les règles d'affectation des élèves à la sortie de l'école seront déterminées par un décret en Conseil d'État. S'ils ne sont déjà fonctionnaires, les élèves admis à l'école ont la qualité de fonctionnaires stagiaires et reçoivent une indemnité [...]. Ils sont tous régis par le statut de la fonction publique.

Ordonnance du Gouvernement provisoire de la République française n° 45-2283, 9 octobre 1945.

2 Les origines socioprofessionnelles de la promotion 2009-2011

Profession des parents	Effectifs	%	Part dans la population active	Indice de représentation sur 100
Cadres et professions intellectuelles supérieures	84	60,4 %	15,5 %	389,9
Artisans, commerçants, chefs d'entreprises	13	9,4 %	6,2 %	150,8
Professions intermédiaires	24	17,3 %	23,6 %	73,2
Agriculteurs exploitants	1	0,7 %	2,1 %	34,3
Employés	13	9,4 %	29,8 %	31,4
Ouvriers	4	2,9 %	22,8 %	12,6
Total	**139**	**100 %**	**100 %**	–

3 Ce que l'on apprend ou pas à l'ENA

Qui entre à l'ENA pour y recueillir l'art de gouverner aujourd'hui court à un échec retentissant. L'administration n'est pas le gouvernement, et la fréquentation des ministres n'est pas le pain quotidien des élèves, pas plus qu'elle ne sera celui des anciens élèves dont plus de 80 % ne serviront qu'en administration. [...] On n'apprend pas davantage à l'ENA : l'art de penser juste, car cette exigence ne s'apprend dans aucune école ; l'art de critiquer, car l'ombre du futur classement de sortie proscrit les novations radicales et les insolences même créatrices ; l'art des limites et des dérogations, car ces accommodements nécessaires avec la règle s'apprennent de l'exercice des responsabilités. [...] Les maux de l'administration, si ce n'est de la société, sont imputés largement à l'ENA. [...]

Or le fonctionnaire de responsabilité n'a nul besoin d'école, quelle qu'elle soit, pour apprendre ce que chacun connaît avant de le vérifier pendant les années de service : la compétition, le nomadisme interministériel et le pantouflage. Le fonctionnaire, comme le cadre du secteur privé, se passe d'école pour apprendre à se placer et se promouvoir. [...]

Attachés au principe républicain des concours, « le pire à l'exception de tous les autres », les élèves apprennent à l'ENA ce qu'ils doivent à la nation et ce qu'ils doivent au public sous l'expression de « service public ».

Christian Vigouroux (énarque promotion Guernica, 1976), « Ce que l'on apprend, ce que l'on n'apprend pas à l'école », *Pouvoirs*, revue française d'études constitutionnelles et politiques, janvier 1997.

4 **Une génération d'énarques : la promotion Voltaire (1978-1980)**

1. Ségolène Royal, juge au tribunal administratif, députée PS, plusieurs fois ministre, candidate socialiste à l'élection présidentielle 2007.

2. Pierre-René Lemas, préfet, secrétaire général de l'Élysée de 2012 à 2014.

3. François Hollande, auditeur à la Cour des comptes, député PS, président de la République élu en 2012.

4. Renaud Donnedieu de Vabres, conseiller d'État, député UMP, deux fois ministre de Jacques Chirac.

5. Jean-Pierre Jouyet, inspecteur des Finances, secrétaire d'État de Nicolas Sarkozy. Secrétaire général de l'Élysée depuis 2014.

6. Dominique de Villepin, diplomate, ministre des Affaires étrangères, puis Premier ministre de Jacques Chirac de 2005 à 2007.

7. Henri de Castries, cadre supérieur, président d'AXA (assurances).

8. Michel Sapin, juge au tribunal administratif, député PS, plusieurs fois ministre, ministre du Travail de 2012 à 2014 et ministre des Finances depuis 2014.

5 **L'ENA vue de l'intérieur**

Le système administratif français reste une référence au niveau international pour la qualité de ses cadres dirigeants. « L'ENA y a sa part, pose son directeur [...]. Les pays de culture anglo-saxonne se sont rendu compte de la capacité des décideurs français à gérer la crise. L'École se réforme depuis quelques années, diversifie son recrutement, se professionnalise. Elle forme des cadres dirigeants de l'administration qui sont à la fois des experts et des managers, aptes à piloter des projets et des équipes dans tous les domaines de l'action publique. » Reconnue à l'étranger, décriée en France, où elle est éternellement perçue comme instrument de reproduction de ces arrogantes élites coupées des réalités, qui monopolisent tous les pouvoirs, tenue pour responsable des blocages de la société française, rendue, aussi, moins attractive par la mondialisation, la décentralisation, la moindre part prise par l'État dans l'économie, l'École nationale d'administration serait-elle une institution en perte de vitesse ? [...] Cette nouvelle promotion, où deux décennies séparent le benjamin (22 ans) de l'aîné (43) [...] ne reflète pas la société. Les femmes y demeurent minoritaires (36 %), les catégories sociales supérieures sont surreprésentées. [...] Bien sûr, on remarque une poignée de fils et filles d'ouvriers, d'employés, d'agriculteurs. Parce qu'ils font figure d'exceptions. Et si peu de visages noirs ou métissés [...].

Pascale Krémer, « Une année au cœur de l'ENA », *Le Monde*, 23 octobre 2010.

Questions

L'origine et les missions de l'ENA

1. **Doc. 1** : Quelles étaient, au départ, les missions confiées à l'ENA ?

2. **Doc. 3 et 4** : Montrez que ces missions sont, jusqu'à nos jours, en partie remplies.

Une institution en question

3. **Doc. 2, 3 et 5** : Quelles sont les principales critiques qui peuvent être adressées à l'ENA ?

4. **Doc. 2, 3 et 5** : Ces critiques sont-elles toutes entièrement justifiées ?

Vers la composition du **BAC**

Capacités et méthodes :
II. 1. Cerner le sens général d'un corpus documentaire.
II. 2. Rédiger un texte construit et argumenté.

En prenant des exemples précis dans les documents proposés, vous rédigerez un texte constitué de deux paragraphes expliquant l'importance du rôle de l'ENA dans l'administration et la vie politique en France depuis 1945 ainsi que les critiques qui lui sont souvent faites.

L'État, un acteur économique majeur

Vocabulaire

État-providence : système où l'État est chargé d'assurer un minimum de bien-être à toute la population par des prestations sociales financées par l'impôt et les cotisations sociales.

Nationalisation : prise de contrôle du capital d'une entreprise privée par l'État afin de la transformer en une propriété publique.

Planification : système mis en place par Jean Monnet en 1946, dans lequel l'État fixe tous les cinq ans des objectifs de production indicatifs jugés nécessaires à la modernisation du pays. Les plans quinquennaux sont abandonnés en 1993.

Privatisation : transfert de la totalité ou d'une partie des participations de l'État dans le capital d'une entreprise publique à des acheteurs privés, sous forme d'actions cotées en Bourse.

DATES CLÉS

- **1944-1946** 1re vague de nationalisations.
- **1981-1982** 2e vague de nationalisations.
- **1986** Début des privatisations.

Après la Seconde Guerre mondiale, **l'État rompt en France avec sa tradition de faible intervention dans l'économie**. Porté par le contexte de la Libération et inspiré par les théories économiques de Keynes, le Gouvernement provisoire met en place une **vaste politique interventionniste marquée par les nationalisations et la planification**. Cette stratégie est cependant remise en cause au milieu des années 1980 par le retour du libéralisme, dans un contexte de mondialisation de plus en plus forte de l'économie.

> **Comment le rôle que joue l'État dans l'économie française évolue-t-il depuis 1946 ?**

1 Extraits du programme du Conseil national de la Résistance

[…] Sur le plan économique : l'instauration d'une véritable démocratie économique et sociale […] ; une organisation rationnelle de l'économie assurant la subordination des intérêts particuliers à l'intérêt général […] ; l'intensification de la production nationale selon les lignes d'un plan arrêté par l'État après consultation des représentants de tous les éléments de cette production ; le retour à la nation des grands moyens de production monopolisée, fruits du travail commun, des sources d'énergie, des richesses du sous-sol, des compagnies d'assurances et des grandes banques ; le développement et le soutien des coopératives de production, d'achats et de ventes, agricoles et artisanales ; […] la participation des travailleurs à la direction de l'économie.

Programme du Conseil national de la Résistance, 15 mars 1944.

2 Nationalisations et privatisations

Secteurs	Nationalisations 1944-1946	Nationalisations 1981-1982	Privatisations 1986-1995	Privatisations depuis 1996
Industrie	Renault	Usinor, Sacilor, Pechiney-Ugine-Kuhlmann, Rhône-Poulenc, Thomson, Saint-Gobain	Saint-Gobain, Rhône-Poulenc, Usinor, Sacilor, Pechiney, Elf, Seita	Thomson, Bull, Aérospatiale, France Télécom, Renault
Énergie	Charbonnages, EDF, GDF	Compagnie générale d'électricité	Compagnie générale d'électricité (Alcatel-Alst(h)om)	EDF, GDF
Transports	Air France, RATP	Matra	Matra	Sociétés d'autoroutes, Air France
Banques	Banque de France, Crédit lyonnais, Société générale, CNEP, BNCI	36 dont Paribas, Suez, CIC, Crédit commercial de France, Crédit du Nord, Banque Rothschild	Paribas, Suez, Société générale, Crédit commercial de France, BNP	CIC, SMC, Crédit lyonnais
Assurances	11 compagnies		UAP	AGF, GAN, CNP

3 Le tournant de 1986

Depuis des décennies – certains diront même des siècles –, la tendance française par excellence a été celle du dirigisme d'État. Qu'il s'agisse de l'économie ou de l'éducation, de la culture ou de la recherche, des technologies nouvelles ou de la défense de l'environnement, c'est toujours vers l'État que s'est tourné le citoyen pour demander idées et subsides[1]. […]

Ce système de gouvernement […] assure pérennité et stabilité au corps social ; il se concilie parfaitement avec le besoin de sécurité qui s'incarne dans l'État-providence. Mais il présente deux défauts rédhibitoires : il se détruit lui-même, par obésité ; et surtout, il menace d'amoindrir les libertés individuelles. Les Français ont compris les dangers du dirigisme étatique et n'en veulent plus. […] Dès les prochains jours, le Parlement sera saisi de plusieurs projets de loi qui engageront le renouveau. […] Trois séries de mesures y figureront. D'abord celles qui permettront de libéraliser la marche de l'économie, tant au profit des entreprises qu'à celui des salariés. […] Le troisième volet de la loi d'habilitation traitera de la privatisation : la liste des entreprises qui pourront être dénationalisées dans les cinq prochaines années sera clairement indiquée.

Discours de politique générale du Premier ministre Jacques Chirac à l'Assemblée nationale, 6 avril 1986.
1. Aide financière.

4 **Le président de la République Jacques Chirac inaugure le TGV Sud-Est dont les rames sont fabriquées par le groupe français Alstom, 7 juin 2001**

Jacques Chirac **(1)** est notamment entouré par Louis Gallois, président de la SNCF **(2)**, et par Jean-Claude Gaudin, maire de Marseille **(3)**.

5 **« Ici reposent les promesses de N. Sarkozy »**

Stèle posée le 4 février 2009 par les ouvriers métallurgistes de l'usine ArcelorMittal de Gandrange (Moselle), vouée à la fermeture. Une stèle similaire (« Ici reposent les promesses de F. Hollande ») est érigée en avril 2013 sur le site voisin de Florange.

Questions

L'affirmation du rôle de l'État dans l'économie

1. **Doc. 1 :** Quels objectifs économiques sont définis par le programme du CNR ?
2. **Doc. 2 et 3 :** Quelles en sont les traductions concrètes ?

Sa progressive remise en cause

3. **Doc. 2 et 3 :** Comment la remise en cause du rôle économique de l'État est-elle justifiée ? Quelles mesures la mettent en application ?
4. **Doc. 4 et 5 :** L'État joue-t-il encore un rôle économique majeur aujourd'hui ? À quelles difficultés est-il confronté pour cela ?

Vers l'analyse de documents du BAC

Capacités et méthodes :

II. 1. Prélever, hiérarchiser et confronter des informations selon des approches spécifiques en fonction du corpus documentaire.

Après avoir présenté les documents 2 et 3, vous montrerez en quoi ils illustrent l'évolution du rôle économique de l'État depuis la fin de la Seconde Guerre mondiale.

La décentralisation, une nouvelle façon de gouverner le pays

Pays de **tradition jacobine**, la France a longtemps réservé la prise de décisions politiques importantes aux institutions présentes dans la capitale parisienne. Dans les années 1960, la montée d'un courant de pensée favorable au respect des **identités régionales** et à une **meilleure efficacité des décisions** prises sur le terrain aboutit aux lois Defferre de **décentralisation** de mars 1982 et janvier 1983. Le processus est ensuite accentué par de nouvelles lois à partir de 2003-2004.

> **En quoi la décentralisation a-t-elle modifié la manière de diriger le pays ?**

Vocabulaire

Collectivité territoriale : division administrative située au-dessous de l'échelon national, gérée par un conseil élu et possédant la personnalité juridique ainsi qu'un budget propre.

Décentralisation : processus de transfert de certaines compétences politiques et financières de l'autorité de l'État aux collectivités territoriales.

Jacobinisme : doctrine héritée du nom d'un club de révolutionnaires parisiens en 1789, défendant une autorité centralisée et une gestion très administrative du pouvoir.

Loi organique : loi qui précise le fonctionnement des pouvoirs publics.

DATES CLÉS

- **1956** Création des régions de programme.
- **1982-1983** Lois Defferre (Acte I de la décentralisation).
- **2004** Lois Raffarin (Acte II de la décentralisation).

1 La décentralisation vue par la gauche

Notre réflexion sur la décentralisation a commencé bien avant 1981. […] Avant, pour mettre un stop sur un carrefour de deux routes nationales, il fallait un arrêté du ministre chargé des routes à Paris. François Mitterrand et Gaston Defferre pensaient aussi que les collectivités locales étaient une formidable école de formation et que pour les partis d'opposition, et la gauche en particulier, écartés du pouvoir depuis 1958, elles permettaient un début d'apprentissage de la gestion des affaires publiques. C'est pour cela qu'ils étaient décentralisateurs. Avec une vision à long terme qui était celle d'une démocratie qui respire mieux. Les problèmes des Français au quotidien sont réglés directement sur le terrain par les élus du suffrage universel. […] [La décentralisation], ce n'était pas la démolition de l'État. […] Or aujourd'hui c'est le démantèlement de l'État. Cela correspond exactement à la conception qui a toujours été celle de la droite.

Michel Charasse, *La Lettre de l'Institut François-Mitterrand*, décembre 2003.

LA RÉGION SELON LA LOI DU 2 MARS 1982

Région des Pays de la Loire

- La Région n'était pas une collectivité territoriale : **elle l'est**.
- Le Conseil Régional est élu au suffrage universel : première élection le 16 mars 1986
- Le Président du Conseil Régional n'était pas l'organe exécutif de la Région : **il l'est**
- La Région qui n'avait qu'une mission de développement économique, est maintenant chargée de :
  - promouvoir le développement économique, social, sanitaire, culturel et scientifique
  - aménager son territoire
  - préserver son identité
  - coordonner les investissements publics locaux

  Elle a des compétences particulières dans les domaines de :
  - la formation professionnelle
  - les canaux, voies navigables et ports fluviaux
  - l'éducation
  - la culture
- Elle participe à l'élaboration du plan national comme avant, mais peut aussi élaborer **un plan régional**
- Elle recevait de l'État des subventions spécifiques, elle bénéficiera de **dotations globales** qui doivent compenser strictement les charges transférées.
- Elle ne disposait pas de services propres, **elle en aura désormais**
- Elle percevait des taxes additionnelles à d'autres taxes, certaines de celles-ci lui transférées globalement

2 La région selon la loi Defferre de 1982

Archives du conseil régional des Pays de la Loire (fonds Roger Boisseau).

3 La droite lance une nouvelle étape de la décentralisation

Engagé vingt ans après la première vague de réformes lancée par la gauche en 1982-1983, l'Acte II de la décentralisation, auquel le Premier ministre Jean-Pierre Raffarin a attaché son nom, s'est achevé avec le vote de la loi organique du 29 juillet 2004 et du 13 août 2004. La loi du 13 août 2004 […] détaille notamment les nouveaux transferts de compétences décidés au profit des collectivités territoriales et de leurs groupements. Ces transferts interviennent en matière de développement économique, de transport, d'action sociale, de logement, de santé, d'éducation […]. Cette démarche fait toutefois craindre à certains élus l'avènement d'une décentralisation « à la carte » peu compatible avec le principe d'égalité.

Mais la véritable pomme de discorde entre l'État et les élus locaux concerne le financement des compétences transférées. Les lois du 28 mars 2003 et 29 juillet 2004 précisent pourtant que tout transfert de compétences sera accompagné de l'attribution des moyens qui étaient consacrés à leur exercice par l'État.

Regards sur l'actualité, n° 308, La Documentation française, 2005.

4 **Le Louvre à Lens.** Financé à 80 % par des collectivités territoriales du Nord-Pas-de-Calais, ce nouveau musée accueille, depuis 2012, des centaines d'œuvres provenant des collections publiques du Louvre, le plus grand musée national. Il sert aussi à entreposer une grande partie de ses réserves, menacées à Paris par les crues de la Seine.

5 **Un référendum local**

Pour ou contre les travaux de réhabilitation de l'église ? Les administrés de Plouagat, dans les Côtes-d'Armor, étaient invités à se prononcer ce dimanche, lors d'un référendum local[1]. Ils ont dit oui à 80 %. L'état de vétusté de l'église Saint-Pierre de Plouagat a incité les élus à demander une étude au cabinet Héritage, en 2006. Elle a fait apparaître de nombreux désordres au niveau des murs, de la nef, de la charpente, et du clocher. Ces désordres impactent de façon importante la solidité de l'édifice. C'est cet état de danger qui a conduit le maire à prendre un arrêté de fermeture de l'église, pour raison de sécurité, depuis mars 2012. Après étude, sa consolidation est évaluée à 1 100 000 € HT.

La restauration de l'église Saint-Pierre a été souhaitée par quelque 80 % des votants ce dimanche, sur la base du dépouillement de plus de la moitié des suffrages, lors de ce scrutin officiel qui a mobilisé un peu plus de 50 % des 2 016 électeurs inscrits. Le quorum des 50 % des inscrits ayant été atteint, le résultat de ce scrutin supervisé par la préfecture des Côtes-d'Armor s'impose légalement au conseil municipal.

Cet important investissement peut être réalisé sur plusieurs années. Pour les élus, « le référendum est, avant tout, un instrument de démocratie directe, car il permettra aux électeurs d'intervenir directement dans la conduite de la politique de la commune, qui aura des retombées sur l'avenir de Plouagat ».

Ouest-France, 2 septembre 2013.

1. Le référendum d'initiative locale est une nouveauté introduite par la réforme constitutionnelle du 28 mars 2003.

Questions

L'Acte I de la décentralisation

1. **Doc. 1** : Quelles sont les principales critiques adressées par la gauche à la centralisation du pouvoir en France ?
2. **Doc. 2** : Montrez que la loi de 1982 y apporte plusieurs réponses.

L'Acte II de la décentralisation

3. **Doc. 3, 4 et 5** : Comment le processus de décentralisation évolue-t-il depuis les débuts du XXIe siècle ? Quels nouveaux domaines du rôle de l'État sont concernés par cette évolution ?
4. **Doc. 1 et 3** : Relevez, dans ces deux documents, les critiques qui peuvent être adressées à cet Acte II de la décentralisation.

Vers la composition du **BAC**

Capacités et méthodes :

II. 1. Prélever, hiérarchiser et confronter des informations selon des approches spécifiques en fonction du corpus documentaire ; le mettre en relation avec la situation historique étudiée.

En utilisant des exemples précis pris dans les documents, vous rédigerez un texte constitué de deux paragraphes expliquant d'abord les objectifs des lois de décentralisation de 1982, puis les évolutions de la décentralisation depuis cette date.

L'État face à mai 1968

Initié dans un petit nombre d'universités, le mouvement de mai 1968 apparaît rapidement comme une **contestation plus globale de la gouvernance gaullienne** de la Ve République et plus particulièrement de sa mainmise sur les moyens d'information, comme la radio et la télévision. Au-delà des étudiants, ce mouvement fédère aussi tous ceux qui souhaitent voir évoluer une société mise à mal par les bouleversements économiques issus des Trente Glorieuses. L'**ampleur de la révolte** est telle qu'elle pose, un temps, le **problème de la légitimité** d'un **gouvernement** pourtant **démocratiquement choisi** par une majorité d'électeurs.

> **Comment l'État prend-il en compte les contestations de l'opinion publique ?**

DÉROULEMENT DE LA CRISE

Crise étudiante

○— **22 mars** L'université Paris X-Nanterre est occupée par des étudiants.

○— **3 mai** L'université de la Sorbonne, à Paris, est fermée par la police.

○— **6 au 30 mai** À Paris, affrontements presque quotidiens avec la police.

Crise sociale

○— **13 au 21 mai** Des mouvements de grève se répandent partout dans le pays.

○— **22 mai** 8 millions de grévistes. Le pays est paralysé.

○— **27 mai** Accords de Grenelle entre les syndicats, le patronat et le gouvernement.

Crise de régime

○— **29 mai** De Gaulle quitte précipitamment la France.

○— **30 mai** De Gaulle rentre en France. Il annonce la dissolution de l'Assemblée nationale. Une manifestation en sa faveur réunit un million de personnes à Paris.

○— **23 et 30 juin** Victoire du parti gaulliste aux élections législatives.

1 **Affrontements entre les forces de l'ordre et les étudiants, rue des Écoles (Paris), le 6 mai 1968**

---

2 **De Gaulle et mai 1968**

Ces propos du général sont rapportés par Alain Peyrefitte, alors ministre de l'Éducation nationale. Écrivain reconnu, il avait été autorisé par le général à prendre en notes toutes les conversations auxquelles il assistait (audiences privées, réunions de travail, conseils des ministres, etc.).

« Ce qui est exceptionnel, c'est surtout que des manifestants dans la rue bombardent des policiers avec des boulons et des pavés et les attaquent au corps à corps avec des manches de pioches. [...] Nous n'avons pas à nous déterminer en fonction des humeurs passagères de ces bandes d'adolescents qui se laissent manipuler par des meneurs. Nous devons nous déterminer en fonction de nos devoirs à l'égard du pays. » [5 mai 1968]

« On ne capitule pas devant l'émeute ! Si nous nous déculottons, il n'y a plus d'État ! Le pouvoir ne recule pas ou il est perdu. » [11 mai 1968]

« Dans l'immédiat, il faut garder le contact, causer, négocier avec ceux qui ont les moyens de négocier. On devra donner des choses. Mais, au-delà, il faut que l'État, et pour commencer moi-même, fasse une opération d'ensemble, une opération nationale. [...] Il faut que le pays nous dise : "Nous vous faisons confiance, à vous tels que vous êtes, pour réformer l'Université [...] pour que le rôle de la jeunesse soit établi et précisé ; pour que l'économie soit infléchie, afin d'améliorer le sort de tous et spécialement des moins favorisés [...]". L'opération qui est à faire, l'opération que je dois faire, c'est un référendum portant sur ces sujets-là ; c'est demander au peuple un mandat pour faire ces choses-là. Si c'est *non*, ma tâche est terminée. » [25 mai 1968]

Alain Peyrefitte, *C'était de Gaulle*, tome III, Fayard, 2000.

PAS DE RECTANGLE BLANC POUR UN PEUPLE ADULTE:

INDÉPENDANCE et AUTONOMIE de l'O.R.T.F.

3 **« Pas de rectangle blanc pour un peuple adulte », affiche attribuée à Jean Effel, mai 1968**

Utilisant le rectangle blanc par lequel l'ORTF marquait les émissions jugées « dangereuses » pour les jeunes, l'affiche dénonce la mainmise de l'État sur l'audiovisuel : depuis 1964, l'ORTF est en effet placée sous le contrôle du ministre de l'Information.

4 **Les « accords » de Grenelle**

D'abord rejetés par la base, ces accords entrent, de fait, en application dès le mois suivant car ils servent de base aux négociations qui sont conduites dans toutes les branches professionnelles.

Les organisations professionnelles et syndicales [...] se sont réunies sous la présidence du Premier Ministre [...] les 25, 26 et 27 mai 1968.

Taux horaires du SMIG
Le taux horaires du SMIG sera porté à 3 francs au 1er juin 1968. [...]

Salaire du secteur privé
Les salaires réels seront augmentés au 1er juin 1968 de 7 %. [...] Cette augmentation sera portée de 7 à 10 % à compter du 1er octobre 1968.

Réduction de la durée du travail
Le Conseil national du patronat français et les confédérations syndicales ont décidé de conclure un accord-cadre dont le but est de mettre en œuvre une politique de réduction progressive de la durée hebdomadaire du travail en vue d'aboutir à la semaine des 40 heures. [...]

Journées de grève
Les journées d'arrêt de travail seront en principe récupérées. Une avance de 50 % de leur salaire sera versée aux salariés ayant subi une perte de salaire.

5 **Une « contestation des modes traditionnels de commandement »**

La crise qui secoue la France au mois de mai 1968 met à la fois en cause l'organisation économique d'une société industrielle développée, le système d'éducation dont cette société a hérité, et le régime politique qu'elle s'est laissé imposer. [...] Il y a l'insolence de la technocratie gaulliste, le refus du dialogue et l'utilisation abusive des moyens d'information. Il y a l'augmentation prodigieuse du nombre des étudiants, la crise du système éducatif [...]. Il y a aussi le désir naturel de la jeunesse de rompre avec la banalité de la vie quotidienne et de vivre, à son tour, de grands événements autrement qu'à travers des radotages d'anciens combattants. [...] Il existe cependant un élément commun : la contestation des modes traditionnels de commandement, de gestion et d'administration. Le mouvement de mai est dirigé contre l'absolutisme patronal, contre l'autoritarisme étatique.

Gilles Martinet, *La Conquête des pouvoirs*, Éditions du Seuil, 1968.

Questions

L'expression du mécontentement populaire

1. **Doc. 1 et 5 :** Quelles sont les causes de la révolte étudiante ? Comment se manifeste-t-elle ?

2. **Doc. 3 et 5 :** Que dénonce l'affiche ?

L'État face à la crise

3. **Doc. 2 :** Comment le général de Gaulle analyse-t-il la crise à ses débuts ? Montrez que son attitude évolue tout au long des événements de mai 1968.

4. **Doc. 2 et 4 :** Quelles sont les solutions trouvées par l'exécutif pour sortir de cette crise ? Comment l'État a-t-il tenu compte du mécontentement d'une partie de l'opinion publique ?

Vers l'analyse de document du BAC

Capacités et méthodes :
II. 1. Cerner le sens général d'un document et le mettre en relation avec la situation historique étudiée.

Après avoir présenté la nature du **document 2**, vous montrerez en quoi il est révélateur des difficultés qu'éprouve un État démocratique face à des événements comme ceux de mai 1968.

L'État, un acteur social

Vocabulaire

État-providence : voir p. 166.

Ordonnance : texte législatif décidé par le gouvernement par délégation du Parlement.

Partenaires sociaux : ensemble des acteurs économiques (employés, patrons, etc.), représentés par des organisations syndicales, chargés de s'entendre sur des sujets d'intérêt général.

Jusqu'en 1945, la protection sociale en France est réduite, notamment par rapport à l'Allemagne voisine, et ne concerne que certaines catégories de travailleurs. À la Libération, conformément au programme de la Résistance, **le Gouvernement provisoire met en place un État-providence** chargé de protéger tous les citoyens par la redistribution des richesses issues des cotisations de tous les Français. Ce système est progressivement élargi pour couvrir de nouveaux besoins, mais il suscite aussi des contestations dues, en particulier, à la lourdeur de son financement.

> **Comment la conception de la mission sociale de l'État a-t-elle évolué de 1946 à nos jours ?**

DATES CLÉS

○− **1945** Création de la Sécurité sociale.

○− **1946** La solidarité de la nation contre les risques sociaux est inscrite dans la Constitution.

○− **1988** Création du revenu minimum d'insertion (RMI).

○− **1990** Création de la contribution sociale généralisée (CSG) pour financer le déficit de la Sécurité sociale.

○− **1999** Création de la couverture médicale universelle (CMU) pour les plus démunis.

○− **2009** Le RMI devient revenu de solidarité active (RSA).

1 **La naissance de la Sécurité sociale**

Article 1er. Il est institué une organisation de la Sécurité sociale destinée à garantir les travailleurs et leurs familles contre les risques de toute nature susceptibles de réduire ou de supprimer leur capacité de gain, à couvrir les charges de maternité et les charges de famille qu'ils supportent. L'organisation de la Sécurité sociale assure dès à présent le service des prestations prévues par les législations concernant les assurances sociales, l'allocation aux vieux travailleurs salariés, les accidents du travail et maladies professionnelles et les allocations familiales et de salaire unique aux catégories de travailleurs protégés par chacune de ces législations dans le cadre des prescriptions fixées par celles-ci et sous réserve des dispositions de la présente ordonnance.

Ordonnance du 4 octobre 1945 signée par Alexandre Parodi, ministre du Travail et de la Sécurité sociale.

2 **Élections à la Sécurité sociale, avril 1947**
La Sécurité sociale est gérée par des caisses dont les dirigeants sont élus par les partenaires sociaux.

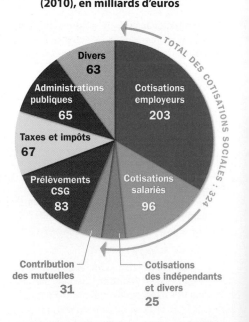

3 **Les recettes de la Sécurité sociale (2010), en milliards d'euros**

TOTAL DES COTISATIONS SOCIALES : 324

Divers 63
Administrations publiques 65
Taxes et impôts 67
Prélèvements CSG 83
Contribution des mutuelles 31
Cotisations employeurs 203
Cotisations salariés 96
Cotisations des indépendants et divers 25

Total : 633 milliards d'euros (33 % du PIB)

4 Le déficit de la Sécurité sociale

Le déficit de la Sécurité sociale s'est accentué depuis 1976 et est devenu quasiment permanent à partir des années 1990. Le régime général couvre la plupart des salariés et les étudiants (soit environ 80 % de la population) ; il est constitué de 4 branches : maladie, accidents du travail, vieillesse, famille. Les agriculteurs et les indépendants ont un régime spécifique.

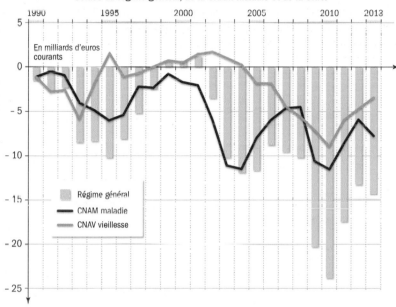

Soldes du régime général, de la CNAM maladie et de la CNAV

5 « L'opacité des comptes et l'enchevêtrement des compétences »

L'ensemble des ressources qui financent la protection sociale ont mal vieilli. Je souhaite procéder à une réforme […]. Elle permettra d'alléger la fiscalité sur les revenus du travail et l'épargne investie dans les entreprises. L'impôt ne doit plus constituer un frein à l'initiative personnelle, à la prise de responsabilité, à l'embauche et aux investissements productifs. […] La situation actuelle est marquée par l'opacité des comptes et l'enchevêtrement des compétences. Il faut y substituer une autre logique : celle de la clarté et de la confiance mutuelle. […] Pour cela, il faut opérer le partage entre les dépenses de solidarité qui doivent relever de l'État et être financées par l'impôt, et les dépenses d'assurance qui doivent être gérées par les partenaires sociaux et financées par les cotisations salariales et patronales. […] Bien entendu, cela suppose que les déficits cumulés de 1994 et 1995 soient apurés.

Déclaration de politique générale du Premier ministre Alain Juppé, 23 mai 1995.

6 Le RSA, nouveau maillon de la protection sociale

Entré en vigueur mi-2009, le revenu de solidarité active (RSA) était censé favoriser le retour à l'emploi des bénéficiaires de minima sociaux. En ajoutant une nouvelle prestation, le « RSA activité », au RMI rebaptisé « RSA socle », Nicolas Sarkozy voulait inciter les personnes les plus défavorisées à reprendre un emploi, puisqu'elles sont assurées de gagner plus en cumulant revenus du travail et prestations sociales. Cet objectif n'a pas été atteint, selon un rapport du comité national chargé de son évaluation. En juin, on comptait 1,87 million de foyers bénéficiaires en métropole : 1,4 million touchaient le « RSA socle », qui assure un revenu minimum aux personnes sans travail, et 470 000 le « RSA activité », qui complète un petit salaire. […] « Ce résultat n'est pas une surprise », se défend Martin Hirsch, qui a conçu le RSA. « Il faut tenir compte de la crise. Comment voulez-vous que les bénéficiaires du RSA retrouvent un emploi alors que les entreprises suppriment des postes ? » […] En revanche, le RSA a un effet réel observé sur la pauvreté, l'autre objectif clef de la réforme. Mais c'est très insuffisant. En 2010, le dispositif a permis de faire baisser le nombre de pauvres de 2 %, soit 150 000 personnes.

Philippe Wojazer, *L'Expansion*, 15 décembre 2011.

Questions

La mise en place d'un État social

1. Doc. 1, 3 et 5 : Quels sont les buts fixés à la Sécurité sociale ?

2. Doc. 2 et 3 : De quelle manière les salariés interviennent-ils dans son fonctionnement ? Pourquoi jouent-ils un rôle important ?

Les mutations de l'État social

3. Doc. 4 et 5 : Quelle est l'évolution des comptes de la Sécurité sociale depuis le début des années 1980 ? Comment peut-on l'expliquer ?

4. Doc. 6 : Comment l'État prend-il en compte aujourd'hui de nouveaux problèmes sociaux ? Avec quels résultats ?

Vers la composition du BAC

Capacités et méthodes :

II. 2. Décrire et mettre en récit une situation historique.

Rédigez un texte constitué de deux paragraphes montrant d'une part les avantages de la protection sociale assurée par l'État en France et d'autre part les arguments utilisés pour remettre en question cette mission.

Les présidents de la République ont régulièrement laissé leur empreinte dans des **grands travaux monumentaux modifiant le paysage de la capitale parisienne**. Grand amateur d'art, François Mitterrand décide, dès 1981, de valoriser le musée du Louvre et d'aménager sa cour d'entrée. En 1983, il confie le projet à l'architecte sino-américain Ieoh Ming Pei, qui réalise une pyramide inaugurée au moment du bicentenaire de la Révolution française. Décriée au moment de sa construction, elle est devenue l'un des **emblèmes de la modernité culturelle de Paris**.

> **En quoi la pyramide du Louvre symbolise-t-elle le rôle du pouvoir politique dans la vie culturelle ?**

1 **La pyramide du Louvre dans l'architecture parisienne**

FICHE TECHNIQUE

• **Architecte** : Ieoh Ming Pei, américain d'origine chinoise.
• **Commanditaire du projet** : François Mitterrand, président de la République de 1981 à 1995.
• **Situation** : au centre de la cour Napoléon du palais du Louvre.
• **Inauguration** : 1989 (début du chantier : 1983).
• **Dimensions** : haute de 21,64 mètres, base carrée de 35 mètres de côté : des proportions proches de celles de la grande pyramide de Gizeh en Égypte.

• **Matériau** : métal, 128 poutres maintenues par 16 câbles d'acier, 603 losanges et 70 triangles de verre de 2,15 cm d'épaisseur.
• **Style** : parfois qualifié de « futuriste » *in situ*, il se veut en rupture visible avec le passé tout en prenant en compte le lieu où il se trouve.
• **Nombre de visiteurs** : 8,9 millions en 2011, site culturel le plus visité de France, devant la tour Eiffel.

2 **François Mitterrand devant la pyramide du Louvre, 28 juin 1989**

3 François Mitterrand présente la pyramide

Vous êtes donc là devant le premier élément d'une reconstruction, d'une nouvelle conception du musée du Louvre devenu le Grand Louvre [...]. Grande discussion lorsque l'on a voulu faire la pyramide. Est-ce que la pyramide ne va pas saccager cette perspective, cette fameuse perspective ? Et, j'ai lu des articles très savants qui expliquaient qu'en effet, la perspective était broyée. [...] Par rapport à l'œuvre des siècles, on ne doit jamais être choqué de ce que chaque siècle apporte, ses modes, ses styles, ses architectures. Il faut simplement éviter que cela ne soit la cause d'un désastre pour l'œil [...]. C'est ce qui a été fait avec la pyramide, dont la hauteur et les dimensions ont été calculées de telle sorte qu'elle n'offense pas l'harmonie générale. [...] Les proportions sont celles rapportées, naturellement réduites, de la pyramide de Gizeh. [...] On s'apercevra de ce qu'a donné notre XXe siècle finissant par la patte magique d'un grand architecte lui-même d'origine chinoise et de nationalité américaine, associé à des architectes français.

Discours de François Mitterrand à l'inauguration du Grand Louvre, 14 octobre 1988.

4 Haro sur la pyramide

Ieoh Ming Pei est livide. Ce lundi 23 janvier 1984, l'immuable sourire s'est effacé de son visage. À 67 ans, l'architecte américain d'origine chinoise est un grand bâtisseur. Son travail fait autorité de Washington à Hong Kong, de Boston à Singapour. Mais ce jour-là, à Paris, face à la Commission supérieure des sites et des monuments historiques, c'est l'humiliation. Il est venu présenter son projet pour le Grand Louvre, symbolisé par une spectaculaire pyramide de verre. L'hostilité est palpable. Quand Pei éteint la lumière pour projeter ses diapositives, la réunion vire au cauchemar. Remarques désobligeantes et critiques fusent. [...] Comment Ieoh Ming Pei s'est-il fourré dans ce guêpier ? Par le fait d'un prince, François Mitterrand. À peine élu président de la République, le 10 mai 1981, Mitterrand a fait de la renaissance du musée une affaire personnelle. [...] Sur TF1, le 28 avril 1985, François Mitterrand sermonne les récalcitrants : « On n'a pas posé une pyramide pour le plaisir de poser une pyramide. Ce côté sacro-saint qui ferait qu'on ne pourrait insérer aucun élément d'art nouveau, moderne, me paraît absolument ridicule. » Le 4 mars 1988, à quelques semaines de la fin de son premier septennat, François Mitterrand inaugure sa pyramide, prouesse technologique érigée en un temps record. [...] Dix-huit ans après, victime de son succès, la pyramide est saturée. [...] Cet été, Ieoh Ming Pei, à 89 ans, se penche à nouveau sur les plans du Louvre [...] : « Mon travail a permis de créer un grand musée, le plus beau du monde. J'en suis très fier. »

Grégoire Allix, *Le Monde*, 1er septembre 2006.

Questions

Une œuvre originale

1. **Doc. 1** : Décrivez précisément le monument construit par Ieoh Ming Pei : aspect général, taille, matériaux utilisés, environnement.
2. **Doc. 1** : Dans quel alignement architectural la pyramide s'inscrit-elle ?
3. **Doc. 1 et 3** : En quoi cette œuvre se rattache-t-elle au passé tout en étant moderne ?

Un projet présidentiel

4. **Doc. 2** : Quelle impression le photographe a-t-il voulu exprimer par ce cliché ?
5. **Doc. 3 et 4** : Pourquoi la construction de ce monument a-t-elle été l'objet d'une polémique ?
6. **Doc. 3 et 4** : Montrez que le président a été partie prenante du processus de décision et la façon dont il justifie cette réalisation.

Vers l'analyse de documents du BAC

Capacités et méthodes :

II. 1. Cerner le sens général d'un document et le mettre en relation avec la situation historique étudiée.

À partir de l'analyse de la photographie (**document 1**) et du **document 4**, vous montrerez en quoi la pyramide du Louvre porte la marque du pouvoir politique et témoigne de la politique culturelle de l'État.

1946 – début des années 1980 : un État de plus en plus présent

> Comment se manifeste la place grandissante prise par l'État de 1945 au début des années 1980 ?

État-nation : voir p. 160.
Régime parlementaire : voir p. 163.

Charles de Gaulle
(1890-1970)
▶ Biographie p. 162
et p. 442

➤ Schéma des institutions de la IVᵉ République, p. 161

Scrutin proportionnel : système électoral distribuant les sièges en jeu aux différents candidats ou partis en présence en fonction de leur nombre de voix.

Régime semi-présidentiel : voir p. 162.

➤ Schéma des institutions de la Vᵉ République, p. 161

➤ La critique de la Vᵉ République, texte de F. Mitterrand, p. 163

➤ Une contestation des modes traditionnels de commandement, texte p. 171

Scrutin majoritaire : système électoral attribuant les sièges en jeu au candidat ou à la liste ayant obtenu le plus grand nombre de voix (majorité absolue au premier tour ou relative au second).

➤ Hémicycle (1946), p. 160

Pierre Mendès France
(1907-1982)
▶ Biographie p. 443

A Des institutions progressivement consolidées

a. La IVᵉ République ou le triomphe du parlementarisme

■ Vieil **État-nation** constitué par de longs siècles de centralisation, la France sort affaiblie et divisée de la Seconde Guerre mondiale. **Le Conseil national de la Résistance souhaite refonder le modèle républicain** sur des bases plus justes. Ainsi les **femmes** participent pour la première fois aux **élections** en 1945. Une Assemblée constituante élue en juin 1946 élabore une Constitution, adoptée par référendum à une faible majorité malgré l'opposition du général de Gaulle qui a démissionné du Gouvernement provisoire dès janvier 1946.

■ La Constitution de la IVᵉ République installe un **régime parlementaire** où l'essentiel des pouvoirs appartient à l'Assemblée nationale qui peut renverser le gouvernement.

■ Le **scrutin proportionnel** et l'émiettement du paysage politique, accentué en 1947 par l'isolement du PCF dans le contexte de la guerre froide, favorisent l'**instabilité ministérielle** : 23 gouvernements se succèdent en 12 ans. Les difficultés coloniales (guerre d'Indochine, puis d'Algérie) rendent le **régime impopulaire dans l'opinion publique**, malgré ses succès économiques. La crise algérienne ramène de Gaulle au pouvoir en mai 1958.

b. La Vᵉ République, un régime à l'exécutif renforcé

■ Aidé par le juriste Michel Debré, de Gaulle rédige une Constitution adoptée par référendum le 28 septembre 1958. **Le nouveau régime se situe à l'opposé du précédent** : il est bâti sur la **prééminence du président de la République**. Chef des armées et doté de pouvoirs spéciaux en cas de crise, il nomme le gouvernement, peut proposer un référendum et prononcer la dissolution de l'Assemblée. Il s'agit d'un **régime semi-présidentiel**, car les députés gardent cependant un certain contrôle sur l'exécutif, notamment en conservant la possibilité de renverser le gouvernement.

■ **L'élection du président au suffrage universel direct**, décidée en 1962, renforce le caractère présidentiel de la Vᵉ République. Cette évolution rencontre de fortes oppositions et provoque la **lassitude d'une partie de l'opinion publique** face à un pouvoir personnel, presque monarchique, qui ne correspond plus aux attentes des Français. Elle débouche sur une **crise majeure : mai 1968**. Les révoltes étudiantes et les grèves paralysant tout le pays révèlent l'ampleur du mécontentement. Malgré la victoire du parti gaulliste aux élections législatives anticipées de juin, de Gaulle démissionne dès l'année suivante.

B Un personnel politique et administratif renouvelé

a. Les partis et les hommes politiques

■ La Libération bouleverse le paysage politique du pays. L'épuration touche essentiellement la droite, tandis que les trois grandes tendances de la Résistance forment **des partis puissants – le PCF (communiste), la SFIO (socialiste) et le jeune MRP (démocrate-chrétien) –**, qui gouvernent un temps ensemble (le tripartisme). L'instabilité gouvernementale n'empêche pas l'émergence de quelques figures importantes, comme celle du radical Pierre Mendès France.

■ Sous la Vᵉ République, se constituent des partis davantage structurés. C'est **le parti de la droite gaulliste**, connu sous le nom d'UNR, puis UDR et RPR, qui **domine l'Assemblée jusqu'en 1981**. L'utilisation du **scrutin majoritaire** crée une nette **bipolarisation du paysage politique**, la droite affrontant une gauche souvent divisée entre communistes et socialistes (la SFIO devient PS en 1969).

b. L'administration de l'État

■ Corps d'élite de la République, le groupe des hauts fonctionnaires (préfets, inspecteurs des Finances, Cour des comptes) est formé à partir de 1945 par l'**École nationale d'administration (ENA)**, créée par Michel Debré pour démocratiser l'accès aux postes de responsabilités. Cet objectif ne sera cependant qu'atteint partiellement, certains dénonçant un processus de reproduction des élites : le sociologue Pierre Bourdieu parle ainsi d'« héritiers » pour dénoncer ce processus.

■ Les hauts fonctionnaires commandent une **administration longtemps très centralisée**, malgré le projet gaulliste de régionalisation, refusé par référendum en 1969. Les préfets répercutent les ordres de la capitale dans les départements, puis dans les régions à partir de 1964.

C L'intervention croissante de l'État

a. L'État entrepreneur

■ À l'inverse des idées d'avant-guerre, le programme du Conseil national de la Résistance, largement repris par le Gouvernement provisoire, centre la reconstruction sur une **intervention accrue de l'État dans le domaine économique**. Dès 1944-1946, une série de **nationalisations** dans les banques, les assurances, l'énergie ou les transports crée un vaste secteur public permettant la modernisation du pays.

■ Le rôle incitateur de l'État passe également par la mise en place, en 1946, par Jean Monnet, d'une **planification indicative préparant des objectifs de production** grâce aux outils de l'Institut national de la statistique et des études économiques (INSEE), fondé la même année. Après 1958, de Gaulle accentue les investissements de l'État dans les grands travaux (autoroutes, aéroports) et les réalisations de prestige (la Caravelle, le Concorde).

■ Pour encourager le développement économique et réduire les déséquilibres entre la région parisienne et le reste du pays, **l'État décide de s'occuper de l'aménagement du territoire** en créant la DATAR en 1963 et en soutenant de grands projets de modernisation, comme celui visant à développer un tourisme de masse sur le littoral languedocien.

b. L'État-providence

■ Désireux de bâtir une société plus juste, fondée sur la redistribution des ressources, le Gouvernement provisoire s'inspire du modèle keynésien et du rapport Beveridge (paru en Grande-Bretagne en 1942) pour **installer un État-providence**.

■ Un système complet de prestations familiales et sociales, financé par l'impôt et par les cotisations des actifs, est installé. La **Sécurité sociale**, créée en 1945 par Pierre Laroque, assure la protection des grands risques de la vie (maladie, invalidité, vieillesse, décès), tandis que les travailleurs perçoivent à partir de 1950 un **salaire minimum** (le **SMIG**, devenu **SMIC** en 1970) et que **les chômeurs, aidés par l'ANPE (Agence nationale pour l'emploi)** à partir de 1967, perçoivent des allocations.

c. La politique culturelle

■ **L'implication du gouvernement dans le domaine culturel est plus tardive.** La IVe République marque surtout un soutien à l'essor des équipements culturels : Centre national de la cinématographie, décentralisation théâtrale, réseau de bibliothèques départementales.

■ La création, en **1959**, d'un **ministère des Affaires culturelles**, confié pendant dix ans à l'écrivain **André Malraux**, marque un tournant. Relayé par une administration très organisée, le ministère favorise à la fois la protection du patrimoine (la loi Malraux de 1962) et la création contemporaine (les Maisons de la Culture en 1961). **La radio et la télévision peinent cependant à s'émanciper de la tutelle du pouvoir** qui les considère toujours, selon l'expression du général de Gaulle, comme « la voix de la France ».

1. Affiche pour le « oui » au référendum du 28 octobre 1962

➤ Programme du Conseil national de la Résistance, 15 mars 1944, p. 166
➤ Tableau des nationalisations et privatisations, p. 166

Nationalisation : voir p. 166.
Planification : voir p. 166.
État-providence : voir p. 166.
SMIG (salaire minimum interprofessionnel garanti) et SMIC (salaire minimum interprofessionnel de croissance) : salaire horaire minimum en dessous duquel aucun salarié âgé de plus de 18 ans et à temps plein ne doit être payé.

➤ Ordonnance du 4 octobre 1945 signée par Alexandre Parodi, p. 172

André Malraux
(1901-1976)
▶ Biographie p. 443

➤ « Pas de rectangle blanc pour un peuple adulte », affiche p. 171

Depuis le milieu des années 1980, trop ou pas assez d'État ?

> **Dans quelle mesure le rôle de l'État est-il remis en question à partir des années 1980 ?**

François Mitterrand
(1916-1996)
▶ Biographie p. 163
et p. 443

➤ Hémicycle (1981), p. 160

Jacques Chirac
(1932-)
▶ Biographie p. 442

➤ Document 1, p. 179

Collectivité territoriale :
voir p. 168.

DROM : département et région d'outre-mer. Collectivité territoriale au double statut, équivalent à celui de la métropole. Les DROM sont la Guadeloupe, la Martinique, la Guyane, la Réunion et, depuis 2011, Mayotte.

➤ La décentralisation vue par la gauche, texte p. 168

➤ La droite lance une nouvelle étape de la décentralisation, texte p. 168

PCOM : pays et collectivité d'outre-mer. Nom donné depuis 2003 à certains anciens territoires d'outre-mer (TOM) qui bénéficient d'une large autonomie douanière et fiscale et d'une organisation politique particulière.

A Une opinion publique qui doute

a. Alternances et cohabitations

■ Après 23 ans de domination de la droite, la victoire de François Mitterrand à l'élection présidentielle du 10 mai 1981 marque la **première alternance de la Ve République**. Après la dissolution de l'Assemblée nationale, il bénéficie d'une majorité absolue aux élections législatives anticipées, lui permettant de faire voter de nombreuses réformes.

■ Le mécontentement dû à la persistance des difficultés économiques, que n'arrivent guère à résoudre les gouvernements successifs, **suscite un changement de majorité politique à presque toutes les échéances depuis 30 ans. Il témoigne du doute de l'opinion publique envers la classe politique**. Le pays connaît ainsi plusieurs alternances et trois cohabitations : Jacques Chirac puis Édouard Balladur sont Premiers ministres de droite de François Mitterrand pendant deux ans, tandis que Jacques Chirac, devenu président en 1995, doit affronter cinq ans de cohabitation avec le socialiste Lionel Jospin, vainqueur des élections législatives anticipées de 1997.

■ **Les innovations institutionnelles sont rares**. La principale est l'adoption en 2000, par référendum, du **quinquennat** pour le mandat présidentiel, afin de réduire les possibilités de cohabitation. Le président est désormais élu tous les cinq ans, ce qui renforce la présidentialisation du régime.

b. Gouverner avec l'opinion publique

■ L'exercice du pouvoir est rendu plus difficile par les **revendications de l'opinion publique**, très sensible sur la question des réformes sociales. Certaines ont donné lieu à de grandes manifestations, contre lesquelles le pouvoir a du mal à résister.

■ La révélation de certains scandales et le manque d'efficacité supposé des dirigeants ont alimenté, à partir des années 1980, une **défiance croissante vis-à-vis de la classe politique**. Celle-ci s'est manifestée par une montée **de l'abstention et du vote protestataire pour les partis extrémistes**. Le 21 avril 2002, l'accession du candidat du Front national, Jean-Marie Le Pen, au second tour des élections présidentielles a suscité une grande surprise dans l'opinion.

B Un État de plus en plus concurrencé

a. La décentralisation

■ L'accession de la gauche au pouvoir a favorisé l'avènement d'une nouvelle répartition des pouvoirs dans le pays. Les **lois Defferre de 1982 et 1983** ont donné une autonomie aux **collectivités territoriales**, jusque-là contrôlées étroitement par les préfets. Une fonction publique territoriale, dont le statut est fixé en 1984, est chargée de seconder les exécutifs élus par la population.

■ Au début des années 2000, **la droite reprend à son compte l'idée de la décentralisation**. Le gouvernement prévoit le transfert de nombreuses compétences aux collectivités, dans un souci d'efficacité et d'allégement des charges de l'État. En 2012, le nouveau président socialiste affirme la nécessité d'une redéfinition de la répartition des responsabilités dans le complexe organigramme administratif français.

■ **L'outre-mer**, où vivent 2,6 millions de Français, a progressivement acquis une marge de manœuvre importante. Les **DROM** peuvent adapter les lois et règlements du pays, alors que les **PCOM** ont leur hymne, leur drapeau et des institutions originales. Tous dépendent toutefois largement des transferts financiers de la métropole.

b. La construction européenne et la mondialisation

■ Le choix de l'adhésion à la construction européenne, débutée dans les années 1950, se confirme après 1980 avec l'abandon d'une part croissante de souveraineté au profit des institutions communautaires. Le traité de l'Acte unique (1986) démantèle les douanes nationales tandis que le traité de Maastricht (1992) **remplace le franc par une monnaie unique européenne, l'euro**. Cette intégration à une gouvernance supranationale est **mal vécue par une fraction de l'opinion publique**, qui y voit un risque de dissolution de la nation et du modèle social français. Le traité de Maastricht est adopté par référendum à une faible majorité, mais **celui sur la Constitution européenne est refusé par 54,7 % des Français en mai 2005**.

■ L'essor de la mondialisation, après la chute du bloc communiste, a également fait reculer le contrôle de l'État sur l'économie. **Les gouvernements n'ont pas réussi à agir sur la situation nationale de l'emploi**, ce qui suscite incompréhension et mécontentement auprès des travailleurs touchés par les délocalisations et les licenciements.

➤ Photographie de métallurgistes en Moselle, p. 167

C Le recul de l'État en débat

a. L'affrontement entre deux conceptions

■ Au début des années 1980, **la gauche a renforcé le poids de l'État** en multipliant les **nationalisations** (banques, industries). En 1983, un quart de la population active travaille dans le secteur public. D'autre part, la législation sociale est complétée au profit des salariés par la semaine de 39 heures, la cinquième semaine de congés payés, les lois Auroux sur les nouveaux droits des travailleurs ou l'encadrement du licenciement.

■ **Cette politique est remise en cause en 1986** par la droite, revenue au pouvoir dans un contexte international de libéralisme triomphant. Dénonçant le niveau des prélèvements sociaux, jugé insupportable, le Premier ministre Jacques Chirac privatise une bonne partie des entreprises nationalisées en 1982.

■ **Depuis 1995 un certain rééquilibrage doctrinal s'est opéré**. La gauche, au pouvoir de 1997 à 2002, poursuit les **privatisations** et le désinvestissement de l'État dans certains domaines, tout en gardant une politique sociale étendue : semaine de 35 heures, RMI (revenu minimum d'insertion), remplacé par la droite en 2009 par le RSA (revenu de solidarité active), CMU (couverture maladie universelle). La crise de 2008 a pourtant ravivé les clivages sur la question du poids de l'État.

Nationalisation : voir p. 166.
Privatisation : voir p. 166.

➤ Tableau des nationalisations et privatisations, p. 166

➤ Discours de Jacques Chirac à l'Assemblée nationale, 6 avril 1986, p. 166

➤ Le RSA, nouveau maillon de la protection sociale, texte p. 173

b. Un État encore largement présent

■ Malgré son recul, **l'État reste un acteur majeur de l'administration de la France**. **Premier employeur du pays** (plus de 5 millions de fonctionnaires), il continue de proposer des **politiques d'envergure**, notamment dans les domaines de l'environnement et de la lutte contre la pauvreté, et d'assurer l'**essentiel de la protection sociale**, en dépit de réformes successives.

■ L'État occupe enfin un rôle d'incitateur de la politique culturelle. Plusieurs **présidents** se sont personnellement investis dans des **grands travaux** valorisant le patrimoine du pays, tandis que le ministre Jack Lang a lancé une série de manifestations à succès, comme les Journées du patrimoine ou la Fête de la musique.

➤ La pyramide du Louvre dans l'architecture parisienne, photographie p. 174

Date	Occasion
24 juin 1984	Opposition au projet de loi Savary sur l'école privée
4 décembre 1986	Opposition au projet de loi Devaquet sur la réforme de l'enseignement supérieur
12 décembre 1995	Opposition au plan Juppé sur la réforme des retraites
13 mai 2003	Opposition au plan Fillon sur la réforme des retraites
18 mars 2006	Opposition à la loi sur le Contrat première embauche (CPE)
13 janvier 2013	Opposition au projet de loi Taubira sur le « mariage pour tous »

1. Les principales manifestations contre le gouvernement depuis 1984

Prépa BAC

1 Analyser le sujet (p. 40, 64, 94, 122, 150, 180, 202)
2 Présenter le sujet (p. 40, 64, 94, 122, 150, 180, 202)
3 Construire un plan (p. 95, 122-123, 150-151, 180, 202)
4 Rédiger l'introduction et la conclusion (p. 151)
5 Bâtir la réponse organisée (p. 181)
6 Rédiger la réponse organisée (p. 203)
7 Comment présenter votre devoir ? (p. 40-41, 64-65)

SUJET GUIDÉ

Le rôle de l'État en France depuis 1946.

1 Analyser le sujet

MÉTHODE	MISE EN ŒUVRE
Repérer les mots-clés dans l'énoncé et les expliquer.	Répondez aux questions des encadrés ci-dessous.

Le rôle de l'État en France depuis 1946**.**

- Dans quels domaines le rôle de l'État se manifeste-t-il ?
- Que désigne le terme d'« État » (quels acteurs) ?
- Interrogez-vous sur les bornes chronologiques. Le rôle de l'État est-il toujours le même sur la période considérée ?

2 Présenter le sujet

MÉTHODE	MISE EN ŒUVRE
La présentation du sujet doit tenir compte des mots-clés, des bornes chronologiques et spatiales. Elle annonce ce que l'on veut démontrer dans les paragraphes de la composition.	Parmi les trois phrases suivantes, laquelle correspond le mieux au sujet ? Justifiez votre réponse. **1.** Les domaines d'interventions de l'État et leur évolution depuis 1946. **2.** La place de l'État en France en 1946. **3.** L'évolution du rôle de l'État en France.

3 Construire un plan

MÉTHODE	MISE EN ŒUVRE
Le plan doit être élaboré au brouillon en tenant compte de l'analyse et de la présentation du sujet. Après avoir mobilisé ses connaissances (mots-clés, événements, dates, etc.), il s'agit de s'interroger sur la nature du plan : – le plan thématique met en évidence dans chacun des paragraphes un thème majeur du sujet ; – le plan chronologique est organisé en périodes délimitées par des dates-ruptures.	Plusieurs plans sont possibles pour répondre à ce sujet. **Plan A** **1.** Un État de plus en plus présent (1946 – années 1980). **2.** La place de l'État remise en cause ? (depuis les années 1980) **Plan B** **1.** Le rôle de l'État et son évolution dans le domaine économique. **2.** Le rôle de l'État et son évolution dans la gestion des territoires. **3.** L'État face aux questions sociales et culturelles. À quel type de plan correspondent les plans A et B ? Justifiez votre réponse.

5 Bâtir la réponse organisée

L'organisation des éléments qui vont vous permettre de rédiger le développement se réalise au brouillon :

– il faut d'abord mobiliser les connaissances correspondant au plan : répertorier les **idées essentielles**, les mots-clés, les événements, les dates ;

– il faut ensuite, dans chaque paragraphe, classer ses connaissances **en fonction des idées essentielles** que vous avez retenues.

le +

En structurant bien les idées essentielles de chaque paragraphe, vous donnerez un « plus » à votre travail.

Le sujet développé ci-dessous correspond au **plan B.**

➥ **Voici des connaissances répondant au premier paragraphe du plan :**
   1. Le rôle de l'État et son évolution dans le domaine économique.

On peut les regrouper en deux idées essentielles.

– *Création d'un secteur public.*
– *Planification indicative (1946).*
– **Maintien d'investissements d'État (TGV).**
– **Libéralisation internationale des marchés.**
– *2ᵉ vague de nationalisations voulues par F. Mitterrand (1981-1982) dans le domaine de la banque et de l'industrie.*
– *Passage à la monnaie unique : l'euro.*
– *Nationalisations de 1944-1946 (banques, assurances, énergie, transports) par le Gouvernement provisoire.*
– **Privatisations depuis 1986 (banques, énergie, industrie, transports) voulues notamment par le gouvernement de J. Chirac.**
– *Investissements publics pendant les Trente Glorieuses (Concorde, autoroutes).*

> 1ʳᵉ idée essentielle :
> *L'État entrepreneur (1946 – années 1980)*

> 2ᵉ idée essentielle :
> *Un retrait progressif de l'État depuis les années 1980*

➥ **Voici des connaissances répondant au deuxième paragraphe du plan :**
   2. Le rôle de l'État et son évolution dans la gestion des territoires.

   Classez-les en fonction des idées essentielles que vous aurez dégagées.

– *Nouveaux acteurs de la gestion des territoires (les collectivités territoriales, les citoyens) et transfert de compétences.*
– *Les grands travaux de modernisation (barrages, autoroutes, aéroports, etc.) et de développement (aménagements touristiques et industriels : Languedoc, Fos-sur-Mer).*
– *2003 : la décentralisation est inscrite dans la Constitution.*
– *Rééquilibrage du territoire face à l'hypertrophie parisienne.*
– *Reconstruction par l'État après la guerre.*
– *Lois de décentralisation de 1982-1983.*

➥ **Relevez des informations répondant au troisième paragraphe du plan :**
   3. L'État face aux questions sociales et culturelles.

   Cours 1 p. 176-177 | Cours 2 p. 178-179 | Étude 4 p. 170-171 | Étude 5 p. 172-173
   Histoire des arts p. 174-175

➥ **Classez ensuite ces informations en fonction des idées essentielles que vous aurez dégagées.**

SUJET EN AUTONOMIE

Gouverner la France depuis 1946 : État, gouvernement, administration, opinion publique.

Prépa BAC

1 Analyser la consigne (p. 43, 67, 97, 125, 153, 183, 205)
2 Prélever des informations (p. 43, 67, 97, 125, 183, 205)
3 Apporter des connaissances (p. 97, 125, 183, 205)
4 Confronter les documents (p. 153, 205)
5 Rédiger l'analyse (p. 205)
6 Comment présenter votre devoir ? (p. 43, 67-68)

SUJET GUIDÉ

La gouvernance de la France : la décentralisation.

CONSIGNE : En vous appuyant sur le document, vous présenterez les acteurs du gouvernement de la France. Puis vous expliquerez la réforme que l'auteur juge nécessaire.

Présentation à l'Assemblée nationale d'un projet de loi de décentralisation par le ministre de l'Intérieur, Gaston Defferre, 27 juillet 1981

Dans tous les pays démocratiques, il a été fait droit au besoin de concertation, d'association, de participation au travail, qui prépare les décisions concernant les citoyens dans tous les domaines : politique, administratif, culturel, dans l'entreprise, le temps libre, la vie associative. Partout, un nouveau droit a été reconnu. Partout, pour y parvenir, la décentralisation est devenue la règle de vie, partout, sauf en France. […]

Les responsables politiques qui tenaient les leviers de commande ont maintenu en tutelle les Français et leurs élus locaux, départementaux et régionaux, les traitant comme des mineurs soumis aux décisions d'une classe politique et d'une administration de plus en plus centralisée, de plus en plus technocratique. Ce type de réalité dominatrice a engendré une administration et une réglementation étatiques, tatillonnes, bureaucratiques, un dirigisme étouffant pour les élus et pour les entreprises. Les avions d'Air France sont remplis par les chefs et les cadres des entreprises privées de province, qui sont obligés d'aller chaque semaine à Paris, centre unique de décisions pour leurs affaires. Les élus locaux, notamment les maires, sont exactement dans la même situation et sont trop souvent contraints de venir dans la capitale pour faire avancer ou aboutir leur projet. […]

Le gouvernement de François Mitterrand et de Pierre Mauroy[1] a confiance dans les Français, dans leur capacité de choisir leurs élus, des élus majeurs et responsables. Des élus libres d'agir, sans tous ces contrôles a priori, sans que leurs décisions ne soient remises en cause, retardées, déformées par des fonctionnaires ou des ministres lointains, qui connaissent mal leurs problèmes et que rien n'habilite à décider à leur place. Il est enfin temps de donner aux élus des collectivités territoriales la liberté et la responsabilité dans le cadre de la loi. Les nécessités du développement économique et social dans la vie moderne l'exigent. […] Les ministres du gouvernement de F. Mitterrand et P. Mauroy pensent que se dépouiller d'une partie de leurs attributions ministérielles au profit des élus locaux, départementaux et régionaux, n'est pas déchoir, mais bien servir la France. […] Et c'est renforcer la démocratie que de permettre à des élus de décider sur place des solutions à apporter aux problèmes qu'ils connaissent mieux que quiconque.

1. Premier ministre de François Mitterrand de 1981 à 1984.

1 Analyser la consigne

Il faut distinguer les différentes parties de la consigne, relever les termes essentiels et les définir.

« En vous appuyant sur le document, vous présenterez les acteurs du gouvernement de la France. Puis vous expliquerez la réforme que l'auteur juge nécessaire. »

2 Prélever des informations
3 Apporter des connaissances

Il faut répondre aux différentes parties de la consigne en utilisant les informations prélevées dans le(s) document(s) ainsi que les connaissances.

 le +

En menant une analyse fine du document et en en prélevant le plus d'informations pertinentes possible, vous donnerez un « plus » à votre travail.

La consigne comporte deux parties. Dans le tableau ci-dessous :

– les informations de la partie 1 ont été prélevées : retrouvez dans le document les informations correspondant à la partie 2 ;

– pour chaque partie, apportez des connaissances complémentaires.

Étude 3 p. 168-169
Cours 1 p. 176-177

Parties de la consigne	Informations fournies par le document	Connaissances
Les acteurs du gouvernement de la France	– L'Assemblée nationale […], le ministre de l'Intérieur, Gaston Defferre – Le gouvernement de François Mitterrand et de Pierre Mauroy – Les ministres du gouvernement – Les élus locaux, départementaux et régionaux	– Les acteurs institutionnels au niveau national Le Parlement (députés et sénateurs élus) discute et vote les lois. Le Président, élu par les Français, nomme le Premier ministre, chef du gouvernement. Le gouvernement propose des lois et les fait appliquer. – L'administration – Les collectivités territoriales – Les citoyens
La réforme que l'auteur juge nécessaire		– La réforme proposée : la décentralisation – Les motivations de cette réforme

Prépa BAC

Le rôle de l'État en France depuis 1946.

CONSIGNE : Après avoir présenté les documents, vous indiquerez dans quels domaines l'État intervient en tant qu'acteur. Puis vous montrerez que la conception du rôle de l'État évolue en fonction du contexte.

1 **Les bureaux de la Sécurité sociale à Paris en 1946**

2 **Réformer l'État-providence**

Le développement de l'État-providence, dans un contexte qui s'y prêtait, a stimulé la croissance économique. Aujourd'hui, nous sommes dans un système inverse. La croissance économique n'est plus suffisante pour nourrir le développement de la Sécurité sociale, puisque, pour des raisons liées aux progrès de la médecine, au vieillissement de la population, et – je m'en réjouis – à une meilleure qualité de la santé, les dépenses en question augmentent, en termes réels, plus vite que la croissance économique. Donc, il faut y consacrer une part croissante du revenu national aux dépens d'autres dépenses.

En second lieu, le système de protection sociale, malgré son caractère universel, s'est révélé un « panier percé », car il n'a pas empêché le développement de l'exclusion sociale, fondée, bien entendu, essentiellement sur le rejet hors du circuit du travail de millions de personnes. […] Si nous ne pouvons plus financer la Sécurité sociale dans de meilleures conditions, c'est-à-dire d'une manière universelle, ne faut-il pas consentir un effort supérieur pour ceux qui ont peu de moyens, par rapport à ceux qui en ont beaucoup ? Ce qui pose la question de la structure du financement de la Sécurité sociale.

Jacques Delors, *L'Unité d'un homme, Entretiens avec Dominique Wolton*, éditions Odile Jacob, 1994.

Gouverner un État-nation

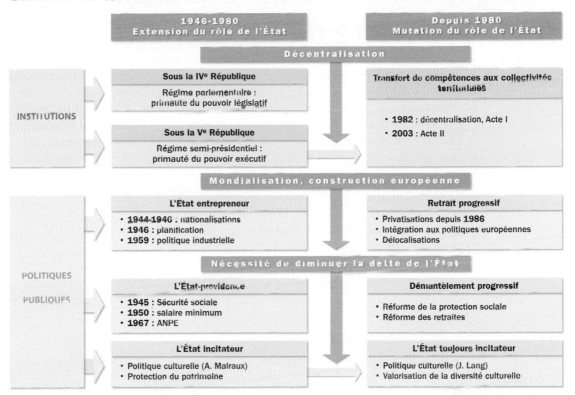

1946-1980 Extension du rôle de l'État — **Depuis 1980 Mutation du rôle de l'État**

Décentralisation

INSTITUTIONS

Sous la IVe République
Régime parlementaire : primauté du pouvoir législatif

Sous la Ve République
Régime semi-présidentiel : primauté du pouvoir exécutif

Transfert de compétences aux collectivités territoriales
- **1982** : décentralisation, Acte I
- **2003** : Acte II

Mondialisation, construction européenne

L'État entrepreneur
- **1944-1946** : nationalisations
- **1946** : planification
- **1959** : politique industrielle

Retrait progressif
- Privatisations depuis **1986**
- Intégration aux politiques européennes
- Délocalisations

Nécessité de diminuer la dette de l'État

POLITIQUES PUBLIQUES

L'État-providence
- **1945** : Sécurité sociale
- **1950** : salaire minimum
- **1967** : ANPE

Démantèlement progressif
- Réforme de la protection sociale
- Réforme des retraites

L'État incitateur
- Politique culturelle (A. Malraux)
- Protection du patrimoine

L'État toujours incitateur
- Politique culturelle (J. Lang)
- Valorisation de la diversité culturelle

le + culture générale

Institutions et vie politique

Récits et témoignages :
- Jean Lacouture, *Les Grands Moments de la Ve République*, Flammarion, 2007.

Films documentaires :
- Sylvain Desmille, *La Ve République, chronique d'une naissance agitée*, 2008.
- Michèle Dominici, *La Ve République et ses monarques*, 2013.
- Raymond Depardon, *1974, une partie de campagne*, 2002.

Films de fiction :
- Bernard Stora, *Le Grand Charles*, 2005.
- Michel Royer et Karl Zéro, *Dans la peau de Jacques Chirac*, 2006.
- Xavier Durringer, *La Conquête*, 2011.
- Pierre Schoeller, *L'Exercice de l'État*, 2011.

B.D. :
- Régis Franc, *La Cohabitation*, Casterman, 1987 (vision satirique de la cohabitation).
- Rémy Le Gall et Frisco, *Élysée République*, Casterman, 2007-2012.

Études d'historiens :
- René Rémond, *Les Droites en France*, Aubier, 1982.
- Michel Winock, *1958, la naissance de la Ve République*, Éditions Gallimard, 2008.

Sites : www.charles-de-gaulle.org
www.mitterrand.org

L'État dans la société

Récits et témoignages :
- *Historia / Paris Match, 1945-1975. La France heureuse*, Paris Match, 2012.

Film documentaire :
- Christian Rouaud, *Les Lip, l'imagination au pouvoir*, 2007.

Film de fiction :
- Raoul Peck, *L'École du pouvoir*, Arte, 2010.

Études d'historiens :
- Xavier Greffe, *La Décentralisation*, La Découverte, 2005.
- Philippe Poirrier, *L'État et la culture en France au xxe siècle*, Le Livre de Poche, 2009.

Sites : www.fonction-publique.gouv.fr
www.culturecommunication.gouv.fr

CHAPITRE 7

Une gouvernance européenne depuis le traité de Maastricht

En 1992, 12 pays signent le **traité de Maastricht**. **Acte fondateur de l'Union européenne**, il est une étape décisive de la construction européenne. Communauté économique depuis 1957, l'Union se fixe désormais des **ambitions politiques**. Son succès attire de nombreux pays dont ceux d'Europe de l'Est libérés du communisme. Mais les **élargissements successifs** (de 12 à 28 membres), les problèmes institutionnels et une défiance croissante de l'opinion publique plongent l'Union dans une **période de doutes**, aggravée à partir de 2008 par la **crise de la zone euro**. Ces difficultés obligent les dirigeants européens à **repenser la gouvernance** de l'Union afin de faire de celle-ci une grande puissance politique.

> **Comment la gouvernance de l'Europe élargie évolue-t-elle depuis le traité de Maastricht ?**

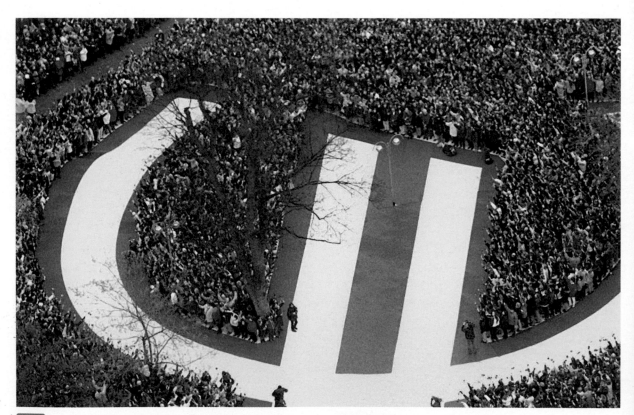

1 **Manifestation en faveur de l'euro à Francfort (Allemagne), 1ᵉʳ janvier 1999**

Plus de 10 000 personnes se sont rassemblées près du siège de la Banque centrale européenne autour du symbole de l'euro pour montrer leur soutien à la création d'une monnaie commune.

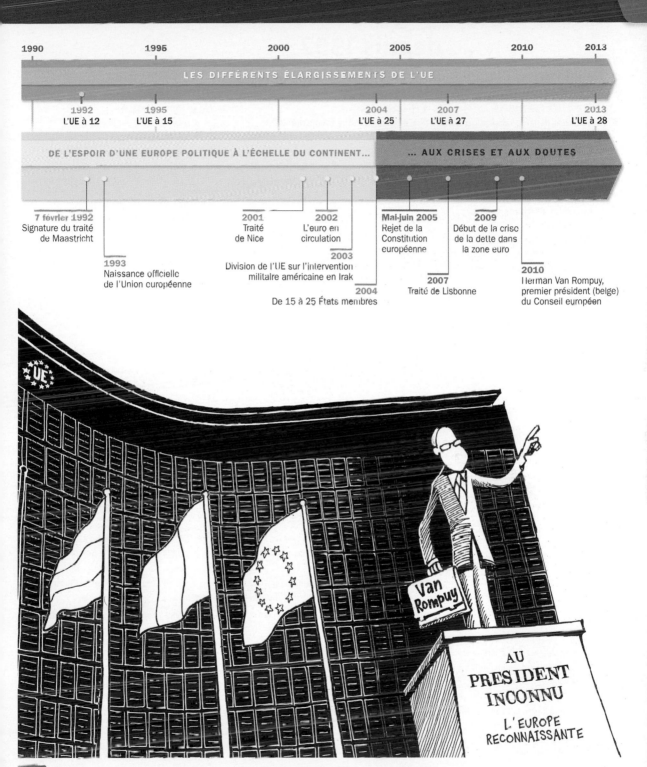

LES DIFFÉRENTS ÉLARGISSEMENTS DE L'UE

| 1990 | 1995 | 2000 | 2005 | 2010 | 2013 |

1992
L'UE à 12

1995
L'UE à 15

2004
L'UE à 25

2007
L'UE à 27

2013
L'UE à 28

DE L'ESPOIR D'UNE EUROPE POLITIQUE À L'ÉCHELLE DU CONTINENT...

... AUX CRISES ET AUX DOUTES

7 février 1992
Signature du traité
de Maastricht

1993
Naissance officielle
de l'Union européenne

2001
Traité
de Nice

2002
L'euro en
circulation

2003
Division de l'UE sur l'intervention
militaire américaine en Irak

2004
De 15 à 25 États membres

Mai-juin 2005
Rejet de la
Constitution
européenne

2007
Traité de Lisbonne

2009
Début de la crise
de la dette dans
la zone euro

2010
Herman Van Rompuy,
premier président (belge)
du Conseil européen

2 « Au président Inconnu, l'Europe reconnaissante », caricature de Patrick Chappatte
publiée dans l'*International Herald Tribune*, 23 novembre 2009

En novembre 2009, Herman Van Rompuy, ancien Premier ministre belge mais inconnu du grand public, est choisi
par les chefs d'États européens comme premier président permanent du Conseil européen. Sa nomination est
critiquée par ceux qui souhaitaient une figure politique plus forte à la tête de cette institution.

La gouvernance européenne depuis 1992

Notions clés

Approfondissement

Renforcement de la collaboration entre les États membres avec la mise en place de politiques communes et d'institutions allant vers le fédéralisme.

Élargissement

Processus d'adhésion progressive de nouveaux pays à l'Union. Ces pays doivent respecter un certain nombre de critères (État de droit, démocratie, économie de marché viable, etc.) pour être considérés comme candidats puis être admis.

Fédéralisme

Courant politique favorable à la transformation de l'Union européenne en une fédération d'États. Ces derniers acceptent de céder une partie de leurs pouvoirs à une institution supranationale. Dans ce but, les fédéralistes sont partisans d'un approfondissement des politiques européennes.

Gouvernance européenne

Expression qui désigne la façon dont les pouvoirs sont organisés et exercés au sein de l'Union européenne à travers les relations entre les différents acteurs publics et privés.

Souverainisme

Le souverainisme est la doctrine défendue par ceux qui veulent protéger la souveraineté nationale mise en péril, selon eux, par un pouvoir accru de l'Union européenne. À l'inverse des fédéralistes, les souverainistes militent pour une « Europe des nations », où l'autonomie politique des États serait préservée. Ils souhaitent donc un affaiblissement voire une disparition des institutions européennes communes.

RAPPEL

		La construction de l'Union européenne
1951	Création de la **CECA**	• Robert Schuman propose à l'Allemagne de mettre en commun la production franco-allemande de charbon et d'acier sous la responsabilité d'une Haute Autorité indépendant dirigée par Jean Monnet. • D'autres pays rejoignent cette **Communauté européenne du charbon et de l'acier (CECA)** qui compte à sa création 6 membres (France, Allemagne, Italie, Belgique, Pays-Bas, Luxembourg).
1954	Rejet de la **Communauté européenne de défense**	• Le projet français d'une armée européenne supranationale et constituée d'unités de tous les États membres (dont l'Allemagne réarmée à cette occasion) est rejeté par le Parlement français. • Cet échec du fédéralisme entraîne un recentrage du projet européen sur le volet économique.
1957	**Traité de Rome**	• Les ministres des Affaires étrangères des six pays membres de la CECA signent à Rome les traités instituant la Communauté européenne de l'énergie atomique (Euratom) et la **Communauté économique européenne (CEE)**. • L'objectif de la CEE est de créer un marché commun et une zone de libre-échange en supprimant les barrières douanières entre les pays membres. • Des institutions communautaires sont mises en place : la Commission, le Conseil des ministres, l'Assemblée et la Cour de justice.
1979	Mise en place du SME et **premières élections au Parlement européen**	• Le Système monétaire européen est mis en place et institue une monnaie de compte, l'ECU (première étape vers l'euro). • Les Européens votent pour les premières élections directes au Parlement européen.
1981	Adhésion de la Grèce	• Le pays, libéré de la dictature des colonels, rejoint la CEE qui passe à 10 membres.
1986	Adhésion de l'Espagne et du Portugal	• Les deux pays, redevenus des démocraties, intègrent la CEE alors à 12 membres.
1989	Chute du mur de Berlin et du communisme en Europe de l'Est	• La chute du mur de Berlin (novembre 1989) permet l'année suivante la réunification allemande. Les anciens pays communistes d'Europe de l'Est se portent candidats pour intégrer la CEE, souhaitant ainsi retrouver le continent européen dont ils ont été séparés pour des raisons idéologiques.

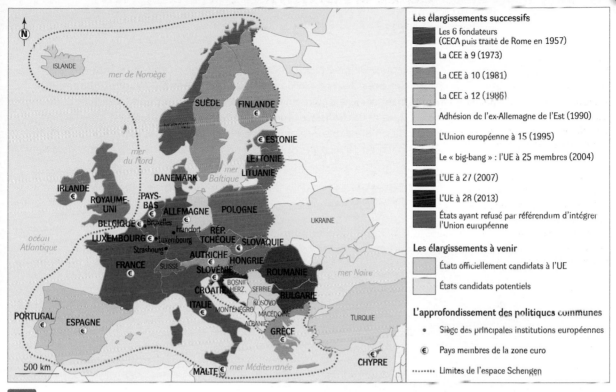

1 L'Europe de 6 à 28

Les élargissements successifs
- Les 6 fondateurs (CECA puis traité de Rome en 1957)
- La CEE à 9 (1973)
- La CEE à 10 (1981)
- La CEE à 12 (1986)
- Adhésion de l'ex-Allemagne de l'Est (1990)
- L'Union européenne à 15 (1995)
- Le « big-bang » : l'UE à 25 membres (2004)
- L'UE à 27 (2007)
- L'UE à 28 (2013)
- États ayant refusé par référendum d'intégrer l'Union européenne

Les élargissements à venir
- États officiellement candidats à l'UE
- États candidats potentiels

L'approfondissement des politiques communes
- Siège des principales institutions européennes
- € Pays membres de la zone euro
- .... Limites de l'espace Schengen

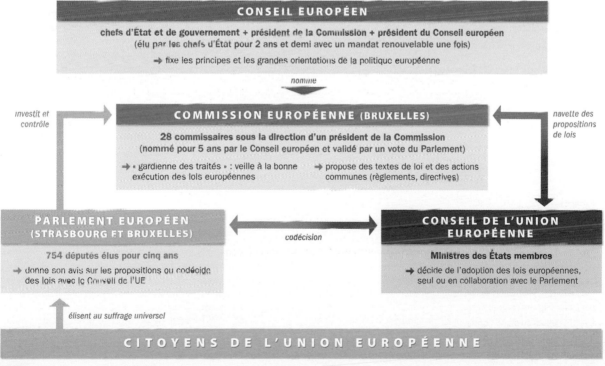

CONSEIL EUROPÉEN

chefs d'État et de gouvernement + président de la Commission + président du Conseil européen
(élu par les chefs d'État pour 2 ans et demi avec un mandat renouvelable une fois)

→ fixe les principes et les grandes orientations de la politique européenne

nomme

COMMISSION EUROPÉENNE (BRUXELLES)

28 commissaires sous la direction d'un président de la Commission
(nommé pour 5 ans par le Conseil européen et validé par un vote du Parlement)

→ « gardienne des traités » : veille à la bonne exécution des lois européennes
→ propose des textes de loi et des actions communes (règlements, directives)

investit et contrôle

navette des propositions de lois

PARLEMENT EUROPÉEN (STRASBOURG ET BRUXELLES)

754 députés élus pour cinq ans

→ donne son avis sur les propositions ou codécide des lois avec le Conseil de l'UE

codécision

CONSEIL DE L'UNION EUROPÉENNE

Ministres des États membres

→ décide de l'adoption des lois européennes, seul ou en collaboration avec le Parlement

élisent au suffrage universel

CITOYENS DE L'UNION EUROPÉENNE

2 Les institutions européennes depuis le traité de Lisbonne (2007)

Jacques Delors, l'homme

66 *Une zone de libre-échange sans pouvoir politique, sans volonté d'aller de l'avant, sans politique de solidarité, c'est une Europe qui disparaîtra.* 99

Jacques Delors est certainement le plus connu et **le plus influent des présidents de la Commission européenne**. Ayant exercé ce poste pendant dix ans, il a été un **acteur** majeur du **traité de Maastricht** et de la mise en place de la **monnaie unique**, l'Europe économique étant pour lui une condition préalable à l'établissement d'une **Europe sociale**. Retiré de la vie politique en 1996, il a continué depuis à s'exprimer très librement sur le devenir de la construction européenne.

> **Quel regard porte l'un des principaux artisans de l'Union européenne élargie sur la gouvernance européenne ?**

BIOGRAPHIE

Après une carrière à la Banque de France et dans différents cabinets ministériels, Jacques Delors (né en France en 1925) devient ministre socialiste de l'Économie et des Finances (1981-1984) avant d'être nommé président de la Commission européenne. Il assure deux mandats jusqu'en janvier 1995.
Il marque profondément de son empreinte la Commission en renforçant son pouvoir sur les autres institutions européennes et en orientant l'Europe vers une construction plus politique.
Depuis 1996, il dirige le Groupement d'études et de recherches « Notre Europe ».

1 La nomination de Jacques Delors à la présidence de la Commission européenne (1984)

Journaliste. – Les dix chefs d'État et de gouvernement de la Communauté européenne ont donné leur accord à la nomination de Monsieur Jacques Delors comme président de la Commission exécutive de la Communauté. [...] Reste à rappeler tout de même que cette présidence n'est pas du tout une sinécure, un simple poste honorifique, mais qu'elle est au contraire de première importance et très positive pour la France.

Jérôme Stern. – Oui, comparons l'Europe à une voiture. Le conducteur, celui qui montre le chemin, est le Conseil des chefs d'État [...] ; la transmission, elle, se tient à Strasbourg, c'est là le Parlement qui vient d'être renouvelé en juin. Tout le reste est à Bruxelles, c'est-à-dire la carrosserie avec treize mille fonctionnaires et puis surtout le moteur, justement, la Commission. Cette Commission est composée, je vous le rappelle, de quatorze membres nommés par leurs gouvernements respectifs et leur mandat est fixé à quatre ans, qui vient à terme comme celui justement du président en exercice, le Luxembourgeois Gaston Thorn. Une place que vise Jacques Delors. Une place importante parce que la Commission est la pierre angulaire de l'Europe, c'est la gardienne des institutions, l'instance de base. C'est même la Commission qui gouverne, très souvent. On comprend donc que ce soit là un poste particulièrement envié.

Reportage radio, RTL, 19 juillet 1984.

2 Le traité de Maastricht : aboutissement ou point de départ ?

Qui aurait pu penser, il y a encore deux ans, que les douze pays membres se mettraient d'accord sur deux perspectives aussi ambitieuses que celles que représentent l'Union économique et monétaire d'une part, et l'Union politique d'autre part ? [...] La volonté politique est donc au rendez-vous de Maastricht. Au prix de compromis certes, mais aucun d'entre eux ne me paraît susceptible d'empêcher le dynamisme retrouvé de la Communauté. Aux dépens d'une certaine logique institutionnelle sans doute, mais il faut se rappeler qu'il en fut toujours ainsi. [...] Avec l'Union économique et monétaire, les douze pays membres peuvent espérer tirer le plus grand profit d'un espace économique organisé avec sa dimension sociale. Avec la politique étrangère et de sécurité commune, c'est sans doute le défi le plus extraordinaire qui est lancé à nos pays : parler d'une seule voix, agir ensemble dans les domaines qu'ils considèrent d'intérêt commun et essentiel. Et, enfin, pour nos institutions, avec leur contenu démocratique, il s'agit de combiner – ce qui n'est pas facile – la capacité de décision au niveau central et la complexité des règles de concertation. Bien sûr, ce problème-là sera encore plus difficile lorsque la Communauté sera élargie.

Intervention de Jacques Delors lors de la cérémonie de signature du traité de Maastricht, 7 février 1992.

3 Pour une fédération d'États-nations

L'ancien président de la Commission européenne, Jacques Delors, a déploré l'élargissement « fuite en avant » de l'Union européenne et appelle à un nouveau traité bâtissant une fédération d'États-nations. [...] « Pour poursuivre l'approfondissement, il faut permettre à une avant-garde d'aller plus loin et de remplir les objectifs déjà ambitieux du traité de Maastricht », a-t-il plaidé. « Si l'on veut poursuivre l'objectif d'une Europe politique, il faut permettre à cette avant-garde de constituer ce que j'appelle une "fédération des États-nations", parce que je ne crois pas que les nations soient appelées à disparaître », a expliqué l'ancien responsable français, en affirmant que « ce projet doit faire l'objet d'un traité particulier, plus exigeant et plus explicite ». Pour Jacques Delors, trop d'élargissement conduit à diluer l'intégration européenne.

Les Échos, 19 janvier 2000.

4 Le représentant des institutions européennes

Photographie des participants au G7 (réunion des 7 pays les plus industrialisés) organisé à Munich en 1992. Jacques Delors **(1)** représente un « huitième » membre, la Commission européenne.

LE SOIR — lesoirimmo — Quand le gîte rural devient une affaire de pros

Le « Robin des Bois » du niqab fait son show

P.8 Société
Un homme d'affaires français, candidat aux présidentielles, est venu payer à Saint-Josse l'amende de 100 euros adressée à deux jeunes filles portant le voile intégral. L'une d'elles explique son parcours au « Soir ».

l'actu
La crise politique aide... la croissance
L'absence de gouvernement reporte les mesures d'austérité.

Delors : « L'Europe est au bord du gouffre »

DANS L'ENTRETIEN qu'il accorde au « Soir », l'ancien président de la Commission se montre très critique face aux dirigeants actuels.

À 86 ans, Jacques Delors, ancien président de la Commission européenne, entre 1985 et 1994, reste une référence importante sur la scène européenne. Lui qui fut l'un des initiateurs du marché unique, il porte un regard très critique sur la situation actuelle, qui menace l'euro et l'Europe, et sur la réaction timide des dirigeants politiques, Nicolas Sarkozy et Angela Merkel en tête.

Dans un entretien exclusif accordé au *Soir* et au journal suisse *Le Temps*, il nous explique que la rencontre franco-allemande de mardi n'a pas apporté de vraies solutions à la crise actuelle. « Ouvrons les yeux : l'euro et l'Europe sont au bord du gouffre. Et si on ne peut unifier, le choix me paraît simple : soit les États membres acceptent la coopération économique renforcée, que j'ai toujours réclamée, soit ils mettent …

5 « L'Europe au bord du gouffre », une du *Soir* de Bruxelles, 19 août 2011

En pleine crise de l'euro, Jacques Delors s'inquiète du problème de gouvernance dans l'Union européenne dans un entretien accordé au journal belge *Le Soir*. Il critique notamment « les dirigeants européens [qui] sont passés à côté des réalités ».

Questions

Le « père de l'Europe moderne »

1. **Doc. 1 et 4** : Montrez que Jacques Delors a été un acteur de la gouvernance européenne et mondiale.
2. **Doc. 2** : Quelles sont les réalisations inscrites dans le traité de Maastricht qui réjouissent Jacques Delors ?

Un expert inquiet de l'évolution de l'Europe

3. **Doc. 3** : En quoi l'élargissement de l'Union européenne pose-t-il problème selon Jacques Delors ?
4. **Doc. 3 et 5** : Comment Jacques Delors analyse-t-il le fonctionnement de l'Union européenne ? Quelles solutions préconise-t-il ?

Vers la composition du BAC

Capacités et méthodes :
II. 2. Décrire et mettre en récit une situation historique ; rédiger un texte construit et argumenté.

Vous rédigerez un paragraphe construit qui explique les espoirs que Jacques Delors place dans l'Union européenne et ses craintes quant à son évolution actuelle.

Le couple franco-allemand, moteur ou obstacle pour l'Europe ?

DATES CLÉS

- **1992** Naissance de la chaîne franco-allemande ARTE.
- **22 janvier 2003** 40ᵉ anniversaire du traité de l'Élysée.
- **Octobre 2011** Le projet de nouveau traité européen de discipline budgétaire qualifié de « traité Merkozy » par une partie de la presse européenne.

La France et l'Allemagne sont, depuis les années 1950, **à la base de grandes avancées dans la construction européenne**. Les deux plus puissantes économies du Vieux Continent ont ainsi largement contribué à la **mise en place du marché commun**. Mais ce rôle de locomotive, pourtant quasiment institutionnalisé par le **traité de l'Élysée de 1963**, est très **dépendant de l'évolution des relations** entre la France et l'Allemagne. Il est aussi **remis en cause par d'autres États membres** qui, se sentant marginalisés dans la gouvernance européenne, dénoncent parfois un leadership sans concertation avec eux.

> **Le couple franco-allemand a-t-il renforcé la gouvernance européenne ou l'a-t-il affaiblie en imposant ses conceptions à ses partenaires ?**

2a **Jacques Chirac et Gerhard Schröder, caricature de Dieter Hanitzsch (2003)**

2b **Le couple franco-allemand, une nécessité pour l'Europe ?**

Les relations entre les gouvernements [franco-allemands] ont souvent fonctionné par couple dans lequel l'affectivité a toujours eu un rôle important. Traditionnellement, le président élu de la République française se rend immédiatement à Berlin pour y rencontrer le chancelier. Ce fut le cas pour Nicolas Sarkozy, accompagné de son épouse, le jour de son élection, la chancelière Angela Merkel accueillant le nouveau chef de l'État sur le tapis rouge devant la chancellerie moderne de Berlin. L'accueil fut à la fois pluvieux et plutôt réservé lors de l'entrée en fonction de François Hollande […]. Rares furent les couples qui ne purent s'entendre à l'image de Georges Pompidou et Willy Brandt. Mais Valéry Giscard d'Estaing et Helmut Schmidt, François Mitterrand et Helmut Kohl puis Gerhard Schröder et Jacques Chirac ont permis d'effectuer des sauts qualitatifs très importants dans la construction européenne, notamment le traité de Maastricht ayant conduit à l'euro à la suite de la chute du mur de Berlin. […] Si le couple franco-allemand a parfois généré des critiques de la part des autres pays, il est clair qu'il n'existe pas d'alternative à une réelle entente entre les deux pays pour faire avancer l'intégration européenne, gage de prospérité interne et de stabilité dans le monde. Ce qui ne saurait avoir pour effet de gommer les divergences éventuelles. Mais l'art de la coopération franco-allemande est aussi celui du compromis…

Patrick Martin-Genier, *La Tribune*, 21 janvier 2013.

1 **Des réalisations concrètes : pièce de 5 euros commémorative célébrant en 2012 les 20 ans de la création de l'Eurocorps**

Ce corps d'armée, créé en 1992 à partir d'une initiative franco-allemande, fonde les bases d'un corps militaire européen auquel les autres membres de l'Union européenne peuvent participer. À ce jour, la Belgique, l'Espagne et le Luxembourg font partie de l'Eurocorps. La face de la pièce est un visage de femme symbolisant la déesse Europa. Le revers représente le président François Mitterrand et le chancelier Helmut Kohl célébrant l'amitié franco-allemande à Verdun.

3 La France et l'Allemagne isolées en Europe sur le dossier irakien (2003)

En 2003, les États-Unis décident d'intervenir militairement en Irak sans l'aval de l'ONU. Les divisions des pays européens sur un éventuel soutien à apporter à cette opération illustrent la difficile gouvernance diplomatique de l'Union.

La cacophonie est assourdissante. Rarement les dirigeants européens ont autant affiché leurs divergences sur une question majeure de politique étrangère et de défense. Alors que la Maison Blanche clame aborder « la phase finale » dans la crise irakienne, les chefs d'État ou de gouvernement de huit pays membres de l'UE, ou qui le seront bientôt, ont publié un texte commun appelant à une unité sans faille avec Washington dans son bras de fer contre Bagdad. [...] Ce texte est un désaveu explicite des positions défendues en commun par le chancelier allemand, Gerhard Schröder, depuis le début opposé à toute intervention en Irak, et le président Jacques Chirac, pour qui « la guerre n'est pas inévitable ». [...] Le choc est d'autant plus fort que ce texte a été publié le jour même où le Parlement européen proclamait « son opposition à toute action militaire unilatérale en Irak » dans une résolution adoptée par 287 voix pour et 209 contre. Les Français comme les Allemands cherchent à minimiser le camouflet.

Marc Semo et Christophe Boltanski, *Libération*, 31 janvier 2003.

4 Manifestation à Paris en 2012 contre les politiques européennes d'austérité : « Non au traité Merkozy »

Avec la crise apparue fin 2009 dans la zone euro, de nombreux pays européens en proie à des difficultés sont incités par Bruxelles à mettre en place des politiques d'austérité visant à réduire leurs déficits. Le coût social de ces politiques d'austérité entraîne des contestations dans tous les pays concernés.

5 Les autres pays européens mis sur la touche par le couple franco-allemand ?

José Manuel Barroso [président de la Commission européenne] se fera-t-il l'écho auprès du président français des sentiments mêlés d'exaspération et d'attente envers le couple franco-allemand dont lui font part les autres dirigeants européens ? [...] Octobre 2010, « Merkozy » propose une vaste réforme du pacte de stabilité et une révision des traités européens d'ici à 2013. C'est l'exemple type du donnant-donnant concocté sans consultation des partenaires. La Commission et plusieurs dirigeants réagissent très mal. « Inacceptable », condamne Jean-Claude Juncker, [...] Premier ministre du Luxembourg. Même son de cloche à Rome. Peu après cette réunion, le ministre italien des Affaires étrangères Franco Frattini s'est fait un devoir de critiquer « l'axe » franco-allemand : « Cette rencontre est une perte de temps alors que la Grèce est aux abois. Une situation globale ne se résoudra pas par des axes bilatéraux », a lâché Franco Frattini. [...] Commentaire de José Manuel Barroso : « Évidemment, rien ne peut aboutir en Europe sans une coopération étroite entre la France et l'Allemagne et nous ne pouvons que désirer et appuyer tous les efforts pour une convergence entre les deux plus grandes économies de la zone euro. Mais en même temps, il faut travailler ensemble avec nos institutions, c'est la seule façon d'avoir avec nous tous les autres États membres, grands et petits, riches et moins riches, anciens ou nouveaux. »

Alain Franco, *Le Point*, 14 octobre 2011.

Questions

Une entente essentielle

1. **Doc. 1 et 2 :** Comment le couple franco-allemand fonctionne-t-il ? Est-il toujours harmonieux ?

2. **Doc. 1 et 2 :** Montrez qu'il joue un rôle majeur dans la construction européenne.

Des critiques justifiées ?

3. **Doc. 4 et 5 :** Sur quoi reposent les critiques adressées au couple franco-allemand ?

4. **Doc. 3 et 5 :** Comment réagissent les autres pays membres de l'Union européenne face à ce leadership franco-allemand ?

Vers l'analyse de document du BAC

Capacités et méthodes :

II. 1. Cerner le sens général d'un document et le mettre en relation avec la situation historique étudiée.

Après avoir replacé le **document 5** dans son contexte, vous montrerez qu'il témoigne à la fois de l'importance et des fragilités du couple franco-allemand dans la gouvernance européenne.

Les référendums sur la Constitution européenne de 2005

Face aux **problèmes institutionnels aggravés par les élargissements successifs**, les dirigeants européens décident en octobre 2004 de donner une Constitution à l'Europe. Celle-ci, élaborée dans la difficulté, est **rejetée** par référendum en 2005 dans **deux des pays fondateurs de l'Union, la France et les Pays-Bas** (avec respectivement 54,7 % et 61,5 % de « non »). Ce résultat qui déstabilise fortement l'Union illustre la progression régulière dans l'opinion publique européenne d'un courant eurosceptique.

> **L'échec des référendums français et néerlandais est-il une victoire des eurosceptiques ?**

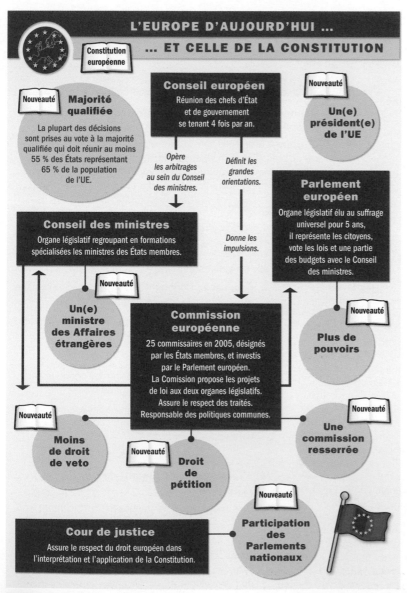

1 Les enjeux du référendum. D'après les *Dernières Nouvelles d'Alsace*, 10 avril 2005.

2 Le traité de Lisbonne, une meilleure gouvernance ou une sortie de crise ?

Suite aux référendums français et néerlandais, la Constitution européenne est remaniée pour former un nouveau traité moins ambitieux mais permettant le fonctionnement de l'Union. Ce traité est signé à Lisbonne le 13 décembre 2007.

Le président de la République, avant son élection, avait promis un traité simplifié ; une fois élu, il tient sa promesse ! C'est aussi simple que cela, mais pas suffisant pour répondre à votre question. Je ne pense pas que la campagne référendaire ait été exemplaire. Elle a été l'occasion de parler de beaucoup de choses – des préoccupations des Français, de leur attitude envers le gouvernement – mais très peu de l'Europe.

Le traité de Lisbonne – cela manque un peu d'éclat, c'est vrai – n'est pas une Constitution. C'est un traité comme les autres, qui sera, comme les autres, ratifié par le Parlement. La seule exception a été le traité de Maastricht, qui a été ratifié par référendum, car il modifiait, sans lui porter atteinte, la souveraineté nationale en instaurant l'euro. […] Enfin, les dix-huit pays qui avaient approuvé la Constitution, certains – le Luxembourg, l'Espagne – par référendum, ont tous accepté la proposition française. Et ils vont ratifier le traité, non pas par référendum mais par la voie parlementaire. Pourquoi pas nous ?

Réponse de Bernard Kouchner
[ministre français des Affaires étrangères]
à une question d'actualité à l'Assemblée
nationale, 12 décembre 2007.

3 Les principales motivations du vote « oui » et du vote « non » en France

OUI		NON	
Cette constitution renforcera le poids de l'Europe par rapport aux États-Unis et à la Chine	64 %	Vous êtes mécontent de la situation économique et sociale actuelle en France	52 %
Une constitution est nécessaire pour assurer le fonctionnement de l'Europe à 25	44 %	La constitution est trop libérale sur le plan économique	40 %
Une victoire du « Non » affaiblirait le poids de la France en Europe	43 %	Cela permettra de renégocier une meilleure constitution	39 %
	(1)		(1)

(1) Totaux supérieurs à 100, plusieurs réponses sont possibles.

Source : Sondage IPSOS sorti des urnes, 29 mai 2005.

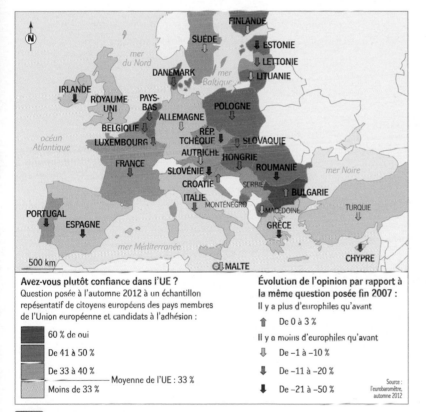

Avez-vous plutôt confiance dans l'UE ?
Question posée à l'automne 2012 à un échantillon représentatif de citoyens européens des pays membres de l'Union européenne et candidats à l'adhésion :

- 60 % de oui
- De 41 à 50 %
- De 33 à 40 %
- Moyenne de l'UE : 33 %
- Moins de 33 %

Évolution de l'opinion par rapport à la même question posée fin 2007 :
Il y a plus d'europhiles qu'avant

- ⬆ De 0 à 3 %

Il y a moins d'europhiles qu'avant

- ⬇ De −1 à −10 %
- ⬇ De −11 à −20 %
- ⬇ De −21 à −50 %

Source : l'eurobaromètre, automne 2012

5 La confiance dans l'Union européenne en baisse

4 La progression de l'euroscepticisme en Europe

« L'euroscepticisme est sensible un peu partout », reconnaissent [...] des responsables européens à Bruxelles. Et la crise économique n'arrangera rien. Les politologues font le compte des signaux négatifs : double « non » de pays fondateurs de l'Union (France et Pays-Bas), plus celui de l'Irlande, aux derniers traités institutionnels ; montée des protestataires aux dernières élections européennes ; recul prudent des classes politiques, qui préfèrent désormais cacher leur europhilie ; mauvaise image de l'euro… La nouveauté, c'est surtout l'expression politique structurée de l'euroscepticisme… qui n'est plus là où on l'attendait. « Il y avait les eurosceptiques de toujours : les nationalistes, la droite et l'extrême droite. Aujourd'hui, on en trouve à gauche », relève Alain Dieckhoff, du Ceri-Sciences Po. [...]

On pourrait rapidement dessiner deux camps : pour la gauche, l'Europe, ce serait « pas assez de social ! » ; pour la droite, souvent souverainiste, « pas assez de démocratie ! ». Mais ce serait grossier. L'euroscepticisme condamne-t-il pour autant l'Europe ? Au contraire, estiment certains, « Critiquer l'UE est un acte citoyen ! Il montre que le projet européen se banalise », explique, optimiste, Renaud Dehousse, de Sciences Po Paris.

Daniel Bastien, *Les Échos*, 25 mai 2009.

Questions

D'un traité à l'autre

1. Doc. 1 : En quoi la gouvernance de l'Union européenne est-elle modifiée par le traité constitutionnel ?

2. Doc. 2 : Pourquoi la voie parlementaire est-elle choisie pour la ratification du traité de Lisbonne ?

Une Europe désavouée ?

3. Doc. 3 : Comparez les raisons du vote « oui » et du vote « non ». En quoi indiquent-elles des conceptions différentes de l'Union européenne ?

4. Doc. 4 et 5 : Comment pourrait-on définir l'euroscepticisme ? Montrez que ce phénomène progresse en Europe.

Vers l'analyse de document du **BAC**

Capacités et méthodes :

II. 1. Cerner le sens général d'un document et le mettre en relation avec la situation historique étudiée.

Après avoir analysé le **document 3**, vous montrerez pourquoi l'échec des référendums est un symptôme de la progression de l'euroscepticisme.

Crise de la dette et crise de la gouvernance dans la zone euro

À la fin de l'année 2009, la zone euro, déjà fragilisée par la crise américaine des *subprimes*, connaît une **crise majeure**. Certains pays très endettés du sud de l'Europe (la Grèce au premier plan) ne parviennent plus à emprunter sur les marchés financiers l'argent nécessaire pour combler leur déficit. La crise s'étend rapidement et **menace l'existence même de l'euro**. Les dirigeants européens se montrent hésitants et divisés. Les plans d'aide finalement mis en place sont généralement suivis d'une **austérité budgétaire** de plus en plus **mal acceptée** des **opinions publiques** européennes.

> **La propagation de la crise en Europe est-elle le signe d'un manque de gouvernance au sein de l'Union ?**

DATES CLÉS

○— **Novembre 2009** Révélations sur l'ampleur du déficit et de la dette grecque.

○— **Mai 2010** Premier plan d'aide de l'Union européenne et du FMI à la Grèce.

○— **Octobre 2011** « Sommet de la dernière chance » : accord sur un nouveau plan d'aide européen à la Grèce.

○— **2012** Mise en place du MES.

1 Une crise qui commence en Grèce

Le premier pays européen touché par cette problématique de l'endettement a été la Grèce, ce qui était relativement prévisible dans la mesure où sa dette a toujours dépassé 100 % de son PIB depuis son entrée dans la zone euro en 2001. En novembre 2009, le Premier ministre grec […] lance alors un plan d'austérité et l'UE affirme que la Grèce ne quittera pas la zone euro. Cependant, des tensions se font jour au sein de la zone euro et Berlin traîne des pieds pour venir en aide à la Grèce. […] Aider la Grèce reviendrait à donner un mauvais signal aux pays laxistes, en leur laissant penser qu'ils peuvent se montrer négligents puisqu'ils seront de toute façon secourus par les autres. Néanmoins, ne pas intervenir n'est pas non plus une option envisageable dans la mesure où cela comporte des risques majeurs pour l'ensemble de la zone, à la fois sur le plan économique (exportations vers la Grèce, remise en cause de l'ensemble de la monnaie unique) et politique (symbole négatif d'un premier retour en arrière dans l'histoire de la construction européenne). Entre ces deux options, le débat fait rage durant le premier trimestre 2010 et l'Allemagne se montre de plus en plus ferme, ne faisant ainsi qu'accroître la spéculation des marchés contre la Grèce […]. Finalement, en mai 2010, un accord est trouvé au sein de la zone euro. Un plan d'aide de 110 milliards d'euros est adopté le 2 mai en échange d'un sévère plan d'austérité.

Marion Gaillard, « La zone euro dans la tourmente : la crise de la dette depuis 2010 », site Internet *Vie publique*, février 2013.

2 « Le jour où l'euro a failli mourir »

Dans les dates qui ont marqué l'Europe, il faudra inscrire le 7 mai 2010, soixante ans après la déclaration fondatrice de Robert Schuman, le 9 mai 1950 : le jour où l'euro a failli mourir […] lorsque la spéculation contre les dettes grecque, espagnole et portugaise a entraîné une perte de confiance des opérateurs des marchés financiers. […] Brutalement arrachés à leur confusion et à leur déni par l'aggravation de la situation, les gouvernements européens ont fait face et, dans la nuit du 9 au 10 mai, poussés par les États-Unis et le Fonds monétaire international, créé un fonds de stabilisation massif, sorte de Fonds monétaire européen doté d'une force de frappe de 750 milliards d'euros. Il fallait le faire, ils l'ont fait. Il faut maintenant aller plus loin. […] Ne nous berçons plus d'illusions : une monnaie unique ne peut pas fonctionner sans solidarité entre les États. Sans harmonisation budgétaire et sans un minimum de convergence économique, l'euro ne peut pas exister. Et sans l'euro, l'Europe ne pèse plus grand-chose. […]

Éditorial du *Monde*, 18 mai 2010.

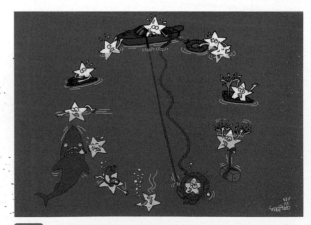

3 Des Européens en difficulté, caricature de Stephff parue dans *Der Standard*, juin 2012

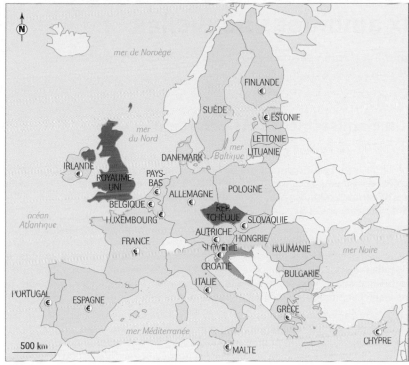

Les 25 États signataires du pacte budgétaire européen

États ayant refusé de signer le pacte

Nouveau membre de l'UE n'ayant pas encore statué sur le sujet

€ États membres de la zone euro

Source : Infographie idé

Fonctionnement du pacte budgétaire européen

Le déficit annuel des pays signataires ne doit pas excéder 0,5 % du PIB, une « règle d'or » qui devra de préférence apparaître dans chaque Constitution.

Conseil européen
Sanctionne « automatiquement » en cas de non respect de la limite d'un déficit budgétaire en dessous de 3 % du PIB, sauf si la dette publique dépasse 60 % du PIB.

Cour européenne de justice
Vérifie la bonne transposition de la « règle d'or » dans la loi.

4 **Une sortie de crise contre un renforcement de la coopération économique ?**

Le pacte budgétaire européen, officiellement appelé traité sur la stabilité, la coordination et la gouvernance (TSCG), signé le 2 mars 2012, entre en vigueur au 1er janvier 2013. 25 des 28 États membres de l'Union européenne acceptent une plus grande convergence en matière économique et monétaire.

5 **Manifestation contre les plans d'austérité en Espagne (mars 2013)**

Questions

Une crise qui met en péril l'Europe économique

1. Doc. 1 et 2 : Comment expliquer la crise de la zone euro ?

2. Doc. 2 et 3 : Que montrent ces documents sur la réaction des dirigeants européens face à cette crise ? Quel était le principal danger ?

Des conséquences sociales et politiques pour la gouvernance de l'Union européenne

3. Doc. 1 et 5 : Pourquoi des politiques d'austérité sont-elles mises en place ? Sont-elles acceptées par les opinions publiques européennes ?

4. Doc. 4 : Quelle est la conséquence de cette crise dans le fonctionnement de l'Union européenne ?

Vers la composition du BAC

Capacités et méthodes :
II. 1. Prélever, hiérarchiser et confronter des informations selon des approches spécifiques en fonction des documents.

En prenant des exemples précis dans les documents, vous rédigerez un paragraphe construit qui montre en quoi la crise de la dette a à la fois fragilisé et renforcé l'Europe économique.

Une Union européenne élargie aux ambitions nouvelles

> Comment l'Union européenne cherche-t-elle à s'affirmer comme une puissance mondiale ?

1. « Hourra, nous sommes 25 ! », caricature de Horst Haitzinger, 2004. La femme sur le taureau symbolise Europe, la princesse enlevée par le dieu Zeus changé en taureau, dans la mythologie grecque.

➤ L'Europe de 6 à 28, carte p. 189

Acquis communautaire : ensemble des textes juridiques communautaires hérités des différents traités, c'est-à-dire la somme des droits et obligations qui lient les États membres.

➤ Document 1 ci-dessus

➤ L'Europe de 6 à 28, carte p. 189

➤ Propos de Jacques Delors dans *Les Échos*, p. 191

A Un élargissement sans précédent

a. L'Europe dans l'après guerre froide

■ À partir de 1989, l'**effondrement rapide du communisme en Europe de l'Est** est un événement décisif pour la construction européenne. Il fait en effet disparaître le « rideau de fer » et permet enfin d'envisager une **réunification du continent européen**, divisé pendant cinquante ans entre l'Est et l'Ouest.

■ L'**Allemagne** ouvre la voie de cette extension en **se réunifiant en 1990**. L'enthousiasme des anciens pays communistes à intégrer la Communauté économique européenne et les hésitations des dirigeants européens à leur égard aboutissent au sommet de Copenhague en 1993, où sont fixés des **critères d'adhésion** aux candidats : **politiques** (démocratie et respect des droits de l'homme), **économiques** (économie de marché viable) et **juridiques** (intégration de l'acquis communautaire).

■ Des pays qui remplissent déjà ces critères et qui sont restés neutres pendant la guerre froide décident aussi de rejoindre la Communauté européenne. Dans un monde qui n'est plus bipolaire, celle-ci n'est plus considérée comme une création pro-américaine. L'Autriche, la Suède et la Finlande deviennent les nouveaux membres d'une Union européenne comprenant 15 États en 1995.

b. Le « big-bang » de 2004

■ L'**étape suivante** de l'élargissement s'avère **plus complexe**. Les **pays candidats** sont en pleine **transition** politique et économique et **leur niveau de vie est très inférieur** à la moyenne de ceux de l'Union.

■ Une adhésion massive de ces pays est pourtant décidée à l'horizon 2004. Après quinze ans d'attente, 8 pays anciennement communistes d'Europe de l'Est (Pologne, Hongrie, Slovaquie, République tchèque, Slovénie, Estonie, Lettonie, Lituanie) rejoignent l'Union européenne, accompagnés de Malte et de Chypre. L'Union passe ainsi d'un coup de 15 à 25 membres et gagne 75 millions d'habitants.

■ En 2007, la Roumanie et la Bulgarie entrent à leur tour dans l'Union européenne, suivies de la Croatie en 2013. Aujourd'hui, l'Union compte 28 membres.

B Les défis d'une Union à la taille du continent

a. Gérer la diversité entre les membres

■ L'élargissement de l'Europe qui a quasiment doublé d'un coup le nombre d'États membres (passant de 15 à 28) entraîne de **nouveaux équilibres géopolitiques**. L'Union bascule vers l'Est et replace l'Allemagne en son centre géographique.

■ Les différences de richesse entre anciens et nouveaux membres entraînent des **débats sur l'ampleur et la répartition des aides européennes**. Ces discussions financières sont l'objet de vives négociations, dans lesquelles les pays qui bénéficiaient largement auparavant de ces aides (Irlande, Grèce, Espagne, Portugal) craignent de perdre cet avantage. Les « petits États » (Luxembourg, Danemark, etc.), quant à eux, s'inquiètent de leur influence politique dans une Union plus élargie.

b. Fixer les frontières de l'Union

■ Depuis l'entrée de la Roumanie et de la Bulgarie en 2007, la **crainte d'une « fuite en avant »** s'est fait jour dans les **opinions publiques européennes** qui s'interrogent sur les limites de l'Union ou redoutent une dilution du fonctionnement communautaire dans un espace à l'échelle du continent.

■ Certains pays sensibles à ces critiques ont demandé à Bruxelles de faire une pause dans les élargissements. Si, en 2013, l'Union européenne fait une entorse à cette règle en acceptant la Croatie comme 28ᵉ membre, **aucune date d'entrée n'a été donnée aux cinq candidats actuels** (trois pays des Balkans – Serbie, Monténégro, Macédoine , l'Islande et la Turquie). Trois autres pays sont considérés par le Conseil européen comme des candidats potentiels : l'Albanie, la Bosnie-Herzégovine depuis 2003 et le Kosovo depuis 2008.

■ L'**adhésion de la Turquie**, dont la candidature a été déposée en 1987 et acceptée par Bruxelles en 1999, est toujours en cours. Refusée par la grande majorité des Européens et particulièrement des Français, elle est l'objet de débats intenses sur la délimitation de l'Europe, sur le respect par la Turquie des critères d'adhésion et sur l'identité culturelle de l'Union.

🄲 La volonté d'une « Europe puissance »

a. Le traité de Maastricht et les trois piliers

■ Dans un contexte mondial d'affirmation d'organisations régionales (MERCOSUR en 1991 et ALENA en 1992) et de recomposition des équilibres européens (avec la chute de l'URSS et du communisme), l'ambition se fait jour parmi les responsables européens (dont Jacques Delors, le président la Commission de 1985 à 1995) de **faire de l'Union européenne une puissance mondiale susceptible de peser face aux autres acteurs mondiaux.**

■ Le **traité de Maastricht**, signé le 7 février 1992, s'inscrit dans cet objectif. **Il transforme la Communauté économique européenne en Union européenne** autour de trois piliers :
– **l'économie** : **marché unique** et une **monnaie unique** dont on envisage la création (l'ECU bientôt rebaptisé euro dont les premiers billets circulent en 2002) ;
– **la politique étrangère et de sécurité commune (PESC)** ;
– **la coopération policière et judiciaire**.

■ Le traité de Maastricht crée aussi une **citoyenneté européenne** qui se superpose à la citoyenneté nationale et renforce les pouvoirs du Parlement européen. Il envisage que l'Europe gagne du poids en matière de politique internationale. Dans ce but, un haut représentant à la PESC est nommé, chargé de représenter diplomatiquement l'Union. Un embryon de défense européenne est aussi créé, l'**Eurocorps**, au départ franco-allemand et rejoint par la suite par d'autres pays.

■ Cet approfondissement de la construction européenne **ne se fait pas sans résistance : en France, le traité de Maastricht est accepté de justesse par référendum** ; au Danemark, il faut faire revoter la population après un premier refus. Le Royaume-Uni reste à l'écart de l'euro.

b. Des ambitions trop grandes ?

■ La PESC cherche à définir une politique extérieure commune mais elle montre rapidement ses faiblesses et ses divisions (entre les États membres atlantistes – souvent intégrés à l'OTAN –, les pays neutres et ceux souhaitant une « Europe puissance »). Lors du conflit en ex-Yougoslavie, l'Union européenne se montre impuissante et l'OTAN doit intervenir.

■ Avec les différents élargissements, **l'Union s'est approchée de zones appauvries et parfois instables** (Balkans, Europe orientale). **Une « politique de voisinage » a été développée** à partir des années 2000 pour favoriser la coopération politique avec ces pays, mais beaucoup de ces partenariats restent en suspens à cause des écarts de développement.

■ L'Europe de la défense progresse en 2003 avec la création d'une force de réaction rapide. Cependant, cette même année, **les États membres se divisent** fortement à propos de l'**intervention américaine en Irak**, illustrant la difficulté à définir une position extérieure commune.

➤ L'Europe de 6 à 28, carte p. 189

ALENA : accord créant une zone de libre-échange signé par les États-Unis, le Canada et le Mexique en 1992.

MERCOSUR : coopération économique et douanière entre le Brésil, l'Argentine, le Paraguay et l'Uruguay (1991).

Jacques Delors
(1925-)
➤ Biographie p. 190 et p. 442

➤ Intervention de Jacques Delors lors de la signature du traité de Maastricht, p. 190

PESC : politique étrangère et de sécurité commune instituée par le traité de Maastricht en 1992.

➤ Pièce de 5 euros célébrant les 20 ans de l'Eurocorps, p. 192

Approfondissement : voir p. 108.
Atlantistes : se dit d'États proches des États-Unis et soutenant leur politique extérieure.

➤ Article de *Libération* sur le dossier irakien, p. 193

Une gouvernance européenne en crise

> **Quels sont les problèmes de gouvernance que connaît l'Union européenne aujourd'hui ?**

A Le défi d'un fonctionnement supranational

a. La poursuite de l'approfondissement

■ À la suite du traité de Maastricht, la Banque centrale européenne est créée à Francfort en 1998. En **2002, l'euro est mis en circulation**. La zone euro qui comprend les 11 premiers pays remplissant les critères de convergence s'élargit en quelques années pour atteindre 17 membres en 2013.

■ La libre circulation des personnes inscrite elle aussi dans le traité de Maastricht est obtenue en **1995** quand les **accords de Schengen**, signés dix ans plus tôt, entrent en application. Les contrôles aux frontières entre les États membres sont supprimés.

■ L'Union européenne permet alors les « quatre libertés » : libre circulation des **biens**, des **services**, des **capitaux** et des **personnes**.

b. Des réformes institutionnelles devenues nécessaires

■ Malgré l'augmentation du nombre d'États membres, les institutions ont peu évolué. Le **fonctionnement** reste donc **complexe** et parfois sclérosant. Il devient fondamental d'améliorer la coopération et la prise de décision.

■ C'est le sens du **traité d'Amsterdam** signé en **1997**. Mais les divisions entre les pays limitent sa portée : **l'unanimité des décisions est maintenue** pour la politique étrangère et la tentative de réforme des institutions n'aboutit pas.

■ Le **traité de Nice** en **2001** est aussi un compromis tiède négocié dans un climat électrique. Ce traité instaure le **principe d'une majorité qualifiée** pour la prise de décision. Cette avancée reste toutefois insuffisante et, de l'avis général, le traité de Nice **n'est pas adapté à l'Europe élargie qui s'annonce**.

B Un fédéralisme impossible ?

a. L'échec du projet de Constitution et le traité de Lisbonne

■ Le Conseil européen réunit une Convention sur l'avenir de l'Europe en février 2002. La présidence en est confiée à l'ancien président français Valéry Giscard d'Estaing. **Un projet de Constitution européenne est signé à Rome par les chefs d'État et de gouvernement** le 29 octobre 2004. Repensant le fonctionnement de l'Union pour l'adapter à une Europe à 27, la Constitution crée les postes de **président** et de **ministre des Affaires étrangères**, réduit le nombre de membres de la Commission européenne, donne plus de pouvoirs au Parlement européen et favorise une majorité qualifiée plutôt que l'unanimité dans les décisions. Comme les traités précédents, ce texte doit être ratifié par tous les États membres.

■ Mais au printemps 2005, **les citoyens français et néerlandais refusent ce traité par référendum. Le processus de ratification est rapidement arrêté**. L'Europe, ballotée entre des positions très divergentes, entre dans une période de doute et de crise.

b. Le traité « simplifié » de Lisbonne (2007)

■ Pour sortir de cette impasse institutionnelle, le traité de Lisbonne est signé le 13 décembre 2007. Beaucoup d'éléments du traité constitutionnel sont repris. Le Conseil européen se dote ainsi d'un **président permanent** : le belge Herman Van Rompuy est élu pour deux ans et demi par les chefs d'État et de gouvernement des 27 États membres. L'anglaise Catherine Ashton est nommée **Haut Représentant de l'Union européenne pour les Affaires étrangères et la Politique de sécurité**. Le **Parlement** européen voit ses **pouvoirs étendus**.

Supranational : se dit d'une autorité disposant de pouvoirs supérieurs à ceux des États et dont les décisions s'imposent à ceux-ci.

Critères de convergence : critères dits « de Maastricht » que doivent respecter les États membres souhaitant adopter la monnaie unique : un déficit public inférieur à 3 % du PIB, une dette publique ne dépassant pas 60 % du PIB et une inflation maîtrisée.

➤ L'Europe de 6 à 28, carte p. 189

Majorité qualifiée : processus de décision qui nécessite l'accord d'une forte majorité des membres pour prendre une décision, et non plus l'unanimité. Elle a été fixée à 55 % des membres et 65 % de la population de l'Union.

Fédéralisme : voir p. 188.

➤ Tableau du sondage sur les principales motivations du vote en France, p. 195

Herman Van Rompuy

(1947-)
➤ Biographie p. 443

■ Pour **éviter un nouveau rejet populaire**, les dirigeants européens font **ratifier le traité par voie parlementaire**. Seule l'Irlande, dont la Constitution impose une consultation de la population, se prononce par référendum. Après avoir refusé une première fois, l'Irlande finit par accepter le traité en octobre 2009 à la suite de quelques modifications.

c. Une discipline budgétaire dictée par les circonstances

■ Fin 2009, la crise de la dette débute en Grèce avant de s'étendre rapidement (Irlande, Espagne, Portugal) en déstabilisant la zone euro. **La monnaie unique est menacée**. Des aides sont proposées aux pays en difficulté qui ne parviennent plus à emprunter sur les marchés financiers. Rapidement, ces premiers systèmes s'avèrent **insuffisants** et imposent la création, en décembre 2010, du **Mécanisme européen de stabilité (MES) doté d'une capacité de 750 milliards d'euros**. La Banque centrale européenne est aussi mise à contribution.

➤ Une crise qui commence en Grèce, texte p. 196

MES : voir p. 196.

■ Au plus fort de la crise, certains pays de l'Union européenne, dont l'Allemagne, souhaitent **renforcer le fédéralisme budgétaire**. Une « règle d'or » (interdisant dans chaque État les déficits et établissant une surveillance accrue des budgets nationaux) est au cœur du **traité sur la stabilité, la coordination et la gouvernance, adopté le 2 mars 2012**.

➤ Le pacte budgétaire européen, carte p. 197

■ Le **« couple franco-allemand » est souvent seul à la manœuvre**. La solidarité de l'Europe est mise à rude épreuve et l'idée d'exclure la Grèce de la zone euro voire de l'Union est sérieusement envisagée. C'est une **Union européenne largement désunie** qui reçoit le **prix Nobel de la paix en décembre 2012**.

➤ Le couple franco-allemand, une nécessité pour l'Europe ?, article p. 192

➤ Document 1 ci-dessous

C Une Europe qui peine à impliquer les citoyens

a. Le manque d'enthousiasme des peuples

■ Le renforcement de la gouvernance européenne **n'a pas entraîné de réelle adhésion auprès des peuples**. Au contraire, l'euro est accusé d'avoir fait gonfler les prix. Le taux de participation aux élections européennes est en baisse constante. Seulement 35 % des Européens ont une image positive de l'Union en 2012. L'**euroscepticisme** progresse partout.

Euroscepticisme : doute sur l'utilité et l'intérêt de l'Union européenne.

■ Bien que les différents traités tendent à renforcer le rôle du Parlement et que les institutions européennes cherchent à se rapprocher des citoyens, l'Union **est régulièrement** accusée de **déficit démocratique**.

➤ Article des *Échos* et carte sur la confiance dans l'Union européenne, p. 195

■ Les peuples s'intéressent surtout aux thématiques nationales et le pouvoir de Bruxelles, jugé peu représentatif, concentre les critiques. Les **directives de la Commission européenne**, qui fondent de plus en plus les législations nationales, sont souvent **mal acceptées des opinions publiques** car non débattues et issues de commissaires nommés et non élus.

b. Des divergences sur l'avenir de l'Europe

■ La question européenne est de plus en plus un enjeu politique. **Les partis politiques souverainistes s'opposent aux autorités de Bruxelles** qu'ils accusent d'attenter à la souveraineté nationale. Certains mouvements d'extrême droite (comme en France ou aux Pays-Bas) **préconisent même de quitter l'euro**.

Souverainisme : voir p. 188.

■ **Les fédéralistes souhaitent au contraire renforcer le rôle et le pouvoir de l'Union.** À ce titre, ils ne sont **pas forcément favorables à des élargissements supplémentaires**, de peur de diluer l'esprit de la construction européenne dans un vaste espace peu intégré.

■ Ces différences de point de vue se retrouvent aussi entre les pays favorables à une **« Europe puissance »** et ceux qui se contenteraient d'une **zone de libre-échange aux politiques communautaires restreintes**. L'Europe est de plus en plus à **« géométrie variable »** voire **« à la carte »**, dans laquelle chaque pays participe en fonction de ses intérêts.

1. « La Grèce a le choix »
Caricature de Patrick Chappatte pour *Le Temps*, 15 mai 2012.

Prépa BAC

SUJET GUIDÉ

La construction politique de l'Union européenne et ses limites depuis 1992.

1 Analyser le sujet

MÉTHODE	MISE EN ŒUVRE
Repérer les mots-clés dans l'énoncé et les expliquer.	

La construction politique de l'Union européenne **et ses limites** depuis 1992.

Cela nécessite d'aborder à la fois l'élargissement et l'approfondissement du projet européen.

Regroupe l'ensemble des pays concernés par le projet européen.

Il convient d'évoquer les difficultés des institutions, la question de l'adhésion des citoyens au projet.

1992 correspond au traité de Maastricht qui fonde l'Union européenne.

2 Présenter le sujet

MÉTHODE

La présentation du sujet doit tenir compte des mots-clés, des bornes chronologiques et spatiales. Elle annonce ce que l'on veut démontrer dans les paragraphes de la composition.

Vous pouvez annoncer ce que vous allez démontrer sous la forme d'une question. Ce n'est pas obligatoire pour la composition du baccalauréat de Terminale S, mais cela donnera un « plus » à votre travail.

MISE EN ŒUVRE

Parmi les trois phrases suivantes, laquelle correspond le mieux au sujet ? Justifiez votre réponse.

1. Les limites de la construction européenne depuis 1992.

2. La manière dont s'est développée la construction politique européenne depuis 1992.

3. L'évolution de la construction politique de l'Union européenne depuis 1992 et les limites qu'elle rencontre.

3 Construire un plan

MISE EN ŒUVRE

Un plan possible pour ce sujet est :

1. Des élargissements successifs depuis 1992.

2. Le renforcement d'une Europe politique depuis 1992.

3. Les limites de la construction politique de l'Union européenne.

6 Rédiger la réponse organisée

Le développement rédigé comporte plusieurs paragraphes correspondant au plan annoncé dans l'introduction.

Chaque paragraphe comporte une phrase d'introduction, des idées essentielles, des exemples pris dans vos connaissances personnelles, des connecteurs logiques et une phrase de conclusion-transition.

le +

Vous pouvez aller à la ligne avec un alinéa après avoir développé une idée essentielle ;

⤶ retour à la ligne et alinéa.

Cela mettra bien en évidence votre capacité à rédiger un raisonnement construit et donnera un « plus » à votre travail.

1. Voici un exemple pour la rédaction du premier paragraphe qui vous aidera à rédiger les paragraphes 2 et 3.

Depuis 1992, l'Union européenne a connu un élargissement sans précédent. ⤶

La chute du bloc communiste et les progrès de la démocratie *en Europe de l'Est permettent d'envisager l'entrée de nouveaux pays dans la Communauté européenne. Des critères d'adhésion sont définis en 1993 comme la démocratie, le respect des droits de l'homme et la mise en œuvre d'une économie de marché viable.* ⤶

La réunification de l'Europe se fait par étapes. `Repères p. 188-189 (carte et tableau RAPPEL)` *En 1995, trois pays neutres à l'époque de la guerre froide, l'Autriche, la Suède et la Finlande, rejoignent les douze États membres. C'est en 2004 que l'élargissement prend une autre dimension avec l'adhésion de huit anciens pays communistes auxquels s'ajoutent Malte et Chypre, portant ainsi le nombre de membres à 25. Enfin, en 2007, ils sont rejoints par la Bulgarie et la Roumanie, puis en 2013 par la Croatie. On parle de l'Europe des 28.* ⤶

2. À partir du plan détaillé ci-dessous, rédigez le 2ᵉ paragraphe. Les idées essentielles et les exemples sont indiqués.

Le renforcement de l'Europe politique :
– Le traité de Maastricht 1992 : naissance de l'Union européenne, citoyenneté européenne, union monétaire, PESC (Politique étrangère et de sécurité commune).
– Le traité de Nice 2001 : principe de la majorité qualifiée.
– Le traité de Lisbonne 2007 : extension des pouvoirs du Parlement européen, nomination de représentants de l'Union européenne à l'échelle internationale.

3. À l'aide de vos connaissances et du manuel, rédigez le 3ᵉ paragraphe. Seules les idées essentielles sont indiquées

Les limites de la construction politique de l'Union européenne :
– L'euroscepticisme et la faible adhésion des citoyens. `Étude 2 p. 194-195`
– Les divergences des États européens sur l'élargissement et le projet politique
– La faiblesse de l'Union européenne sur la scène internationale. `Étude 1 p. 193 (doc. 3)`

SUJET EN AUTONOMIE

La gouvernance de l'Union européenne depuis le traité de Maastricht (1992).

1 Analyser la consigne (p. 43, 67, 97, 125, 153, 183, 205)

2 Prélever des informations (p. 43, 67, 97, 125, 183, 205)

3 Apporter des connaissances (p. 97, 125, 183, 205)

4 Confronter les documents (p. 153, 205)

5 Rédiger l'analyse (p. 205)

6 Comment présenter votre devoir ? (p. 43, 67-68)

SUJET GUIDÉ

La gouvernance de l'Union européenne depuis 1992.

CONSIGNE : Après avoir présenté les progrès réalisés en matière de gouvernance politique, vous montrerez que la construction politique de l'Union européenne a suscité des débats au cours de la période 1992-2002.

1 La nécessaire réforme institutionnelle de l'Union européenne

L'enjeu final de l'élargissement est plus large : il est celui de la réunification à terme de toute la famille européenne dans un contexte démocratique, économique, social et culturel, commun. […]

Les valeurs et les politiques ne peuvent être défendues et mises en œuvre que par des institutions efficaces. C'est tout l'enjeu de la réforme institutionnelle. En arrière-plan des questions malheureusement bien hermétiques pour le grand public […] se pose la question clé de la souveraineté nationale. […] Quand l'Union comptera une trentaine d'États membres ou plus, maintenir le droit de veto d'un État sur quelque question que ce soit, autre que constitutionnelle, ne résistera pas au temps, c'est-à-dire à la pression des nécessités et à l'attente des peuples. […]

D'ores et déjà, l'Union à quinze souffre cruellement de l'unanimité. Qu'en serait-il dans une Union à 27 voire 28 États membres ? Il est donc essentiel de généraliser la procédure de vote à la majorité qualifiée. […] Pour le Parlement, le vote à la majorité qualifiée s'impose en matière de fiscalité, de politique sociale et de cohésion, de politique commerciale et de politique d'asile et de visas. Non seulement ces domaines ont des implications directes sur le bon fonctionnement d'un espace économique et monétaire, mais l'Union doit aussi être un espace de solidarité. Elle doit être un espace où les citoyens peuvent effectivement circuler, c'est-à-dire sans entraves, ce qui n'est pas encore le cas, dans les faits, à l'heure actuelle. Elle doit être un espace qui a établi, aux yeux du monde, des règles d'accueil des étrangers, claires et précises. […]

Il est une autre question qui nous semble aussi fondamentale. C'est celle d'un fonctionnement démocratique exemplaire à l'échelle de l'Union. Certes, beaucoup de chemin a été parcouru depuis le traité de Maastricht […]. Les institutions de l'Union reposent sur une double légitimité législative : celle du Conseil, représentant les États, celle du Parlement, représentant directement les citoyens.

Discours de Nicole Fontaine, présidente du Parlement européen de 1999 à 2001, au Conseil européen de Nice (7 décembre 2000).

2 Référendum en Irlande relatif au Traité de Nice, 2002

Affiches des principaux partis politiques irlandais dont le parti nationaliste (Sinn Fein) appelant à se prononcer pour ou contre le traité de Nice.

Urnes de vote utilisées pour le référendum.

1 Analyser la consigne

Il faut distinguer les différentes parties de la consigne, relever les termes essentiels et les définir.

« Après avoir présenté les progrès réalisés en matière de gouvernance politique, vous montrerez que la construction politique de l'Union européenne a suscité des débats au cours de la période 1992-2002. »

2 Prélever des informations
3 Apporter des connaissances

Les informations à prélever dans les documents ont été identifiées à l'aide de couleurs.

Vous pouvez utiliser la partie C du **Cours 1 p. 199** et la partie A du **Cours 2 p. 200** pour apporter des connaissances supplémentaires.

4 Confronter les documents

Repérez au moins un des points communs à ces deux documents.

5 Rédiger l'analyse

Chaque paragraphe comporte des idées essentielles, des informations extraites des documents, des connaissances personnelles. Des connecteurs logiques permettent de donner de la cohérence à l'analyse.

le +

Vous pouvez aller à la ligne avec un alinéa après avoir développé une idée essentielle :

↵ retour à la ligne et alinéa.

Cela mettra bien en évidence votre capacité à rédiger une analyse de documents structurée et hiérarchisée et donnera un « plus » à votre travail.

1. Le premier paragraphe de l'analyse est partiellement rédigé.

Lors du traité de Maastricht, a été mise en place une citoyenneté européenne permettant à tous les citoyens des États membres de participer activement aux élections européennes et locales dans leur pays de résidence. À cela s'ajoute la création d'« un espace où les citoyens peuvent effectivement circuler, c'est-à-dire sans entraves ». Par ailleurs, « l'espace économique et monétaire » voulu en 1992 se met progressivement en place avec la mise en circulation de la monnaie unique, l'euro, et d'une Banque centrale européenne. Enfin, le Parlement européen « représentant directement les citoyens » se trouve renforcé par le principe de codécision qui reconnaît son rôle au même titre que le « Conseil, représentant les États ». ↵

En 2001, à l'issue du Conseil européen, le traité de Nice est signé. Dans une Union européenne qui s'est élargie de 12 à 15 membres, il facilite la prise de décision en généralisant « la procédure de vote à la majorité qualifiée ». Nicole Fontaine juge d'ailleurs cette mesure indispensable dans la perspective de futurs élargissements « à 27 voire 28 États membres ». Ces progrès se réalisent cependant dans un climat souvent tendu. ↵

2. À l'aide des documents et des cours 1 et 2, rédigez le 2e paragraphe. Seules les idées essentielles sont indiquées.

La construction politique de l'Union européenne suscite des débats :
– Souveraineté des États ou fédéralisme ?
– Implication des citoyens ?
– Nouveaux élargissements ?

SUJET EN AUTONOMIE

L'Union européenne en crise.

CONSIGNE : Vous expliquerez les difficultés de l'Union européenne présentées dans ce document. Puis vous mettrez en évidence les problèmes qui se posent aujourd'hui à la gouvernance européenne.

Discours prononcé par le politologue bulgare Ivan Krastev lors d'un séminaire à l'université de Sofia en 2013

L'Union européenne n'est plus, du moins telle que nous la connaissions. Et la question n'est pas de savoir ce que deviendra la nouvelle union, mais pourquoi cette Europe qui nous a tant fait rêver n'existe plus. La réponse est simple : aujourd'hui, tous les piliers qui ont servi à bâtir et à justifier l'Union européenne se sont effondrés.

Premièrement, le souvenir de la Seconde Guerre mondiale. [...]

Le deuxième élément qui a permis l'avènement de l'Union est la guerre froide. Mais elle non plus n'existe plus.

Le troisième pilier est la prospérité. L'Union européenne reste un espace riche, très riche – même si cela ne vaut pas pour des pays comme la Bulgarie. En revanche, 60 % des Européens pensent que leurs enfants vivront moins bien qu'eux. De ce point de vue, le problème n'est pas comment on vit aujourd'hui, mais quelle vie on aura dans le futur. [...]

Une autre source de légitimité était la convergence – ce processus qui fait que les pays pauvres qui adhèrent à l'Union européenne ont la certitude qu'ils rejoindront progressivement le club des riches. Cela était encore fondé il y a quelques années, mais, aujourd'hui, si les prévisions économiques pour les dix prochaines années se confirment, un pays comme la Grèce en comparaison de l'Allemagne sera toujours aussi pauvre que le jour de son adhésion à l'Union.

Autre conséquence de la crise : les nouvelles divisions à l'œuvre sur le continent. Au sein de l'Union européenne, il n'existe plus de séparation entre l'Ouest et l'Est, mais d'autres, bien plus importantes, sont apparues.

La première, c'est celle qui existe entre les pays de la zone euro et les autres. Très souvent, lorsqu'ils parlent de l'Union européenne, les Français, les Allemands ou les Espagnols pensent en fait à la zone euro. [...]

L'autre division de taille est celle existant entre les pays créditeurs et les pays débiteurs. Lorsque la Grèce a voulu organiser un référendum sur le sauvetage du pays, Berlin a formulé l'objection suivante : « *Au fond, vous voulez faire un référendum sur notre argent !* » [...] Aucun pays ne doit devenir l'otage de la zone euro. Or c'est le problème lorsque vous avez une monnaie unique mais pas de politique commune.

Dossier « L'Europe et la crise », *Courrier International*, 25 avril 2013.

Schéma de synthèse

Une gouvernance européenne depuis le traité de Maastricht

De 1992 à 2004 : L'ESPOIR D'UNE EUROPE PUISSANCE	De 2004 à 2013 : LE TEMPS DES DOUTES

UNE EUROPE ÉLARGIE

Un nouveau contexte : la fin du communisme en Europe de l'Est

- Élargissement envisagé pour réunifier le continent européen.
- **1995** : trois nouveaux membres dans l'Union : les pays neutres durant la guerre froide (Autriche, Suède, Finlande).

Une fuite en avant des élargissements ?

- **2004** : 10 nouveaux membres, surtout des pays ex-communistes.
- **2007** : l'Union à 27 avec l'adhésion de la Roumanie et de la Bulgarie.
- **2013** : l'Union à 28 avec l'adhésion de la Croatie ; pas de date d'entrée annoncée pour les autres pays candidats.

L'EUROPE ÉCONOMIQUE

Mise en place de la monnaie unique

- **1998** : Création de la Banque centrale européenne à Francfort.
- **2001** : la zone euro (11 pays) gagne un nouveau membre : la Grèce.
- **Janvier 2002** : les premiers euros en circulation.

Une zone euro entre succès et crise

- Élargissement progressif de la zone euro (5 membres de plus entre 2007 et 2013).
- **2009** : crise de la dette, la monnaie unique menacée.
- **2012** : en réponse, renforcement de la politique économique avec une règle d'or budgétaire et un pacte de stabilité.

L'EUROPE POLITIQUE

Une Union européenne au fonctionnement sclérosé

- Des institutions de moins en moins efficaces avec l'augmentation du nombre d'États membres.
- Traité d'Amsterdam (**1997**) et de Nice (**2001**) pour réformer les institutions européennes : demi-échec.
- Ouverture d'un débat sur l'avenir de l'Europe pour régler les problèmes institutionnels.

Quel avenir politique européen ?

- **2005** : projet de Constitution européenne rejeté par référendum en France et aux Pays-Bas.
- **2007** : traité « simplifié » de Lisbonne qui reprend en grande partie le traité constitutionnel sans les passages les plus critiqués.
- **2008-2012** : le couple franco-allemand accusé d'imposer ses décisions aux pays membres (période « Merkozy »).

le ➕ culture générale

L'élargissement de l'Union européenne et ses nouvelles ambitions

Études d'historiens ou ouvrages généraux :

- Jean-Paul Betbèze et Jean-Dominique Giuliani, *Les 100 mots de l'Europe*, PUF, 2011.
- David Duchamp et Loris Guery, *Guide de l'Union européenne*, Nathan, 2011.
- Pascal Fontaine et Aymeric Bourdin, *L'Union européenne : Histoire, institutions, politiques*, Le Seuil, 2012.

Films documentaires :

- Montage d'archives réalisé par l'INA sur la construction européenne et le rôle du Parlement européen (2007) : www.ina.fr/video/VDD07000381
- DVD *Le Dessous des cartes*, « L'Europe, un modèle géopolitique ? », ARTE, 2008.

Film de fiction :

- Cédric Klapisch, *L'Auberge espagnole*, 2001.

B.D. :

- Des B.D. pédagogiques téléchargeables gratuitement sur EU Bookshop : http://goo.gl/Gv8tJ5

Sites : www.touteleurope.eu
http://europa.eu/index_fr.htm
www.presseurop.eu/fr
www.cvce.eu
http://www.tv5.org/TV5Site/europe/

Un projet européen en crise ?

Études d'historiens ou ouvrages généraux :

- Beniamino Olivi et Alessandro Giacone, *L'Europe difficile - Histoire politique de la construction européenne*, Éditions Gallimard, 2007.
- *Europe : de la construction à l'enlisement*, Le Monde, numéro spécial, décembre 2012.

Sites : www.presseurop.eu/fr
www.cvce.eu

CHAPITRE 8

Une gouvernance économique mondiale depuis le sommet du G6 de 1975

À partir de 1975, à la suite de l'échec des systèmes de régulation issus de la Seconde Guerre mondiale, **une nouvelle gouvernance économique**, toujours inspirée par les pays développés, **se met en place**. Confrontée à l'essor de la mondialisation, à l'accroissement des inégalités ainsi qu'à l'affirmation de nouvelles puissances économiques, **la gouvernance se transforme progressivement au début du xxıe siècle**. Mais elle ne parvient pas à faire taire les critiques lui reprochant de n'être **ni assez efficace ni assez démocratique**.

> En quoi les défis de la mondialisation et les crises financières ont-ils conduit à repenser la gouvernance économique mondiale depuis 1975 ?

1 **Les dirigeants du G20 au sommet de Cannes (novembre 2011)**

Le G20, groupement de vingt pays représentant tous les continents, concentre 75 % du PIB mondial par habitant et les deux tiers du commerce international. Depuis la crise de 2008, il joue un rôle déterminant dans la gouvernance économique mondiale.

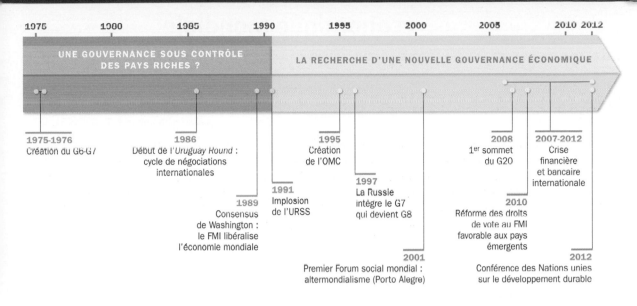

1975 — 1980 — 1985 — 1990 — 1995 — 2000 — 2005 — 2010 2012

UNE GOUVERNANCE SOUS CONTRÔLE DES PAYS RICHES ?

LA RECHERCHE D'UNE NOUVELLE GOUVERNANCE ÉCONOMIQUE

1975-1976
Création du G6-G7

1986
Début de l'*Uruguay Round* :
cycle de négociations
internationales

1989
Consensus
de Washington :
le FMI libéralise
l'économie mondiale

1991
Implosion
de l'URSS

1995
Création
de l'OMC

1997
La Russie
intègre le G7
qui devient G8

2001
Premier Forum social mondial :
altermondialisme (Porto Alegre)

2008
1er sommet
du G20

2010
Réforme des droits
de vote au FMI
favorable aux pays
émergents

2007-2012
Crise
financière
et bancaire
internationale

2012
Conférence des Nations unies
sur le développement durable

2 **Des manifestants altermondialistes (novembre 2011)**

Ils défilent à Nice contre le sommet du G20 qui se tient à Cannes au même moment. Ils portent
un globe terrestre sur lequel apparaît le slogan « Allô le G20 ? Ici le reste du monde ! », rappelant
les critiques portées contre les institutions de la gouvernance économique mondiale accusées
d'oublier la majorité de la population de la planète.

A. La mise en place de la gouvernance économique mondiale

Notions clés

Déréglementation / Dérégulation

Adaptation française du terme anglais *deregulation*, la déréglementation consiste à assouplir voire à supprimer les règles, fixées par les États, qui encadrent l'activité économique. Le mouvement de déréglementation a commencé à la fin des années 1970 aux États-Unis et en Grande-Bretagne avant de gagner de nombreux pays.

Gouvernance mondiale

Expression qui désigne un modèle idéal reposant sur la mise en place de règles internationales pour encadrer l'économie mondiale et favoriser la croissance économique globale. Pour faire face aux enjeux économiques et environnementaux que pose la mondialisation, l'échelle de l'État-nation s'avère trop réduite et nécessite une réponse à l'échelle planétaire.

Libéralisme économique / Néolibéralisme

Théorie économique érigeant la propriété privée, la liberté d'entreprendre et le libre-échange en piliers majeurs de l'activité économique. À partir des années 1980, les défenseurs du néolibéralisme militent pour une déréglementation accrue, pour une restriction de l'intervention de l'État dans les affaires économiques, espérant ainsi favoriser la croissance.

---

1 **Une gouvernance basée sur le système de Bretton Woods (1944-1976)**

	RÉGULER LE SYSTÈME MONÉTAIRE MONDIAL	FAVORISER LE DÉVELOPPEMENT ÉCONOMIQUE MONDIAL
Objectifs		
Institutions	Création du Fonds monétaire international (FMI).	Création de la Banque internationale pour la reconstruction et le développement (BIRD) qui devient la **Banque mondiale** en 1947.
Rôle	**Le rôle du FMI** est de prêter de l'argent aux pays dont la **balance des paiements est déficitaire** afin de **soutenir le cours de leur monnaie.**	**Le rôle de la Banque mondiale** est de financer des projets de reconstruction tout d'abord en Europe, puis dans le monde entier après 1950.
Financement	Chaque **État-membre** assure une **quote-part proportionnelle à sa richesse économique.**	Chaque **État-membre** fournit une **quote-part proportionnelle à sa richesse économique.** Pour ses prêts, la Banque mondiale fait appel aux **investisseurs privés** des marchés financiers.
Administration	Son siège est à **Washington.** Chaque État a un nombre de voix proportionnel à sa contribution (quote-part). Un **directeur** général est désigné pour cinq ans ; depuis la fondation du **FMI**, il a toujours été un **Européen.**	Son siège est à **Washington.** Elle est dirigée par un conseil des gouverneurs et sa **présidence** est systématiquement confiée à un **Américain.**

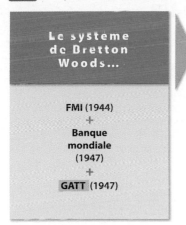

Le système de Bretton Woods...

FMI (1944)
+
**Banque
mondiale**
(1947)
+
GATT (1947)

... assure la suprématie des États-Unis jusqu'aux années 1970...

Gold Exchange Standard
(le dollar est la seule monnaie
convertible en or)
+
**1re puissance économique
à la tête du bloc occidental**

... avant de s'enrayer

Fin de la convertibilité en or du dollar
(1971)
+
Création du G6/G7
(1975-1976)
+
Affaiblissement du FMI
(accords de la Jamaïque sur
les changes flottants, 1976)

Vocabulaire

GATT (*General Agreement on Tariffs and Trade*) : accord multilatéral de libéralisation commerciale renouvelé par cycle de négociations entre 1948 et 1995.

G6/G7 : groupe des six puis des sept, qui réunit lors de sommets annuels depuis 1975 les chefs d'État et de gouvernement des pays les plus riches et industrialisés.

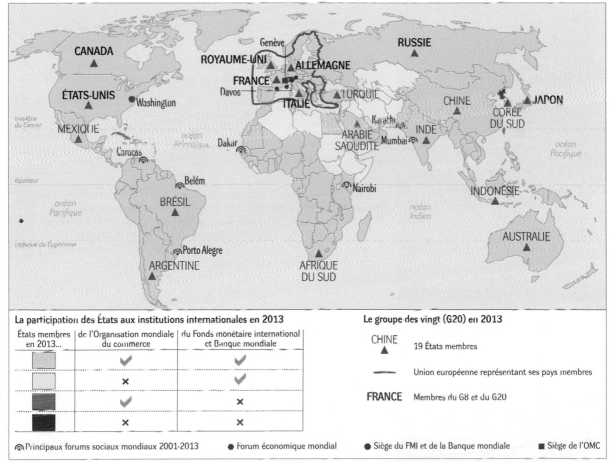

La participation des États aux institutions internationales en 2013

États membres en 2013...	de l'Organisation mondiale du commerce	du Fonds monétaire international et Banque mondiale
(gris moyen)	✓	✓
(blanc)	✗	✓
(gris foncé)	✓	✗
(noir)	✗	✗

@ Principaux forums sociaux mondiaux 2001-2013 • Forum économique mondial ● Siège du FMI et de la Banque mondiale ■ Siège de l'OMC

Le groupe des vingt (G20) en 2013

CHINE ▲ 19 États membres

—— Union européenne représentant ses pays membres

FRANCE Membres du G8 et du G20

---

3 Une gouvernance mondiale multipolaire

B. Les acteurs de la gouvernance économique mondiale

4 Des acteurs internationaux à la légitimité contestée

Banque mondiale

Créée pour favoriser la croissance économique et lutter contre la pauvreté, la Banque mondiale accorde aussi des prêts pour financer des infrastructures et des équipements aux pays ayant accepté de respecter les programmes d'ajustement structurel (PAS). Pour cette raison, elle a parfois été accusée d'avoir aggravé les difficultés des pays les plus pauvres.

> **Vocabulaire**
>
> PAS (Programme ou plan d'ajustement structurel) : Programme de réformes économiques imposé par le FMI ou la Banque mondiale aux pays en difficulté financière en contrepartie de leur aide. Il oblige ces pays à réduire leurs dépenses publiques, à privatiser des entreprises et à ouvrir leurs marchés nationaux. Les conséquences sociales de ces plans ont entraîné de nombreuses critiques.

Fonds monétaire international (FMI)

Garant de l'ordre monétaire, le FMI a été conduit à gérer la crise de la dette des pays en développement (PED) en leur imposant des PAS dans les années 1980. Il se voit ensuite investi d'une mission de contrôle des politiques économiques de ses membres. Selon leurs opposants, les interventions du FMI ont symbolisé une mondialisation libérale creusant les inégalités au lieu de les résorber.

Organisation mondiale du commerce (OMC)

Créée en 1995, en remplacement du GATT, l'OMC (*WTO* en anglais) a pour objectif la libéralisation du commerce mondial des biens et des services (par la baisse voire la suppression des barrières douanières). Doté d'un Organe de règlement des différends (ORD) entre États membres, ce forum permanent de négociations commerciales est accusé, par ses détracteurs, de promouvoir une mondialisation néfaste aux pays en développement.

Firme transnationale (FTN)

En raison de leur poids économique et financier, les firmes transnationales (FTN) sont devenues des acteurs majeurs de la mondialisation. Elles cherchent à défendre leurs intérêts économiques auprès des gouvernements et des institutions de la gouvernance économique mondiale, et sont parfois accusées de négliger les principes du développement durable.

5 ▶ Le retour des États dans la gouvernance économique mondiale ?

G8

Créé en 1975 dans un contexte de remise en cause du système de Bretton Woods, le G6, devenu G7 (1976) puis G8 (1998), réunit les huit pays les plus riches et les plus industrialisés de la planète : États-Unis, Japon, Allemagne, France, Royaume-Uni, Italie, Russie et Canada. Conçu comme une instance de discussion économique, le G8 a vu son influence diminuer dans ce domaine au profit du G20.

G20

Depuis 2008, le G20, qui réunit les chefs d'État et de gouvernement des pays considérés comme les plus développés, émet des propositions destinées à lutter contre la crise et à réformer le fonctionnement de l'économie mondiale. Plus ouvert que le G8, il comprend plusieurs pays émergents comme l'Inde, le Brésil, le Mexique, etc.

6 ▶ Les projets d'une autre gouvernance économique mondiale

Forum social mondial (FSM)

Depuis 2001, les FSM servent de lieu de réunion annuelle au courant altermondialiste qui souhaite opposer à la mondialisation libérale un nouvel ordre économique plus juste et plus démocratique. Traversés par des clivages, les altermondialistes peinent à élaborer une alternative globale.

> **Vocabulaire**
>
> Forum social mondial (FSM) : réunion périodique d'organisations altermondialistes.

Organisations non gouvernementales (ONG)

Les ONG se présentent comme émanant de la société civile. Certaines veulent démocratiser la gouvernance économique mondiale en pesant auprès des FTN et en intervenant auprès des États et des institutions internationales en vue d'influencer leurs décisions.

Pascal Lamy, le défenseur de l'OMC

> « *L'OMC, en tant qu'institution, est un bien public mondial que chacun de ses membres doit entretenir.* »

Pascal Lamy, ancien directeur de l'OMC, soutient l'idée que les États ne peuvent plus déterminer seuls les grandes orientations économiques mondiales. Au cours de ses deux mandats (2005-2013), il a cherché **à promouvoir l'OMC comme une instance majeure de la nouvelle gouvernance économique mondiale** au service d'un projet de libéralisation du commerce mondial des biens et des services.

> **En quoi l'action de Pascal Lamy illustre-t-elle les progrès de la gouvernance mondiale ?**

DIRECTOR GENERAL

BIOGRAPHIE

Le socialiste français Pascal Lamy, après avoir été haut fonctionnaire et conseiller politique, est nommé, en 1999, Commissaire européen chargé du commerce international. Il soutient déjà l'idée que la libéralisation des échanges favorise le développement. Puis, entre 2005 et 2013, il cherche à faire de l'OMC une institution dont les décisions en matière de commerce s'appliquent à un nombre toujours plus élevé d'États.

1 Le promoteur d'un libre-échange régulé

Ce qui a marché, c'est que l'OMC a, pendant cette période, joué son rôle, qui consiste à ouvrir les échanges au service du développement. [...] Les pays en développement ont largement bénéficié de cette ouverture des échanges, nous avons résisté à toute la vague de pressions protectionnistes depuis 2008 et nous avons bien avancé, dans un domaine qui n'était pas très développé à l'OMC précédemment et qui consiste à organiser le soutien international au renforcement des capacités des pays en développement pour bénéficier de l'ouverture des échanges.

Les contentieux commerciaux sont très nombreux entre les Européens et les Américains, entre les Européens et les Chinois. Est-ce que ça veut dire que, sur ce point, l'OMC a échoué ?

Au contraire ! Cela veut dire que l'OMC dispose d'un système de règlement de ces contentieux, de ces différends, qui est efficace, qui marche. C'est comme dans un pays : si quelqu'un estime qu'un autre n'a pas appliqué les règles du jeu, alors on va devant la justice. L'OMC le fait. Elle a une juridiction internationale qui permet de savoir si les Américains estiment que les Chinois trichent ou si les Chinois estiment que les Européens trichent [...]. Alors, le dispositif judiciaire de l'OMC dit qui a tort et qui a raison. Et ce qui distingue l'OMC des autres organisations internationales, c'est que nous avons des moyens d'assurer que cette décision de justice soit suivie d'effets. Cela évite finalement que des conflits commerciaux ne deviennent des conflits politiques ou des tensions géopolitiques.

Interview de Pascal Lamy sur RFI, 28 août 2013.

Vocabulaire

Indignés : voir p. 220.

Libéralisme économique : voir notions clés p. 210.

Multilatéral, multilatéralisme : voir p. 93.

Protectionnisme : politique économique dont le but est de favoriser l'économie nationale en limitant l'entrée de produits étrangers.

2 Le promoteur d'une OMC pilier de la gouvernance économique mondiale

Il me semble juste de dire qu'ensemble nous avons renforcé l'OMC en tant qu'organisation chargée du commerce mondial et pilier essentiel de la gouvernance économique mondiale. Malgré les forts vents contraires et la tourmente qui soufflent sur l'économie mondiale ainsi que sur la scène géopolitique, nous avons fait grandir cette Organisation et nous l'avons rendue plus forte. C'est, je crois, notre principale réalisation pendant ces huit dernières années. Lorsque je me suis présenté devant vous en 2005, j'ai dit que, selon moi, l'ouverture des échanges et l'abaissement des obstacles au commerce étaient essentiels pour promouvoir la croissance, favoriser le développement durable, réduire la pauvreté et créer des emplois. [...] Pour accroître la valeur du commerce et pas seulement pour accroître le commerce, il faut que l'ouverture des échanges s'inscrive dans un ensemble de politiques intérieures et internationales. [...] L'OMC est le « système » qui assure l'ouverture commerciale multilatérale, l'élaboration des règles du commerce mondial et le respect de ces règles.

Allocution de départ de l'OMC de Pascal Lamy, juillet 2013.

Joseph Stiglitz, l'économiste du « contrôlé »

> « *La crise mondiale en cours offre une occasion de renforcer les Nations unies et leur rôle dans la gouvernance économique mondiale.* »

Prix Nobel d'économie en 2001, Joseph Stiglitz **dénonce les défaillances d'une gouvernance** placée sous l'influence du FMI et de la Banque mondiale. Il souhaite redonner un rôle de premier plan aux Nations unies dans la gestion des questions économiques internationales.

> Comment Joseph Stiglitz met-il en lumière les limites de la gouvernance économique actuelle ?

3 Pour une réforme des institutions économiques internationales

Derrière le problème du FMI, de toutes les institutions économiques internationales, il y en a un autre : celui de leur direction. Qui décide ce qu'elles font ? Elles sont dominées par les pays industrialisés les plus riches, mais aussi par les intérêts commerciaux en leur sein. […] Alors que la quasi-totalité des activités du FMI et de la Banque mondiale (et certainement l'ensemble de leurs prêts) s'exercent aujourd'hui dans le monde en développement, ces institutions ont à leur tête des représentants du monde industrialisé (par coutume ou par accord tacite, le FMI est toujours dirigé par un Européen, la Banque mondiale par un Américain). […] On n'a jamais jugé nécessaire de leur demander la moindre expérience préalable du monde en développement. Les institutions internationales ne sont donc pas représentatives des nations qu'elles servent.

Joseph Stiglitz, *La Grande Désillusion*, Librairie Arthème Fayard, 2002.

BIOGRAPHIE

L'Américain Joseph Stiglitz a été conseiller économique du président des États-Unis Bill Clinton de 1992 à 1995, puis économiste en chef et vice-président de la Banque mondiale entre 1997 et 2000. Il a très fréquemment exprimé publiquement son désaccord avec la politique de cette institution. Il prône une réforme des règles de l'économie mondiale et du fonctionnement de la gouvernance économique afin de promouvoir une mondialisation soucieuse d'un développement plus équitable.

4 Couverture du journal mexicain *El Universal*, janvier 2013

« La rockstar de l'économie. Les Indignés le vénèrent, les présidents le consultent. C'est Joseph Stiglitz, le Nobel qui se prend pour Robin des Bois ».

5 Pour un renouveau de l'ONU dans la gouvernance mondiale

À l'initiative de dirigeants européens, les membres du G20 ont été propulsés au rang de leaders mondiaux. […] Les décisions portant sur les réformes nécessaires dans les dispositifs institutionnels mondiaux doivent être prises, non par un groupe qui s'auto-sélectionne […] mais par tous les pays du monde œuvrant ensemble. N'excluant personne, cette réaction mondiale exigera la participation de la communauté internationale tout entière […] : c'est le G192. Toute forme de gouvernance future doit assurer l'inclusion et la représentation adéquate des pays en développement, y compris les pays les moins avancés (PMA). Les Nations unies sont la seule organisation internationale universelle, qui dispose de la légitimité politique et du large mandat nécessaires pour […] prendre en compte de la façon la plus globale toutes les dimensions pertinentes des politiques conçues pour relever ces défis économiques, sociaux, environnementaux planétaires.

Joseph Stiglitz, *Le Rapport Stiglitz. Pour une vraie réforme du système monétaire et financier international*, Éditions Les liens qui libèrent, 2010.

Questions

Une gouvernance économique mondiale pour encadrer la mondialisation

1. Doc. 1 : Pourquoi Pascal Lamy défend-il le principe du libre-échange ? Cela équivaut-il pour lui à une absence de règles du commerce mondial ?

2. Doc. 1 et 2 : Pourquoi Pascal Lamy considère-t-il l'OMC comme une institution clé de la gouvernance économique future ?

La gouvernance actuelle remise en cause

3. Doc. 3 et 5 : Quelles critiques sont adressées aux institutions internationales (OMC, FMI, Banque mondiale, G20) ?

4. Doc. 4 et 5 : Quel type de gouvernance les projets de Joseph Stiglitz incarnent-ils ?

Vers l'analyse de document du **BAC**

Capacités et méthodes :

II. 2. Lire un document et en exprimer les idées clés.

Après avoir présenté la nature du **document 5** et le contexte dans lequel il a été rédigé, vous expliquerez pourquoi les analyses de Joseph Stiglitz aboutissent à un projet de réforme radicale de la gouvernance économique actuelle.

La place des pays du Sud dans la gouvernance économique mondiale

Dans les années 1980, en raison d'un endettement excessif, **de nombreux pays du Sud subissent des programmes d'ajustement structurel (PAS)**, imposés par le FMI et la Banque mondiale et aux effets contestés. Depuis les années 1990, **ces pays en développement revendiquent leur place dans la gouvernance mondiale** après en avoir été exclus. Cependant, les pays du Sud souffrent encore d'un **déficit de représentation** au sein des grandes institutions économiques internationales.

> **En quoi la place des pays du Sud a-t-elle évolué dans la gouvernance économique mondiale ?**

DATES CLÉS

- **1979-1989** La Banque mondiale impose 60 PAS dans 31 pays.
- **2009** 1er sommet des BRIC / BRICS en Russie.
- **2010** Réforme du FMI au profit des BRICS.
- **2013** Le Brésilien Roberto Azevêdo est nommé directeur de l'OMC.

CHIFFRES CLÉS

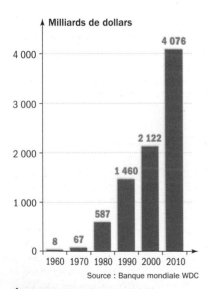

Milliards de dollars

8	67	587	1 460	2 122	4 076
1960	1970	1980	1990	2000	2010

Source : Banque mondiale WDC

Évolution de la dette des pays en développement

1 Les pays du Sud à l'épreuve des PAS

a. Dans les années 1980, la plupart des pays en développement lourdement endettés ont été contraints d'adopter des PAS [...]. Il s'agissait de proclamer la supériorité du marché dans l'affectation des ressources et limiter le rôle de l'État. C'est dans ce contexte de retour au libéralisme qu'allait se mettre en place le consensus de Washington que John Williamson résumait en dix commandements : limiter les dépenses publiques pour éviter les déficits et l'inflation ; [...] abaisser les droits de douane et libéraliser totalement les mouvements de capitaux ; [...] éliminer toutes les règles freinant l'initiative économique et la concurrence.

Christian Ottavj et alli, *Économie contemporaine, analyses et diagnostics*, de Boeck, 2008.

b. Les mouvements de contestation [...] ont pris place dans un contexte où, de 1979 à 1989, la Banque mondiale avait mis en œuvre soixante PAS dans trente et un pays. Le fait que les manifestants aient été en majorité des femmes, des jeunes et des travailleurs des villes, est tout aussi révélateur de la relation entre les mesures impopulaires mises en œuvre et le mécontentement des couches sociales vulnérables des villes. [...] Ces mêmes PAS qui privilégient l'équilibre financier à court terme au détriment de l'emploi, de l'éducation, de la santé constituent également de redoutables mécanismes de dépossession : la société civile perd tout moyen de contrôle sur les gouvernants, soucieux de rendre des comptes à leurs créanciers.

Aminata Traoré (ministre du gouvernement malien de 1997 à 2000), *L'Étau*, Actes Sud, 1999.

2 La marge de manœuvre limitée des BRICS

En mars 2008, le Fonds monétaire international avait déjà accru le droit de vote de la Chine, celui-ci passant de 2,9 % à 3,7 % – l'Allemagne a un droit de vote de 5,9 % et les États-Unis de 16,7 %. La dureté habituelle des négociations est principalement due à la réticence des pays européens, encore surreprésentés au sein de l'institution. [...] Hormis cette cause pour laquelle ils font front commun et ont obtenu quelques résultats, les BRICS ont, somme toute, une marge de manœuvre encore limitée. Au G20 financier, lors des rencontres antérieures à la crise financière de 2008, les quatre pays n'avaient jamais formé une force de proposition commune, du fait d'intérêts trop différents.

Grégory Lecomte, *Questions internationales*, mai-juin 2010.

3 L'OMC face au déséquilibre Nord-Sud, caricature de Samson (2008)

4 De nouveaux exclus de la gouvernance économique mondiale ?

Que pensent d'ailleurs les exclus de ce banquet des puissants de la représentativité du G20 ? L'Amérique du Sud, avec le Brésil, l'Argentine, le Mexique, est bien en scène au G20 mais le Venezuela, le Chili ou la Colombie aux fortes carrures politiques et économiques se jugent déclassés. L'Asie compte au G20 le Japon, l'Inde, l'Indonésie, la Turquie et l'Arabie saoudite, mais Vietnam et Philippines, Thaïlande, Singapour ou la Malaisie, au dynamisme prouvé, sont tenus à l'écart. Quant à l'Afrique, son cas est singulier. De ses cinquante-quatre membres [...], un seul, l'Afrique du Sud, est convié au cénacle des grands, au dépit imaginable de l'Égypte, du Nigéria et de cet ancien ténor des querelles nord-sud du passé, l'Algérie. [...] Le contraste est choquant entre les protestations effrénées d'intérêt pour l'Afrique et la quasi totale absence, d'une injustice criante, du continent noir lors des sessions du G20.

Alain Dejammet, *L'Archipel de la gouvernance mondiale, ONU, G7, G8, G20*, Dalloz, 2012.

5 FMI et Banque mondiale face aux défis de la gouvernance

Contraintes financières et problèmes de légitimité : la Banque mondiale et le FMI, qui ont tenu leur assemblée générale cette semaine à Washington, sont confrontés à des défis de taille à un an de leur 70e anniversaire. [...] Le FMI a été une nouvelle fois montré du doigt pour son manque de représentativité : depuis plusieurs années, les pays émergents clament que leurs droits de vote dans l'institution ne reflètent plus le réel état du monde. À l'heure actuelle, la Chine pèse à peine plus lourd que l'Italie au sein du FMI, qui a par ailleurs toujours été dirigé par un Européen depuis sa création en 1944. Une réforme de la gouvernance est dans les tuyaux depuis trois ans mais son entrée en vigueur est bloquée par le veto de fait des États-Unis. [...] Les grands pays émergents des BRICS, qui bouillent d'impatience, ont amorcé leur contre-attaque en annonçant la création de leur propre fonds monétaire qui devrait être finalisé courant 2014. [...] En dépit des critiques, le FMI a encore de beaux jours devant lui : [...] il reste au centre de l'échiquier économique mondial pour son rôle de gardien de l'orthodoxie budgétaire [...] Mastodonte du développement, la Banque mondiale est, elle, confrontée à des défis plus urgents. [...] L'institution fait face à la concurrence de nouveaux acteurs du développement (secteur privé, Chine, fondations), qui menacent de lui tailler des croupières en Afrique, et doit convaincre dans les prochains mois ses États membres de remettre la main au portefeuille pour réapprovisionner sa branche dédiée aux pays pauvres.

La Dépêche, 12 octobre 2013.

Questions

Des exclus de la gouvernance

1. Doc. 1 : Quelles conséquences les PAS ont-ils eu dans les pays du Sud ?
2. Doc. 2 et 3 : Pourquoi ces pays ont-ils longtemps peiné à peser sur la gouvernance économique mondiale ?

Une évolution lente et disparate

3. Doc. 5 : Comment le nouveau rapport de forces mondial fait-il évoluer la gouvernance économique mondiale ?
4. Doc. 4 : Montrez que cette évolution ne concerne pas encore tous les pays en développement.

Vers la composition du **BAC**

Capacités et méthodes :

II. 1. Prélever, hiérarchiser et confronter des informations selon des approches spécifiques en fonction du corpus documentaire.

En vous appuyant sur les documents, vous rédigerez un paragraphe construit montrant comment évolue l'influence des pays du Sud au sein de la gouvernance économique mondiale depuis les années 1970.

La gouvernance économique mondiale face au changement climatique

À partir des années 1990, la prise de conscience des risques que constitue le réchauffement climatique a imposé le **thème du développement durable** dans l'agenda des questions économiques internationales. Mais, rapidement, de nombreux blocages apparaissent. Ils soulignent les **limites de la gouvernance économique mondiale face aux risques environnementaux**.

> Quels défis le changement climatique pose-t-il en termes de gouvernance économique mondiale ?

Vocabulaire

Accords de Copenhague : texte non contraignant adopté en 2009 qui affirme la nécessité de limiter le réchauffement climatique à 2 °C par rapport à l'ère préindustrielle et qui annonce la poursuite du protocole de Kyoto pour plafonner les émissions de gaz à effet de serre.

BRICS : voir p. 108.

Lobbyiste : personne organisant un groupe de pression pour défendre des intérêts particuliers.

OCDE (Organisation de coopération et de développement économiques) : elle rassemble les économies des pays les plus avancés.

DATES CLÉS

○– **1992** Convention de Rio affirmant la nécessité de réduire les gaz à effet de serre.

○– **1997** Protocole de Kyoto.

○– **2009** Accords de Copenhague.

1 Copenhague, échec ou compromis ?

Outre la « saturation » de la conférence de Copenhague (193 États représentés, 119 chefs de gouvernement, 47 000 inscrits incluant ONG, élus, journalistes, lobbyistes, etc.), celle-ci prend une tournure psychodramatique tant les attentes (de l'Union européenne et des ONG en particulier) sont élevées. […] Une alliance de circonstance se noue en revanche entre les États-Unis et plusieurs puissances émergentes (Chine, Inde, Brésil, Afrique du Sud) pour proposer un texte d'accord. […] Les accords de Copenhague se bornent à envisager une action concertée de longue durée pour réduire les émissions mondiales de gaz à effet de serre, afin de ne pas dépasser une hausse moyenne des températures de la planète par rapport à l'ère préindustrielle. Parallèlement, la crise financière mondiale relègue la question climatique à l'arrière-plan de l'agenda international. Une coalition d'intérêts entre les États-Unis et les nouvelles puissances émergentes a ruiné les ambitions européennes d'une gouvernance forte du climat, au profit d'une coopération relâchée, qui ne contrarie en rien la souveraineté des États… et qui ne représente aucune garantie sérieuse pour contrecarrer la tendance au réchauffement climatique du XXIᵉ siècle.

D. Battistella, F. Petiteville, M. C. Smouts, P. Vennesson, *Dictionnaire des relations internationales*, Dalloz, 2012.

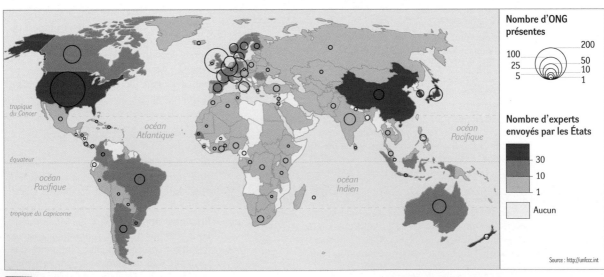

2 Organisations non gouvernementales et experts participant aux accords de Copenhague (2009), conférence organisée par les Nations unies

Les BRICS ont, dans leur ensemble, moins d'ONG les représentant que la seule Grande-Bretagne.

3 Des multinationales intègrent le risque climatique

Les entreprises sont plus conscientes que jamais des risques climatiques qui pèsent sur leur activité. C'est ce qui ressort de la cinquième enquête conduite en 2012 par le cabinet Accenture auprès de groupes comme Coca Cola, L'Oréal, Dell ou Microsoft, et de leurs fournisseurs, enquête à laquelle ont répondu plus de 2 400 sociétés. [...] 70 % des sociétés sondées identifient, dès à présent ou dans un futur proche, un risque lié au changement climatique pour la continuité de leur activité et l'intégrité de leur chaîne logistique. [...] En accord avec cette prise de conscience, de plus en plus d'entreprises disent investir dans des mesures visant à se protéger contre ces aléas climatiques et à limiter leurs émissions de gaz à effet de serre. [...] Au risque de démobiliser les diplomates engagés dans l'interminable négociation internationale sur le changement climatique, les normes et les règlements ne semblent pas être un élément déterminant pour pousser les industriels à agir contre le réchauffement, à l'inverse de la crainte pour la pérennité de leur business. [...] Un autre moteur puissant, selon cette enquête, est l'anticipation des attentes des consommateurs, supposés de plus en plus sensibles aux arguments écologiques. Grâce à la valorisation marketing de leur investissement vis-à-vis du climat, les entreprises espèrent transformer le risque climatique en opportunité commerciale.

Grégoire Allix, *Le Monde*, 24 janvier 2013.

4 Des acteurs non étatiques pour peser dans la gouvernance économique

Sur une banderole, on peut lire : « Écoutez les gens, pas les pollueurs. »

5 Une nouvelle gouvernance à inventer ?

La grande innovation du protocole de Kyoto est d'avoir couplé le système d'engagement à des mécanismes de tarification du carbone censés envoyer des incitations financières fortes aux acteurs économiques pour réduire leurs émissions. Sa grande faiblesse est d'avoir totalement sous-estimé les conséquences de la tarification du carbone à l'échelle internationale. En effet, elle génère de multiples transferts entre pays et acteurs économiques. [...] Sa réussite sera tributaire de la mise en place d'instruments économiques conciliant efficacité environnementale et équité dans la répartition des charges. [...] (Or) les instances climatiques ne disposent ni des compétences ni des prérogatives économiques dont dépendent l'efficacité et l'équité des futurs régimes climatiques. Il apparaît donc urgent que la mise en place de ces instruments devienne une priorité du FMI, de l'OMC, de la Banque mondiale, de l'OCDE, dont le mandat est de veiller à la régulation des flux économiques et financiers.

Christian de Perthuis, Raphaël Trotignon, *Questions internationales*, mai-juin 2010.

Questions

Des acteurs multiples et divisés

1. **Doc. 1, 2 et 3 :** Quels acteurs de la gouvernance économique mondiale sont confrontés aux enjeux du réchauffement climatique ?

2. **Doc. 1 et 4 :** Pourquoi peut-on parler de gouvernance fragmentée et divisée ?

Vers une « gouvernance climatique » plus efficace ?

3. **Doc. 3 et 4 :** Montrez que les enjeux économiques influencent la mise en œuvre d'une gouvernance mondiale environnementale efficace.

4. **Doc. 4 et 5 :** D'après ces deux documents, comment pourrait-on réformer la gouvernance économique mondiale afin qu'elle puisse faire face aux défis du réchauffement climatique ?

Vers l'analyse de document du BAC

Capacités et méthodes : II. 2. Rédiger un texte construit et argumenté en utilisant le vocabulaire historique.

Après avoir présenté le **document 1**, vous expliquerez pourquoi le bilan de la conférence de Copenhague illustre les défis posés à la gouvernance économique mondiale par le réchauffement climatique.

Les contestations de la gouvernance économique mondiale

Vocabulaire

Altermondialisme : mouvement hétérogène opposé à la mondialisation libérale accusée d'aggraver les inégalités sociales, politiques et économiques, et qui propose d'instaurer de nouvelles formes de gouvernance plus démocratiques et équitables.

FSM : voir p. 213.

Indignés : mouvement citoyen né en Espagne en 2011, sous le nom de « Mouvement du 15 mai », visant à réformer le système économique et politique.

« Occupy Wall Street » : mouvement citoyen inspiré du mouvement des Indignés, né à New York en septembre 2011 avant de s'étendre à près de 1 500 villes dans plus de 80 pays, qui proteste contre les dérives du capitalisme financier.

En manifestant contre le sommet de l'OMC réuni à Seattle en 1999, les altermondialistes ont commencé à s'affirmer sur la scène médiatique internationale. Les protestations contre la mondialisation libérale et les principales institutions de la gouvernance économique mondiale (G8, FMI, Banque mondiale, OMC) se sont structurées dès 2001 **avec la création du Forum social mondial (FSM)**. **La crise économique de 2008 a donné un nouvel écho aux thèses altermondialistes** et à des mouvements citoyens, comme « Occupy Wall Street ». Tous sont en quête d'une mondialisation plus équitable et d'une gouvernance plus démocratique.

> **Quelles contestations la gouvernance économique actuelle génère-t-elle ?**

DATES CLÉS

- **1999** Manifestations altermondialistes au sommet de l'OMC à Seattle.
- **2001** Premier Forum social mondial à Porto Alegre au Brésil.
- **2011** Début du mouvement des Indignés et de « Occupy Wall Street ».

1 La recherche d'une gouvernance plus démocratique

Les altermondialistes estiment que la « mondialisation libérale » est un facteur d'aggravation de trois types d'inégalités concernant le partage des richesses, l'accès aux biens communs et la répartition des pouvoirs et des droits. Ils souhaitent instaurer un nouvel ordre économique global contre les inégalités de richesse. […] À l'asymétrie des pouvoirs, les altermondialistes opposent une nouvelle forme de gouvernance locale, nationale, continentale ou globale qui serait basée sur le droit et les principes démocratiques. Cette réforme de la gouvernance globale vaut tout particulièrement pour les institutions économiques internationales, alors que les altermondialistes se sont fait connaître par des manifestations lors de leurs sommets. Ils estiment que ces institutions sont le lieu où s'expriment le mieux les inégalités de pouvoir entre États. […] Ils entendent donner plus de poids dans le système de gouvernance globale aux pays en développement et aux organisations censées représenter les intérêts de la population, à savoir les Parlements et les organisations de la société civile. Ils prônent par conséquent une démocratisation de ces institutions autour des trois mots d'ordre représentativité, transparence et responsabilité.

Eddy Fougier, *Questions internationales*, novembre-décembre 2006.

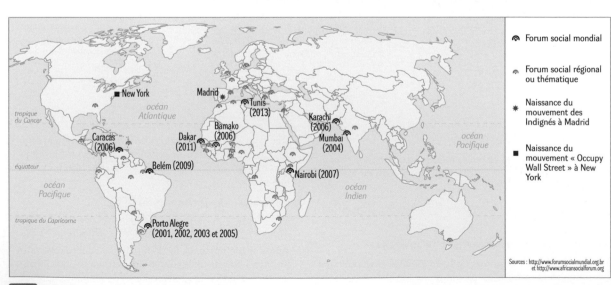

2 L'essor du mouvement altermondialiste

3 ⬛ La mobilisation pour la défense d'une agriculture paysanne

Le Mécanisme de la société civile, qui regroupe l'ensemble des organisations de la société civile membre du CSA[1], se mobilise pour organiser des consultations tout au long de l'année 2013, afin que les organisations paysannes, les organisations de pasteurs ou de pêcheurs artisanaux, les organisations de fermes rurales, les ONG travaillant sur les questions de sécurité alimentaire, les syndicats paysans, les communautés indigènes et l'ensemble des parties prenantes de la société civile puissent faire entendre leur voix. Le Forum social mondial de Tunis a été l'occasion [...] d'organiser un atelier pour contribuer à ces débats. [...] Des pistes de réflexion et des débuts de réponses ont été apportés par les représentants d'organisations paysannes et d'ONG tunisiennes, sénégalaises, taïwanaises, indonésiennes, ou argentines. Un consensus fort émerge : il faut renforcer les agricultures paysannes et familiales, qui sont les seules à même d'assurer la sécurité et la souveraineté alimentaires mondiales [...]. Le Mécanisme de la société civile pourra alors élaborer un texte d'analyse et de propositions, et participer efficacement aux négociations qui auront lieu à Rome entre février et mai 2014. [...] Face à des entreprises privées, des institutions financières et des États qui exercent une pression de plus en plus importante en faveur d'une production agricole industrielle à grande échelle dans les pays du Sud, en accaparant les terres et les ressources naturelles nécessaires à la production agricole locale, il est important d'agir vite.

Oxfam France, 3 avril 2013.

1. Comité intergouvernemental pour la sécurité alimentaire.

4 ⬛ De nouveaux mouvements citoyens

Manifestation du mouvement « Occupy Wall Street » devant la bourse de New York, 19 septembre 2011.

5 ⬛ Pour un nouvel ordre économique et financier : la taxe « Robin des bois »

Manifestation organisée à Nice en novembre 2011 alors que le G20 se tient au même moment à Cannes. Plusieurs associations (ATTAC, Aides, Oxfam…) lancent une campagne pour la taxation des transactions financières, en vue d'une redistribution pour l'aide au développement.

Questions

Une contestation multiforme

1. **Doc. 2 et 3 :** Montrez que le mouvement altermondialiste se caractérise par sa diversité.

2. **Doc. 1 et 4 :** Sous quelles formes la contestation de la gouvernance économique actuelle s'exprime-t-elle ?

La difficile émergence d'une autre gouvernance

3. **Doc. 1 et 3 :** Pourquoi les altermondialistes peinent-ils à imposer un projet alternatif de gouvernance économique mondiale ?

4. **Doc. 1, 3 et 5 :** Comment les mouvements altermondialistes proposent-ils de réformer la gouvernance mondiale ?

Vers la composition du BAC

Capacités et méthodes :
II. 1. Cerner le sens général d'un corpus documentaire et le mettre en relation avec la situation historique étudiée.

En vous appuyant sur l'analyse des différents documents, vous rédigerez un paragraphe organisé expliquant quelles formes revêtent les propositions altermondialistes d'une autre gouvernance et les difficultés pour les faire aboutir.

1975-1991 : une gouvernance économique mondiale sous contrôle des pays riches ?

> Quelle gouvernance a été mise en place dans un contexte de crises économiques et financières mondiales ?

A La dislocation du système de Bretton Woods hérité de la Seconde Guerre mondiale

a. Un système économique mondial de plus en plus instable à partir des années 1970

➤ Une gouvernance basée sur le système de Bretton Woods (1944-1976), schéma p. 210

■ Au cours des années 1970, **une série de dérèglements économiques remet en cause le système mis en place à Bretton Woods en 1944**. En août 1971, pour enrayer le risque de crise financière et d'épuisement de leur stock d'or, les États-Unis décident de suspendre la convertibilité en or du dollar. En janvier 1976, **les accords de la Jamaïque consacrent le flottement généralisé des monnaies et le recul de l'influence du FMI** : la valeur de chaque monnaie est fixée en fonction de l'offre et de la demande sur le marché des changes. Le marché mondial des capitaux est alors très instable.

OPEP : voir p. 136.
Néolibéralisme : voir notions clés p. 210.
Consensus de Washington : voir p. 216.
Déréglementation : voir notions clés p. 210.

■ **Le GATT et la Banque mondiale ne parviennent pas à lutter contre les nouveaux déséquilibres économiques**. Entre 1973 et 1979, en augmentant considérablement les prix du baril de pétrole, les pays de l'OPEP provoquent une crise des économies des pays industrialisés frappés par une forte inflation et une montée inquiétante du chômage : ce sont les deux chocs pétroliers. **L'essoufflement de la croissance économique mondiale touche aussi les pays pauvres** frappé par la baisse du prix des matières premières.

b. La libéralisation de l'économie mondiale

■ Face à ces difficultés, à la fin des années 1970, les solutions issues du néolibéralisme sont d'abord défendues aux États-Unis par les Républicains (R. Reagan) et au Royaume-Uni par les conservateurs (M. Thatcher). Elles se diffusent en Europe occidentale puis dans de nombreux pays du Sud par l'action du FMI et du GATT qui appliquent le consensus de Washington. Ce vaste mouvement de déréglementation se traduit par la privatisation des entreprises publiques, la libéralisation des mouvements de capitaux et des services financiers, la réduction des dépenses de l'État dans les services publics.

➤ Les acteurs de la gouvernance économique mondiale, p. 212-213

Agence de notation : entreprise chargée d'évaluer la capacité d'un emprunteur (État, entreprise) à faire face au remboursement d'une dette.
NTIC : nouvelles technologies de l'information et de la communication.

➤ Notions clés, p. 210

■ Dans les années 1980, **le processus de mondialisation s'accélère**. Il est encouragé par la confiance dans la capacité des marchés à s'autoréguler et facilité par les progrès techniques et les révolutions des communications. Les acteurs privés (firmes transnationales – FTN –, banques centrales, agences de notation) acquièrent de plus en plus d'influence sur le fonctionnement de l'économie mondiale et cherchent à s'émanciper de la gouvernance des États et des institutions internationales. Du fait de la déréglementation des activités boursières et des facilités offertes par les NTIC, les services financiers sont de plus en plus déconnectés de l'activité économique réelle et **les transactions boursières connaissent une véritable explosion**.

B Une nouvelle gouvernance mise en accusation

a. Du G6 au G7 : le retour des États

■ La déstabilisation du système de Bretton Woods, l'impact des chocs pétroliers et les bouleversements économiques des années 1970 incitent **les États les plus riches et les plus industrialisés de la planète à mettre en place une instance de réunions régulières des chefs d'État et de gouvernement. Le Groupe des six (G6) créé en 1975, élargi au

Canada en 1976 (G7), symbolise la volonté des États de retrouver une influence face aux nouveaux acteurs privés de la gouvernance économique mondiale **sans toutefois remettre en cause les principes du consensus de Washington.**

■ Au cours de rencontres multilatérales régulières, le G7 cherche à relancer une coordination internationale des politiques monétaires et commerciales. Influencé par les préconisations néolibérales, il est accusé, par ses détracteurs, d'être un club des pays les plus riches et de **promouvoir un processus de mondialisation libérale profitant d'abord aux pays développés** sans tenir compte des intérêts des pays du Sud.

b. Le FMI, « gendarme » des politiques publiques

■ Jusqu'en 1980, grâce au recours abondant à des prêts internationaux facilement accordés par des banques privées en l'absence de contrôle du FMI, les pays du Sud ont pu limiter les effets des chocs pétroliers et de la crise mondiale. À l'**été 1982**, alors que l'endettement de ces pays atteint un record, **le Mexique annonce qu'il est incapable de rembourser sa dette**, suivi par la plupart des pays débiteurs.

■ Cette crise de la dette conduit à la **restauration de l'autorité du FMI**, soutenu par la Banque mondiale et promu « gendarme » des politiques publiques des pays débiteurs. Afin d'obtenir un rééchelonnement de leurs dettes et une aide au développement, **les États en difficulté financière se voient imposer des mesures drastiques de réduction des dépenses publiques, de déréglementation, de privatisations sous la forme de programmes d'ajustement structurel (PAS).**

■ La mise en œuvre des PAS, inspirés par le néolibéralisme, suscite de fortes contestations. **Leurs opposants, comme Joseph Stiglitz, les jugent responsables de l'aggravation des difficultés des pays d'Afrique et d'Amérique du Sud.** Ces plans ont en effet conduit à réduire considérablement les dépenses de santé, d'éducation, de protection sociale, hypothéquant ainsi le développement de ces pays. C'est pourquoi les opposants aux PAS réclament une annulation partielle ou totale de la dette des pays concernés.

c. Des effets limités sur la gestion des crises

■ Les mesures d'austérité préconisées par le FMI et la Banque mondiale ne permettent pas aux pays soumis aux PAS de sortir de la crise de la dette, dont le montant global ne cesse d'augmenter au cours des années 1980. **Les pays du Sud protestent contre une gouvernance qui s'accompagne du maintien voire d'une accentuation des écarts avec les pays du Nord.**

■ Si, à travers le G7, une certaine coopération économique se maintient à l'échelle internationale, celle-ci ne se traduit pas vraiment par l'élaboration d'une politique commune de gestion des défis posés par la mondialisation et la crise. Les déséquilibres financiers et économiques, les inégalités sociales, les menaces qui pèsent sur l'environnement commencent à démontrer la **nécessité d'une gouvernance économique mondiale, plus conforme aux exigences du développement durable exposées dans le rapport Brundtland en 1987.**

■ Alors que les pays en développement souhaiteraient jouer un rôle plus important dans les processus de gouvernance économique mondiale, **la création et le renforcement de regroupements économiques régionaux** (Acte unique européen en 1986, APEC en 1989, MERCOSUR en 1991) semblent plutôt traduire une tendance à la **multipolarité dans laquelle les pays les plus pauvres restent marginalisés.** Enfin, les mouvements spéculatifs de grande ampleur, facilités par la déréglementation, s'accompagnent du **retour des désordres financiers et d'une instabilité monétaire permanente** (krach boursier de 1987, rechute de l'économie mondiale entre 1989 et 1993). Les États et les institutions de Bretton Woods semblent incapables de les éviter.

➤ Une gouvernance mondiale multipolaire, carte p. 211

PAS : voir p. 212.

➤ Les pays du Sud à l'épreuve des PAS, textes p. 216

Joseph Stiglitz
(1943-)
▶ Biographie p. 215 et p. 443

➤ Pour une réforme des institutions économiques internationales, texte p. 215

➤ L'OMC face au déséquilibre Nord-Sud, caricature de Samson, p. 217

➤ Copenhague, échec ou compromis ?, texte p. 218
➤ Une nouvelle gouvernance à inventer ?, texte p. 219

APEC : coopération économique pour l'Asie pacifique.
MERCOSUR : marché commun du Sud.
Multipolarité : système qui repose avant tout sur la coexistence et la concurrence entre les grandes puissances économiques.

➤ De nouveaux exclus de la gouvernance économique mondiale ?, texte p. 217

Depuis 1991, la recherche d'une nouvelle gouvernance économique

> **Comment la gouvernance mondiale cherche-t-elle à s'adapter aux nouveaux défis économiques depuis 1991 ?**

Forum économique mondial (FEM) : réunion annuelle à Davos des principaux décideurs politiques et économiques du monde entier qui symbolise, aux yeux des altermondialistes, la mondialisation libérale.

➤ Une gouvernance mondiale multipolaire, carte p. 211

Pascal Lamy
(1947-)
▶ Biographie p. 214 et p. 442

➤ Le promoteur d'une OMC pilier de la gouvernance économique mondiale, texte p. 214

Consensus de Washington : voir p. 216.

GIEC (Groupe d'experts intergouvernemental sur l'évolution du climat) : Il a pour objectif d'évaluer les risques liés au réchauffement climatique et d'envisager des stratégies d'atténuation de ces changements.

➤ Des acteurs non étatiques pour peser dans la gouvernance économique, photographie p. 219

➤ ONG et experts participant aux accords de Copenhague (2009), carte p. 218

Subprimes : crédits accordés à des emprunteurs qui n'ont pas une capacité de remboursement suffisante.

➤ Les acteurs de la gouvernance économique mondiale, p. 212-213

A Le triomphe de la gouvernance libérale

a. La naissance de l'OMC

■ Entre 1989 et 1991, **la disparition du bloc communiste semble consacrer la victoire du capitalisme** symbolisée par les réunions annuelles du Forum économique mondial (FEM) de Davos, où se rassemblent de nombreux acteurs de la nouvelle gouvernance économique mondiale. Dirigeants politiques, chefs d'entreprises, intellectuels, représentants d'ONG acquis aux mérites du libéralisme y discutent de l'avenir de l'économie mondialisée.

■ En 1994, au terme de l'*Uruguay Round*, **l'OMC remplace le GATT avec l'ambition de renforcer le libre-échange et d'élargir les négociations commerciales à l'agriculture et aux services**. L'OMC peut sanctionner les entorses au libre-échange et, réunissant plus des deux tiers des pays de la planète, elle est une institution de premier plan de la nouvelle gouvernance économique mondiale.

b. Le triomphe du consensus de Washington

■ Dans les années 1990, relayés par le FMI et la Banque mondiale, **les principes du consensus de Washington s'imposent à un nombre croissant d'États** incités à une ouverture toujours plus grande de leurs marchés.

■ Sous l'effet de ces incitations, la mondialisation prend un nouvel essor : **les échanges commerciaux et financiers internationaux s'intensifient**, les BRICS connaissent des taux de croissance records, mais les crises financières se multiplient.

B Une gouvernance économique toujours plus complexe

a. Nouveaux acteurs, nouvelles interdépendances

■ Des acteurs non étatiques comme les firmes transnationales, les banques, les scientifiques (avec le GIEC, par exemple), mais aussi les **ONG**, acquièrent une **influence grandissante** dans la gouvernance économique mondiale. Au cours des années 1990, les ONG les plus influentes apparaissent à la fois comme une force de mobilisation contre les dérives de la mondialisation mais aussi comme des **partenaires sollicités par les organisations internationales** pour leur expertise sur les sujets économiques, sociaux et environnementaux.

■ Les progrès d'une mondialisation associant de plus en plus d'acteurs publics et privés n'empêchent pas la répétition d'épisodes de crises du capitalisme, n'épargnant presque aucune région du monde. De plus, la récession du début des années 2000, aggravée par l'**interdépendance accrue des économies**, révèle les **dangers d'un capitalisme libéralisé échappant au contrôle des États et des institutions internationales**. La crise des subprimes qui démarre en 2008 aux États-Unis confirme ces risques en devenant systémique : la crise du crédit devient bancaire, boursière, financière et s'étend au monde entier.

b. L'obligation de repenser la gouvernance mondiale

■ La gravité de la situation stimule le renouveau de la coopération interétatique. En 2008, le G20 se lance dans la lutte contre la crise. En s'occupant désormais des grandes questions financières et monétaires, **le G20, réunion des grandes puissances économiques du Nord et du Sud, prend le pas sur un G8 en déclin** depuis le début des années 2000. Progressivement, le G20 se transforme en pôle de concertation sur les réformes économiques internationales à mener à long terme (renforcement des moyens d'intervention du FMI, pression sur les paradis fiscaux, projets de taxation des transactions financières). Si certains analystes estiment que le G20 manque d'efficacité et de légitimité, sa création symbolise toutefois l'accession des **pays émergents** au statut d'acteurs majeurs de la gouvernance économique planétaire.

■ La mondialisation a en effet stimulé la croissance de nouvelles puissances décidées à ne plus laisser la gouvernance aux mains des pôles de la Triade. **La concurrence exacerbée entre États a aussi rendu plus difficiles les prises de décisions collectives** en matière de **libéralisation du commerce, de développement durable** ou de **lutte contre les problèmes de la dette** en Europe. Ainsi, depuis 2006, les négociations lancées par l'OMC lors du cycle de Doha en 2001 piétinent en raison des difficultés à dégager un compromis entre les États membres sur des thèmes considérés comme stratégiques (les subventions à l'agriculture, notamment). Ces échecs témoignent de la difficulté à mettre en place une gouvernance économique mondiale efficace et consensuelle.

C La quête d'une gouvernance plus équitable et plus démocratique

a. Une contestation qui prend de l'ampleur

■ En 1999, à Seattle, aux États-Unis, la forte mobilisation contre le G8 marque l'entrée en scène des altermondialistes. À partir de 2001, **les réunions du Forum social mondial (FSM) permettent aux différents acteurs de l'altermondialisme de médiatiser leur opposition** aux décisions prises par les promoteurs de la mondialisation libérale (FMI, OMC, Banque mondiale, notamment). Le FSM sert aussi de lieu de débats consacrés aux projets d'une gouvernance soucieuse de réduire les inégalités de développement.

■ **La crise de 2008 a suscité l'apparition de mouvements citoyens** (Indignés, « Occupy Wall Street ») réclamant une gouvernance plus démocratique.

b. Une contestation aux effets encore limités

■ À la fin des années 1990, la prise de conscience des menaces provoquées par le réchauffement climatique entraîne la recherche de solutions à l'échelle internationale. De la signature du protocole de Kyoto en 1997 au sommet de la Terre à Rio en 2012 en passant par la conférence de Copenhague sur le climat en 2009, **le thème du développement durable a progressivement été intégré aux débats économiques mondiaux.** Mais l'incapacité des États participants à dépasser le discours d'intention démontre **l'absence d'instance supranationale capable de réguler les contradictions de la mondialisation.**

■ Les crises à répétition des années 2000 ont alimenté les contestations contre les institutions et les principes de la gouvernance libérale. **Le FMI et la Banque mondiale ont été remis en cause pour leur fonctionnement antidémocratique** et les conséquences néfastes des **politiques d'ajustement structurel.** La mise à l'ordre du jour à l'agenda du G20 de la **lutte contre les paradis fiscaux** symbolise la prise de conscience des méfaits d'une globalisation financière incontrôlée. **Si la réforme de la gouvernance du FMI a permis le renforcement du poids des pays émergents** en 2010, certains, à l'instar de **Joseph Stiglitz, défendent le projet d'une gouvernance plus démocratique,** véritablement multilatérale, qui pourrait s'exercer dans le **cadre des Nations unies.**

➤ De nouveaux exclus de la gouvernance économique mondiale ?, texte p. 217

Cycle de Doha : nouveau cycle de négociations lancé par l'OMC en 2001 et baptisé « programme de développement ».

➤ L'OMC face au déséquilibre Nord-Sud, caricature de Samson, p. 217

FSM : voir p. 213.
Altermondialisme : voir p. 220.

➤ L'essor du mouvement altermondialiste, carte p. 220
➤ La taxe « Robin des bois », photographie p. 221
➤ La recherche d'une gouvernance plus démocratique, texte p. 220

➤ Document 1 ci-dessous

➤ Copenhague, échec ou compromis ?, texte p. 218
➤ Une nouvelle gouvernance à inventer ?, texte p. 219

➤ Pour une réforme des institutions économiques internationales, texte p. 215

➤ Pour un renouveau de l'ONU dans la gouvernance mondiale, texte p. 215

1. « G20, les grands défis »
Caricature de Mix et Remix parue dans *L'Hebdo*, 23 septembre 2009.

SUJET EN AUTONOMIE

La gouvernance économique mondiale depuis 1975 : acteurs, moyens et limites.

La gouvernance économique mondiale depuis 1975 : acteurs, moyens et limites.

Définissez le terme de « gouvernance ». *Attention ! Le sujet se limite à la gouvernance économique.*

À quelle échelle doit-on traiter le sujet ?
Expliquez le choix de 1975 comme borne chronologique.

Répertoriez les types d'acteurs concernés.
Quelles sont leurs modalités d'action ?
Citez des exemples mettant en évidence les limites de la gouvernance mondiale.

SUJET EN AUTONOMIE

La place des pays riches dans la gouvernance économique mondiale depuis le milieu des années 1970.

La place des pays riches dans la gouvernance économique mondiale depuis le milieu des années 1970.

Il s'agit d'évoquer le rôle des pays du G6 puis G7 puis G8 dans les principales institutions internationales.

Cela concerne les principales institutions économiques internationales : FMI, Banque mondiale, GATT puis OMC…

Le sujet porte sur l'ensemble du chapitre. Le milieu des années 1970 marque le début d'une remise en cause de la place des pays riches.

SUJET EN AUTONOMIE

Les institutions économiques internationales et la gouvernance mondiale depuis 1975.

Les institutions économiques internationales et la gouvernance mondiale depuis 1975.

Il s'agit d'aborder le rôle du FMI, de la Banque mondiale, du GATT et de l'OMC dans la gouvernance économique mondiale.

Actions des États et d'acteurs privés visant à encadrer les décisions économiques à l'échelle du monde.

Toute la période du chapitre est à aborder, les années 1970 marquant le début de la crise économique et les premières critiques contre les institutions internationales.

SUJET EN AUTONOMIE

La gouvernance économique mondiale depuis 1975.

CONSIGNE : En mettant en relation les documents, vous expliquerez le rôle des institutions économiques mondiales. Puis vous mettrez en évidence les limites de leur action et de leur fonctionnement.

1 L'évolution du rôle du FMI

On a créé le FMI parce qu'on estimait nécessaire une action collective au niveau mondial pour la stabilité économique. [...] Le bouleversement le plus spectaculaire dans ces organismes internationaux a eu lieu au cours des années 1980, quand Ronald Reagan et Margaret Thatcher prêchaient l'idéologie du libre marché aux États-Unis et au Royaume-Uni. Le FMI et la Banque mondiale sont alors devenus les nouvelles institutions missionnaires chargées d'imposer ces idées aux pays pauvres réticents, mais qui avaient souvent besoin de leurs prêts et de leurs dons. [...] Dans les années 1980, la Banque mondiale a cessé de se limiter au financement des projets (par exemple des routes ou des barrages). Elle s'est mise à apporter un soutien financier général : des prêts à l'ajustement structurel. [...] Les deux institutions auraient pu soumettre plusieurs orientations possibles face à certains défis du développement et de la transition, et si elles l'avaient fait, peut-être cela aurait-il stimulé leur vie démocratique. Mais elles étaient toutes deux animées par la volonté collective du G7. [...] Or, trop souvent, un vif débat démocratique autour de diverses stratégies possibles était vraiment ce que [les pays] souhaitaient le moins. Le FMI a échoué dans sa mission initiale, promouvoir la stabilité mondiale.

Joseph Stiglitz*, *La Grande Désillusion*, Fayard, 2002.

* Prix Nobel d'économie en 2001.

2 Caricature de Plantu, *Le Monde*, 25 mars 1985

SUJET EN AUTONOMIE

La gouvernance économique mondiale depuis 1975.

CONSIGNE : En vous appuyant sur le document, vous soulignerez l'intérêt d'une gouvernance économique mondiale. Puis vous montrerez les points de désaccord concernant son fonctionnement.

Après la crise, quelle gouvernance ?

Aurélie Trouvé, coprésidente de l'Association pour la taxation des transactions financières et pour l'action citoyenne (Attac France). Pascal Lamy, directeur général de l'Organisation mondiale du commerce (OMC).

Pascal Lamy. – Premier constat, la crise a effectivement révélé un défaut de gouvernance globale dans le système international et particulièrement dans le secteur de la finance. Les grands pays ont réagi et la création du G20, c'est-à-dire le passage d'un conclave[1] des huit pays les plus développés à une structure à vingt pays, marque la prise de conscience du monde tel qu'il est devenu. Une page vient de se tourner. Deuxième constat : si la Chine, l'Inde, le Brésil, l'Indonésie, le Mexique et quelques autres sont désormais à la table de la gouvernance mondiale, cela ne fait pas pour autant gouvernement. Il faut être lucide. Dans le monde actuel, il n'y a toujours pas de gouvernement. Il y a un système de gouvernance qui se dessine autour de trois pôles, le G20, les Nations unies, et les grandes organisations internationales.

Aurélie Trouvé. – Je partage le constat d'un déficit de régulation. Personne ne s'attaque aux causes profondes de cette crise et chaque institution persiste dans la logique néolibérale. Poursuite du transfert des richesses du travail des salariés vers le capital, vastes plans de rigueur, exploitation croissante des ressources humaines et naturelles au seul service de la rentabilité à court terme du capital… Ces solutions sont injustes et inefficaces et mènent à une régression et non vers une sortie de crise par le haut. La libéralisation des marchés de biens, de services et de capitaux est le credo des institutions internationales depuis des dizaines d'années. Mais que font-elles pour en amortir les effets néfastes ? Rien du tout.

Pascal Lamy. – […] Je ne suis pas d'accord avec vous sur le fait que c'est la libéralisation qui a amené tout ça. D'ailleurs, quand vous dites libéralisation, vous confondez deux notions très différentes […]. Ouvrir ne signifie pas déréguler. Ouvrir les échanges agricoles n'empêche pas de contrôler la sécurité alimentaire. L'OMC est une organisation de régulation mais nous sommes favorables à l'ouverture des échanges puisque l'histoire a montré que les pays qui se sont ouverts se sont mieux développés et, dans l'ensemble, ont mieux réduit la pauvreté.

Aurélie Trouvé. – Ce n'est pas mon avis. L'ouverture du marché mondial s'est accompagnée d'une dérégulation généralisée et tous azimuts. L'OMC a d'ailleurs été aux avant-postes en portant des accords qui ont prôné la libéralisation et la dérégulation des services financiers. Cela s'intègre dans une logique globale, elle a promu un démantèlement des règles sociales et environnementales. […] L'une des conséquences de la libéralisation des échanges est l'augmentation depuis vingt ans des inégalités sociales entre les pays.

Libération, 25 juin 2010.

1. Réunion.

Une gouvernance économique mondiale en « archipel »

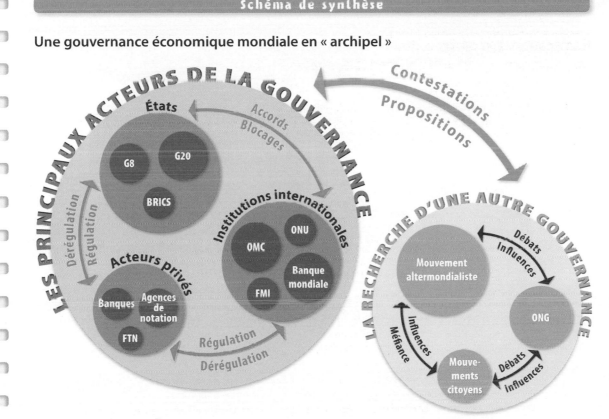

 **le +** culture générale

Les effets de la libéralisation de l'économie sur la gouvernance mondiale

Essai :
- Pascal Lamy, *La Démocratie monde, pour une autre gouvernance globale*, Le Seuil, 2004.

Films de fiction :
- Sur le monde de la finance au cours des années Reagan : Oliver Stone, *Wall Street*, 1987.
- Sur le rôle de la finance dérégulée dans la crise de 2008 : Jeffrey C. Chandor, *Margin Call*, 2011.
- Sur la dérégulation et le néolibéralisme au Royaume-Uni : Peter Cattaneo, *The Full Monty*, 1997 ; Stephen Daldry, *Billy Elliot*, 2000 ; Ken Loach, *The Navigators*, 2001.

Films documentaires :
- Sur les effets de la dérégulation financière : Erwin Wagenhofer, *Let's make money*, 2008.
- Sur les paradis fiscaux : Xavier Harel, *Évasion fiscale, le hold-up du siècle*, 2013.

Sites : www.wto.org ; www.imf.org
www.banquemondiale.org

La quête d'une gouvernance plus démocratique

Étude sociohistorique :
- Geoffrey Pleyers, *Forums sociaux mondiaux et défis de l'altermondialisme*, Academia, 2008.

Essais et rapport :
- Jade Lindgaard, *Occupy Wall Street*, Les Arènes, 2012.
- Joseph Stiglitz, *Le Rapport Stiglitz. Pour une vraie réforme du système monétaire et financier international*, Les liens qui libèrent, 2010.
- Aminata Traoré, *L'Étau, L'Afrique dans un monde sans frontières*, Actes Sud, 1999.

Film de fiction :
- Sur les effets des PAS en Afrique : Abderrahmane Sissako, *Bamako*, 2006.

Films documentaires :
- Sur les mécanismes de la crise de 2008 aux États-Unis : Jean-Stéphane Bron, *Cleveland contre Wall Street*, 2010.
- Sur la gouvernance climatique mondiale : Jon Shenk, *Les Maldives, le combat d'un président*, 2012.

Sites : www.oxfam.org
www.france.attac.org
www.unep.org
www.ipcc.ch

B.D. :
- Sur le mouvement altermondialiste :
Philippe Squarzoni, *Garduno en temps de paix, Zapata en temps de guerre*, Dol, Les Requins marteaux, 2002-2007.

Méthode

Faire une carte, c'est faire des choix

Exemple 1 Représenter les musulmans dans le monde

Exemple 2 Représenter le trafic mondial des conteneurs dans le monde

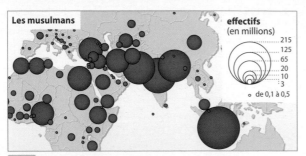

1 Représenter le nombre de musulmans.

Source : M.-F. Durand, P. Copinschi, B. Martin et D. Placidi-Frot, *Atlas de la mondialisation*, © Presses de Sciences Po, 2007.

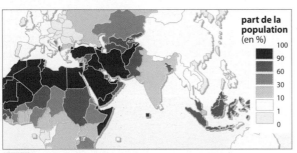

2 Représenter la part de musulmans.

Source : M.-F. Durand, P. Copinschi, B. Martin et D. Placidi-Frot, *Atlas de la mondialisation*, © Presses de Sciences Po, 2007.

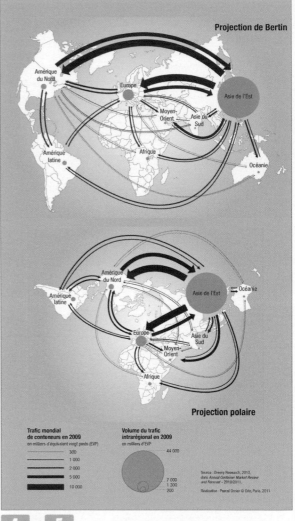

4 et 5 Source : C. Grataloup, *Représenter le monde*, 2011.

3 La carte, un outil

Les cartes et la cartographie sont des outils utilisés pour rendre compte d'une réalité en la simplifiant. Outil des géographes, mais aussi [...] des militaires, de l'État, c'est-à-dire du pouvoir, les cartes ne sont pas des choses neutres. Faire une carte c'est faire des choix. [...] Apprendre à lire une carte et garder un esprit critique, prendre du recul par rapport aux informations que son auteur a choisi d'y faire apparaître ou qu'il a choisi d'omettre, c'est très important. Les projections, les échelles, les couleurs, les trames, les symboles et les figurés, les noms et les délimitations, les titres et la légende doivent être pris en compte. [...] La discrétisation est nécessaire pour cartographier des données quantitatives. Discrétiser, c'est découper une série statistique en classes. Cette opération a un impact sur la manière de représenter une série statistique, des données quantitatives sous la forme d'une carte.

F. Guillot, www.geographie-sociale.org, 2011.

Étape 1

Analyser une carte

1. Quel est le thème des **doc. 1 et 2** ? Quelle différence établissez-vous entre « le *nombre* de musulmans » et « la *part* de musulmans »?

2. Proposez un titre pour le **doc. 4** et un pour le **doc. 5**.

Étape 2

Comparer des cartes

1. Montrez que le centrage, l'échelle et la projection sont identiques dans les **doc. 1 et 2**. Présentent-ils pour autant la même vision des musulmans ? Justifiez votre réponse.

2. Les **doc. 1 et 2** se contredisent-ils ou sont-ils complémentaires ? Pour répondre, regardez le cas de l'Inde.

3. Les **doc. 4 et 5** présentent, quant à eux, exactement les mêmes informations. Leur centrage et leur projection sont-ils identiques ? Justifiez votre réponse.

Étape 3

Porter un regard critique sur la représentation cartographique

1. Les **doc. 1 et 2** sont-ils suffisants pour analyser les musulmans dans le monde ?

2. Expliquez pourquoi les **doc. 4 et 5** ne sont pas fiables pour décrire les trajets des conteneurs.

3. D'après le **doc. 3**, quels éléments peuvent faire varier le discours d'une carte ? Appuyez votre réponse sur la comparaison des **doc. 1 et 2** et des **doc. 4 et 5**.

Centrage : choix cartographique privilégiant un espace placé au centre de la carte. Les planisphères utilisés en Europe sont le plus souvent européano-centrés.

Dans le manuel, trois principaux types de centrage de planisphère apparaissent :

européano-centré   américano-centré   pacifico-centré

Échelle : La définition est double :
– **numérique :** rapport entre les distances réelles d'un espace et celles de la carte ;
– **géographique :** échelon d'analyse spatiale d'un phénomène par le géographe : local, régional, continental, global.

Dans le manuel, les cartes sont présentées à des échelles très différentes :

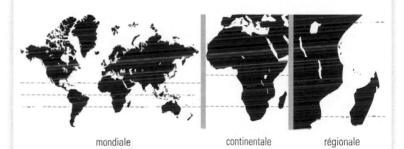

mondiale   continentale   régionale

Projection : procédé imaginé pour représenter à plat la Terre qui est une sphère. Il en existe plus de 200 qui portent le nom de leur créateur et aucune n'est absolument exacte : il n'est pas possible de cartographier la Terre sans la déformer. Le choix d'une projection dépend donc surtout de ce que l'on veut représenter.

Dans le manuel, deux types de projections ont été utilisés :

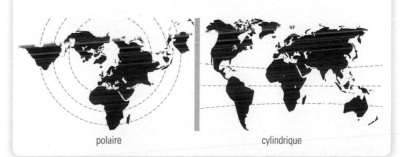

polaire   cylindrique

Comment les cartes représentent-elles le nouvel ordre géopolitique actuel ?

Depuis la fin de la guerre froide, un nouvel ordre géopolitique, plus complexe, s'est mis en place. La puissance américaine s'exerce désormais dans un monde polycentrique dont les centres se répartissent entre plusieurs continents, ce qui complexifie les représentations cartographiques.

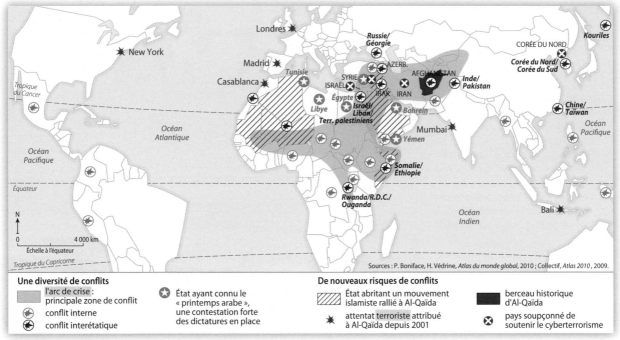

Sources : P. Boniface, H. Védrine, *Atlas du monde global*, 2010 ; Collectif, *Atlas 2010*, 2009.

Une diversité de conflits

- l'arc de crise : principale zone de conflit
- conflit interne
- conflit interétatique
- État ayant connu le « printemps arabe », une contestation forte des dictatures en place

De nouveaux risques de conflits

- État abritant un mouvement islamiste rallié à Al-Qaïda
- attentat terroriste attribué à Al-Qaïda depuis 2001
- berceau historique d'Al-Qaïda
- pays soupçonné de soutenir le cyberterrorisme

1 **Les conflits régionaux dans le monde en 2013**

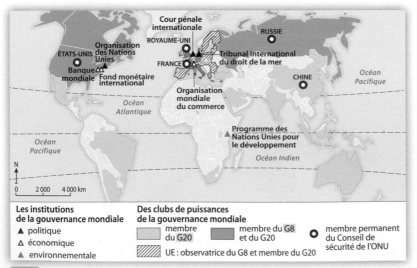

Les institutions de la gouvernance mondiale

- ▲ politique
- △ économique
- ▲ environnementale

Des clubs de puissances de la gouvernance mondiale

- membre du G20
- membre du G8 et du G20
- UE : observatrice du G8 et membre du G20
- ○ membre permanent du Conseil de sécurité de l'ONU

2 **Les organisations internationales de la gouvernance**

Vocabulaire

Arc de crise (ou croissant de crise) : région concentrant des foyers de violence et de guerre dus à l'enchevêtrement de peuples différents, à l'exploitation du pétrole et aux questions religieuses.

G8 (ou Groupe des huit) : voir p. 230.

G20 : voir p. 230.

Géopolitique : branche de la géographie étudiant les rivalités étatiques, mais aussi intra- et interétatiques.

Gouvernance : ensemble des règles, des acteurs et des actions liés à une question commune (ex. : régulation du capitalisme, développement durable) et exerçant une autorité.

Terrorisme : emploi de la terreur à des fins politiques ou religieuses.

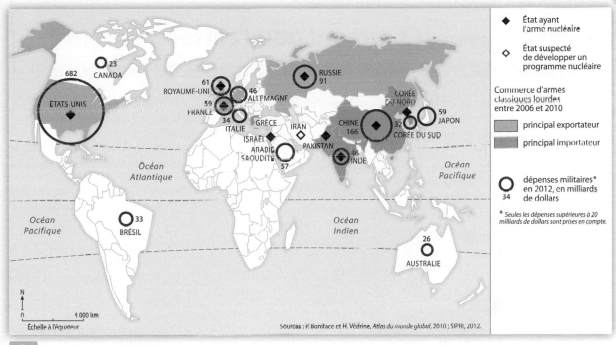

Sources : P. Boniface et H. Védrine, *Atlas du monde global*, 2010 ; SIPRI, 2012.

3 Les puissances militaires

Questions

Analyser une carte

1. Quelles sont les grandes puissances militaires mondiales ? (doc. 3)

2. Dans quelle partie du monde les conflits sont-ils les plus nombreux ? (doc. 1) Montrez la diversité de ces conflits.

3. Où se concentrent les organisations internationales de la gouvernance ? (doc. 2)

4. Les grandes puissances se localisent-elles dans la partie du monde où les conflits sont les plus nombreux ?

Comparer des cartes

5. Confrontez les doc. 1, 2 et 3. Quels sont les facteurs qui expliquent l'absence de conflits entre les grandes puissances ?

6. D'après les doc. 1 p. 240 et 3 p. 241, quels sont les fondements d'une puissance ?

Montrez les limites de la représentation cartographique

7. Montrez que les cartes représentent un ordre géopolitique qui est complexe du fait de la diversité des puissances et des conflits. Nuancez ensuite en montrant que ces cartes ont une durée de vie limitée.cartes ?

Retenir en réalisant un schéma

Complétez le schéma et la légende ci-dessous.

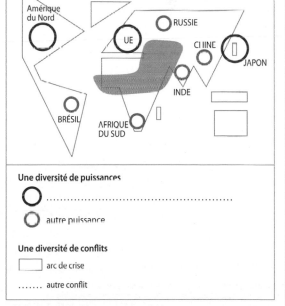

Une diversité de puissances

⭕ ....

◍ autre puissance

Une diversité de conflits

▭ arc de crise

...... autre conflit

Un monde complexe sur le plan géopolitique

Cartes géopolitiques

Changer de point de vue Comment deux cartes peuvent-elles représenter deux visions opposées du monde ?

Les visions du monde proposées par les États-Unis, puissance occidentale établie, et l'Iran, puissance ascendante du Moyen-Orient, reflètent la complexité du monde sur le plan géopolitique. La confrontation de ces deux points de vue montre l'importance de souligner les limites de la représentation cartographique.

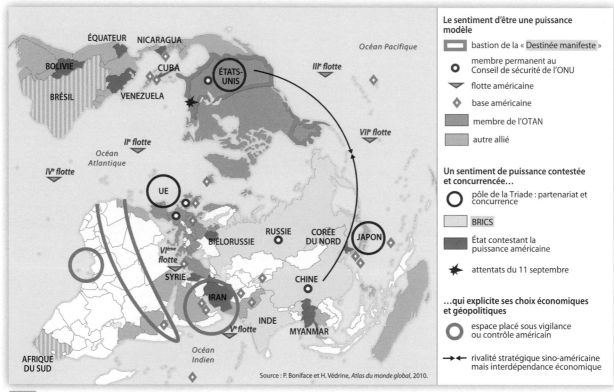

Source : P. Boniface et H. Védrine, *Atlas du monde global*, 2010.

1 **Le monde vu des États-Unis**

2 **Chronologie Iran/États-Unis**

1979	Proclamation de la **République islamique d'Iran**. Prise d'otages à l'ambassade américaine qui dure jusqu'en janvier 1981. L'Iran ne reconnaît pas l'État d'Israël.
1980-1988	Guerre Iran-Irak (initiative irakienne).
1995	Les États-Unis imposent un embargo commercial à l'Iran, accusé de soutenir le terrorisme et de vouloir acquérir l'arme nucléaire.
2001	Attentat du 11 septembre. 1 à 2 millions de réfugiés afghans en Iran après l'intervention américaine en Afghanistan.
2002	Le président américain George W. Bush désigne l'Iran, l'Irak et la Corée du Nord comme les pays de l'« axe du Mal ».
2005	Mahmoud Ahmadinejad élu Président en Iran. Selon lui, Israël doit être « rayé de la carte ».
2006	M. Ahmadinejad annonce que « l'Iran a rejoint les pays nucléaires ». Début des sanctions occidentales.
2008	Barack Obama élu président des États-Unis. Rupture avec la politique étrangère de G.W. Bush fondée sur le *containment* (endiguement) et passage à la politique de l'*engagement* (ouverture) vis-à-vis des ennemis des États-Unis.
2011	Rapport de l'Agence internationale à l'énergie atomique défavorable à l'Iran. Début des premières sanctions contre le pétrole iranien.
2013	Hassan Rohani élu Président le 3 août.

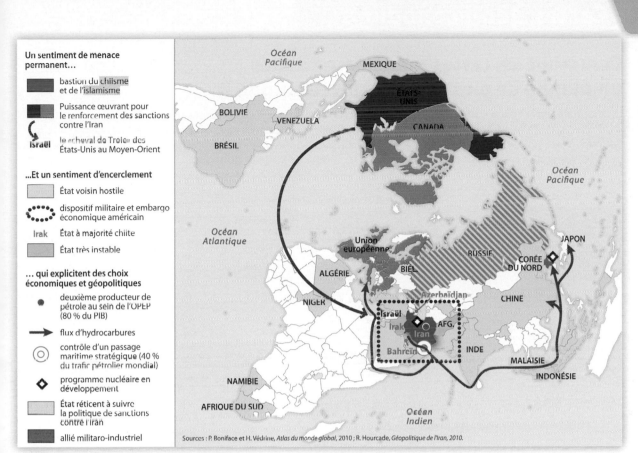

Un sentiment de menace permanent...

- bastion du chiisme et de l'islamisme
- Puissance œuvrant pour le renforcement des sanctions contre l'Iran
- Israël : le «cheval de Troie» des États-Unis au Moyen-Orient

...Et un sentiment d'encerclement

- État voisin hostile
- dispositif militaire et embargo économique américain
- Irak : État à majorité chiite
- État très instable

... qui explicitent des choix économiques et géopolitiques

- deuxième producteur de pétrole au sein de l'OPEP (80 % du PIB)
- flux d'hydrocarbures
- contrôle d'un passage maritime stratégique (40 % du trafic pétrolier mondial)
- programme nucléaire en développement
- État réticent à suivre la politique de sanctions contre l'Iran
- allié militaro-industriel

Sources : P. Boniface et H. Védrine, *Atlas du monde global*, 2010 ; R. Hourcade, *Géopolitique de l'Iran*, 2010.

3 Le monde vu d'Iran

Questions

Analyser une carte

1. Quelles visions les États-Unis et l'Iran ont-ils du monde ? (doc. 1 et 3)

2. Montrez que cette vision du monde détermine les choix géo-économiques et géopolitiques états-uniens et iraniens. (doc. 1 et 3)

Comparer des cartes

3. Quels points communs et quelles différences peut-on établir dans ces deux manières de voir le monde ? (doc. 1 et 3)

4. Quel regard porte l'Iran sur les États-Unis, et inversement ? (doc. 1 et 3) D'après la chronologie, comment l'expliquez-vous ?

Montrer les limites de la représentation cartographique

5. Montrez que le choix du centrage, celui de la projection et celui des couleurs des deux cartes peuvent aider à représenter deux visions opposées du monde. Nuancez ensuite en montrant qu'une carte ne représente en réalité qu'un point de vue.

Vocabulaire

BRICS : noyau pilote des principaux pays ascendants . Brésil, Russie, Inde, Chine et Afrique du Sud

Chiite/sunnite : deux courants de l'islam. Pour les sunnites, qui se réclament de la tradition (sunna), la direction de la communauté des croyants doit être assumée par le plus sage des musulmans. Pour les chiites, elle doit l'être par le gendre du Prophète, Ali, puis par ses descendants.

Destinée manifeste : idéologie née au xixe siècle qui affirme la mission des États-Unis à répandre la démocratie et leur modèle de civilisation.

Islamisme : idéologie politique visant à l'instauration d'un État où l'islam est la base du fonctionnement des institutions, de l'économie et de la société.

République islamique d'Iran : État où les principes fondateurs, en matière politique, économique et sociale, proviennent de l'islam chiite.

Terrorisme : voir p. 236.

Comment les cartes représentent-elles un monde de plus en plus polycentrique ?

Un monde polycentrique s'affirme. Si les cartes montrent la persistance d'inégalités de développement et permettent de lire l'explosion des flux dans la mondialisation, elles interrogent aussi sur la pertinence du concept de Triade et de la limite Nord-Sud. Elles permettent aussi de vérifier que des contrastes d'intégration, de richesse et de développement persistent et d'interroger sur la légitimité de la limite Nord-Sud.

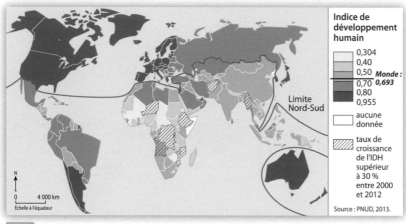

Indice de développement humain

0,304
0,40
0,50 *Monde : 0,693*
0,70
0,80
0,955

aucune donnée

taux de croissance de l'IDH supérieur à 30 % entre 2000 et 2012

Limite Nord-Sud

N
0   4 000 km
Échelle à l'équateur

Source : PNUD, 2013.

1 **L'indice de développement humain** en 2013

Anamorphose : carte dans laquelle la surface d'un territoire est proportionnelle au phénomène représenté.

Discrétisation : voir doc. 3 p. 234.

Développement : ensemble des processus sociaux et économiques apportant aux hommes une plus grande sécurité, une plus grande satisfaction de leurs besoins.

IDH (indice de développement humain) : indicateur de développement qui prend en compte :
– l'espérance de vie à la naissance ;
– le taux d'alphabétisation des adultes ;
– le revenu national brut par habitant (qui remplace désormais le PIB).

Nord : ensemble des pays développés.

PIB/PNB :

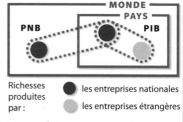

MONDE
PAYS
PNB   PIB

Richesses produites par :
les entreprises nationales
les entreprises étrangères

Sud : ensemble des pays en développement.

Triade : voir p. 242.

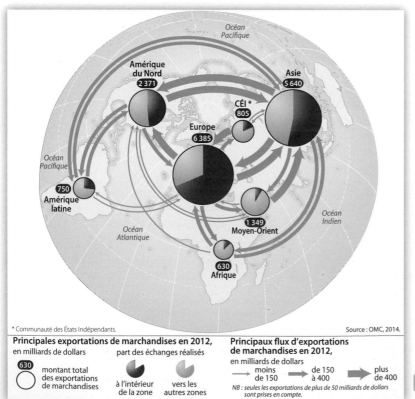

Océan Pacifique

Amérique du Nord
2 371

Asie
5 640

CÉI *
805

Europe
6 385

Océan Pacifique

750
Amérique latine

Océan Atlantique

1 349
Moyen-Orient

Océan Indien

630
Afrique

* Communauté des États Indépendants.

Source : OMC, 2014.

Principales exportations de marchandises en 2012,
en milliards de dollars
part des échanges réalisés

630
montant total des exportations de marchandises

à l'intérieur de la zone
vers les autres zones

Principaux flux d'exportations de marchandises en 2012,
en milliards de dollars

moins de 150
de 150 à 400
plus de 400

NB : seules les exportations de plus de 50 milliards de dollars sont prises en compte.

2 **Les flux de marchandises dans le monde**

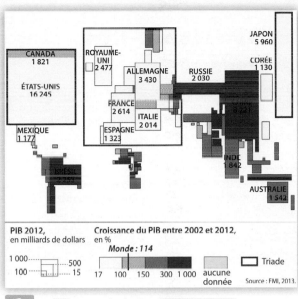

PIB 2012,
en milliards de dollars

Croissance du PIB entre 2002 et 2012,
en %

Monde : 114

1 000 ···· ··· 500
100 ···· ··· 15

17 100 150 300 1 000

aucune donnée

☐ Triade

Source : FMI, 2013.

3 Le PIB et son évolution (anamorphose)

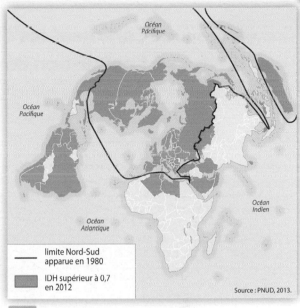

—— limite Nord-Sud
apparue en 1980

▨ IDH supérieur à 0,7
en 2012

Source : PNUD, 2013.

4 Une limite Nord-Sud contestée

Questions

Analyser une carte

1. Montrez que des contrastes de développement et de richesse persistent dans le monde. (doc. **1 et 3**)

2. Montrez que le commerce mondial rend le monde de plus en plus interdépendant. (doc. **2**)

Comparer des cartes

3. Quel est le lien entre le niveau de richesse et de développement d'un État ? Justifiez votre réponse. (doc. **1 et 3**)

4. En confrontant les doc. **2 et 3**, montrez que la Triade est désormais concurrencée et que le monde ne s'organise plus seulement autour de celle-ci.

Montrer les limites de la représentation cartographique

5. Comment les valeurs quantitatives et les dynamiques sont-elles représentées dans les doc. **1 à 3** ?

6. Expliquez les choix de l'anamorphose. (doc. **3**)

7. Montrez que les cartes représentent un monde qui est complexe du fait qu'il devient de plus en plus polycentrique. Nuancez ensuite en montrant que ces cartes ont une durée de vie limitée.

Retenir en réalisant un schéma

Complétez le schéma et la légende ci-dessous.

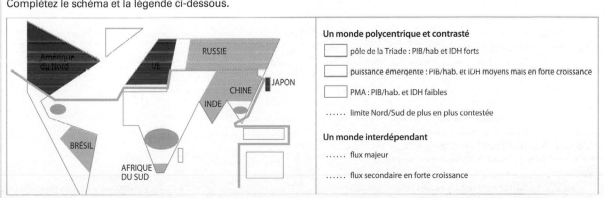

Un monde polycentrique et contrasté

☐ pôle de la Triade : PIB/hab et IDH forts

☐ puissance émergente : PIB/hab. et IDH moyens mais en forte croissance

☐ PMA : PIB/hab. et IDH faibles

······ limite Nord/Sud de plus en plus contestée

Un monde interdépendant

······ flux majeur

······ flux secondaire en forte croissance

Cartes géo-économiques

Changer de source Comment les cartes représentent-elles l'apparition des pays émergents ?

L'organisation actuelle de l'espace mondial se transforme avec l'apparition de pays émergents à la très forte croissance économique. Cette dynamique modifie la manière de cartographier l'espace économique mondial, qui n'est plus dominé par la seule Triade mais devient de plus en plus polycentrique. Or, comme le nombre de pays émergents fluctue selon les auteurs, les représentations cartographiques varient elles aussi.

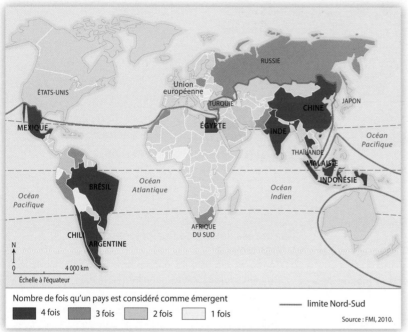

Nombre de fois qu'un pays est considéré comme émergent

▉ 4 fois ▉ 3 fois ▉ 2 fois ▢ 1 fois

——— limite Nord-Sud

Source : FMI, 2010.

1 **Les pays émergents : une définition variable.**

Quatre différents groupes d'experts économiques ont donné leur liste de pays émergents, selon leurs propres critères. Ainsi, certains pays sont cités quatre fois, d'autres trois, etc.

Vocabulaire

Pays émergents : pays du Sud et dont la croissance économique est forte. Les pays émergents, dont le poids dans l'économie mondiale est de plus en plus important, représentent un ensemble inorganisé.

Polycentrisme : ordre mondial basé sur l'existence de plusieurs centres. Dans les relations internationales, la période de l'hyperpuissance américaine (1991-2001) a laissé la place à une nouvelle organisation, fondée avant tout sur la croissance économique, dans laquelle les États-Unis doivent composer avec l'affirmation de puissances ascendantes.

Puissance : capacité d'un État à influer sur le comportement des autres États.

Triade : ensemble des trois régions qui dominent l'économie mondiale : l'Amérique du Nord (États-Unis et Canada), l'Europe occidentale et le Japon. Parfois, cette définition s'élargit à d'autres pays d'Asie orientale (Corée du Sud, Taïwan, Hongkong et Singapour) ou intègre la Chine littorale.

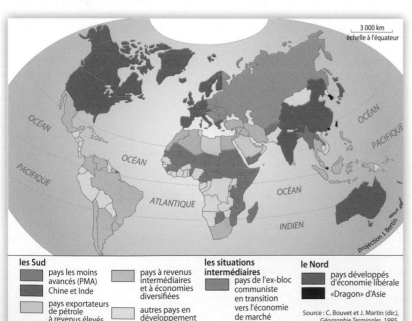

les Sud
▉ pays les moins avancés (PMA)
▉ Chine et Inde
▢ pays exportateurs de pétrole à revenus élevés

▢ pays à revenus intermédiaires et à économies diversifiées
▢ autres pays en développement

les situations intermédiaires
▉ pays de l'ex-bloc communiste en transition vers l'économie de marché

le Nord
▉ pays développés d'économie libérale
▉ «Dragon» d'Asie

Source : C. Bouvet et J. Martin (dir.), *Géographie Terminales*, 1995.

2 **Les pays émergents : une catégorie qui n'existe pas en 1995**

3 Un monde de plus en plus polycentrique.
Caricature de Chalvin, mars 2008.

4 Des pays émergents aux puissances émergentes

Si les pays à revenu intermédiaire (PRI) et les pays les moins avancés (PMA) font l'objet d'une définition précise de la part des institutions politiques et financières internationales, celles-ci ne s'accordent pas sur la notion de « pays émergent ». Très fréquemment, seuls les critères économiques ou financiers sont pris en considération. L'OCDE[1] distingue ainsi une vingtaine d'économies émergentes dont les principales caractéristiques sont : une forte contribution à la croissance économique mondiale, une amélioration des conditions de vie de la population […] et une participation active aux échanges internationaux. D'autres observateurs soulignent pourtant la nécessité de distinguer les « économies émergentes » des « puissances émergentes ». Ce dernier qualificatif est plus restrictif et ne concerne que quelques États, appelés à exercer un rôle de premier plan dans les affaires internationales, de par leur poids économique et démographique, mais aussi leur capacité militaire et leur influence diplomatique.

F. Lafargue, *Questions internationales*, n° 51, sept.-oct. 2011.

1. L'Organisation de coopération et de développement économiques.

5 Chiffres clés de quelques pays émergents

	PIB/hab. en 2012, en dollars	Part du PIB mondial en 2012, en %	Taux de croissance en 2013, en %
Afrique du Sud	8 342,2	0,6	3,6
Brésil	12 916,9	3,6	3,6
Chine	5 183,9	10,0	9,0
Inde	1 527,3	2,6	7,5
Malaisie	8 616,7	0,4	5,1
Mexique	10 802,8	1,7	3,6
Russie	13 235,6	2,7	4,1

Source : FMI, 2013.

Questions

Analyser une carte

1. Sur quels continents les pays émergents sont-ils les plus nombreux ? (doc. 1)

2. Montrez que le poids économique de certains pays émergents contribue à périmer le concept de Triade. (doc. 1, 2 et 3 p. 240-241)

Comparer des cartes

3. Quels sont les acteurs institutionnels et économiques qui contribuent à définir et classer les pays émergents ? Pourquoi leurs regroupements diffèrent-ils ? (doc. 2 et 5)

4. Pourquoi peut-on dire que les pays émergents restent des pays du Sud ? (doc. 1 et 5 et doc. 1 et 3 p. 240-241)

5. Le doc. 4 distingue les « pays émergents » des « puissances émergentes ». Définissez ce dernier terme à l'appui des doc. 3 p. 237 et doc. 3 p. 249.

Montrer les limites de la représentation cartographique

6. Pourquoi est-il indispensable de connaître la source d'une carte avant de l'étudier ? (doc. 1 et 2)

7. En quoi l'apparition de pays émergents sur la scène internationale complexifie-t-elle la représentation cartographique de l'espace mondial ? (doc. 1 à 5)

Comment les cartes représentent-elles l'uniformisation ou la diversité culturelle dans le monde ?

Si la mondialisation favorise l'uniformisation culturelle, notamment grâce aux NTIC, de nombreuses différences culturelles peuvent être cartographiées. La diversité des langues, des cultures ou des religions amène à représenter des aires de civilisation aux limites fluctuantes selon les choix opérés par les cartographes.

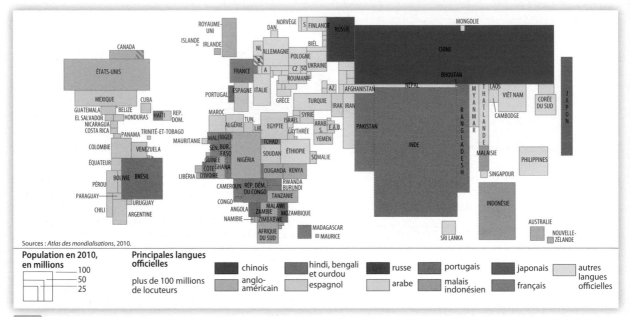

Sources : *Atlas des mondialisations*, 2010.

Population en 2010, en millions
100
50
25

Principales langues officielles

plus de 100 millions de locuteurs

- chinois
- hindi, bengali et ourdou
- russe
- portugais
- japonais
- autres langues officielles
- anglo-américain
- espagnol
- arabe
- malais indonésien
- français

1 Les grandes aires linguistiques

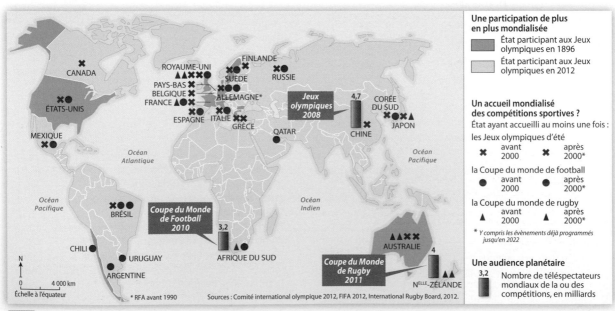

Une participation de plus en plus mondialisée

- État participant aux Jeux olympiques en 1896
- État participant aux Jeux olympiques en 2012

Un accueil mondialisé des compétitions sportives ?
État ayant accueilli au moins une fois :

les Jeux olympiques d'été
✕ avant 2000   ✕ après 2000*

la Coupe du monde de football
● avant 2000   ● après 2000*

la Coupe du monde de rugby
▲ avant 2000   ▲ après 2000*

* Y compris les évènements déjà programmés jusqu'en 2022

Une audience planétaire
3,2 Nombre de téléspectateurs mondiaux de la ou des compétitions, en milliards

* RFA avant 1990   Sources : Comité international olympique 2012, FIFA 2012, International Rugby Board, 2012.

2 Les grands événements sportifs mondiaux

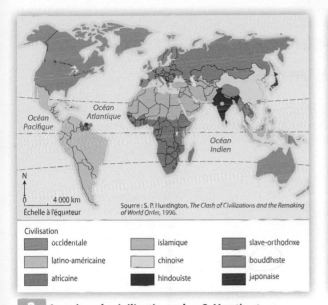

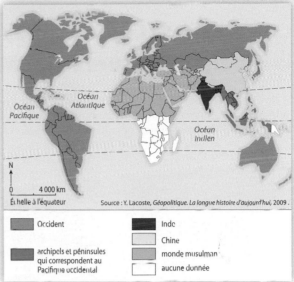

3 Les aires de civilisation selon S. Huntington.

S. Huntington, chercheur et conseiller du gouvernement américain, publie en 1996 un livre qui soulève une vive polémique. Il annonce un monde de conflits culturels et religieux entre les neuf grandes aires de civilisation.

4 Les aires de civilisation selon Y. Lacoste.

Y. Lacoste, géographe français, répond à la thèse de S. Huntington en 1997 dans le journal *Le Monde*. Il rappelle que les conflits majeurs ont lieu au sein des aires de civilisation et sur des territoires restreints où les enjeux géopolitiques l'emportent sur les antagonismes religieux. Il présente un autre découpage des civilisations en cinq grandes aires.

> **Vocabulaire**
>
> Aire de civilisation : espace identifié comme ayant une unité culturelle, du fait que les sociétés humaines qui y vivent adoptent des modes de pensée et de vie semblables.

Questions

Analyser une carte

1. Quelles sont les grandes aires linguistiques dans le monde ? Peut-on parler de diversité linguistique ? (doc. 1)

2. En quoi le doc. 2 illustre-t-il une certaine uniformisation culturelle mondiale ?

Comparer des cartes

3. Montrez que la diversité linguistique n'est pas le seul critère retenu pour délimiter les aires de civilisation. (doc. 3 et 4)

4. Quelles sont les différences entre les doc. 3 et 4 ?

5. S. Huntington évoque la possibilité de conflits entre plusieurs aires de civilisation. En confrontant le doc. 3 avec le doc. 1 p. 236, montrez que la plupart des conflits ont lieu à l'intérieur des aires de civilisation.

6. Expliquez la localisation des événements sportifs récents (depuis 2000) en confrontant le doc. 2 à la carte 3 p. 241.

Montrer les limites de la représentation cartographique

7. Quel est l'intérêt de la représentation par anamorphose ? (doc. 1) Montrez que ce choix ne peut représenter toute la diversité des langues dans le monde.

8. Citez un pays ou une région classé de façons différentes dans les doc. 1, 3 et 4.

Retenir en réalisant un schéma

Complétez le schéma et la légende ci-dessous.

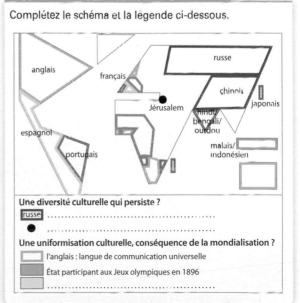

Cartes géoculturelles

Changer d'échelle **Comment les cartes représentent-elles la diversité culturelle du Moyen-Orient ?**

Entre Europe et Asie, le Moyen-Orient est le berceau des civilisations et le lieu de naissance des trois grandes religions monothéistes (chrétienne, juive et musulmane). En variant les échelles, les cartes peuvent nous aider à étudier la diversité ethnique et culturelle du Moyen-Orient.

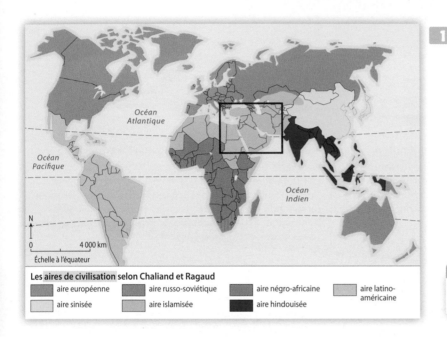

Les aires de civilisation selon Chaliand et Ragaud
- aire européenne
- aire russo-soviétique
- aire négro-africaine
- aire latino-américaine
- aire sinisée
- aire islamisée
- aire hindouisée

1 **Le Moyen-Orient : un espace de la civilisation musulmane selon G. Chaliand et J.-P. Ragaud (1997)**

Vocabulaire

Aire de civilisation : voir p. 245.
Chiites/sunnites : voir p. 239.

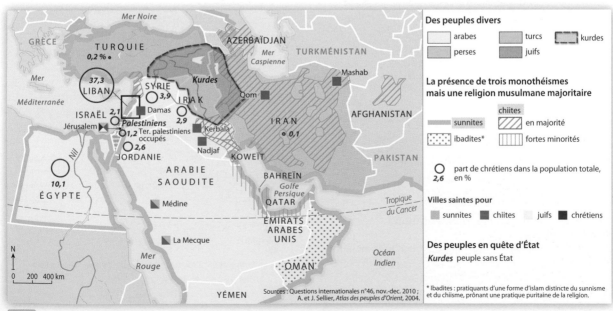

Des peuples divers
- arabes
- turcs
- kurdes
- perses
- juifs

La présence de trois monothéismes mais une religion musulmane majoritaire
- sunnites
- ibadites*

chiites
- en majorité
- fortes minorités

○ part de chrétiens dans la population totale, **2,6** en %

Villes saintes pour
- sunnites
- chiites
- juifs
- chrétiens

Des peuples en quête d'État
Kurdes peuple sans État

* Ibadites : pratiquants d'une forme d'islam distincte du sunnisme et du chiisme, prônant une pratique puritaine de la religion.

Sources : Questions internationales n°46, nov.-déc. 2010 ; A. et J. Sellier, *Atlas des peuples d'Orient*, 2004.

2 **Le Moyen-Orient : une grande diversité religieuse et ethnique**

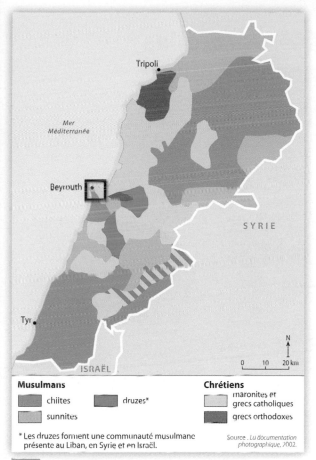

Musulmans

- chiites
- druzes*
- sunnites

Chrétiens

- maronites et grecs catholiques
- grecs orthodoxes

* Les druzes forment une communauté musulmane présente au Liban, en Syrie et en Israël.

Source : *La documentation photographique*, 2002.

3 **Une forte diversité religieuse au Liban.**

17 communautés religieuses officielles sont dénombrées au Liban. Les estimations les plus fréquentes comptent entre 35 % et 40 % de chrétiens et 60 % à 65 % de musulmans.

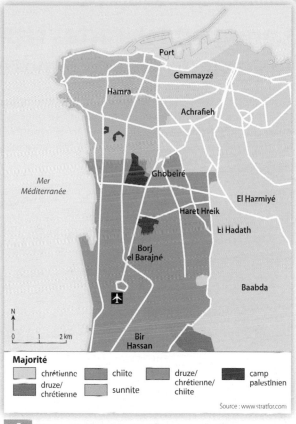

Majorité

- chrétienne
- druze/ chrétienne
- chiite
- sunnite
- druze/ chrétienne/ chiite
- camp palestinien

Source : www.stratfor.com

4 **Beyrouth (capitale du Liban) : une ville multireligieuse.**

La guerre civile libanaise de 1975 à 1990 a causé de nombreux déplacements de populations au sein du pays et une partition de Beyrouth en deux, contribuant à regrouper les communautés religieuses dans des quartiers distincts.

Questions

Analyser une carte

1. Montrez que les auteurs du **doc.1** présentent le Moyen-Orient comme une région homogène. Quelle est la caractéristique retenue pour le découpage de cette région ?

2. Comment la diversité religieuse et ethnique se manifeste-t-elle au Moyen-Orient ? (**doc. 2, 3 et 4**)

Comparer des cartes

3. Comparez le découpage du monde en aires de civilisation du **doc. 1** avec les **cartes 3 et 4 p. 245**. Que peut-on en conclure ?

4. En quoi le Liban illustre-t-il la complexité religieuse du Moyen-Orient ? (**doc. 3 et 4**) Quels autres États ou villes auraient pu être cartographiés pour illustrer la complexité religieuse du Moyen-Orient ? (**doc. 2**)

5. Quelles sont les conséquences géopolitiques de cette diversité religieuse et ethnique ? (**doc. 2 et doc. 1 p. 236**)

Montrer les limites de la représentation cartographique

6. Pourquoi la représentation cartographique des aires de civilisation est-elle difficile ? (**doc. 1**)

7. Pourquoi peut-on dire que chaque changement d'échelle nuance la vision précédente ? En quoi le petit texte accompagnant le **doc. 3** révèle-t-il les limites de la représentation des communautés religieuses sur la carte du Liban ?

8. Expliquez pourquoi il est indispensable de changer d'échelle lorsque l'on étudie un espace. (**doc. 1 à 4**)

Comment les cartes représentent-elles les grands enjeux environnementaux ?

En raison de la forte croissance économique et démographique, les atteintes contre l'environnement se multiplient et posent désormais la question du développement durable à l'échelle mondiale. Les cartes permettent de montrer que les questions environnementales dépassent les frontières nationales.

Vocabulaire

Développement durable : voir p. 251.

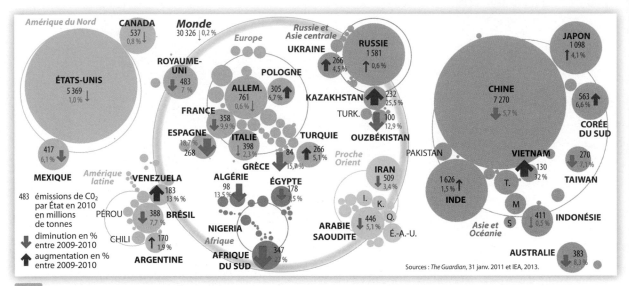

1 **Les émissions de CO₂ par État en 2010.** Un cartogramme est une représentation cartographique très visuelle et esthétique, souvent utilisée en infographie. Celui-ci représente à l'aide de cercles proportionnels les émissions de CO₂ qui constituent l'essentiel des gaz à effet de serre accusés d'être à l'origine du réchauffement climatique.

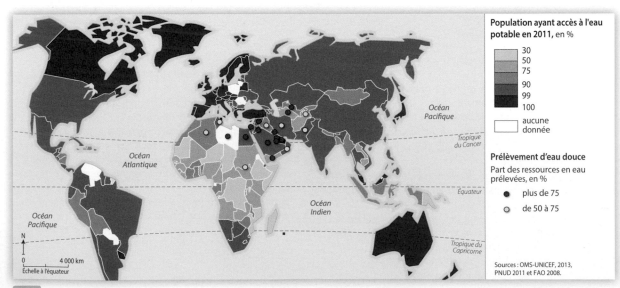

2 Un accès à l'eau inégal

3 **La situation démographique du monde en 2050.** Cartogramme tiré de *The Atlas of the Real World*, 2010.

4 **Les problèmes environnementaux : une nouvelle clé de lecture géopolitique ?**

Aurait-on pu comprendre la seconde moitié du xxe siècle sans recourir à la grille de lecture de la guerre froide ? Il en va de même pour l'épée de Damoclès climatique pour le xxie siècle : le péril écologique se substitue – ou plutôt s'ajoute – au danger des armes de destruction massive. […] Que deviendront demain [les victimes des changements environnementaux], avec le réchauffement climatique, la montée des océans, les tempêtes et ouragans, la désertification, la déforestation, l'érosion des sols, la raréfaction de l'eau, les épidémies, etc. ? Et où iront les centaines de millions d'hommes et de femmes chassés de leur terre natale, sinon vers les favelas de la misère, les rangs des guérillas ou les barques tentant de gagner l'Occident ?

Ces sources de conflits intra ou inter-étatiques sont déjà à l'œuvre aujourd'hui. Une des clés de l'affrontement israélo-palestinien n'est-elle pas l'eau ? La pénurie annoncée de pétrole n'explique-t-elle pas le « grand jeu » opposant Russie et Occidentaux dans le Caucase et l'Asie centrale ? Le malheur du Darfour ne vient-il pas aussi du combat pour des ressources naturelles qui se raréfient ? Est-ce un hasard si, de l'Asie au Maghreb, Al-Qaïda et ses filiales recrutent dans les pires bidonvilles ?

Collectif, *L'Atlas de l'environnement*, 2008.

Questions

Analyser une carte

1. Quels sont les États qui émettent le plus de CO_2 ? Pourquoi s'agit-il d'un problème environnemental mondial ? **(doc. 1)**

2. Quels sont les États où l'eau potable est rare ? **(doc. 2)**

Comparer des cartes

3. Quel lien peut-on établir entre les situations présentées dans les **doc. 1 et 2** et celle présentée dans le **doc. 3 p. 241** ?

4. En vous appuyant sur le **doc. 4**, localisez les principales victimes du changement climatique.

Montrer les limites de la représentation cartographique

5. Confrontez les choix cartographiques des **doc. 1, 2 et 3**. En quoi ces cartes traduisent-elles un monde complexe sur le plan environnemental ?

Retenir en réalisant un schéma

Complétez le schéma et la légende ci-dessous.

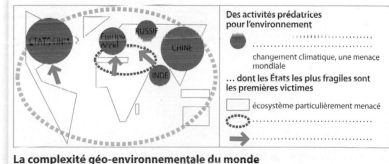

Des activités prédatrices pour l'environnement

....

changement climatique, une menace mondiale

... dont les États les plus fragiles sont les premières victimes

écosystème particulièrement menacé

....

....

La complexité géo-environnementale du monde

Changer d'indicateur Comment deux cartes peuvent-elles représenter deux visions opposées du monde ?

Les cartes opposent souvent des États dits « vertueux » à des États « coupables » de fortes prédations.
Mais les indicateurs retenus pour faire ces cartes tiennent rarement compte des aspects économiques et sociaux du développement durable. Et ils peuvent engendrer des discours totalement contraires.

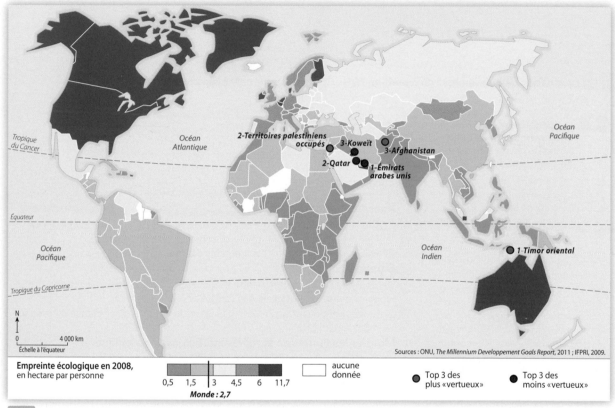

Sources : ONU, *The Millennium Développement Goals Report*, 2011 ; IFPRI, 2009.

Empreinte écologique en 2008, en hectare par personne

0,5   1,5   3   4,5   6   11,7

Monde : 2,7

aucune donnée

Top 3 des plus «vertueux»

Top 3 des moins «vertueux»

1 **L'empreinte écologique dénonce les pays industrialisés.** Diffusée par l'ONG WWF, elle évalue la superficie moyenne par habitant nécessaire à chaque État pour assouvir ses besoins. Plus l'empreinte est forte, plus l'État est jugé prédateur.

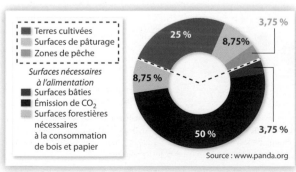

2 **Les indicateurs composant l'empreinte écologique**

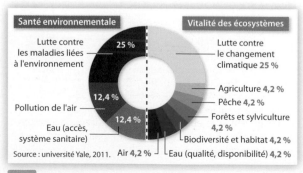

3 **Les indicateurs composant l'EPI**

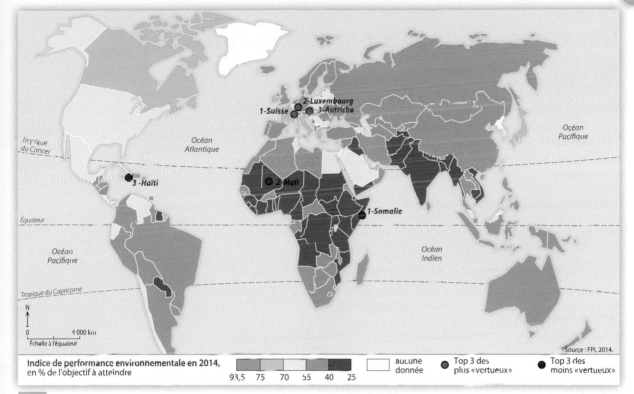

Indice de performance environnementale en 2014, en % de l'objectif à atteindre

93,5 75 70 55 40 25

aucune donnée

● Top 3 des plus «vertueux»

● Top 3 des moins «vertueux»

Source : EPI, 2014.

4 **L'indice de performance environnementale (EPI) dénonce les pays les plus pauvres.** Selon ce classement, élaboré par des chercheurs universitaires américains, un pays classé 100 serait le meilleur, et celui classé 0, le pire. Cet indicateur cumule 25 critères et tient compte des politiques environnementales menées par les États.

Questions

Analyser une carte

1. Dans chacune des cartes, quels sont les États vertueux et ceux mis en accusation de forte déprédation environnementale ? (doc. 1 et 4)

Comparer des cartes

2. Quels sont les critères retenus pour l'élaboration des deux indicateurs ? En quoi diffèrent-ils ? (doc. 2 et 3)

3. Montrez que ces indicateurs conduisent à une lecture totalement différente du monde (doc. 1 et 4)

4. Confrontez cette lecture du monde au doc. 1 p. 240. Que peut-on en conclure ?

Montrer les limites de la représentation cartographique

5. Quels procédés cartographiques a-t-on utilisés pour mettre en valeur ces représentations ? (doc. 1 et 4)

6. Quelles sont les critiques faites dans le doc. 5 ? En quoi ce texte nuance ou conforte-t-il les indicateurs environnementaux ? Quel regard critique peut-on également porter sur ce texte ?

5 **Les indicateurs environnementaux : des instruments catastrophistes et dangereux ?**

Les discours catastrophiques sont innombrables quand il s'agit d'évoquer le réchauffement climatique. [...] La diffusion d'informations anxiogènes est un élément très médiatique intéressant l'ensemble des médias. Ces discours profitent à différents acteurs, ils sont nécessaires à certaines ONG pour obtenir les moyens financiers indispensables à leur action, ils servent certains laboratoires de recherche et des firmes... Ils permettent à des pays du Sud d'obtenir d'importants financements. [...] La nouvelle « religion » de la protection de la nature [...] évite soigneusement de poser les questions [...] de la pauvreté, du mal-développement, de la situation inacceptable de plusieurs milliards de personnes sur la terre dont la cause n'est certainement pas seulement, loin s'en faut, l'érosion de la biodiversité ou le changement climatique.

S. Brunel et J. R. Pitte, *Le ciel ne va pas nous tomber sur la tête*, 2010.

Vocabulaire

Développement durable : développement qui permet de satisfaire nos besoins actuels sans compromettre la possibilité pour les générations futures de satisfaire les leurs. Le développement durable doit conduire à plus d'équité entre les hommes et les générations.

Environnement : au sens étroit, milieu naturel ; au sens large, ensemble des éléments naturels et sociaux qui nous entourent.

Des cartes pour comprendre le monde

> Comment la complexité du monde est-elle traduite par les cartes ?

Représenter la complexité géo-économique du monde

■ **Les cartes montrent la persistance d'inégalités de développement.** Cependant, la limite Nord-Sud est de moins en moins évidente.

■ **Les cartes permettent de lire l'explosion des flux dans la mondialisation.** Elles renforcent la conscience d'interdépendance entre les différentes parties du monde.

■ **Un monde polycentrique s'affirme**, en raison du déclin relatif de la puissance des États-Unis et de la montée en puissance des pays émergents (doc. 2 p. 242). Face à la diversité des flux et à leur multiplication, la construction des cartes donne à lire une réalité temporaire.

Représenter la complexité géopolitique du monde

■ **Les conflits actuels ont changé de nature** et leur nombre baisse. Les stratégies des États étant multiples et évolutives, les cartes géopolitiques doivent être lues de façon critique (voir p. 238-239).

■ **Les conflits ont surtout lieu dans des espaces en retard de développement** : 80 % des PMA connaissent ou ont connu un conflit depuis 1990. La cartographie des conflits est difficile, car les évolutions sur le terrain sont rapides.

■ **Certains pays émergents veulent plus de reconnaissance dans les affaires internationales.** L'extension du G8 au G20 illustre cette tendance.

Représenter la complexité géoculturelle du monde

■ **La mondialisation rend plus difficile la cartographie des contrastes culturels.** En raison des flux humains et culturels, la représentation d'aires de civilisation doit être observée avec un regard critique car les espaces de métissage se multiplient.

■ **Plusieurs découpages ont cependant été tentés.** S. Huntington, universitaire américain, divise le monde en neuf aires de civilisation selon des critères essentiellement religieux et ethniques, tandis que le géographe Y. Lacoste limite leur nombre à cinq.

■ **Les cartographes influencent la manière de voir le monde** (doc. 2). Ainsi S. Huntington évoque un risque de conflits entre civilisations. Or sa vision cartographique ignore les fractures internes à chaque civilisation (voir p. 246-247). Il est donc indispensable de changer d'échelle pour appréhender les contrastes dans le monde.

Représenter la complexité géo-environnementale du monde

■ **Les atteintes à l'environnement sont une préoccupation mondiale.** Mais les cartes qui tentent de les mesurer sont souvent imprécises ou contradictoires (voir p. 250-251).

■ **Les pressions sur l'environnement sont liées aux niveaux de richesse et de développement.** Les questions environnementales ont aussi des conséquences géopolitiques.

■ **Les cartes proposent aussi des tendances prévisionnelles.** Elles deviennent des outils de communication (doc. 1).

Repère

Le poids comparé des BRICS et du G20

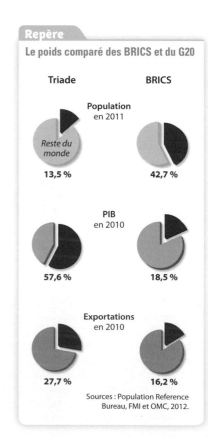

Triade	BRICS
Population en 2011	
Reste du monde	
13,5 %	42,7 %
PIB en 2010	
57,6 %	18,5 %
Exportations en 2010	
27,7 %	16,2 %

Sources : Population Reference Bureau, FMI et OMC, 2012.

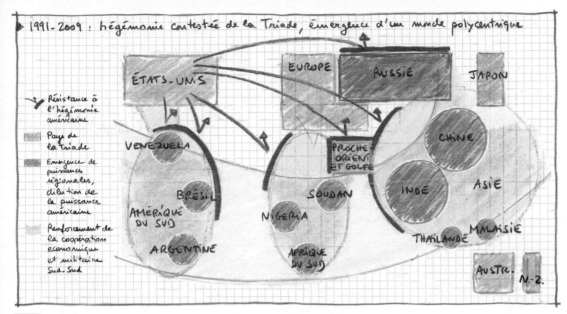

1991-2009 : hégémonie contestée de la Triade, émergence d'un monde polycentrique

Légende :
- Résistance à l'hégémonie américaine
- Pays de la Triade
- Emergence de puissances régionales, dilution de la puissance américaine
- Renforcement de la coopération économique et militaire Sud-Sud

1 L'emergence d'un monde polycentrique selon P. Rekacewicz (2012).

1. Comment les pôles de la Triade et les BRICS sont-ils représentés sur ce schéma ?
2. Portez un regard critique sur le choix de certains pays représentés.

2 Les choix du cartographe

Les cartes [...] ne sont ni objectives ni exhaustives, elles ne sont en rien le réel, mais son interprétation. La réalisation de cartes résulte d'une longue série de choix, de lectures subjectives, d'une manière de voir, parfois manipulatrice, bien souvent approximative. Une carte est une image graphique qui doit permettre une perception instantanée et une mémorisation facile de l'information représentée. [...]

Tout projet de carte renvoie le cartographe à la disponibilité, à la qualité et à la cohérence de ses sources. Les données statistiques sont à l'image des États qui les produisent. Exhaustives, comparables et à jour dans les États développés disposant d'appareils statistiques anciens et fiables, elles sont amnésiques, indisponibles, voire falsifiées, dans les États autoritaires ou totalitaires ; indigentes et peu fiables dans les États les plus pauvres où même l'état civil fait parfois défaut. Cette hétérogénéité est en partie corrigée par les grands organismes internationaux et les acteurs privés, éditeurs, groupes de presse ou ONG qui publient régulièrement des rapports et annuaires. [...] Plus que jamais, il est indispensable de se livrer, pour une même donnée, aux comparaisons et aux critiques des sources.

M.-F. Durand (dir.), *Atlas de la mondialisation. Comprendre l'espace mondial contemporain*, 2010.

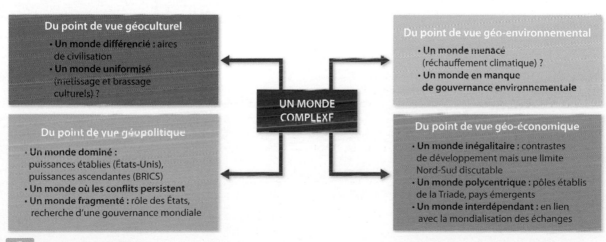

Du point de vue géoculturel
- **Un monde différencié :** aires de civilisation
- **Un monde uniformisé** (métissage et brassage culturels) ?

Du point de vue géo-environnemental
- **Un monde menacé** (réchauffement climatique) ?
- **Un monde en manque de gouvernance environnementale**

UN MONDE COMPLEXE

Du point de vue géopolitique
- **Un monde dominé :** puissances établies (États-Unis), puissances ascendantes (BRICS)
- **Un monde où les conflits persistent**
- **Un monde fragmenté :** rôle des États, recherche d'une gouvernance mondiale

Du point de vue géo-économique
- **Un monde inégalitaire :** contrastes de développement mais une limite Nord-Sud discutable
- **Un monde polycentrique :** pôles établis de la Triade, pays émergents
- **Un monde interdépendant :** en lien avec la mondialisation des échanges

3 Un monde complexe

EXERCICE RÉDIGÉ

SUJET Les cartes permettent-elles de comprendre la complexité du monde ?

Montrez que la carte du PIB et de l'IDH permet d'approcher la complexité du monde à travers les inégalités de richesse et de développement, mais que son mode de représentation comporte des limites.

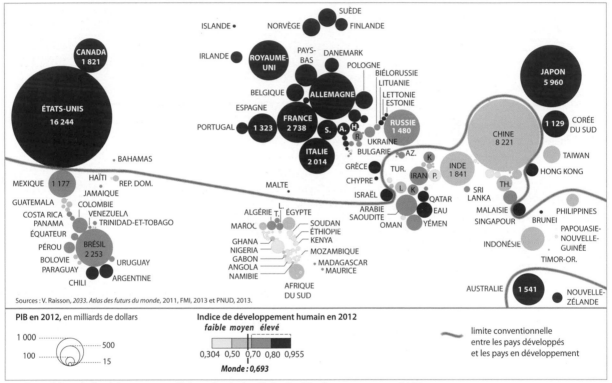

Sources : V. Raisson, *2033. Atlas des futurs du monde*, 2011, FMI, 2013 et PNUD, 2013.

PIB en 2012, en milliards de dollars

1 000 ········
100 ········· ·········500
········ 15

Indice de développement humain en 2012
faible moyen élevé

0,304 0,50 0,70 0,80 0,955
Monde : 0,693

limite conventionnelle entre les pays développés et les pays en développement

La répartition de la richesse mondiale et les inégalités de développement en 2012

Étape 1 Analyser le sujet et la consigne

■ <u>Délimiter l'espace concerné et identifier les mots-clés</u>

Montrez que **la carte du PIB et de l'IDH** permet d'approcher la **complexité du monde** à travers **les inégalités de richesse et de développement** mais que **son mode de représentation comporte des limites**.

Les cartes **permettent-elles de comprendre la** complexité du monde ?

Comment la carte a-t-elle été construite ? Quels sont les apports de ce choix cartographique ? Quelles en sont les limites ?

D'après quelle grille de lecture la complexité du monde est-elle abordée ? Dans quelle mesure les inégalités de richesse et de développement participent-elles à la complexité du monde ? Quel découpage du monde présentent-elles ? Cette carte permet de confronter deux critères différents : le PIB et l'indice de développement humain.

Le document est un planisphère. L'espace concerné est le monde. Pourtant, au-delà de l'échelle mondiale, le sujet invite à s'interroger sur le découpage du monde en sous-ensembles.

Conseil *Introduire le sujet par une ou deux phrases courtes qui en reprennent les termes principaux.*

Étape 2 Rédiger une réponse construite et argumentée

■ Présenter l'analyse du document

Introduction : *Les inégalités de richesse et de développement sont des marqueurs visibles de l'organisation du monde et la carte est l'outil le plus usuel des géographes pour tenter de représenter sa complexité. Le cartogramme du PIB et de l'IDH permet de s'interroger sur les inégalités socio-économiques autant que de dégager les limites de l'outil cartographique.*

> Présentation du sujet et lien avec la question au programme

> Mise en valeur de l'intérêt du document pour traiter le sujet

Paragraphe 1 : *Les indicateurs utilisés dans cette carte sont classiques pour mesurer les inégalités socio-économiques. D'une part, l'indicateur de développement humain est le principal outil de mesure des inégalités dans le monde. Il intègre, sur une échelle de 0 à 1, l'espérance de vie à la naissance, le taux d'alphabétisation des adultes et le RNB ppa/hab. Critère qualitatif, il est parfois délaissé au profit d'indicateurs plus précis (indice de pauvreté humaine qui intègre cinq variables, etc.). D'autre part, le produit intérieur brut mesure la production de biens et services en dollars dans un pays sur une année donnée. Le cartographe utilise la parité de pouvoir d'achat qui permet d'éliminer les différences de niveau de prix entre les pays. Ces deux indicateurs sont fournis par des organismes internationaux dépendants de l'ONU, le PNUD et le FMI, qui en font des outils de mesure universels permettant les comparaisons nationales. En définitive, l'IDH reste l'indice privilégié pour présenter les inégalités de développement dans le monde, tandis que le PIB établit la hiérarchie des pays selon leur richesse.*

> Prélèvement des informations dans le document

> Recours aux notions clés pour analyser le document

> Courte phrase concluant l'idée générale du paragraphe

Paragraphe 2 : *À travers le tracé de la limite conventionnelle, la carte oppose un Nord et un Sud qui constituent un premier niveau de lecture des inégalités dans le monde. En effet, la majorité des États à IDH élevé (supérieur à 0,7) appartiennent au groupe des pays développés qui forment le Nord. À l'inverse, une majorité des États à IDH faible ou moyen (inférieur à 0,7) sont des pays en développement qui appartiennent au Sud. De même, à l'exception de quelques pays émergents (Chine, Inde, Brésil), les États les plus riches sont les pôles de la Triade (Amérique du Nord, Europe occidentale, Japon) tandis que l'Afrique subsaharienne disparaît presque totalement. Par les choix cartographiques réalisés, la carte contribue à renforcer cette image : choix de tracé de la limite Nord-Sud, choix des couleurs dont la hiérarchisation renforce l'opposition, discrétisation qui met en évidence des groupes de pays (Triade, PMA). Ainsi, ce premier niveau de lecture propose une lecture simple des inégalités dans le monde.*

> Mot de liaison permettant de montrer une maîtrise correcte de la langue

> Identification des limites du document

Paragraphe 3 : *Cependant, une lecture plus fine apporte un autre regard et conduit à nuancer cette première vision du monde. La carte met en évidence des sous-ensembles dépassant la simple limite Nord-Sud. Au Nord comme au Sud, les nuances sont nombreuses : les pays d'Europe de l'Est et la Russie ont un IDH inférieur aux pôles de la Triade, qui cumulent richesse et développement ; les pays les moins avancés ont un IDH et un PIB nettement inférieurs aux autres pays du Sud. Plus encore, certains États du Sud (Argentine, pays pétroliers) ont un IDH comparable à celui des pays d'Europe de l'Est, alors qu'ils ne se situent pas du même côté de la limite conventionnelle. De plus, la confrontation avec l'IDH permet de corriger l'image donnée par le PIB, en montrant que les États riches ne sont pas tous développés (pays émergents). Néanmoins, cette carte ne rend pas compte des dynamiques et oublie aussi les inégalités à d'autres échelles (régionales, locales). Pour toutes ces raisons, la carte de l'IDH et du PIB donne une image partielle de la complexité du monde.*

Conclusion : *Ainsi, la confrontation des documents permet à la fois de s'interroger sur les inégalités de développement et de richesse dans le monde et sur les modes de représentation cartographiques utilisés pour les montrer. Si l'analyse de ce document permet de soulever les principaux enjeux des inégalités, elle met également en évidence ses limites pour apprécier la complexité du monde.*

> Réponse à la problématique soulevée par le sujet

> Identification des limites du document

EXERCICE GUIDÉ

SUJET Les cartes permettent-elles de comprendre la complexité du monde ?

Montrez que les cartes des aires de civilisation permettent d'approcher les contrastes culturels du monde mais que leur mode de représentation comporte des limites.

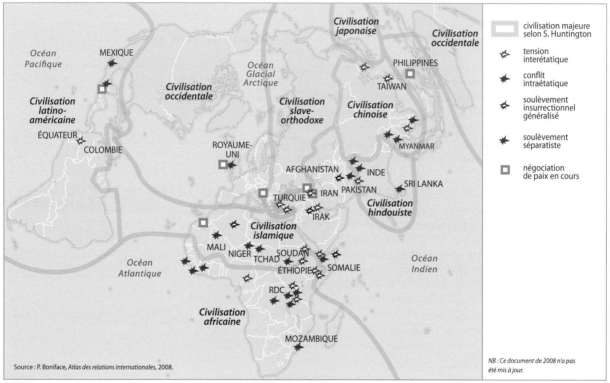

Source : P. Boniface, *Atlas des relations internationales*, 2008.

NB : Ce document de 2008 n'a pas été mis à jour.

1 Les aires de civilisations selon S. Huntington et les conflits régionaux selon P. Boniface

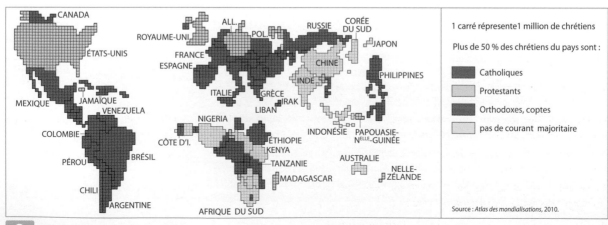

Source : *Atlas des mondialisations*, 2010.

2 Les chrétiens dans le monde

Analyser le sujet et la consigne

Montrez que **les cartes** des aires de civilisation permettent d'approcher les contrastes culturels mais que **leur mode de représentation comporte des limites**

Les cartes permettent-elles de comprendre la complexité du monde ?

■ Délimiter l'espace concerné et identifier les mots-clés

Quels sont les choix cartographiques (figurés, couleurs) de chacune de ces cartes ? Dans quelle mesure ces choix portent-ils un discours différent, voire contradictoire ? Pourquoi P. Boniface superpose-t-il une autre vision du monde à celle de S. Huntington ? Avec quel objectif ?

D'après quelle grille de lecture la complexité du monde est-elle abordée ? Quel découpage du monde les doc. 1 et 2 proposent-ils ? Sont-ils contradictoires ? Comment définir une aire de civilisation ? Comment S. Huntington les a-t-il délimitées ?

Étape 2 **Dégager les apports et les limites des documents, les confronter**

Questions soulevées par le sujet	Informations relatives au sujet, apport des documents	Limite des documents
1. Quel découpage géoculturel du monde ces cartes donnent-elles à voir ?	Comparez les découpages de S. Huntington avec celui de C. Chaliand et J.-P. Ragaud (doc. 1 p. 246) en vous appuyant sur les exemples des Philippines et du Japon.	Que peut-on conclure sur la délimitation des aires de civilisation ?
2. Quelles nuances peut-on apporter au découpage du monde de S. Huntington ?	Comparez la représentation de la répartition des chrétiens dans le monde (doc. 1 et 2).	En quoi le procédé par anamorphose utilisé dans le doc. 2 est-il pertinent pour discuter la vision de S. Huntington ?
		Montrez qu'il existe des zones de métissage culturel.
3. Comment P. Boniface s'y prend-il pour critiquer la thèse du « choc des civilisations » ?	Quelles sont les zones où les conflits sont les plus nombreux ?	Montrez que la vision du monde de S. Huntington est réductrice.
	Quels procédés cartographiques P. Boniface utilise-t-il pour critiquer la théorie de S. Huntington ?	La localisation des conflits dans le monde confirme-t-elle le « choc des civilisations » ?

Conseil *La confrontation de deux documents permet de développer une argumentation nuancée.*

Prélèvement des informations dans les documents

Explication des informations prélevées à l'aide des connaissances personnelles

Limites de la représentation cartographique

Étape 3 **Rédiger une réponse construite et argumentée**

■ Présenter l'analyse de document(s)

Terminez la rédaction de l'introduction en présentant les documents.

Représenter les contrastes culturels du monde constitue un défi pour le cartographe. Les aires de civilisations permettent de représenter ces contrastes mais leur délimitation pose problème. ....

Conseil *Il faut montrer l'intérêt de confronter deux documents.*

Présentation du sujet et lien avec la question au programme

Présentation des documents : mise en valeur de leur intérêt pour traiter le sujet

■ Développer l'étude critique de document(s)

Terminez la rédaction de l'analyse de documents selon l'exemple du paragraphe 1 ci-dessous.

Paragraphe 1 : *La représentation cartographique des contrastes culturels du monde utilise des critères variés.*......................
....

Paragraphe 3 : *La thèse de S. Huntington selon laquelle les conflits du XXIe siècle seront culturels a été très critiquée.*..................
....

Paragraphe 2 : *Les choix faits par S. Huntington montrant une vision figée des civilisations sont discutables.*......................
....

ENTRAÎNEMENT

SUJET ## Les cartes permettent-elles de comprendre la complexité du monde ?

Montrez que la représentation des conflits permet de comprendre la complexité du monde. En confrontant deux documents, dégagez les limites du mode de représentation cartographique du doc. 1.

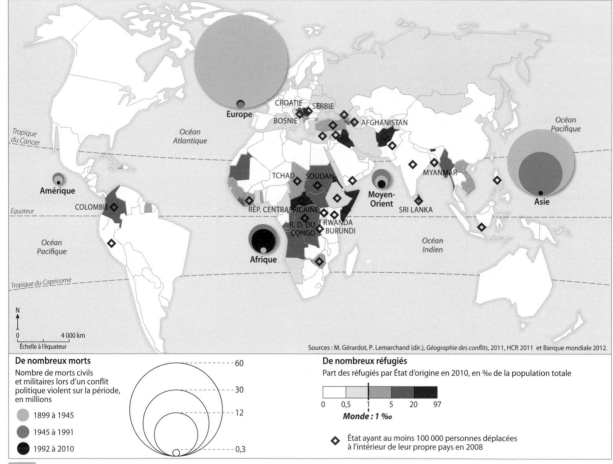

Sources : M. Gérardot, P. Lemarchand (dir.), *Géographie des conflits*, 2011, HCR 2011 et Banque mondiale 2012.

De nombreux morts

Nombre de morts civils et militaires lors d'un conflit politique violent sur la période, en millions

- 1899 à 1945
- 1945 à 1991
- 1992 à 2010

60
30
12
0,3

De nombreux réfugiés

Part des réfugiés par État d'origine en 2010, en ‰ de la population totale

0 0,5 1 5 20 97

Monde : 1 ‰

◆ État ayant au moins 100 000 personnes déplacées à l'intérieur de leur propre pays en 2008

1 **Des conflits aux conséquences humaines dramatiques**

2 **Une baisse des conflits au XXIᵉ siècle ?**

Au début du XXIᵉ siècle, le nombre de conflits est moins important, de l'ordre de – 40 % entre 1992 et 2005 selon un rapport du Centre de sécurité humaine de Vancouver (2006). Parallèlement, entre 1992 et 2005, le nombre des génocides et des massacres a chuté de 80 %, celui des réfugiés de 30 %, celui des coups d'État a été diminué par deux environ. Les raisons de cette baisse du nombre de conflits armés sont liées au contexte géopolitique global : fin des guerres de décolonisation, fin de la paralysie de l'ONU (qui engage, en 1996 et 2002, six fois plus de missions de diplomatie préventive, quatre fois plus de missions de maintien de la paix), progrès et montée des niveaux de vie, nombre croissant de régimes démocratiques (20 en 1946, 88 en 2005), activités des organisations non gouvernementales et associations régionales.

P. Boulanger, *Géographie militaire et géostratégie. Enjeux et crises du monde contemporain*, 2010.

ENTRAÎNEMENT

SUJET **Les cartes permettent-elles de comprendre la complexité du monde ?**

À l'aide du texte, montrez que la carte :
– croise des grilles de lecture géo-environnementale, géopolitique et géo-économique ;
– constitue une manière d'illustrer la complexité du monde ;
– comporte des limites du fait des choix cartographiques.

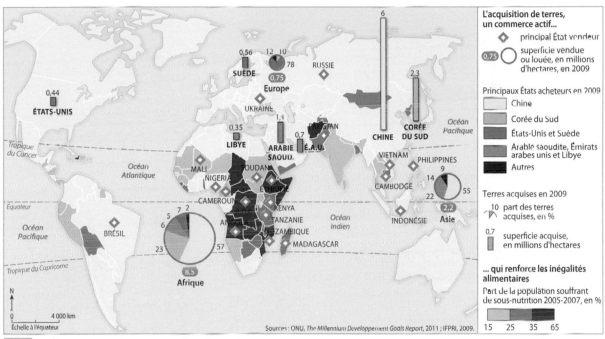

1 L'accaparement des terres agricoles

2 Augmenter la production agricole pour faire face à la croissance démographique

Un quart des terres mondiales est très dégradé ou affiche une forte tendance à la dégradation [...]. « *L'agriculture occupe déjà 11 % de la surface des terres émergées de la planète* » [...] rappelle le rapport [2011 de la FAO]. Cependant, le rythme de croissance de la production agricole et d'amélioration des rendements ralentit depuis quelques années. [...] « *Les gains de production ont été associés à des pratiques de gestion qui ont dégradé les systèmes d'exploitation de la terre et de l'eau dont dépend la production.* » Toute la planète est concernée, selon la FAO, [...] mais l'Afrique et l'Asie sont les continents où la situation est la plus alarmante. Les experts de la FAO affirment que, d'ici à 2050, « *il sera nécessaire de produire un milliard de tonnes de céréales et 200 millions de tonnes de produits animaux supplémentaires chaque année* » pour nourrir une population de plus en plus nombreuse et aspirant à un certain standard alimentaire. [...] La surface des terres cultivées a augmenté de 12 % au cours des cinquante dernières années, une progression qui correspond au doublement des surfaces irriguées. Les pays qui devront augmenter le plus leur production sont également les plus touchés par la dégradation des sols, la surexploitation des ressources et le changement climatique. Dans ces pays à faible revenu, la surface de terre cultivée rapportée au nombre d'habitants est de 0,17 hectare, contre 0,37 pour les pays riches. « *Il existe un lien étroit entre pauvreté et accès insuffisant aux ressources en terres et en eau* », constatent les auteurs du rapport.

Le Monde, 30 novembre 2011.

EXERCICE GUIDÉ

SUJET Les cartes permettent-elles de comprendre la complexité du monde ?

Montrez que la carte de la diffusion de la crise financière permet d'approcher la complexité du monde mais que son mode de représentation comporte des limites.

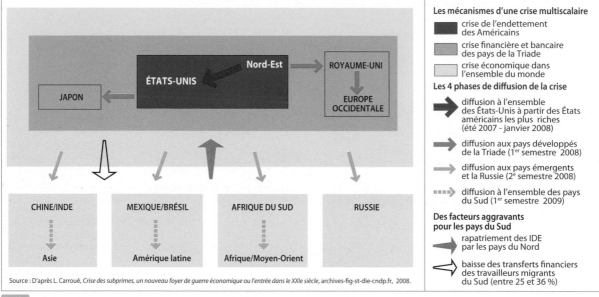

Source : D'après L. Carroué, *Crise des subprimes, un nouveau foyer de guerre économique ou l'entrée dans le XXIe siècle*, archives-fig-st-die-cndp.fr, 2008.

1 **La diffusion de la crise financière de 2008 dans le monde**

2 **Le fond de carte : une nécessité ?**

Si le fond de carte peut être un repère, s'il peut être manipulé pour s'adapter à l'information cartographique cartographiée, il n'en demeure pas moins une carte glissée sous une autre carte : c'est la carte de la carte. Comme tel, il sert le plus souvent à s'orienter dans la carte, ne serait-ce que pour opérer des regroupements pertinents d'objets. Réciproquement, cette carte de fond implique que ses lieux entretiennent entre eux des rapports de localisation indépendants de l'information cartographiée en surface. Dès lors, l'expérience est tentante de supprimer le fond de carte pour voir ce qu'il cache.

J. Lévy, P. Poncet, E. Tricoire, « La carte, enjeux contemporains », *La Documentation photographique*, 2004.

Étape 1 Analyser le sujet et la consigne

Montrez que **la carte de la diffusion de la crise financière** permet d'approcher la **complexité du monde** mais que **son mode de représentation comporte des limites**.

■ <u>Délimiter l'espace concerné et identifier les mots-clés</u>

Les cartes permettent-elles de comprendre la complexité du monde ?

Quel est l'élément habituellement indispensable dans une carte qui a disparu ? Comment les continents et les États sont-ils représentés ?

D'après quelle grille de lecture la complexité du monde est-elle abordée ? Comment cette carte rend-elle compte de l'interdépendance des États ?

L'espace concerné est le monde. Mais le sujet invite à s'interroger sur les différentes échelles de diffusion de la crise à des sous-ensembles régionaux.

Complétez le tableau.

Conseil *Pour étudier les documents, il faut prélever les informations en lien avec le sujet et les expliquer à l'aide des connaissances personnelles.*

	Informations	Explications
Sur le fond	• Une diffusion rapide : en quelques mois, l'ensemble du monde est affecté par la crise financière. • …………………………………………………………………	• Cette diffusion mondiale rapide est liée à l'interdépendance économique et financière du monde. • …………………………………………………………………
Sur la forme	• Absence de fond de carte « indépendant de l'information cartographiée en surface ». • …………………………………………………………………	• ………………………………………………………………… • …………………………………………………………………

Étape 3 **Organiser et synthétiser les informations**

■ Développer l'analyse des documents

Sur le modèle proposé pour le paragraphe 1, expliquez les points forts et les points faibles du paragraphe 2.

Paragraphe 1 : *La crise financière de 2008 s'est largement diffusée à l'ensemble du monde. La carte le montre par différents procédés. Des figurés de surface de couleurs chaudes emboîtés montrent les trois échelles de la crise. C'est aux États-Unis que commence la crise qui gagne les autres pôles de la Triade pour se diffuser à la Russie et aux pays du Sud. Des flèches montrent les dynamiques de cette crise multiforme et multiscalaire qui affecte en quelques mois (été 2007 - début 2009) l'ensemble de la planète.*

Points forts :
– courte phrase introduisant le paragraphe
– prélèvement adroit des informations dans le document
– limites du document

Points faibles :
– peu de recours aux mots-clés et aux connaissances personnelles
– absence de mots de liaison pour structurer la rédaction
– pas de phrase concluant l'idée générale du paragraphe

Paragraphe 2 : *La carte montre également que la crise est un facteur de désordre mondial. En effet, la globalisation financière appuyée sur les NTIC conduit à une propagation rapide de la crise et à sa mutation en crise économique. Ainsi, on observe le passage d'une crise de l'endettement des ménages américains à une crise économique généralisée à l'ensemble de la planète par sa diffusion dans les principaux pôles économiques mondiaux. De même, deux flèches montrent comment la baisse des transferts financiers conduit à aggraver la crise dans les États du Sud.*

Terminez la rédaction du paragraphe 3 en valorisant les points forts et évitant les points faibles.

Paragraphe 3 : *Le choix de s'affranchir du fond de carte habituel « pour voir ce qu'il cache » constitue un procédé original.* …………………………………………………………………

■ Conclure l'étude critique des documents

Terminez la rédaction de la conclusion de l'étude critique de documents.

Ainsi, l'exemple de la diffusion de la crise financière de 2008 permet de montrer l'interdépendance croissante des États tout en questionnant l'intérêt d'un fond de carte ou de son absence. …………………………………………………………………

Réponse à la problématique soulevée par le sujet

Identification des limites du document

ENTRAÎNEMENT 1

SUJET Des cartes pour comprendre un monde complexe

Après avoir présenté le contenu du document, vous en dégagerez les apports et les limites.

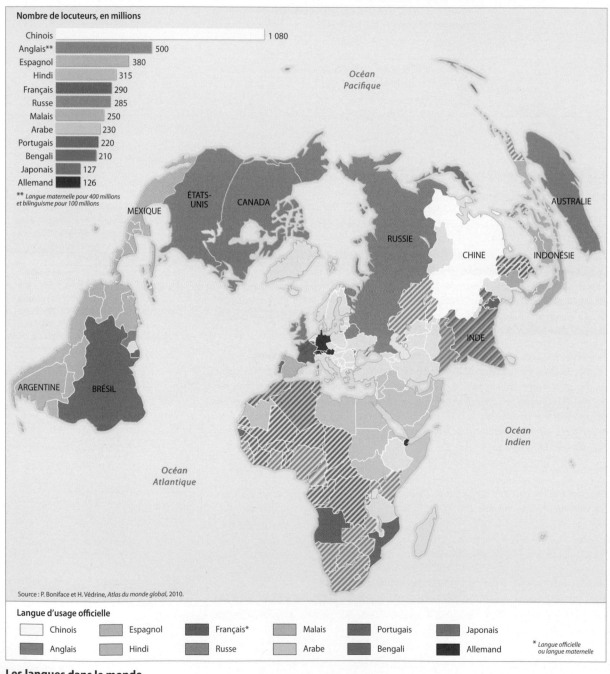

Nombre de locuteurs, en millions

Chinois	1 080
Anglais**	500
Espagnol	380
Hindi	315
Français	290
Russe	285
Malais	250
Arabe	230
Portugais	220
Bengali	210
Japonais	127
Allemand	126

** *Langue maternelle pour 400 millions et bilinguisme pour 100 millions*

Source : P. Boniface et H. Védrine, *Atlas du monde global*, 2010.

Langue d'usage officielle

Chinois — Espagnol — Français* — Malais — Portugais — Japonais
Anglais — Hindi — Russe — Arabe — Bengali — Allemand

* *Langue officielle ou langue maternelle*

Les langues dans le monde

ENTRAÎNEMENT 2

SUJET Des cartes pour comprendre un monde complexe

Après avoir présenté le contenu du doc. 1, vous dégagerez ses apports et ses limites en le confrontant avec le doc. 2.

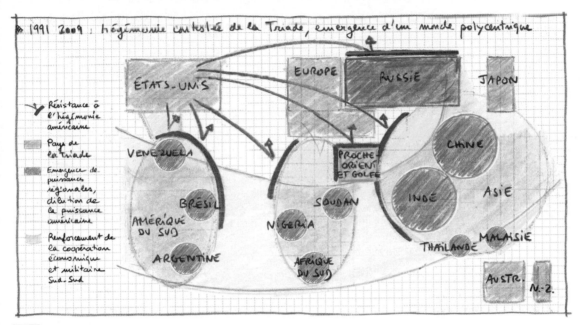

1 Le monde polycentrique selon P. Rekacewicz

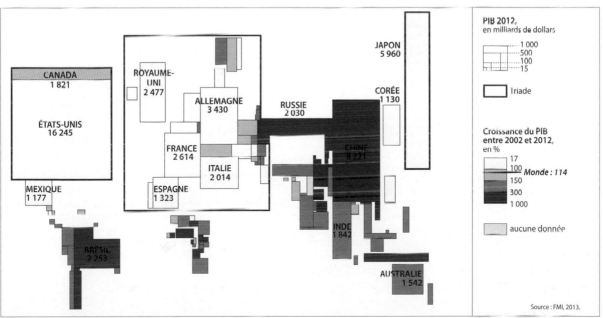

2 Le PIB et son évolution (anamorphose)

L'essentiel

	Quels apports ?	**Quelles limites ?**
A. Comment les cartes représentent-elles la complexité géopolitique du monde ?	➤ La lecture des cartes permet de mettre en lumière : • Un monde dominé par une diversité de puissances : puissances établies et puissances ascendantes ; • Un monde traversé par une diversité de conflits : changement de leur nature et multiplication.	➤ Les représentations cartographiques montrent cependant des limites : • Les cartes appellent à une vigilance quant au traitement des informations et à leurs sources ; • Les cartes proposent une réalité temporaire du fait de l'évolution rapide sur le terrain des conflits.
B. Comment les cartes représentent-elles la complexité géo-économique du monde ?	➤ La lecture des cartes permet de mettre en lumière : • Un monde contrasté : inégalités de développement et de richesse ; • Un monde polycentrique : explosion des flux dans la mondialisation et montée en puissance des pays émergents.	➤ Les représentations cartographiques montrent cependant des limites : • Les cartes proposent une réalité temporaire du fait des progrès rapides du développement ; • Les cartes persistent à représenter la ligne Nord-Sud et la Triade qui sont de plus en plus contestables.
C. Comment les cartes représentent-elles la complexité géoculturelle du monde ?	➤ La lecture des cartes permet de mettre en lumière : • Un monde marqué par une diversité culturelle : religions, langues… ; • Un monde gagné par une certaine uniformisation culturelle : grands événements sportifs mondiaux.	➤ Les représentations cartographiques montrent cependant des limites : • La mondialisation rend difficile la cartographie des contrastes culturels ; • Les cartes ignorent les fractures internes à chaque civilisation : tracés des limites, choix des critères.
D. Comment les cartes représentent-elles la complexité géo-environnementale du monde ?	➤ La lecture des cartes permet de mettre en lumière : • Un monde marqué par une inégale répartition des ressources et l'apparition de problèmes environnementaux ; • Un monde qui prend de plus en plus en compte le développement durable.	➤ Les représentations cartographiques montrent cependant des limites : • Les cartes fournissent des mesures souvent imprécises ou contradictoires ; • Les cartes sont des outils de communication au service d'acteurs aux intérêts divergents.

Notions clés

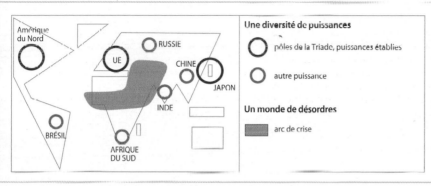

Un monde polycentrique et contrasté

▰ pôle de la Triade : PIB/hab et IDH forts

▰ puissance émergente : PIB/hab. et IDH moyens mais en forte croissance

▰ PMA : PIB/hab. et IDH faibles

── limite Nord/Sud de plus en plus contestée

Un monde interdépendant

⟷ flux majeur

⟸ flux secondaire en forte croissance

Puissance : capacité d'un État à influer sur le comportement des autres États.

Mondialisation : processus de mise en relation de plus en plus intense et directe des différentes parties du monde. Très sélective géographiquement, la mondialisation provoque, par la mise en concurrence et la valorisation des territoires, de profondes inégalités, causant une intégration différenciée de ces territoires dans un monde interdépendant et hiérarchisé.

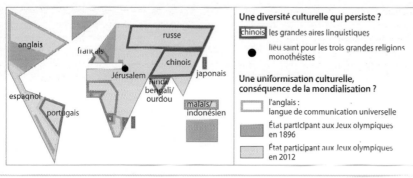

Une diversité de puissances

◯ pôles de la Triade, puissances établies

◯ autre puissance

Un monde de désordres

▰ arc de crise

Pays émergents : pays du Sud et dont la croissance économique est forte. Les pays émergents, dont le poids dans l'économie mondiale est de plus en plus important, représentent un ensemble inorganisé.

Triade : ensemble des trois régions qui dominent l'économie mondiale : l'Amérique du Nord (États-Unis et Canada), l'Europe occidentale et le Japon. Parfois, cette définition s'élargit à d'autres pays d'Asie orientale (Corée du Sud, Taïwan, Hongkong et Singapour) ou intègre la Chine littorale.

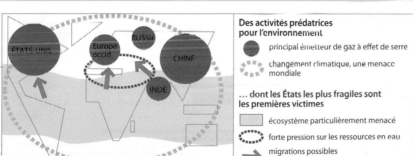

Une diversité culturelle qui persiste ?

▢ chinois les grandes aires linguistiques

● lieu saint pour les trois grandes religions monothéistes

Une uniformisation culturelle, conséquence de la mondialisation ?

▢ l'anglais : langue de communication universelle

▰ État participant aux Jeux olympiques en 1896

▰ État participant aux Jeux olympiques en 2012

Aire de civilisation : espace identifié comme ayant une unité culturelle, du fait que les sociétés humaines qui y vivent adoptent des modes de pensée et de vie semblables.

Des activités prédatrices pour l'environnement

● principal émetteur de gaz à effet de serre

⊙ changement climatique, une menace mondiale

... dont les États les plus fragiles sont les premières victimes

▢ écosystème particulièrement menacé

⬭ forte pression sur les ressources en eau

➡ migrations possibles des réfugiés climatiques

Développement durable : développement qui permet de satisfaire nos besoins actuels sans compromettre la possibilité pour les générations futures de satisfaire les leurs. Le développement durable doit conduire à plus d'équité entre les hommes et les générations.

En quoi le café est-il représentatif du fonctionnement de la mondialisation ?

Avec 2,3 milliards de tasses bues quotidiennement, le café est une boisson universelle qui a largement été affectée par les différentes phases de développement de la mondialisation.

1 En quoi le café est-il un produit inscrit dans la mondialisation ?

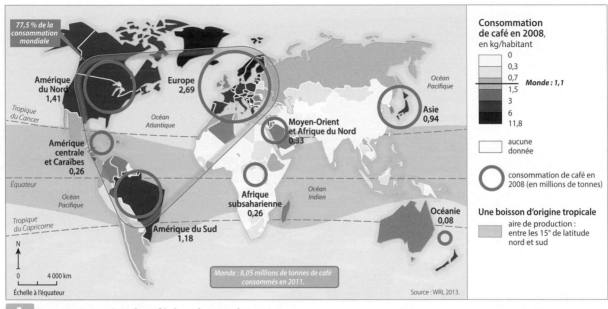

Consommation de café en 2008, en kg/habitant

0
0,3
0,7 *Monde : 1,1*
1,5
3
6
11,8

aucune donnée

consommation de café en 2008 (en millions de tonnes)

Une boisson d'origine tropicale
aire de production : entre les 15° de latitude nord et sud

77,5 % de la consommation mondiale

Amérique du Nord 1,41

Europe 2,69

Océan Pacifique

Asie 0,94

Tropique du Cancer

Océan Atlantique

Moyen-Orient et Afrique du Nord 0,33

Amérique centrale et Caraïbes 0,26

Équateur

Océan Pacifique

Afrique subsaharienne 0,26

Océan Indien

Océanie 0,08

Tropique du Capricorne

Amérique du Sud 1,18

N

0   4 000 km
Échelle à l'équateur

Monde : 8,05 millions de tonnes de café consommés en 2011.

Source : WRI, 2013.

1 La consommation de café dans le monde

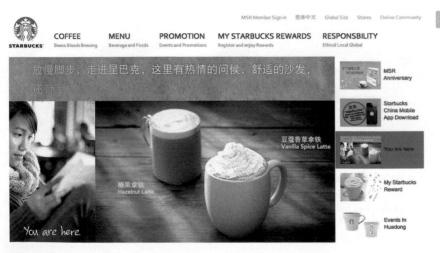

2 Un engouement croissant pour le café en Chine.

La Chine, où la boisson dominante est le thé, accueille près de 1 000 commerces de l'enseigne Starbucks, alors que la FTN n'est présente sur le territoire que depuis 1999.

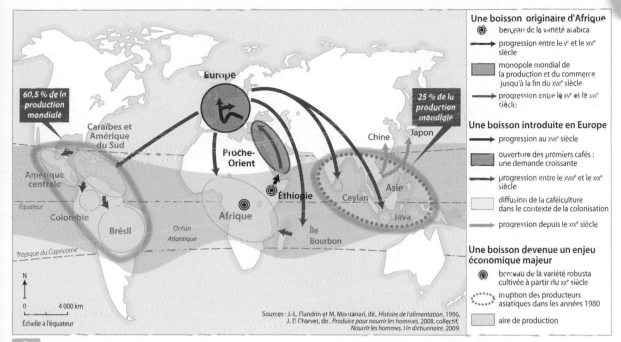

Une boisson originaire d'Afrique

◉ berceau de la variété arabica

➙ progression entre le Vᵉ et le XIVᵉ siècle

▨ monopole mondial de la production et du commerce jusqu'à la fin du XVIIᵉ siècle

➙ progression entre le XVᵉ et le XVIᵉ siècle

Une boisson introduite en Europe

➙ progression au XVIIᵉ siècle

▨ ouverture des premiers cafés : une demande croissante

➙ progression entre le XVIIIᵉ et le XIXᵉ siècle

▨ diffusion de la caféiculture dans le contexte de la colonisation

➙ progression depuis le XIXᵉ siècle

Une boisson devenue un enjeu économique majeur

◉ berceau de la variété robusta cultivée à partir du XXᵉ siècle

⬭ irruption des producteurs asiatiques dans les années 1980

▨ aire de production

Sources : J.-L. Flandrin et M. Montanari, dir., *Histoire de l'alimentation*, 1996, J. P. Charvet, dir., *Produire pour nourrir les hommes*, 2008, collectif, *Nourrir les hommes. Un dictionnaire*, 2009.

3 **La diffusion du café dans le monde.** Le Brésil acquiert son rang de 1ᵉʳ producteur mondial à partir de 1830.

4 **Une production très largement diffusée par la colonisation européenne.**

Affiche publicitaire, 1950.

« La grande histoire d'une tasse de café Lavazza ; transport du café destiné à l'exportation (Indochine) ».

Questions

1. Quels sont les principaux espaces de production et de consommation de café ? (doc. 1, 3 et 5)

2. Quelles sont les principales étapes de la diffusion mondiale du café ? (doc. 3)

3. Quels sont les facteurs de la mondialisation du café ? Quelles en sont les limites ? (doc. 3 et 4)

5 **Une caféière à Llano Bonito, près de San José (Costa Rica).**

Arbre des tropiques humides, le caféier arabica trouve ses conditions optimales à une altitude comprise entre 800 et 1500 mètres.

2 Quels sont les acteurs de la filière du café ?

Café arabica
La demande mondiale évolue vers cette variété de café originaire d'Éthiopie, moins amère et plus aromatisée que le robusta*.

Éthiopie
Un des pays les plus pauvres du monde :
IDH (rang) en 2012 : 0,396 (173ᵉ)
Part de l'agriculture dans le PIB en 2011 : 46,6 %.

Coopérative Sidama
Petits producteurs regroupés en coopérative (l'une des plus grosses du monde) qui s'autogère et à laquelle Max Havelaar garantit une rémunération correcte.

Max Havelaar
Association internationale créée en 1988 et délivrant un label apposé sur le produit.

* Variété de café corsé (chargé en caféine), avec une amertume prononcée.

6 **Max Havelaar : une association délivrant un label international de commerce équitable**

7 **Des FTN puissantes face à des États en position de faiblesse**

FTN ou États	Chiffres d'affaires en 2012 ou PIB en 2012, en milliards de dollars
Indonésie	894,9
Vietnam	138,1
Nestlé (Suisse)	103,6
Procter & Gamble (États-Unis)	87,5
Équateur	80,9
Guatemala*	48,8
Éthiopie*	41,9
Ouganda	21
Kraft Foods (États-Unis)	18,3
Honduras*	18,3
Papouasie-Nouvelle-Guinée	15,7
Starbucks (États-Unis)	13,3
Sara Lee (États-Unis)**	12,1
Nicaragua*	10,5

Sources : FMI, *Fortune* et OIC, 2012.
* États où les exportations de café représentent plus de 15 % des exportations totales.
** Chiffres 2011 .

8 **Le Yunnan, Nestlé et la manne du café**

Dans le Yunnan, la fièvre du café a frappé les cultivateurs. À Pu'er, capitale chinoise du thé, les champs d'arabica font fureur. Ils garantissent à leurs propriétaires des revenus dont ils n'osaient rêver il y a peu encore. Nestlé y est pour quelque chose. Le géant agroalimentaire veveysan est présent dans le Yunnan depuis une vingtaine d'années. Son bureau local achète un cinquième de la production de café de la province. 10 500 tonnes la saison passée.

À 55 ans, la paysanne Fu Zhao pose devant sa maison neuve, qui jouxte l'ancienne. « *Avant on n'avait pas la télé, pas de machine à laver, pas de frigo. Maintenant, on a tout* », s'extasie-t-elle, en ajoutant que sa famille possède « *3 ou 4 voitures* », avant d'éclater de rire. [...]
Au village de Man Ji Mian – 86 familles d'ethnie Dai -, les effets de la nouvelle manne sont saisissants. Wouter de Smet (dirigeant de la filiale de Nestlé à Pu'er) : « *Tout le monde construit une nouvelle maison. C'est l'argent du café.* » Du

coup, les maisons traditionnelles en bambou, de style thaï, sur pilotis, disparaissent pour laisser place au béton. [...]
Dans le petit monde du café chinois, Nestlé est la référence incontournable. « *Nous avons 70 % de parts de marché* », dit Roland Decorvet, le grand patron de Nestlé Chine. [...]
À Kunming, capitale du Yunnan, Li Sijun dirige l'entreprise d'État Yunnan Coffee, qui collabore depuis 1989 avec le programme des Nations unies pour le développement (UNDP). Son café instantané vise exclusivement le marché domestique. « *La demande en Chine augmente de 25 % chaque année, Nestlé est toujours numéro un du café soluble, sa production augmente, mais pas sa part de marché* ».
Li Sijun met en garde contre un enthousiasme excessif : « *C'est un marché global, les prix du café fluctuent. Aujourd'hui ils sont très élevés, ils peuvent aussi s'écrouler, comme en 2001 – 2002, lors de la crise mondiale du café* ».

Alain Arnaud, *Swissinfo*, 14 octobre 2012.

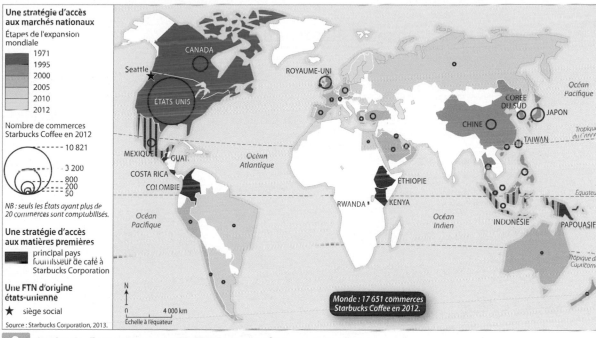

Une stratégie d'accès aux marchés nationaux

Étapes de l'expansion mondiale

- 1971
- 1995
- 2000
- 2005
- 2010
- 2012

Nombre de commerces Starbucks Coffee en 2012

- 10 821
- 3 200
- 800
- 200
- 50

NB : seuls les États ayant plus de 20 commerces sont comptabilisés.

Une stratégie d'accès aux matières premières

principal pays fournisseur de café à Starbucks Corporation

Une FTN d'origine états-unienne

★ siège social

N
0   4 000 km
Échelle à l'équateur

Source : Starbucks Corporation, 2013.

Monde : 17 651 commerces Starbucks Coffee en 2012.

9 Starbucks Corporation : un déploiement planétaire qui s'accélère

◄ Secteur amont ━━━━━━━━━━━━━━━━━━━━━━━━━ Secteur aval ►

4 sociétés spécialisées dans le commerce international (Neumann, Valcafé, ECOM, Dreyfus)

ont **39 %** de parts de marché

30 distributeurs

ont **33 %** de parts de marché, parmi lesquels :

Starbucks, McDonald's, Carrefour, Wal-Mart, Metro group, Rewe, Aldi, Safeway, Kmart, Walgreens, Ito-Yokado, Edeka, Auchan, Sainsbury's, CVS, Leclerc, Casino, Delhaize Group, Daiei

5 torréfacteurs (Nestlé, Sara Lee, Kraft, Procter & Gamble, Tchibo)

ont **45 %** de parts de marché

25 millions de producteurs et de travailleurs

500 millions de consommateurs

100 millions d'actifs dans la production et la commercialisation

J. P. Charvet, *Atlas de l'agriculture. Pourra-t-on nourrir le monde en 2050 ?*, 2010.

10 Une concentration du pouvoir économique dans la **filière** du café

Questions

1. Quels sont les principaux acteurs de la filière du café ? (doc. 6, 8, 9 et 10)
2. Quelles stratégies ces acteurs suivent-ils ? En quoi sont-elles différentes ? (doc. 8, 9 et 10)
3. Quel semble être l'objectif de cet article ? (doc. 8)
4. Montrez que les États sont en situation de dépendance vis-à-vis des FTN. (doc. 7 et 10)

3 Comment le marché mondial du café s'organise-t-il ?

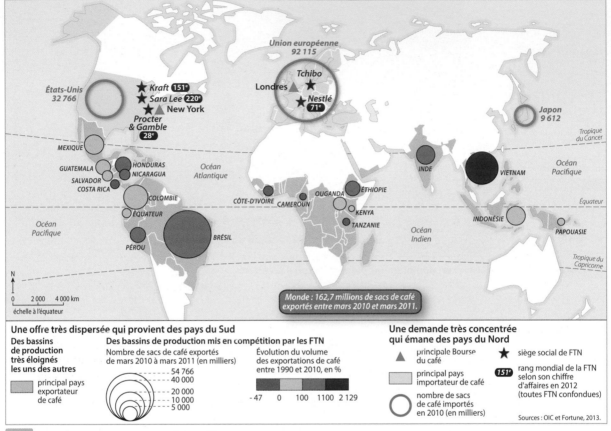

Une offre très dispersée qui provient des pays du Sud

Des bassins de production très éloignés les uns des autres

principal pays exportateur de café

Des bassins de production mis en compétition par les FTN

Nombre de sacs de café exportés de mars 2010 à mars 2011 (en milliers)

- 54 766
- 40 000
- 20 000
- 10 000
- 5 000

Évolution du volume des exportations de café entre 1990 et 2010, en %

-47   0   100   1100   2 129

Une demande très concentrée qui émane des pays du Nord

▲ principale Bourse du café

principal pays importateur de café

○ nombre de sacs de café importés en 2010 (en milliers)

★ siège social de FTN

151° rang mondial de la FTN selon son chiffre d'affaires en 2012 (toutes FTN confondues)

Sources : OIC et Fortune, 2013.

11 Le commerce international du café.

Depuis les années 1980, le Vietnam fait une irruption très spectaculaire dans la production de café. Il s'est hissé au 2ᵉ rang des producteurs et exportateurs de café, devant la Colombie.

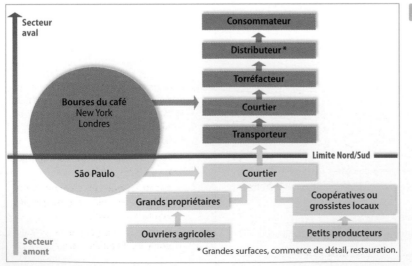

12 L'organisation en réseau de la filière du café

* Grandes surfaces, commerce de détail, restauration.

Vocabulaire

Filière : voir p. 273.
Flux : voir p. 284.
Réseau : voir p. 276.

13 **Exportation du café de la coopérative d'agriculteurs Gumutindo de Mbale (Ouganda).**

a. Pesée des sacs de café arabica : les petits producteurs sont payés en fonction du poids de cerises* qu'ils ont récoltées à la main.

b. Chargement des sacs de café dans un conteneur : le café est l'un des produits agricoles pour lequel la part de la production transitant par le marché mondial est la plus élevée.

* Cerise : fruit du caféier qui renferme les grains.

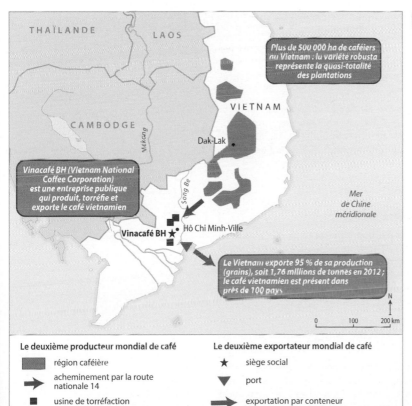

Plus de 500 000 ha de caféiers au Vietnam : la variété robusta représente la quasi-totalité des plantations

Vinacafé BH (Vietnam National Coffee Corporation) est une entreprise publique qui produit, torréfie et exporte le café vietnamien

Le Vietnam exporte 95 % de sa production (grains), soit 1,76 millions de tonnes en 2012 ; le café vietnamien est présent dans près de 100 pays

Le deuxième producteur mondial de café

■ région caféière

→ acheminement par la route nationale 14

■ usine de torréfaction

Le deuxième exportateur mondial de café

★ siège social

▼ port

→ exportation par conteneur

Sources : *Parler Vietnam*, novembre 2013, Vinacafé BH 2011, Vicofa 2011 et F. Fortunel, université du Maine, 2012.

14 **Une filière du café qui vit de l'exportation au Vietnam.**

Le Vietnam est devenu en 2012, le premier exportateur mondial de café devant le Brésil.

Questions

1. Quels sont les principaux pays exportateurs et importateurs de café ? Dans quel sens les flux se dirigent-ils ? (doc. 11, 13 et 14)

2. Pourquoi peut-on dire que le marché mondial du café s'organise en réseau ? (doc. 12)

3. Montrez que le marché mondial du café est dominé par les acteurs de l'aval. (doc. 12)

4. Comment s'organise la production de café au Vietnam ? (doc. 14)

Le café : un produit mondialisé

> En quoi le café est-il représentatif du fonctionnement
  de la mondialisation ?

A Le café, un produit inscrit dans la mondialisation

■ **Régions productrices de café et régions consommatrices ne coïncident pas.**
85 % de la production mondiale se situe en Amérique latine et en Asie (entre les
15° de latitude nord et sud) ; 80 % de la consommation mondiale se concentre en
Europe et en Amérique. L'Asie s'ouvre de plus en plus à cette boisson.

■ **La diffusion mondiale du café s'est faite en trois étapes.** Originaire d'Éthiopie,
d'abord consommé au Moyen-Orient, le café est introduit en Europe à partir du
XVIIe siècle qui, pour répondre à la demande, diffuse la caféiculture dans ses colonies **(doc. 2)**. Dans les années 1980, la mondialisation du café se poursuit avec
l'irruption des producteurs asiatiques.

■ **Des facteurs et des limites à la diffusion mondiale du café.** La mondialisation
du goût et des manières de consommer et la recherche des profits expliquent
la mondialisation de ce produit. Pour autant, tous les espaces susceptibles de
produire du café ne sont pas nécessairement producteurs.

B La filière du café, des acteurs peu nombreux

■ **Les FTN, les États, les producteurs et travailleurs, la filière du commerce équitable et les 500 millions de consommateurs sont les principaux acteurs de la
filière du café.** Celle-ci est dominée par la quarantaine de FTN qui commercia-
lisent le café dans les pays riches et émergents, après avoir acheté et torréfié les
grains récoltés par les 25 millions de producteurs et travailleurs.

■ **La filière du café est déséquilibrée.** Elle est organisée par les FTN qui sont plus
puissantes que la plupart des États producteurs et exportateurs. Starbucks a un
chiffre d'affaires supérieur au PIB du Nicaragua où les exportations de café représentent plus de 15 % des exportations totales.

■ **Les acteurs de la filière du café suivent des stratégies différentes.** Les FTN
développent une stratégie d'implantation qui impose une division internationale du travail. Les États cherchent à attirer les investissements. La filière du
commerce équitable met en cause la concentration économique de la filière classique **(doc. 3)**.

C Le marché mondial du café, des flux en provenance du Sud

■ **Le marché mondial du café se caractérise par une offre très dispersée au Sud
et une demande très concentrée au Nord.** Le Brésil, le Vietnam et la Colombie
assurent 58 % des exportations mondiales en 2010. Avec + 2 000 % de ses exportations depuis 20 ans, le Vietnam est au 2e rang des exportateurs. L'Union européenne, les États-Unis et le Japon sont les principaux importateurs.

■ **Le marché mondial du café est organisé en réseaux.** Le nombre important d'intermédiaires qui prennent en charge les flux internationaux (courtage, négoce,
agroalimentaire), la mise en concurrence des bassins de production, en jouant
sur l'opposition des saisons et les coûts de main-d'œuvre, en sont à l'origine.

■ **Le marché mondial du café est dominé par une logique financière.** Comme
les FTN, les Bourses du café, qui fixent les prix de ce produit agricole, se situent
dans les pays riches et émergents (New York, Londres, São Paulo). La fluctuation
des cours a un impact direct sur les producteurs, qui sont payés en fonction du
poids du café récolté.

Vocabulaire

Acteurs : p. 273
Filière : p. 273
Marché : ensemble des offres et des
demandes d'un bien. Le marché génère des
flux qui forment un réseau.
Réseau : le mot est employé avec deux sens
différents :
1. ensemble des axes ou lignes sur lesquels
circulent des flux et assurant les liaisons entre
les différents lieux (qui forment des nœuds) de
la planète ;
2. ensemble des relations complexes entre les
acteurs.

1 En amont du **marché** mondial du café, un bassin de production : la plantation Kauai, États-Unis

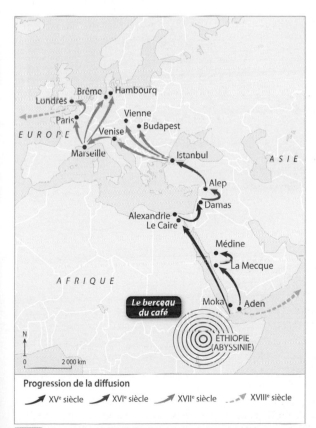

2 Les débuts de la diffusion mondiale du café : une boisson originaire d'Afrique

Progression de la diffusion

↗ XVᵉ siècle   ↗ XVIᵉ siècle   ↗ XVIIᵉ siècle   ⇢ XVIIIᵉ siècle

3 Un des **acteurs** de la **filière** du café : Max Havelaar

En quoi l'iPhone est-il représentatif du fonctionnement de la mondialisation ?

Le *smartphone* est un téléphone multifonction qui a connu ses premiers balbutiements dans les années 1990. Il s'est affirmé dans les années 2000 avec les appareils commercialisés par le groupe Nokia, intégrant un accès à Internet par la 2G, puis la 3G. Mais c'est à partir de l'entrée sur le marché de l'iPhone d'Apple, en 2007, que les *smartphones* ont connu un succès fulgurant, leur permettant de dépasser les ventes de téléphones mobiles classiques. Cette innovation majeure, qui implique de nombreux acteurs, a épousé les réseaux de la mondialisation pour bouleverser les modes de vie d'une portion croissante de la population mondiale.

1 En quoi l'iPhone est-il le fruit d'une production mondialisée ?

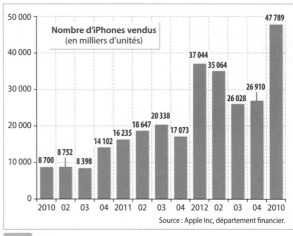

Nombre d'iPhones vendus (en milliers d'unités)

Source : Apple Inc, département financier.

1 L'iPhone, une innovation majeure.

Le magazine américain *Time* lui décerne le titre d'invention de l'année en novembre 2007.

2 Un succès sans précédent

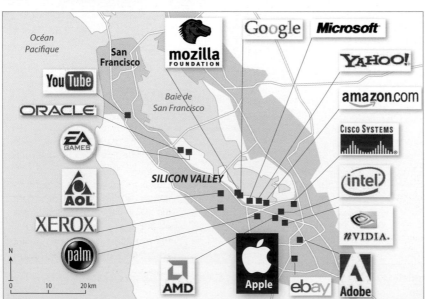

SILICON VALLEY

Océan Pacifique — San Francisco — Baie de San Francisco

N 0 10 20 km

3 La Silicon Valley, fief de la firme Apple.

Apple a installé son siège à Cupertino, au cœur de la Silicon Valley, le territoire de l'innovation californien devenu une référence mondiale par l'association fructueuse d'entreprises, de laboratoires de recherche et d'universités.

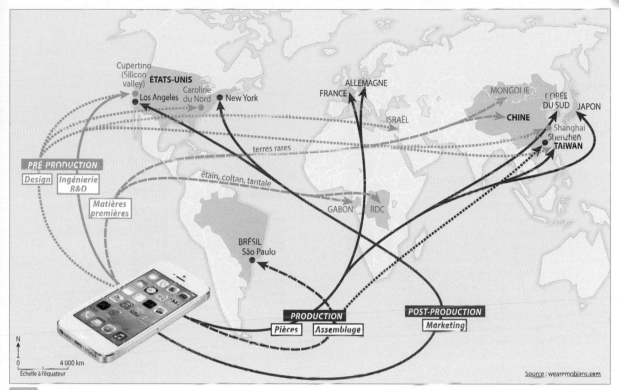

4 **Une production mondialisée et hiérarchisée.** Les iPhones portent la mention « *designed in California, assembled in China* » mais la chaîne de fabrication est infiniment plus complexe : les matières premières et les pièces de l'iPhone proviennent du monde entier.

5 **Pourquoi l'iPhone ne sera jamais fabriqué aux États-Unis**

En février 2011, Barack Obama a rencontré en Californie les grands noms de la Silicon Valley. [...] Quand Steve Jobs, le patron d'Apple, a pris la parole, Obama l'a interrompu avec une question de son cru : « *Que faudrait-il faire pour que les iPhones soient fabriqués aux États-Unis ?* » Les 70 millions d'iPhones [...] vendus par Apple l'an dernier ont été en quasi totalité fabriqués à l'étranger. « *Pourquoi ce travail ne peut-il pas revenir chez nous ?* » a insisté Obama. « *Ces emplois ne reviendront pas* », a répondu Steve Jobs. [...] Apple et bon nombre de ses homologues du secteur des hautes technologies rechignent à créer des emplois pour les Américains. La firme à la pomme compte 20 000 salariés à l'étranger et 43 000 aux États-Unis.

Les employés des sous-traitants d'Apple sont beaucoup plus nombreux : ils sont 700 000 à concevoir, construire et assembler les iPads, les iPhones et autres. Mais pas aux États-Unis. Ils sont employés par des entreprises étrangères basées en Asie, en Europe et ailleurs, dans des usines auxquelles pratiquement tous les constructeurs de matériel électronique font appel pour fabriquer leurs composants.

Les dirigeants d'Apple assurent qu'ils n'ont d'autre choix que de se tourner vers l'étranger. Un ancien cadre raconte comment une usine chinoise a sauvé la mise à la société quand il a fallu revoir au pied levé le process de fabrication de l'iPhone, quelques semaines à peine avant sa mise sur le marché. Apple avait modifié l'écran à la dernière minute, ce qui obligeait à réorganiser de fond en comble la chaîne de montage. Les nouveaux écrans ont été livrés à l'usine sur le coup de minuit. Un contremaître alla aussitôt réveiller 8 000 ouvriers dans les dortoirs de l'usine. Chacun eut droit à un biscuit et à une tasse de thé avant d'être aiguillé vers son poste. À minuit et demi, l'équipe de nuit était prête à monter pendant douze heures les écrans de verre sur des boîtiers biseautés. Au bout de quatre-vingt-seize heures, l'usine sortait plus de 10 000 iPhones par jour.

The New York Times, 9 février 2012.

Questions

1. Montrez que la diffusion de l'iPhone est rapide et croissante. (doc. 1 et 4)

2. Quelles sont les étapes de fabrication de l'iPhone ? Quels sont les espaces concernés par ces étapes ? (doc. 2 et 3)

3. Pourquoi la production sur le sol américain serait-elle moins avantageuse qu'elle ne l'est en Chine ? (doc. 5)

2 Quels sont les acteurs qui interviennent sur le marché de l'iPhone ?

6 Steve Jobs ou le mythe de l'entrepreneur

John Sculley, alors responsable de Pepsi, se souviendra d'ailleurs toujours de cette phrase lorsque Steve Jobs vient le chercher, en 1983, pour diriger Apple : « *Veux-tu vendre de l'eau sucrée pour le restant de tes jours ou venir avec moi et changer le monde ?* »

Apple est parvenu, parfois de manière brutale, à modifier nos comportements. « *Il voulait vendre un* smartphone *dépourvu de clavier, alors que les touches physiques étaient justement ce qui avait fait du BlackBerry le* smartphone *le plus populaire* », notait David Pogue, spécialiste high-tech du *New York Times*. La carrière de Steve Jobs – qui n'aura jamais terminé ses études ni travaillé pour un employeur – n'aura pas connu que des succès. L'homme vit mal son éviction d'Apple en 1985, initiée par le conseil d'administration et soutenue par… John Sculley. La revanche sera éclatante lors de son retour en 1997, lorsque Apple – à 90 jours de la faillite – rachète NeXT (fondée par Steve Jobs) et reprend en catastrophe son fondateur à sa tête.

Le Temps, 15 août 2012.

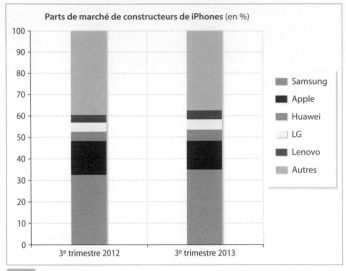

Parts de marché de constructeurs de iPhones (en %)

Légende : Samsung, Apple, Huawei, LG, Lenovo, Autres
3ᵉ trimestre 2012 — 3ᵉ trimestre 2013

7 L'iPhone concurrencé.

En 2007, l'iPhone est venu bouleverser un marché des *smartphones* dominé par Nokia. Depuis que Samsung est entré dans la course, il concurrence de plus en plus violemment Apple, qui lui a intenté plusieurs procès pour utilisation illégale de brevets.

8 Les sous-traitants : l'externalisation des coûts et de la mauvaise image

Pendant des années, les organisations de défense des travailleurs chinois ont focalisé leurs enquêtes sur le sous-traitant historique d'Apple, Foxconn. Sous cette pression, le groupe taïwanais a dû augmenter les salaires et améliorer ses infrastructures.

La réponse d'Apple n'a pas tardé : l'entreprise de Cupertino (Californie) a attribué le contrat […] de son smartphone à bas coût à un autre taïwanais, Pegatron. Aujourd'hui, ce dernier est aussi la cible de l'association China Labor Watch (CLW). Dans un rapport publié [le] 29 juillet, l'organisation de défense des travailleurs constate que si Pegatron se montre plus compétitif, c'est parce que l'entreprise a rogné les droits des travailleurs. « Apple choisit l'usine qui propose le prix d'assemblage le plus faible, c'est le point fondamental. Pour remporter la commande, un sous-traitant ne peut faire autrement que de sabrer le coût du travail, ce qui aggrave la situation des ouvriers », explique par téléphone Li Qiang, directeur de CLW.

De mars à juillet, l'association a envoyé ses enquêteurs dans trois usines rassemblant plus de 70 000 ouvriers dont Pegatron Shanghai, qui travaille sur l'iPhone […]. Alors qu'Apple se félicitait, en mai, que 99 % de ses fournisseurs respectent sa règle limitant la semaine à 60 heures de travail – le droit chinois plafonne la semaine à 49 heures, heures supplémentaires incluses, mais les ouvriers en demandent davantage pour boucler leurs fins de mois –, les enquêteurs de CLW ont subi des semaines d'une durée moyenne de 66, 67 et 69 heures dans ces usines. […] Les ouvriers de Pegatron vivent dans des dortoirs de 8 à 12 personnes où l'on compte 10 douches pour 120 ouvriers. […] Enfin et surtout, Pegatron propose des salaires inférieurs à Foxconn. « À tâche égale, l'ouvrier de base gagne 2 100 yuans par mois, hors heures supplémentaires, chez Foxconn à Zhengzhou, tandis qu'il est payé 1 650 yuans chez Pegatron à Shanghai, où le coût de la vie est bien plus élevé. C'est une importante différence », déclare Li Qiang.

Le Monde, 30 juillet 2013.

9 **Une publicité pour l'iPhone 5C**

Une cliente dans un magasin d'iPhones à Zhengzhou en Chine.
Proposé à un prix inférieur à l'iPhone 5S, il est notamment destiné à séduire la clientèle des pays émergents. La marque à la pomme a investi 1 milliard de dollars dans la publicité en 2012, somme atteinte par 36 firmes dans le monde.

中国劳工观察
CHINA LABOR WATCH

10 **China Labor Watch, une ONG qui conteste le système Apple**

Les exigences de coût imposées par Apple obligeraient les sous-traitants à exploiter leurs employés pour satisfaire leur client. Apple se présente pourtant comme une firme socialement éthique et responsable.

Questions

1. Quels sont les différents acteurs qui interviennent sur le marché de l'iPhone ? (doc. 6 à 10)

2. Quel est le rôle des sous-traitants dans le système de production d'Apple ? Apple est-elle une firme socialement responsable ? (doc. 8 et 10)

3. Peut-on dire qu'Apple a réussi à créer un mythe autour de sa marque ? (doc. 6 et 9)

4. Quels sont les défis que la firme doit relever pour se maintenir sur le marché ? (doc. 7 et 9)

3 Quels sont les réseaux dans lesquels s'inscrit le marché mondial de l'iPhone ?

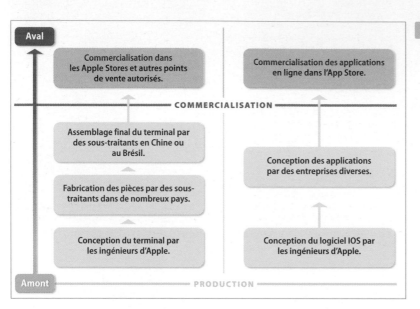

Aval

Commercialisation dans les Apple Stores et autres points de vente autorisés.

Commercialisation des applications en ligne dans l'App Store.

— COMMERCIALISATION —

Assemblage final du terminal par des sous-traitants en Chine ou au Brésil.

Conception des applications par des entreprises diverses.

Fabrication des pièces par des sous-traitants dans de nombreux pays.

Conception du terminal par les ingénieurs d'Apple.

Conception du logiciel IOS par les ingénieurs d'Apple.

Amont — PRODUCTION —

11 **L'organisation en réseau de la production et de la commercialisation de l'iPhone**

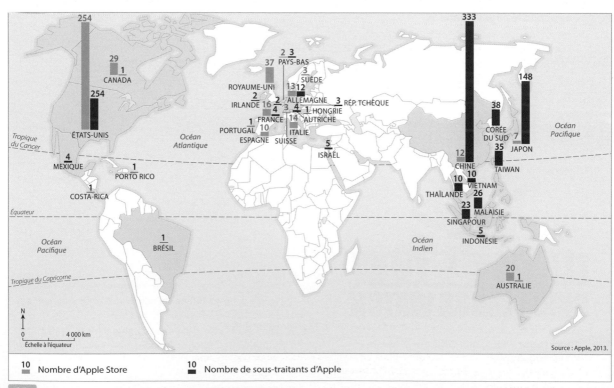

Source : Apple, 2013.

10 Nombre d'Apple Store   10 Nombre de sous-traitants d'Apple

12 **Apple dans la division internationale du travail**

13 **Apple Store de la Cinquième Avenue, New York.** Point de vente souterrain conçu sur le modèle de la pyramide du Louvre, c'est l'un des 420 Apple Stores ouverts dans le monde fin 2013.

14 **« Les minerais de guerre » et l'industrie de l'électronique**

Atlantico : Les principaux minerais exploités en République démocratique du Congo (RDC) - l'étain, le coltan, la wolframite et l'or - permettraient de fournir l'industrie mondiale de l'électronique. Leur commerce profiterait aux groupes rebelles et à l'armée. La hausse des prix mondiaux de ces métaux incite les groupes armés de l'est du Congo à cibler le contrôle des mines et à y maintenir leur mainmise. [...]

Ph. Hugon : La guerre civile en RDC est en partie financée par le trafic des minerais. Il y a plusieurs régions différentes en RDC et la région dont on parle ici est celle du Kivu. La guerre du Kivu renvoie à plusieurs facteurs : les questions d'accès aux terres, les effets du génocide du Rwanda. Les trois milices qui existent ainsi que l'armée de la RDC contrôlent actuellement les mines. Il s'agit d'un élément majeur de l'enjeu de contrôle des richesses et du financement de la guerre en sachant qu'une fois que le coltan a été exploité, il transite par les pays voisins (le Rwanda et l'Ouganda) avant de se retrouver sur les marchés internationaux des métaux précieux. Le coltan est indispensable pour la fabrication des téléphones portables, d'objets électroniques et informatiques. [...] Au départ, il y a

des mines et des mineurs. Ces mineurs sont contrôlés essentiellement par des milices et par l'armée de Joseph Kabila. Une fois extraits, sous le contrôle des milices et de l'armée, ils [les minerais] deviennent des produits transformés, sont revendus sur des marchés de matières premières et achetés par les grands groupes. [...]

Les minerais sont à la fois un enjeu de conflit puisque le contrôle des minerais est stratégique et un élément qui assure le financement des conflits. Comme pour le diamant dans d'autres zones et comme pour d'autres produits, on est dans des minerais au cœur de la guerre.

Bien sûr, les fabricants ont leur part de responsabilité. Il y a une hypocrisie à considérer que ces minerais ne sont pas « sales ». La seule réponse qu'il peut y avoir est celle qu'on observe pour le diamant : le processus de Kimberley. On le retrouve dans la mise en œuvre de l'initiative de transparence des industries extractives. La traçabilité de ces minerais doit partir de l'extraction et aller jusqu'au consommateur final.

Interview de Philippe Hugon, directeur de recherche à l'IRIS (Institut des Relations Internationales et Stratégiques). Professeur émérite, agrégé de Sciences économiques à l'université Paris X, Atlantico.fr, 28 septembre 2013.

Questions

1. En quoi peut-on dire que la production de l'iPhone s'organise en réseau ? (doc. 11 à 14)

2. Quels sont les lieux de production principaux de l'iPhone ? les lieux de commercialisation ? En quoi est-ce le reflet de la hiérarchisation des territoires dans la mondialisation ? (doc. 11, 12 et 13)

3. Quel lien existe-t-il entre Apple et la guerre du Kivu en République démocratique du Congo ? (doc. 14)

L'iPhone : un produit mondialisé

> En quoi l'iPhone est-il représentatif du fonctionnement
de la mondialisation ?

A L'iPhone, une production inscrite dans la mondialisation

■ **L'iPhone est le fruit d'une innovation américaine.** C'est dans la Silicon Valley, le territoire de l'innovation californien, que le smartphone a été conçu. Des ingénieurs y conçoivent ici, et dans l'autre centre de recherche & développement, installé en Caroline du Nord, les nouveautés des modèles successifs d'iPhone. Le marketing et la publicité sont également pensés sur le sol américain, notamment à New York.

■ **La production de l'iPhone est disséminée dans de nombreux pays.** La production des différentes pièces composant l'iPhone est réalisée en Asie (Japon, Taïwan, Corée etc.), en Europe (Allemagne, Italie, France) et ailleurs, tandis que la Chine accueille l'essentiel des usines d'assemblage qui sont détenues par des sous-traitants comme Foxconn ou Pegatron.

■ **L'iPhone est une innovation diffusée à l'échelle mondiale dans un contexte de diffusion de la téléphonie mobile** (doc. 2). Conçu aux États-Unis, assemblé en Chine, l'Iphone est un produit mondialisé du fait aussi de son succès, plus de 125 millions d'unités ayant été vendues en 2012 par exemple.

B La filière de l'iPhone, une diversité d'acteurs

■ **Apple est une FTN novatrice.** Fondée par Steve Jobs, entrepreneur devenu un véritable mythe, la firme symbolisée par une pomme véhicule l'image d'une entreprise en avance sur son temps, capable de révolutionner le quotidien de centaines de millions de personnes (doc. 1).

■ **Les sous-traitants réalisent l'essentiel de la production suivant la logique de la « nouvelle division internationale du travail ».** Les employés des usines Foxconn ou Pegatron ne travaillent qu'indirectement pour Apple qui n'est donc pas juridiquement responsable de leurs conditions de travail, mais l'est éthiquement. Des ONG informent le public sur ces conditions, afin qu'Apple impose des pratiques plus respectueuses des droits de l'homme.

■ **Les concurrents stimulent l'innovation.** Face à la concurrence croissante de Samsung ou de Nokia, Apple doit proposer un iPhone toujours plus performant, doté de nouveautés attractives pour le public et adapter son prix à de nouveaux marchés, comme celui des pays émergents.

C Le marché mondial de l'iPhone, un fonctionnement en réseau

■ **Le marché de l'iPhone est organisé en réseau.** De la mine congolaise où l'on s'approvisionne en minerais nécessaires à la production de l'Iphone, jusqu'au consommateur américain, voire jusqu'au recyclage, le cycle de vie de l'iPhone obéit à des réseaux d'approvisionnement, de fabrication, de distribution, etc.

■ **Le marché mondial de l'iPhone reflète la hiérarchisation des territoires dans la mondialisation.** Malgré une évolution rapide de la consommation dans les pays émergents et en développement, la production reste essentiellement le fait des pays où la main-d'œuvre est bon marché, tandis que l'Iphone est d'abord distribué dans les pays développés où le pouvoir d'achat est élevé.

■ **Le marché mondial de l'Iphone suit les réseaux mondialisés.** Les Apple Stores sont situés dans les métropoles mondiales, l'iPhone transite par les plus grands aéroports internationaux, et les réseaux de communication de dernière génération permettent l'utilisation optimale de l'Iphone.

Vocabulaire

Flux : quantités de personnes, de biens, d'informations ou de capitaux qui se déplacent dans l'espace mondial.
Acteurs : voir p. 273.
Réseau : voir p. 276.

Apple
En 2011, sur 460 millions de smartphones vendus, plus de 86 millions sont des iPhones.

Applications
Petits programmes informatiques faisant du téléphone mobile un outil multifonction et connectant les sociétés et les lieux au réseau numérique mondial.

1 l'iPhone : un smartphone, couplage de la téléphonie mobile et d'Internet

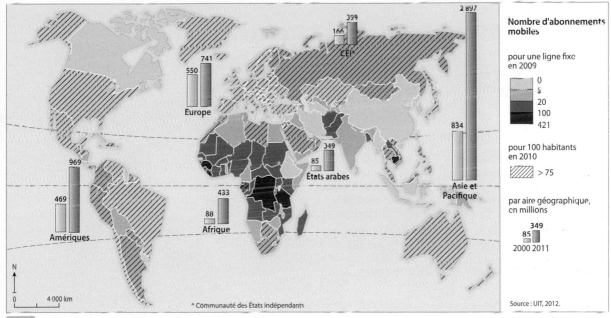

Source : UIT, 2012.

2 La téléphonie dans le monde

1. Quelles sont les régions du monde les mieux équipées en téléphonie mobile ?
2. Quelles sont celles où le nombre de lignes fixes est très faible ?
3. Quelles sont les aires géographiques où l'augmentation du nombre d'abonnements mobiles a été forte ? Celles où cette augmentation a été plus faible ?

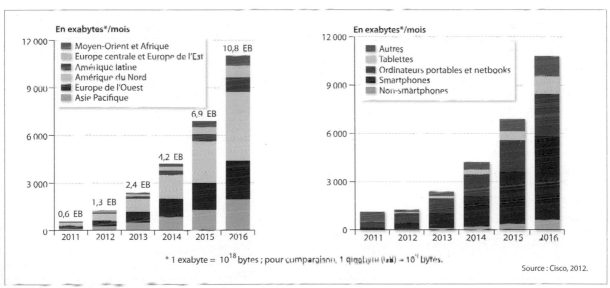

* 1 exabyte = 10^{18} bytes ; pour comparaison, 1 gigabyte (GB) = 10^{9} bytes.

Source : Cisco, 2012.

3 Une explosion des flux de communication dans le monde (projection)

1. Quelles sont les régions du monde les plus concernées par l'augmentation des flux de communication ?
2. Pourquoi le smartphone est-il un produit mondialisé appelé à se développer plus que les autres produits ?

Le fonctionnement de la mondialisation

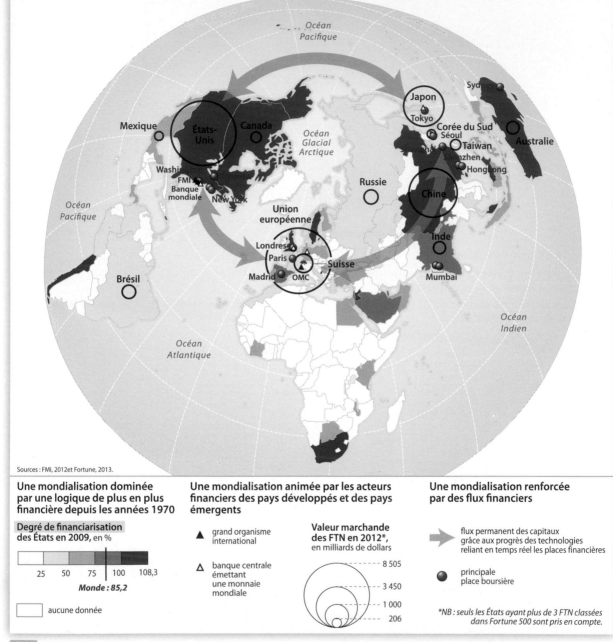

Sources : FMI, 2012et Fortune, 2013.

Une mondialisation dominée par une logique de plus en plus financière depuis les années 1970

Degré de financiarisation des États en 2009, en %

25   50   75   100   108,3

Monde : 85,2

aucune donnée

Une mondialisation animée par les acteurs financiers des pays développés et des pays émergents

▲ grand organisme international

△ banque centrale émettant une monnaie mondiale

Valeur marchande des FTN en 2012*, en milliards de dollars

8 505

3 450

1 000

206

Une mondialisation renforcée par des flux financiers

➡ flux permanent des capitaux grâce aux progrès des technologies reliant en temps réel les places financières

● principale place boursière

*NB : seuls les États ayant plus de 3 FTN classées dans Fortune 500 sont pris en compte.

1 **Les flux de capitaux dans le monde**

Questions

1. Qu'est-ce qui caractérise la mondialisation actuelle ? (doc. 1)

2. Quels sont les principaux acteurs de la mondialisation ? (doc. 1)

Vocabulaire

Degré de financiarisation : rapport entre le stock de capitaux d'un pays et son PIB.

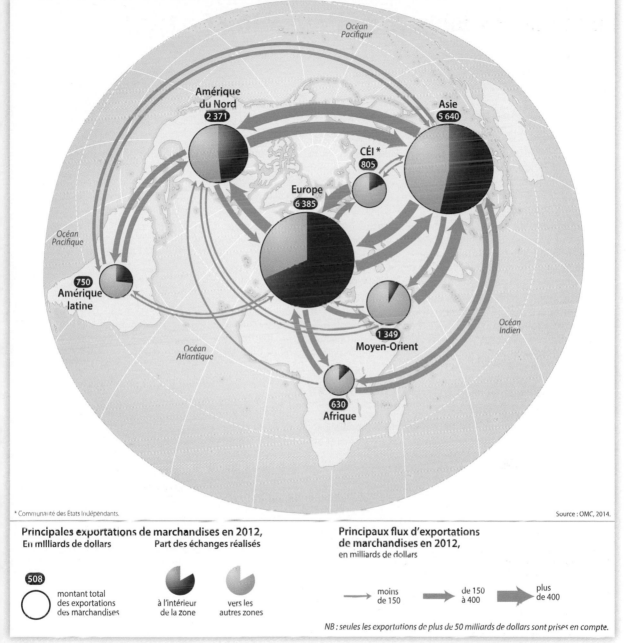

Principales exportations de marchandises en 2012,
En milliards de dollars   Part des échanges réalisés

508 montant total
     des exportations
     des marchandises

à l'intérieur   vers les
de la zone   autres zones

Principaux flux d'exportations
de marchandises en 2012,
en milliards de dollars

moins   de 150   plus
de 150   à 400   de 400

NB : seules les exportations de plus de 50 milliards de dollars sont prises en compte.

* Communauté des États Indépendants.   Source : OMC, 2014.

2 Les flux de marchandises dans le monde

1. Dans quelles parties du monde les flux sont-ils les plus importants ? Quelles sont celles qui restent à l'écart ? (doc. 1 et 2)

2. La géographie des flux de capitaux et de marchandises est-elle semblable à celle dessinée par le marché mondial du café ou de la téléphonie mobile ? (doc. 1 et 2)

Cours 3

Les acteurs de la mondialisation

> Quels sont les principaux acteurs de la mondialisation ?
  Quelles sont leurs stratégies ?

A Les FTN, des acteurs qui encouragent le processus

■ **Les FTN sont les acteurs majeurs de la mondialisation**. En 2011, les 82 000 FTN réalisent plus du quart du PIB, deux tiers du commerce mondial, et participent à la gouvernance économique par un lobbying puissant (OMC, FMI). Elles couvrent toutes les activités et appartiennent à 81 % aux pays du Nord, même si le nombre de FTN du Sud progresse vite (+ 61 % entre 2006 et 2012) (doc. 1).

■ **La puissance des FTN repose sur leur capacité à mettre les territoires en concurrence**. Elles imposent leur division internationale du travail et gèrent l'espace mondial en fonction de leurs intérêts. En 2011, 10 États cumulent 59 % du stock mondial d'IDE et 65 États 96 %, essentiellement dans la Triade (recherche, high-tech) et les puissances émergentes (diversification croissante).

■ **Leurs stratégies d'implantation suivent trois logiques** : l'accès aux produits et aux matières premières, l'accès aux marchés et la valorisation des inégalités socio-économiques. Les FTN délocalisent leurs productions dans le Sud (40 % des emplois) afin d'abaisser les coûts de production (avantages fiscaux, main-d'œuvre bon marché), mais leurs IDE privilégient toujours le Nord (48 % pour les États-Unis et l'UE en 2011).

B Les États, des acteurs qui encouragent ou régulent le processus

■ **Les États sont aussi des acteurs centraux de la mondialisation**. Ils aménagent leur territoire : infrastructures portuaires, zones franches (ZES chinoises, Tanger Med). En ratifiant les traités internationaux, les États ouvrent leurs systèmes économiques, ce qui génère emplois, remontée de filière et intégration aux échanges mondiaux.

■ **Les États jouent un rôle de régulateur de la mondialisation**. Ils assurent les besoins des populations (éducation, travail) et des entreprises (recherche, investissements), et, après avoir longtemps dérégulé, ils œuvrent pour limiter les dérives de la mondialisation (délocalisations, uniformisation) et cultivent leurs spécificités (modèles anglo-saxon, germanique, asiatique) (doc. 2).

■ **Les États s'organisent en associations régionales de coopération économique**, ce qui leur permet de s'affirmer dans la mondialisation. L'UE, l'Alena, l'Asean ou le Mercosur sont à la fois des relais et des régulateurs (pression internationale) de la mondialisation (Repère B).

C Les autres acteurs

■ **Les instances internationales cherchent à encadrer la mondialisation**. L'OMC encourage les échanges mondiaux en limitant le protectionnisme et arbitre les différends entre États. Le FMI veille à la stabilité financière et, comme la Banque mondiale, accorde des prêts aux pays en difficulté. Les sommets informels du G8 et du G20 coordonnent les politiques des pays les plus riches (Repère A, doc. 3).

■ **Les organisations illicites produisent une mondialisation parallèle**. Elles s'organisent avec des flux entre des espaces d'approvisionnement (opium afghan, prostituées d'Europe de l'Est), de consommation (Nord) et des pôles financiers (paradis fiscaux) : le marché de la drogue génère autant d'argent que celui du pétrole.

■ Les **ONG** (Greenpeace, Oxfam, WWF, Amnesty International), **les médias et les groupes de pression** forgent, autant qu'ils relaient, une opinion publique internationale, participant ainsi à la mondialisation.

Repère A

La **gouvernance** économique mondiale

Des organismes internationaux de régulation	Des instances réunissant les pays les plus riches
▲ siège	G8 ←— G20 —→
	☐ UE : observatrice du G8 et membre du G20

Repère B

Le poids comparé de quelques regroupements d'États

		Millions d'habitants en 2012	Part de la population mondiale en 2012, en %	Part du PIB mondial en 2012, en %
Associations régionales de coopération économique	Alena	464,8	6,5	27,2
	Asean	605,8	8,5	3,0
	Mercosur	274,9	3,8	4,5
	UE	521,9	7,3	25,8
Clubs de pays	G8	891,2	12,4	52,8
	G20	4 569,4	63,8	87,5
	Brics*	2 998,7	41,8	18,5

Sources : Population Reference Bureau et FMI, 2013.

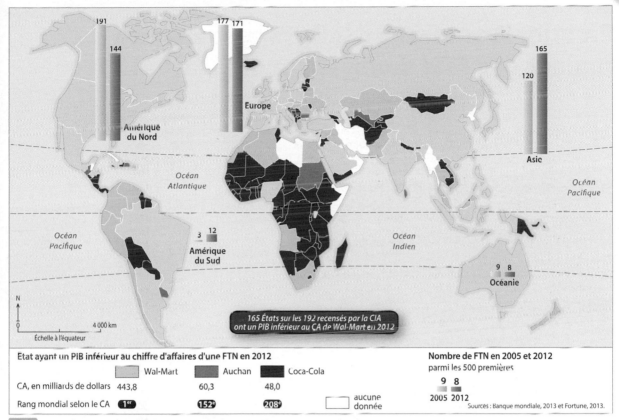

165 États sur les 192 recensés par la CIA ont un PIB inférieur au CA de Wal-Mart en 2012

État ayant un PIB inférieur au chiffre d'affaires d'une FTN en 2012

	Wal-Mart	Auchan	Coca-Cola
CA, en milliards de dollars	443,8	60,3	48,0
Rang mondial selon le CA	1er	152e	208e

aucune donnée

Nombre de FTN en 2005 et 2012
parmi les 500 premières

9   8
2005 2012

Sources : Banque mondiale, 2013 et Fortune, 2013.

1 Des FTN plus riches que la majorité des États

J'AIMAIS MIEUX LA MAIN INVISIBLE DU MARCHÉ

2 **Le rôle essentiel de l'État aux États-Unis pendant la crise financière de 2007-2010.**
Caricature de Chappatte, *Le Temps*, 22 mai 2010.

1. À quelle doctrine le trader fait-il allusion lorsqu'il parle de « main invisible » ?
2. Quel rôle le gouvernement des États-Unis a-t-il joué pendant la crise financière ?

3 **Le G20 : l'élaboration d'une gouvernance économique mondiale**

En regroupant les vingt pays les plus puissants de la planète, du Nord et du Sud, le G20 porte l'espoir d'une régulation ordonnée et coordonnée de la mondialisation économique. En 2009, l'institution a effectivement prouvé son utilité en réussissant [...] à organiser le pilotage politique d'une nouvelle régulation financière. Mais son succès s'arrête là. [...] Sa tentative de devenir un organe de surveillance et d'alerte des déséquilibres économiques mondiaux se heurte [...] à la résistance des États qui ne souhaitent pas se voir imposer leur politique économique par une institution supranationale. [...]
Le G20, qui inclut les principaux pays émergents, est un progrès indéniable par rapport au club fermé du G7 mais sa légitimité reste contestée. D'abord, elle est censitaire, il faut être parmi les plus riches pour en faire partie. Ensuite, les grands pays y jouent un rôle prépondérant. [...] Enfin, des pays clés importants dans leur zone, par exemple l'Espagne ou Singapour, n'en sont pas membres.

L'État de l'économie 2011, Alternatives économiques, 2011.

1. Quelle est la fonction du G20 ?
2. Quels États le composent ?

En quoi Wal-Mart est-elle représentative du rôle majeur des FTN dans la mondialisation ?

Fondée en 1962 aux États-Unis, Wal-Mart est une entreprise familiale de la distribution qui s'est hissée au premier rang des firmes transnationales en réalisant un chiffre d'affaires supérieur au PIB de 158 États. Depuis les années 1990, Wal-Mart développe une stratégie d'internationalisation qui en fait un acteur majeur du processus de mondialisation.

1 Le poids économique de Wal-Mart : quelques chiffres clés

	Magasins en 2013						Chiffre d'affaires en 2012	
	Nombre	%	Surface, en millions de m²	%	Salariés, en millions	%	En millions de dollars	%
États-Unis	4 788	43,1	65 775	70,9	1,3	59,1	317 981	71,6
International	6 310	56,9	30 565	29,1	0,9	40,9	125 873	28,4
Total	11 098	100	96 340	100	2,2	100	443 854*	100

Source : Wal-Mart Stores, 2013.

* Il est supérieur au PIB de la Norvège et à deux fois celui du Nigeria.

2 Une stratégie de délocalisation des approvisionnements

Défenseur dans les années 1980 du fameux slogan « *Buy American*[1] », la firme doit aujourd'hui sa fortune aux importations de produits manufacturés de pays aux coûts salariaux bien plus compétitifs. Wal-Mart achète les produits qu'il distribue auprès d'environ 65 000 fournisseurs répartis dans une soixantaine de pays dont seulement un millier aux États-Unis. En 2006, ses bureaux d'achat sont implantés dans 22 pays. […]

La Chine constitue l'espace privilégié de l'approvisionnement de l'entreprise. Une équipe de 400 personnes coordonne la production et les achats de 20 milliards de dollars par an chez une vingtaine de milliers de fournisseurs. […] Shenzhen devient le siège du bureau Wal-Mart pour l'Asie du Sud puis, en 2002, […] sa centrale d'achat à l'échelle planétaire s'y installe. […] L'atelier du monde […] n'aurait pu fonctionner efficacement sans la révolution du conteneur dans le domaine du transport maritime. Au total, c'est environ 230 000 conteneurs EVP[2] que Wal-Mart fait traverser chaque année le Pacifique, d'est en ouest. […]

Pour maintenir des prix bas tous les jours comme l'indique son slogan « *Everyday low prices*[3] », l'entreprise importe 60 % des produits vendus dans ses magasins, en 2005, contre 6 % en 1995. Sa politique de prix discount a été un formidable accélérateur des effets de la mondialisation aux USA, d'où le débat actuel sur la responsabilité de la firme dans le gonflement du gigantesque déficit commercial du pays.

R.-P. Desse, « Les territoires emboîtés de Wal-Mart », *BSGLg*, 2011.

1. « Achetez américain ! »
2. Équivalent vingt pieds.
3. « Des prix bas tous les jours ».

3 Wal-Mart : une FTN de la grande distribution

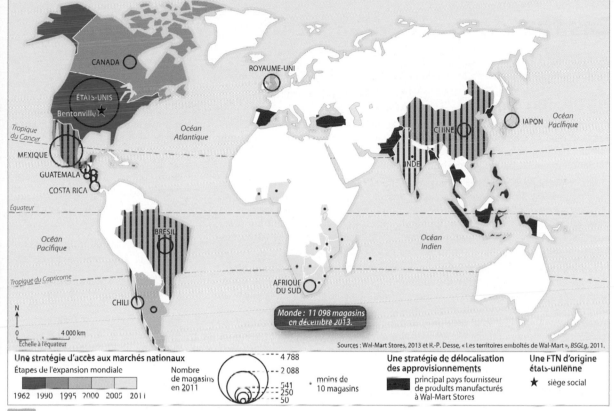

Une stratégie d'accès aux marchés nationaux

Étapes de l'expansion mondiale

1962 1990 1995 2000 2005 2011

Nombre de magasins en 2011

- 4 788
- 2 088
- 541
- 250
- 50

• moins de 10 magasins

Une stratégie de délocalisation des approvisionnements

■ principal pays fournisseur de produits manufacturés à Wal-Mart Stores

Une FTN d'origine états-unienne

★ siège social

Monde : 11 098 magasins en décembre 2013.

Sources : Wal-Mart Stores, 2013 et R.-P. Desse, « Les territoires emboîtés de Wal-Mart », *BSGLg*, 2011.

4 **Wal-Mart : un déploiement planétaire tardif**

5 **Les obstacles à l'expansion de Wal-Mart en Europe**

Dans les années 1990, les premières implantations en Europe vont rencontrer les premières difficultés, jusqu'à obliger la firme à renoncer à son expansion européenne.

En 1999, Wal-Mart rachète Asda, la 2ᵉ plus grande chaîne de supermarchés du Royaume-Uni. La décennie Thatcher avait permis de faire évoluer le droit du travail et de baisser le niveau des salaires britanniques à des niveaux acceptables pour l'entreprise américaine. En 2003, Wal-Mart absorbe Sainsbury's. [Mais] les syndicats de la grande distribution […] vont utiliser leurs relais dans la presse et le monde politique pour susciter des campagnes anti-Wal-Mart, ralentissant de ce fait la croissance du groupe au Royaume-Uni.

En Allemagne, […] l'implantation de Wal-Mart est un échec. […] Dans un environnement très concurrentiel où d'importantes parts de marché, notamment dans l'alimentaire, sont prises par les hard discounters, […] les méthodes commerciales à l'américaine n'ont pas fonctionné. […] Par ailleurs, une réglementation très stricte sur les heures d'ouverture des magasins et sur la flexibilité des horaires de travail des employés limite les marges de manœuvre de Wal-Mart. […] L'entreprise nord-américaine […] quitte le territoire allemand en 2006.

R.-P. Desse, « Les territoires emboîtés de Wal-Mart », *BSGLg*, 2011.

Questions

1. Présentez Wal-Mart : sa branche d'activités, son poids économique et son déploiement planétaire. **(doc. 2, 3 et 4)**

2. Quelles sont les deux dimensions de l'internationalisation de Wal-Mart ? De quelles façons cette internationalisation se réalise-t-elle ? **(doc. 1, 2 et 4)**

3. Le territoire d'action de Wal-Mart couvre-t-il l'ensemble de la planète ? Pourquoi ? **(doc. 2 et 4)**

Les flux de la mondialisation

> Quels sont les principaux flux mondiaux ? Quels réseaux mettent-ils en place ?

A Des flux humains croissants

■ **La mobilité des hommes connaît une forte accélération.** Elle a triplé en trente ans (230 millions en 2011) et se diversifie : travailleurs, élites qualifiées (fuite des cerveaux), réfugiés ou déplacés politiques ou climatiques, membres du regroupement familial (70 % des migrations vers les États-Unis).

■ **Les migrations deviennent planétaires.** Elles s'organisent autour de la Triade mais également du Sud (golfe Persique, espaces de transit du Maghreb ou du Mexique). Les migrations Sud-Nord et Sud-Sud représentent chacune 29 % du total, et les migrations Nord-Nord, près du quart. Tout en accueillant les élites qualifiées, les pays d'immigration érigent des protections diverses (barrières, zones d'enfermement) afin de contrôler ces flux (doc. 2).

■ **Les flux touristiques internationaux explosent.** Ils totalisent 1 milliard d'arrivées en 2010 et devraient presque doubler d'ici à 2020. Ceci s'explique par la baisse des coûts de transport et la hausse des niveaux de vie, mais reste un fait polarisé (15 pays accueillent 2/3 des flux). Cette mondialisation touristique, soumise aux aléas économiques et géopolitiques, a des conséquences sur les sociétés (développement, choc culturel) et les territoires (aménagement, environnement) et organise le monde en réseaux interdépendants.

B Des flux matériels dominants

■ **Le commerce mondial augmente deux fois plus vite que la production depuis 1950.** Il en représente environ le quart. Ceci s'explique par la libéralisation des échanges (OMC, unions régionales) et la révolution des transports, en particulier maritimes, ceux-ci acheminant 70 % des produits échangés. Les produits manufacturés représentent 70 % du commerce de marchandises, les matières énergétiques ou minières 20 %, et les produits agricoles 10 % (doc. 1 et p. 240-241).

■ **Les flux sont polarisés par la Triade et les puissances émergentes** (Repère A et doc. 1). 85 % des échanges se font entre eux, mais les pays sont inégalement dépendants de leurs exportations (Singapour à 76 %, Allemagne à 33 %, États-Unis à 7 %). Les pays les plus pauvres sont marginalisés.

■ **Ces flux dessinent un réseau de plus en plus complexe.** L'utilisation massive des conteneurs entraîne la hiérarchisation des plates-formes portuaires et aéroportuaires (hubs), qui s'organisent en façades maritimes dont les plus puissantes drainent les flux les plus importants.

C Des flux immatériels qui explosent

■ **Les flux de capitaux sont en forte progression.** Les IDE augmentent avec la multinationalisation et les flux générés par la capitalisation boursière ont été multipliés par 5 en vingt ans (Repère B). Les transferts des migrants représentent trois fois la valeur de l'aide financière internationale et participent au développement des pays de départ.

■ **Les flux de services marchands représentent un cinquième de la valeur du commerce international.** Ils sont dominés par les économies post-industrielles du Nord, même si les puissances émergentes progressent vite (18 % pour la Chine et le Brésil entre 2005 et 2009). Ils prennent des formes variées : tourisme (26 % du total), transports (21 %), télécommunications, médias…

■ **Les échanges immatériels s'organisent aussi en réseaux.** Les marchés financiers sont interconnectés et les places boursières des métropoles du Nord (85 % de la capitalisation mondiale) fonctionnent en continu. Les NTIC favorisent la constitution de réseaux d'information dominés par les grandes agences de presse (Associated Press, Reuters) et, de plus en plus, par le réseau numérique (Google, Twitter) (doc. 3).

Vocabulaire

Hubs : voir p. 300.

IDE : investissement d'une firme à l'étranger par la création ou le rachat d'une entreprise existante.

Réfugié : personne fuyant une situation politique qui la met en danger dans son pays d'origine (guerre civile, dictature, persécution ethnique ou religieuse).

Repère A

Les principaux pays marchands en 2012

Les 5 premiers pays exportateurs de marchandises	Part des exportations mondiales de marchandises
Chine	10,4 %
États-Unis	8,1 %
Allemagne	8,1 %
Japon	4,5 %
Pays-Bas	3,6 %

Les 5 premiers pays importateurs de marchandises	Part des importations mondiales de marchandises
États-Unis	12,3 %
Chine	9,5 %
Allemagne	6,8 %
Japon	4,6 %
France	3,9 %

Source : OMC, 2013.

Repère B

Les flux sortants d'IDE en 2012

Pays en développement
Amérique latine et Caraïbes 7,4 % (103)
CÉI* 3,9 % (55)
Asie et Océanie 22,1 % (308)
Afrique 1 % (14)
Europe 35,9 % (500)
Autres 0,1 % (2)
Amérique du Nord 29,4 % (409)
Pays développés

Total : 1 391 milliards de dollars

* Communauté des États indépendants.   Source : CNUCED, 2011.

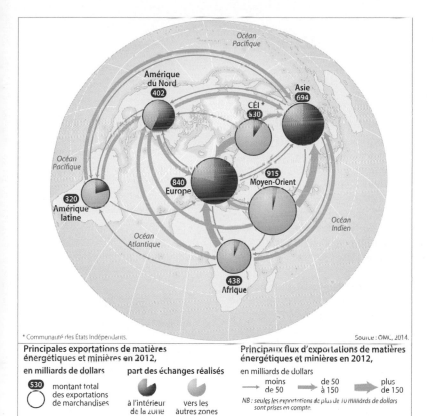

Océan Pacifique

Amérique du Nord
402

Asie
694

CÉI *
530

Océan Pacifique

840
Europe

915
Moyen-Orient

Océan Indien

320
Amérique latine

Océan Atlantique

438
Afrique

* Communauté des États Indépendants.

Source : OMC, 2014.

Principales exportations de matières énergétiques et minières en 2012,
en milliards de dollars

530 montant total des exportations de marchandises

part des échanges réalisés

à l'intérieur de la zone

vers les autres zones

Principaux flux d'exportations de matières énergétiques et minières en 2012,
en milliards de dollars

moins de 50

de 50 à 150

plus de 150

NB : seules les exportations de plus de 10 milliards de dollars sont prises en compte.

1 **Le commerce de matières énergétiques et minières dans le monde**

1. Quels sont les principaux flux de matières énergétiques et minières ?
2. Quels sont les pôles où les flux entre les zones sont forts ? Quels sont ceux où ils sont faibles ?

3 **Les flux d'informations lors du « printemps arabe » de 2011.**

Les NTIC ont été à la fois un outil de la révolution (manifestations organisées à partir de réseaux sociaux) et un vecteur de sa diffusion.

2 **La mobilité des hommes dans le domaine de la santé**

La mondialisation de la santé se constate [par exemple à travers] la mondialisation des flux de personnes [qui] résulte de deux phénomènes : la mobilité des soignants, qu'elle soit engendrée par des pénuries dans certains pays ou par des différences de rémunération, et le tourisme médical qui amène les patients à se faire soigner là où les soins offrent le meilleur rapport qualité prix. Un mouvement asymétrique se crée : un flux de patients « aisés » se déplace du Nord vers les établissements hospitaliers du Sud, tandis qu'à l'inverse un flux de soignants s'écoule du Sud vers le Nord. [...]

C'est aux États-Unis que l'on totalise le plus grand nombre de médecins nés à l'étranger (près de 200 000). [...] La France compte 23 308 infirmières nées à l'étranger, soit 5,5 % des effectifs. Les Philippines, l'Afrique et plus généralement les pays en développement servent de réservoir dans lequel puisent les pays développés. [...] Ces mouvements s'inscrivent dans les flux migratoires de personnes hautement qualifiées du Sud vers le Nord. [...]

S'il n'est pas étonnant de voir des habitants parmi les plus fortunés des pays en développement venir se faire soigner dans les pays riches, il est plus inhabituel que des pays pauvres offrent des prestations de qualité qui attirent des patients originaires des pays développés. [...] Aux États-Unis, on est passé de 150 000 patients partis se faire soigner en Asie ou en Amérique latine en 2006, à 750 000 en 2007 et le chiffre sera proche de 6 millions en 2010. [...] La Thaïlande était en 2007 la première destination du tourisme médical avec 1,5 million de patients, l'Inde occupant la deuxième place.

J.-F. Nys, « Les nouveaux flux de migrations médicales », *Revue internationale et stratégique*, 2010.

1. Quels sont les deux types de mobilités médicales ?
2. Quels sont les facteurs de ces mobilités ?

Les débats sur la mondialisation

> Quels effets de la mondialisation font débat ?

A Les effets indésirables de la mondialisation

■ **La mondialisation soulève des questionnements économiques et sociaux.** Tout en ayant contribué à faire reculer la pauvreté, elle aurait également tendance à creuser les inégalités à l'échelle mondiale comme à l'échelle nationale par l'exclusion de certains territoires. Les délocalisations (doc. 2), en provoquant du chômage dans les pays développés, permettraient aussi l'exploitation des travailleurs des pays en développement.

■ **Mais l'accroissement des flux et la poursuite de la croissance économique entraînent également une surexploitation des ressources et une pollution** qui pourraient mettre en danger la capacité des générations futures à pourvoir à leurs besoins, et qui contredisent donc les principes du développement durable (doc. 4).

■ **La diversité culturelle est encore mise en danger par une uniformisation** qui se limite assez largement à une occidentalisation du monde, voire à son américanisation comme le montre entre autres l'usage massif de l'anglais sur Internet (Repère A).

B Les acteurs des débats

■ **L'altermondialisme, officiellement né en 1999 lors d'un sommet de l'OMC qui se tenait à Seattle** (doc. 1), est constitué de nombreuses ONG (Oxfam, Attac, Greenpeace, etc.) et de citoyens qui forment une société civile engagée.

■ **Ce mouvement hétéroclite, aux revendications à la fois sociales, économiques, environnementales, voire culturelles.** Il s'agit de faire pression sur les organisations internationales et sur les États afin de faire naître des réformes qui modifieraient en profondeur le processus de mondialisation, sans aller cependant jusqu'à la démondialisation. Ils proposaient notamment une taxation des flux financiers (taxe Tobin) (doc. 3), l'interdiction des paradis fiscaux, ou encore la régulation des marchés des matières premières pour éviter l'asphyxie des paysans du Sud.

■ **Le mouvement des « Indignés » semble avoir pris la suite du mouvement altermondialiste** qui s'est essoufflé, au fil des années 2000, et n'a pas su cristalliser les mécontentements liés à la crise économique mondiale apparue en 2008. Né à Madrid au printemps 2011, le mouvement s'insurge contre les mesures d'austérité prises par des gouvernements endettés, soumis aux injonctions des agences de notation et du monde de la finance en général. Avec « Occupy Wall Street » (doc. 4 p. 297), le mouvement prend une coloration purement anticapitaliste.

C Les formes de la contestation

■ **La contestation passe d'abord par le rassemblement des mécontents à l'occasion des forums sociaux mondiaux (FSM)** (Repère B) qui se tiennent annuellement, depuis 2001, à l'initiative de l'ONG française Attac.

■ **Les grandes manifestations des Indignés de Madrid, New York, Londres, Lisbonne ou Athènes ont été plus marquées par l'influence des réseaux sociaux** qui permettent une mobilisation rapide, et par une logique d'occupation d'espaces publics symboliques comme la Puerta del Sol à Madrid (doc. 2 p. 296), Las Ramblas à Barcelone ou Wall Street à New York qui font écho aux manifestations du Printemps arabe.

■ **La mobilisation de l'opinion publique par des actions médiatiques (Greenpeace contre le nucléaire**, José Bové contre les OGM, etc.) est complétée par des propositions économiques alternatives comme le commerce équitable sur le marché agroalimentaire.

Vocabulaire

Altermondialisme : courant de pensée qui recherche des alternatives à la mondialisation libérale surtout fondées sur la réduction des inégalités et la protection de l'environnement.

Démondialisation : processus visant à limiter le libre-échange, à travers la relocalisation de la production et des emplois et le retour à un protectionnisme ciblé via des droits de douanes.

Forum social mondial : rassemblement annuel organisé par le mouvement altermondialiste pour débattre des problèmes liés à la mondialisation et proposer des solutions non libérales.

ONG (organisation non gouvernementale) : les ONG sont des acteurs de la société civile aux divers domaines d'intervention (environnement, humanitaire, droits de l'homme).

Réseau social : plate-forme virtuelle de socialisation sur laquelle les internautes peuvent se construire des profils, accéder à ceux des autres et communiquer avec eux.

Repère A

Les langues les plus utilisées sur Internet en 2011

Langue	Pourcentage
Anglais	26,8 %
Mandarin	24,2 %
Espagnol	7,8 %
Japonais	4,7 %
Portugais	3,9 %
Allemand	3,6 %
Arabe	3,3 %
Français	3,0 %
Russe	3,0 %
Coréen	2,0 %
Autres langues	17,7 %

Nombre d'internautes, en millions

Source : www.internetworldstats.com, 2012.

1 L'émergence de l'altermondialisme

1972	Rapport Meadow « Halte à la croissance »
1984	Premier contre-sommet (The Other Economic Summit) en marge du G7 de Londres
1992	Premier Sommet de la Terre au Brésil
1997	Campagne de dénonciation des pratiques illégales de Nike
1998	• Création d'Attac en France • Élection d'Hugo Chávez à la présidence du Venezuela • A. Sen Prix Nobel d'économie
1999	Échec du sommet de l'OMC suite à des manifestations de syndicats et d'ONG et aux revendications des dirigeants de pays du Sud
2001	• J. Stiglitz Prix Nobel d'économie • Premier forum social mondial au Brésil
2005	Film Le Cauchemar de Darwin (H. Sauper)
2006	• Film Bamako (A. Sissako) • Forum social mondial « polycentrique » en Inde, au Venezuela et au Mali

Source : P. Gauchon (dir.), *Dictionnaire de géopolitique et géo-économie*, 2011.

2 L'appel à la « relocalisation ».

Une de l'hebdomadaire *Le Parisien magazine* du 19 octobre 2012.

Arnaud Montebourg, ministre du redressement productif depuis 2012, s'est fait le chantre de la production sur le sol français pour sauver et créer des emplois. Il rejoint en cela les altermondialistes et les ONG qui eux contestent l'exploitation des ouvriers chinois, bangladais, indiens et autres.

3 Affiche d'une campagne européenne d'Attac

(Association pour la taxation des transactions financières et pour l'action citoyenne).

4 Les kilomètres alimentaires, un effet environnemental de la mondialisation.

Affiche de l'ONG allemande BUND, 2008. Traduction : « Les fruits qui voyagent menacent le climat. » « Penser global. Acheter des produits régionaux. »

1. Comment cette affiche permet-elle de comprendre la notion de « kilomètre alimentaire » ?
2. Pourquoi les flux de produits alimentaires portent-ils atteinte à l'environnement ?

Les « Indignés » contre la mondialisation financière

Inspiré du Printemps arabe, le mouvement des « Indignés » s'est initié à Madrid, en mai 2011, en pleine crise financière. Les populations occupent la Puerta del Sol afin de contester les inégalités, le chômage de masse et la politique d'austérité induite par la dictature de la finance. Le mouvement, qui a ensuite essaimé dans de nombreux pays, est symptomatique du mal-être d'une population jeune qui risque de vivre plus mal que la génération précédente.
Le rôle des réseaux sociaux et les formes diverses prises par le mouvement participent aussi à en faire une contestation symbolique d'une époque.

1 Indignés : les nouvelles formes de protestation

Madrid, 15 mai 2011 : des milliers de personnes se massent à la Puerta del Sol. [...] Partout, des slogans, inscrits sur du carton ou sur de larges banderoles déployées sur les façades des bâtiments : « *Yes we camp* », « *Otro mundo es posible* », « *Democracia real ya* », « *Que se vayan todos* »… Ils sont bientôt des dizaines de milliers, réunis jour et nuit, dans une clameur indescriptible. [...] Via Internet, les SMS, les réseaux sociaux, un mouvement est né : les Indignés. Il essaime en Grèce, en Israël, aux États-Unis… De Wall Street à Athènes, les slogans sont divers, mais les manifestants se réclament de la même indignation face à une démocratie devenue l'arme des « puissants » et à un « pouvoir financier » omnipotent. Le 15 octobre 2011, est organisée une « journée planétaire des Indignés » : des manifestations ont lieu à Londres, Tel-Aviv, New York, Montréal, Tokyo ou encore Johannesburg. [...] Les Indignés forment une galaxie composite de jeunes, de retraités, de chômeurs, de salariés… [...] Beaucoup sont diplômés du supérieur, fréquemment engagés dans des mouvements associatifs altermondialistes tel Attac. [...] « *Certains de mes proches ont vu leur maison saisie. J'étais frustré de la façon dont le gouvernement américain préserve le bien-être de quelques-uns au détriment de la majorité alors j'ai rejoint Occupy* », répond Mark. Sentiment d'injustice sociale, inégale répartition des richesses… [...] C'est dans un contexte de crise morale et politique liée aux effets de la crise financière mondiale qu'ont émergé ces mouvements, partis de la jeunesse et demandant un changement de société. [...] « *Nous sommes dans la construction d'une forme d'intelligence collective*, affirme Sébastien, l'indigné français. *La démocratie réelle, on la vit à travers ces actions.* » Parallèlement, des « groupes de travail » auto-constitués ont contribué à organiser les mouvements locaux d'Indignés. Aux États-Unis par exemple, « Occupy Wall Street » comprend plus de 70 de ces groupes thématiques formés de volontaires : « finances » (levées de fonds), « justice » (assistance juridique aux Indignés interpellés près de Wall Street), « communication » (site Web, agenda de manifestations, relations presse)… [...] Pour l'heure, les Indignés mettent en avant le pouvoir du Web et des solidarités transnationales pour entretenir l'élan collectif au-delà de l'occupation physique de lieux emblématiques comme Wall Street.

Justine Canonne, *Sciences humaines*, 27 février 2013.

2 Les Indignés occupent la Puerta del Sol à Madrid au printemps 2011

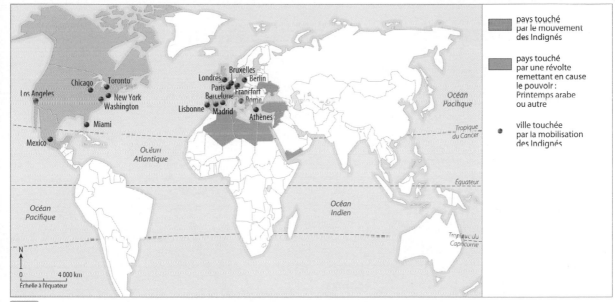

3 **Le mouvement des Indignés dans le monde**

Légende :
- pays touché par le mouvement des Indignés
- pays touché par une révolte remettant en cause le pouvoir : Printemps arabe ou autre
- ville touchée par la mobilisation des Indignés

This is our moment.
NEW DAY NEW YORK
THE SUN IS SETTING ON A CITY RUN BY AND FOR THE 1%
A NEW DAY IS DAWNING — JOIN US AS WE BUILD A CITY FOR #ALLOFUS

4 **Occupy Wall Street, « nous sommes les 99 % ».**

Source : occupywallst.org.

« C'est notre moment : nouveau jour, New York. Le soleil se lève sur une ville dirigée par et pour les 1 %. Un nouveau jour commence, rejoignez-nous pour construire une ville pour tous. »

Questions

1. Quelles formes a prise la mobilisation des Indignés dans le monde ? (doc. 1, 2, 4 et 5)
2. Dans quelles parties du monde le mouvement s'est-il développé ? Pourquoi ? (doc. 3)
3. Quelles sont les sources d'indignation du mouvement ? (doc. 1, 4 et 5)
4. Que proposent les Indignés pour changer le monde ? (doc. 1, 4 et 5)

5 **Anonymous, des « hacktivistes » indignés**

Knowledge Is Free.
We Are Anonymous.
We Are Legion.
We Do Not Forgive.
We Do Not Forget.
Expect Us.

Le groupe d'hacktivistes avait prévenu le 1er janvier qu'il piraterait le site internet du géant de la sidérurgie.

Anonymous Belgium, l'antenne belge du collectif de pirates informatiques, a attaqué dans la nuit de jeudi à vendredi 6 janvier le site Internet du groupe sidérurgiste ArcelorMittal en Belgique pour protester contre la fermeture de deux hauts fourneaux à Liège.

Anonymous Belgium a ainsi mis à exécution la menace qu'il avait lancée le 1er janvier de s'attaquer au numéro un mondial de la sidérurgie.

À la place de la page d'accueil du site, le groupe a posté un message vidéo dénonçant la fermeture de la phase à chaud du site ArcelorMittal de Liège. « Anonymous a accompli sa tâche en s'attaquant au site de ArcelorMittal et ce fut une réussite, comme vous pouvez le voir », était-il écrit sur le site piraté, qui était bloqué dans la matinée.

Le Nouvel Observateur, 6 janvier 2012.

Les territoires de la mondialisation

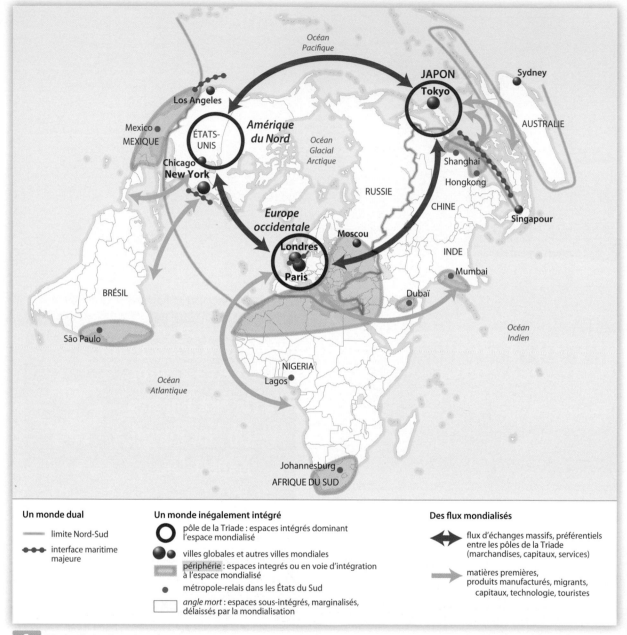

Un monde dual

— limite Nord-Sud

●━●━● interface maritime majeure

Un monde inégalement intégré

○ pôle de la Triade : espaces intégrés dominant l'espace mondialisé

●● villes globales et autres villes mondiales

▨ périphérie : espaces integrés ou en voie d'intégration à l'espace mondialisé

● métropole-relais dans les États du Sud

▭ *angle mort* : espaces sous-intégrés, marginalisés, délaissés par la mondialisation

Des flux mondialisés

◆━▶ flux d'échanges massifs, préférentiels entre les pôles de la Triade (marchandises, capitaux, services)

➡ matières premières, produits manufacturés, migrants, capitaux, technologie, touristes

1 **L'inégale intégration des territoires dans la mondialisation**

Questions

1. Quels sont les pôles majeurs de la planète ?
2. Montrez que l'organisation de la planète évolue de plus en plus vers le polycentrisme.
3. Montrez que les territoires sont inégalement intégrés à l'échelle des États.

Vocabulaire

Centre d'impulsion : voir p. 300.

Centre / périphérie : opposition entre un centre qui domine un espace et des périphéries qui sont dominées. Ces deux ensembles entretiennent des flux dissymétriques et cette organisation peut se lire à toutes les échelles (ville, région, État et monde).

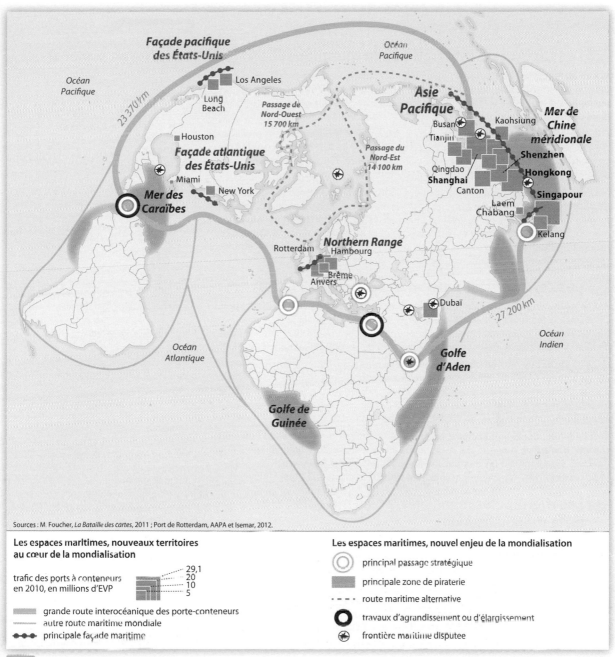

Façade pacifique
des États-Unis

Océan Pacifique

Los Angeles

Long Beach

Océan Pacifique

23 370 km

Passage de
Nord-Ouest
15 700 km

Houston

Façade atlantique
des États-Unis

Miami

New York

Mer des
Caraïbes

Passage du
Nord-Est
14 100 km

Océan Pacifique

Asie
Pacifique

Busan

Kaohsiung

Mer de
Chine
méridionale

Tianjin

Qingdao

Shanghai

Canton

Shenzhen

Hongkong

Singapour

Laem
Chabang

Kelang

Northern Range

Rotterdam

Hambourg

Brême

Anvers

Dubaï

27 200 km

Océan
Indien

Golfe
d'Aden

Océan
Atlantique

Golfe de
Guinée

Sources : M. Foucher, *La Bataille des cartes*, 2011 ; Port de Rotterdam, AAPA et Isemar, 2012.

**Les espaces maritimes, nouveaux territoires
au cœur de la mondialisation**

trafic des ports à conteneurs
en 2010, en millions d'EVP

29,1
20
10
5

grande route interocéanique des porte-conteneurs

autre route maritime mondiale

principale façade maritime

Les espaces maritimes, nouvel enjeu de la mondialisation

principal passage stratégique

principale zone de piraterie

route maritime alternative

travaux d'agrandissement ou d'élargissement

frontière maritime disputée

2 **Les espaces maritimes : des espaces stratégiques**

Questions

1. À l'aide des **doc. 1 et 2**, identifiez les territoires de la mondialisation reliés par la principale route maritime.

2. Quels sont les espaces maritimes qui concentrent les enjeux stratégiques ?

Les territoires intégrés à la mondialisation

> Quels sont les territoires intégrés ? Comment se caractérisent-ils ?

A Les facteurs d'intégration à la mondialisation

■ **Les stratégies d'implantation des FTN constituent le premier facteur d'intégration à la mondialisation.** Pour être compétitifs et drainer les IDE, les territoires développent leur attractivité. Mais ce processus demeure très sélectif puisque les pays développés émettent 65 % des IDE et en reçoivent 41,5 % en 2012 (doc. 1).

■ **L'accessibilité est un deuxième facteur essentiel d'intégration** : la présence d'un hub, d'une plate-forme multimodale ou d'un réseau ADSL accélère la métropolisation. Les frontières, très attractives quand elles relient des territoires au développement contrasté, constituent des interfaces terrestres dynamiques.

■ **D'autres facteurs favorisent également l'intégration.** La présence d'activités de recherche et de conception ainsi que la haute qualification des employés formés dans des pôles universitaires mondialisés sont déterminantes. Mais une main-d'œuvre peu diplômée et peu coûteuse peut également attirer les unités de production quand le pays est stable politiquement ou qu'il développe de bonnes conditions d'accueil (fiscalité, équipements).

B Les centres d'impulsion de la mondialisation

■ **Les pôles de la Triade constituent les espaces majeurs de la mondialisation.** Concentrant les sièges sociaux des FTN et les lieux de décision politique, les États-Unis, l'UE et le Japon et leurs périphéries proches (NPIA, pays de l'Europe de l'Est) sont les principaux centres d'impulsion de la mondialisation.

■ **La Triade est de plus en plus concurrencée par les pays émergents,** notamment les géants territoriaux, démographiques et économiques (Chine, Inde, Brésil) ou par la Russie, puissance ré-émergente (doc. 2). Ils s'intègrent rapidement et investissent notamment dans le Sud (qui dépasse les 50 % d'IDE depuis). Leur intégration reste toutefois incomplète et contrastée.

■ **À l'échelle locale ou régionale, de plus petits territoires s'affirment désormais comme des pôles majeurs de la mondialisation.** Les paradis fiscaux, les zones franches (de la taille d'un quartier) ou les technopôles attirent les IDE. La Silicon Valley obtient à elle seule une grande part des IDE entrant aux États-Unis.

C Les métropoles mondiales, pôles majeurs de la mondialisation

■ **Les métropoles, et en particulier les villes mondiales, sont des pôles privilégiés de la mondialisation.** Elles concentrent les pouvoirs de commandement économiques et financiers et offrent des services spécialisés aux entreprises. La présence de hubs témoigne de leur forte accessibilité (Repère).

■ **Les métropoles s'organisent en réseaux à l'échelle régionale (mégalopole) ou mondiale (archipel métropolitain mondial).** Elles sont reliées entre elles et aux principales villes mondiales : New York, Londres, Paris, Tokyo et Shanghai. Elles entretiennent d'intenses relations et intègrent de plus en plus des métropoles du Sud (Johannesburg, São Paulo...).

■ **Au sein des métropoles, des lieux symbolisent cette intégration mondiale :** les CBD témoignent de l'uniformisation de l'architecture, tout comme les nouveaux quartiers apparus en périphérie, qui concentrent la puissance économique (technopôles, zones industrielles). Ces métropoles s'étendent et renforcent leur ouverture internationale, en développant les pôles touristiques mondiaux, par exemple.

Vocabulaire

Archipel métropolitain mondial : ensemble des villes mondiales qui, étroitement connectées en réseaux, organisent le monde et nouent des relations privilégiées entre elles.

CBD : quartier d'affaires.

Centre d'impulsion : ville ou région motrice de la mondialisation où les pouvoirs de décision sont très concentrés. Ces pouvoirs sont économiques (sièges sociaux, Bourses), politiques (institutions nationales et internationales), mais aussi culturels.

Hub : en anglais, aéroport ou port où convergent toutes les correspondances du réseau aérien ou maritime à l'échelle mondiale, européenne, nationale sous la forme de rayons (*spokes*) desservis séparément.

IDE : voir p. 292.

Interface : lieu privilégié d'échanges entre un espace et le reste du monde. Elle peut être linéaire (littoral, frontière), ponctuelle (port, aéroport), continentale ou maritime.

Mégalopole : vaste ensemble de villes qui forme un tissu urbain continu.

NPIA : voir Repère B p. 400.

Paradis fiscal : territoire où le régime fiscal est particulièrement avantageux pour les capitaux étrangers.

Technopole : ville qui a développé des activités de hautes technologies. Lorsqu'on parle de technopôle, il s'agit d'un parc technologique.

Ville mondiale : métropole qui concentre des fonctions rares et de très haut niveau et exerce une influence dans l'ensemble ou une partie du monde.

Zone franche : espace où les activités économiques bénéficient de conditions fiscales favorables.

Repère

Les principaux aéroports en 2010 (trafic, en millions de passagers)

Atlanta (États-Unis)	94, 4
Beijing (Chine)	81, 9
Londres (Royaume-Uni)	70
Tokyo (Japon)	66,7
Chicago (États-Unis)	66,6

Source : Airports Council International, 2012.

Stocks entrants d'IDE

⚪ par région en 2010, en milliards de dollars

688

Attractivité financière des pays
stocks entrants d'IDE en 2010, en milliards de dollars

4 — très faible
20 — faible
100 — moyenne
500 — élevée
— très élevée

Source : CNUCED, 2011.

* Communauté des États Indépendants.

1 Les IDE, révélateurs de l'inégale attractivité des territoires

1. Quels pays reçoivent le plus d'IDE ?

2 La Triade face aux BRICS

Pays	Pays de la Triade			BRICS				
	États-Unis	UE à 27	Japon	Chine	Russie	Inde	Brésil	Afrique du Sud
Population en millions d'hab. en 2012	313,8	521,9	127,5	1 350,3	143,1	1 260,7	194,3	51,1
Population en 2050 (projection) en millions d'hab.	422,6	513	95,2	1 322,8	126,2	1 691,7	222,8	56,8
PIB en 2012, en milliards de dollars	16 244,6	16 690	5 959,7	8 227,1	2 014,7	1 841,7	2 252,6	384,3
Croissance en 2012, en %	+ 2,8	− 0,4	+ 1,9	+ 7,8	+ 3,4	+ 3,2	+ 0,9	+ 2,5
PIB/hab. 2012, en dollars	51 749	35 057	46 720	6 091	14 037	1 489	11 340	7 508

Sources : Population Reference Bureau et Banque mondiale, 2013.

1. Sur quels plans les BRICS concurrencent-ils la Triade ?

En quoi Singapour est-il un pôle majeur de la mondialisation ?

Au débouché du détroit de Malacca, Singapour occupe une place essentielle dans les réseaux d'échanges mondiaux depuis le XIXᵉ siècle. Aujourd'hui, cette cité-État de 5,2 millions d'habitants est un pôle majeur de la mondialisation dont le territoire s'adapte constamment, jusqu'à « déborder » sur l'espace régional.

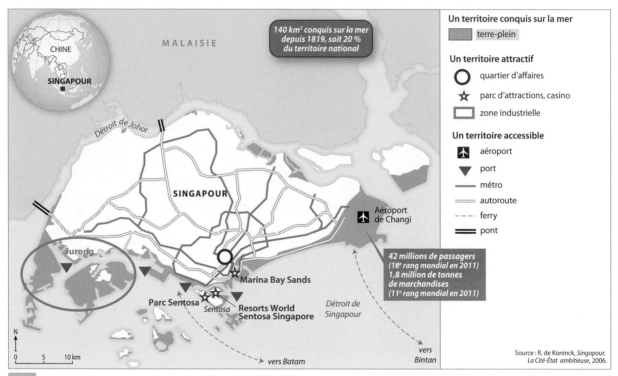

1 **Un territoire qui s'adapte constamment à la mondialisation**

2 Une révolution du territoire

D'après le géographe R. de Koninck, le territoire national s'adapte constamment aux exigences du marché mondial en se transformant à la demande et rapidement.

La géographie même de Singapour est en transformation permanente. Cette transformation concerne […] la dimension et la forme de l'île. […] Ce remaniement du territoire est à mettre au compte du projet national singapourien. Un projet […] qui comprend une adaptation des assises spatiales du pays aux ambitions mondiales. […] Ainsi, au cours des quatre dernières décennies, la totalité du littoral méridional de l'île a considérablement progressé aux dépens de la mer. […]

Alors qu'à la fin des années 1970 le centre des affaires donnait encore directement sur la mer, c'est maintenant une large baie enserrée par des polders qui s'étend au pied du centre-ville. La rivière Singapour, encore dangereusement polluée en 1981, a été totalement assainie depuis et se jette désormais dans cette Marina Bay bordée de jardins, d'un immense centre culturel et de grands complexes hôteliers érigés sur des terres conquises sur la mer.

À l'ouest, du côté de Jurong, qui correspond au versant industriel du pays, les remaniements sont tels que des îles disparaissent, suite à des regroupements, en quelque sorte, et que d'autres sont créées de toutes pièces. À l'est, qui correspond au versant aéroportuaire, là aussi la progression de l'île dans le détroit de Singapour est étonnante. Depuis son lancement en 1981, le « porte-avions » Changi a gagné près de 20 km² sur la mer, le remplissage des rives étant appelé à se continuer.

R. de Koninck, *Singapour, la cité-État ambitieuse*, 2006.

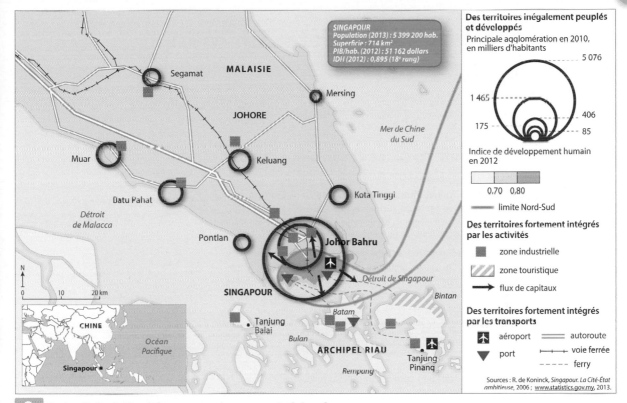

SINGAPOUR
Population (2013) : 5 399 200 hab.
Superficie : 714 km²
PIB/hab. (2012) : 51 162 dollars
IDH (2012) : 0,895 (18ᵉ rang)

Des territoires inégalement peuplés et développés

Principale agglomération en 2010, en milliers d'habitants

- 5 076
- 1 465
- 406
- 175
- 85

Indice de développement humain en 2012

0,70   0,80

━━━ limite Nord-Sud

Des territoires fortement intégrés par les activités

■ zone industrielle

▨ zone touristique

➜ flux de capitaux

Des territoires fortement intégrés par les transports

✈ aéroport   ══ autoroute

▼ port   ┼┼ voie ferrée

----- ferry

Sources : R. de Koninck, *Singapour. La Cité-État ambitieuse*, 2006 ; www.statistics.gov.my, 2013.

3 **Un territoire intégré dans son environnement régional**

4 **Le quartier d'affaires de Singapour.**
Le quartier colonial, le quartier d'affaires et les activités portuaires illustrent l'ouverture constante de Singapour sur le monde.

Vocabulaire

Terre-plein : étendue de terre gagnée sur la mer. À la différence du polder, essentiellement agricole, le terre-plein a une vocation industrielle et tertiaire.

Questions

1. Quels sont les facteurs d'intégration de Singapour aux grands échanges économiques mondiaux (économiques, touristiques) ? Quelles activités sont les moteurs du développement de cette cité-État ? (doc. 1, 3 et 4)

2. À l'échelle locale, comment le territoire urbain s'est-il transformé pour s'adapter à la mondialisation ? (doc. 1, 2 et 4)

3. Montrez que la stratégie de développement de la cité-État a constamment évolué et que Singapour « déborde » sur ses voisins. (doc.1 et 3)

Les territoires et les sociétés en marge de la mondialisation

> Quelles sont les raisons et les conséquences de l'inégale intégration des territoires et des sociétés à la mondialisation ?

A Le mal-développement, cause et conséquence de la faible intégration des territoires

■ **Le mal-développement est un frein à l'intégration dans la mondialisation.** Les États mal développés cumulent les facteurs répulsifs (manque d'équipements, instabilité politique, extrême pauvreté : Repère B). Ils représentent trop de risques pour les FTN en quête de sécurité pour leurs investissements.

■ **La faible intégration à la mondialisation est un frein au développement.** Les PMA, majoritaires en Afrique, sont aujourd'hui les États les moins développés mais aussi les plus évités (1,9 % des IDE en 2012), contrairement à d'autres États du Sud qui ont joué la carte de l'ouverture. Au Rwanda, 63,2 % de la population vivait avec moins de 1,25 dollar par jour en 2011 **(Repère A, doc. 1)**.

■ **Localement, des dynamiques d'intégration sont en cours.** De nombreux territoires accueillent les délocalisations ou, comme le Laos et le Vanuatu, les touristes internationaux. Mais ce sont des périphéries dominées et cette intégration n'impulse qu'un développement inégal. L'exploitation pétrolière dans le golfe de Guinée se fait ainsi sans retombées économiques pour les populations locales.

B Des territoires inégalement intégrés

■ **La mondialisation renforce les disparités spatiales dans les pays du Nord comme dans ceux du Sud.** Les interfaces maritimes et continentales reçoivent les IDE, marginalisant des territoires entiers. Enclavés, ces « angles morts » de la mondialisation présentant peu d'intérêt stratégique ne sont pas mis en valeur.

■ **La mondialisation organise les territoires en « archipels »,** où seules les grandes villes et certains espaces frontaliers, plaques tournantes des flux migratoires (Istanbul, Dakar) s'intègrent aux flux mondialisés. De petites régions peuvent bénéficier du tourisme, alors que le reste du pays en est exclu (les îles Nocibé à Madagascar).

■ **La mondialisation favorise les métropoles macrocéphaliques.** Cela accentue les inégalités : entre ruraux exclus ou subissant l'internationalisation des échanges, et urbains au contact des flux. Au Bangladesh, l'intégration industrielle par le textile à Dacca s'est faite au détriment de l'agriculture.

C Des sociétés inégalement intégrées

■ **La mondialisation renforce les inégalités sociales même si, à long terme, elle permet l'apparition d'une classe moyenne.** Les sociétés des pays émergents se sont globalement enrichies, mais de façon très inégalitaire. Les révoltes des plus pauvres (ouvriers chinois, paysans sans terre au Brésil) **(doc. 3)** en témoignent.

■ **Dans les pays du Sud, une part de la société reste en marge de la mondialisation** : le nombre de personnes vivant de l'économie informelle a augmenté (776 millions en 2000, 827 millions en 2010). Dans le même temps, les plus riches se sont enrichis : la Chine compte ainsi, en 2012, 31% de millionnaires de plus qu'en 2009 et se situe au 3ᵉ rang mondial, derrière les États-Unis et le Japon.

■ **Les métropoles du Nord ne sont pas épargnées par la montée des inégalités socio-spatiales** : les banlieues des grandes villes concentrent les exclus et les petits revenus. C'est aussi le cas des quartiers centraux des villes des États-Unis traditionnellement défavorisés (ghettos) **(doc. 2 et 3)**.

Vocabulaire

Enclavement : situation de territoires qui, faute d'être bien desservis par des voies de communication, sont moins intégrés aux échanges donc isolés.
Interface : voir p. 300.
PMA : voir p. 378.

Repère A

Les États en marge de la mondialisation

Afrique **34**
Asie et Océanie **14**
Amérique latine **1**

▬ Pays les moins avancés

Source : ONU, 2013.

Repère B

Population vivant avec moins de 1,25 $ par jour* entre 1981 et 2005, en millions

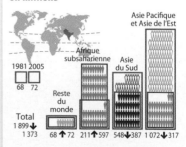

Asie Pacifique et Asie de l'Est

1981 2005

Afrique subsaharienne

Asie du Sud

68 72

Reste du monde

Total 1 899 ↓
1 373

68 ↑ 72   211 ↑ 597   548 ↓ 387   1 072 ↓ 317

Chaque personnage représente 10 millions d'hab. Chaque couleur symbolise une aire géographique.

* Le seuil de pauvreté est aujourd'hui fixé à 2 dollars par jour.

Source : Banque mondiale, 2011.

1 Un quartier en marge de la mondialisation à Phnom Penh (Cambodge).

Malgré la transformation rapide de la capitale du Cambodge, les quartiers informels sont nombreux à Phnom Penh, conséquence de la privatisation de la terre et de la forte augmentation des loyers.

1. Quelles sont ici les manifestations du mal-développement ?

2 Downtown Detroit.

L'ancienne ville industrielle de Detroit (Michigan, États-Unis) est touchée par l'exode de sa population – surtout des jeunes – et un effondrement des prix de l'immobilier. Certains quartiers de la ville sont aujourd'hui presque entièrement abandonnés.

3 Les oubliés de la mondialisation

Aujourd'hui, les manifestations [ne] se déroulent [pas dans les capitales de nations développées mais] dans les mégapoles surpeuplées du monde en développement ou de pays pauvres d'Europe. Au Caire et à Bangkok, les manifestants sont dans leur majorité des petits paysans victimes du déclin de l'agriculture ou issus d'une sous-classe urbaine qui se démènent pour survivre dans l'économie informelle. Nombre des actions de protestation se déroulent dans les centres commerçants des villes. Pas dans les villages, ni dans les banlieues. Pas non plus sur les campus des universités ou dans les quartiers des ministères comme en 1968. [...]

En une génération, des villes comme Le Caire, Bangkok et Katmandou ont complètement changé de visage. Elles ont grossi de façon spectaculaire. Né de la mondialisation, leur centre ne se distingue plus guère des riches villes d'Occident. Leurs classes moyennes ont désormais le sentiment d'appartenir à une classe moyenne planétaire. Elles achètent les mêmes marques, voient les mêmes films, ont les mêmes idées. Pour le paysan qui vivait dans le tiers-monde il y a une génération, une richesse aussi étincelante était non seulement hors de portée mais tout bonnement inimaginable. Maintenant que la mondialisation a réduit l'espace et le temps, cette opulence envahit le quotidien, que ce soit dans la rue ou dans le monde virtuel de la télévision et d'Internet. Le sentiment d'injustice [éprouvé par les manifestants] est un mélange d'aspiration, de frustration et de comparaison. La fracture au sein de ces sociétés n'épouse pas le sens ancien de « classes », mais repose sur le clivage entre ceux que la mondialisation a choyés et ceux qui ont souffert d'elle. Dans tous les pays, le mot d'ordre n'est pas la révolution mais une meilleure redistribution, moins d'injustice.

« Une révolte des oubliés de la mondialisation »,
Courrier International, 20 mai 2010.

1. D'après ce texte, quelles sont les sociétés intégrées à la mondialisation ? Quelles sont les sociétés en marge ?

Les espaces maritimes : approche géostratégique

> En quoi les espaces maritimes deviennent-ils de plus en plus un enjeu de la mondialisation ?

A Des espaces maritimes de plus en plus valorisés

■ **Les espaces maritimes, qui couvrent 70 % de la surface terrestre, permettent la mise en relation du monde.** 90 % des échanges économiques mondiaux se font par la mer (produits manufacturés, denrées agricoles, énergie). Ce processus s'accompagne d'une utilisation accrue du porte-conteneurs dont le trafic a été multiplié par 7 en vingt ans.

■ **La mondialisation renforce la littoralisation des hommes et des activités.** Elle permet l'émergence de façades maritimes qui concentrent ports, grandes métropoles et ZES. Les plus puissantes s'affirment comme de véritables interfaces à l'échelle mondiale (Northern Range, façade pacifique américaine et façade de l'Asie pacifique) et intègrent localement les pavillons de complaisance. Les terre-pleins japonais témoignent de cette avancée sur la mer (doc. 2).

■ **La mondialisation sélectionne et hiérarchise les littoraux et les espaces maritimes.** À l'échelle mondiale, on constate le déplacement du centre de gravité du commerce maritime mondial de l'Atlantique vers le Pacifique. Les plus grands ports se situent dans la Triade ou sa périphérie alors que la majorité des ports du Sud sont insuffisamment équipés et mal reliés à leur arrière-pays.

B Des espaces maritimes de plus en plus disputés

■ **Ces échanges sont réalisés entre un petit nombre de ports et les routes maritimes (principalement est/ouest car reliant la Triade) deviennent concurrentiel.** L'économie d'archipel ne cesse de concentrer les *feederings* qui exigent des ports de plus en plus perfectionnés et spécialisés (Repère B).

■ **Les espaces maritimes sont aussi des espaces de souveraineté nationale.** Chaque pays protège sa zone économique exclusive (ZEE) où il dispose de l'usage exclusif des ressources (pêche, pétrole) depuis la conférence de Montego Bay en 1982. Ces ressources nationales sont souvent convoitées par de grandes FTN (zone de pêche en Afrique de l'Est) (Repère A).

■ **Les espaces maritimes recèlent de nombreuses ressources halieutiques, minérales et énergétiques (productions off-shore).** On estime que plus du tiers des hydrocarbures sera extrait des fonds océaniques au XXe siècle, soit l'équivalent de trente à quarante ans de consommation (doc. 1).

C Des espaces maritimes sources de tensions

■ **La concentration des routes maritimes explique la multiplication des risques :** explosion de la piraterie (Corne de l'Afrique), multiplication des trafics illicites et de l'immigration clandestine, tensions autour des détroits (Ormuz, Malacca) (doc. 3). Cela explique la volonté de trouver de nouvelles routes comme le passage du Nord-Ouest résultant du réchauffement de l'Arctique .

■ **Le contrôle et la sécurisation des routes sont assurés par les États les plus impliqués dans la mondialisation.** Ils reflètent la hiérarchie des puissances, entretenant les tensions, voire les conflits et la militarisation de certaines zones. Les archipels disputés en mer de Chine (Îles Paracel et les Spratleys) s'expliquent par la volonté de contrôler la route qui relie le Moyen-Orient au Japon.

■ **Enfin, l'utilisation croissante, voire la surexploitation des espaces maritimes, pose la question de leur durabilité.** L'extraction d'énergies, la pêche et la pollution semblent difficilement conciliables et attisent les tensions entre les ONG environnementales, les riverains et l'ensemble des usagers et pollueurs.

Vocabulaire

Façade maritime : littoral qui concentre un grand nombre de villes portuaires ouvertes aux échanges mondiaux et en liaison avec un même arrière-pays.

Feedering : système de transfert de conteneurs. Les porte-conteneurs transocéaniques déchargent sur des petits porte-conteneurs à partir d'un hub où les porte-conteneurs doivent faire escale vers des ports secondaires.

Interface : voir p. 300.

Pavillon de complaisance : adresse d'un navire dans un État qui propose aux propriétaires des avantages fiscaux et une réglementation plus souple.

ZEE : zone économique exclusive, espace maritime de 200 miles marins autour des côtes sur lequel un État exerce sa souveraineté.

ZES : zone économique spéciale.

Repère A

Le partage des espaces maritimes

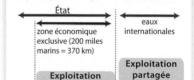

Repère B

Les principaux ports en 2012 (trafic conteneurs en EVP)

Port	2012
Shanghai (Chine)	32,5
Singapour (Singapour)	31,7
Hong Kong (Chine)	23,1
Shenzhen (Chine)	22,9
Busan (Corée du Sud)	17,0
Ningbo & Zhoustan (Chine)	16,8
Guangzhou (Chine)	14,7
Qingdao (Chine)	14,5
Dubaï (EAU)	13,3
Tianjin (Chine)	12,3
Rotterdam (Pays-Bas)	11,9

Source : www.portofrotterdam.com

1 Terre-pleins à Nagoya (Japon) : une littoralisation des hommes et des activités

1. Quels éléments sur la photographie montrent l'intégration des terre-pleins à la mondialisation ?

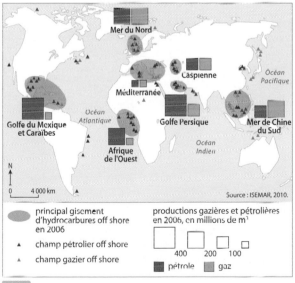

principal gisement d'hydrocarbures off shore en 2006

▲ champ pétrolier off shore

▲ champ gazier off shore

productions gazières et pétrolières en 2006, en millions de m³

400   200   100

■ pétrole   ■ gaz

Source : ISEMAR, 2010.

2 Les productions gazières et pétrolières dans le monde

1. Localisez les principaux gisements d'hydrocarbures off-shore.

2. Expliquez le lien entre le thème de la carte et le titre du cours.

3 La piraterie, enjeu des espaces maritimes contemporains

Au cours de la dernière décennie, on observe une montée en puissance de la piraterie. Il y a trois zones où les actes de piraterie sont récurrents : le détroit de Malacca, le golfe d'Aden et le golfe de Guinée. Ce phénomène trouve souvent son origine dans des situations locales instables. Mais ses formes divergent : attaques de navires marchands en haute mer dans le détroit de Malacca et dans le golfe d'Aden, attaques de navires de ravitaillement et de remorqueurs dans le golfe de Guinée. Les États de la zone du détroit de Malacca (Singapour, Indonésie, Japon, Cambodge, Inde) ont conclu en 2004 un accord sur la lutte contre la piraterie. Depuis cet accord, la fréquence des attaques contre les navires marchands dans cette zone a considérablement baissé. Dans le golfe d'Aden et dans l'océan Indien, l'instabilité politique en Somalie conduit une partie de la population côtière à multiplier les attaques. Les cibles sont diverses : pétroliers, cargos, navires de pêche ou de plaisance. Les pirates attaquent souvent très loin des côtes. Les navires attaqués sont déroutés avec leurs équipages vers des ports de la Somalie et libérés contre rançon.

Ministère de l'Écologie, du Développement durable, des Transports et du Logement, 2010.

1. Pourquoi la piraterie préoccupe-t-elle les grandes puissances mondiales ?

En quoi l'océan Arctique représente-t-il un enjeu géostratégique mondial ?

La fonte accélérée de la banquise en Arctique relance les convoitises sur cet océan de 14 millions de km². La présence de ressources minières énergétiques et de nouvelles routes maritimes potentielles n'ont pas engagé une nouvelle « bataille de l'Arctique » depuis 2007. La coopération entre les États riverains progresse, mais les tensions entre les intérêts nationaux et ceux de la communauté internationale sont au cœur de la géopolitique mondiale.

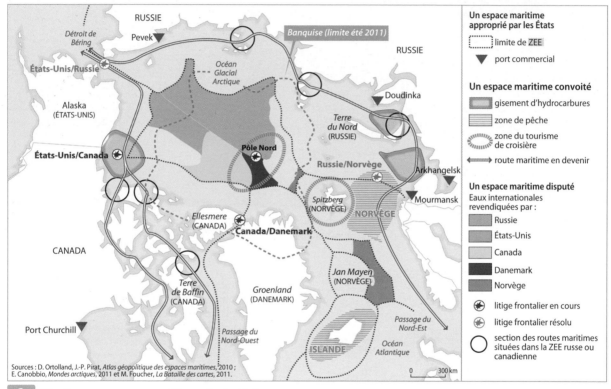

Sources : D. Ortolland, J.-P. Pirat, *Atlas géopolitique des espaces maritimes*, 2010 ; E. Canobbio, *Mondes arctiques*, 2011 et M. Foucher, *La Bataille des cartes*, 2011.

1 L'Arctique, un espace maritime géostratégique

2 De nouveaux passages maritimes au cœur de la mondialisation

Distance entre les ports selon la route maritime, en km			
Itinéraire par	Londres-Yokohama	New York-Yokohama	Hambourg-Vancouver
Panama	23 300	18 560	17 310
Suez et Malacca	21 200	25 120	29 880
Cap Horn	32 289	31 639	27 200
Passage du Nord-Ouest	15 930	15 220	14 970
Passage du Nord-Est	14 062	18 190	13 770

Source : F. Lasserre, « Géopolitiques arctiques », *Critique internationale*, 2010.

Questions

1. Quelles sont les nouvelles perspectives offertes par la fonte des glaces de l'Arctique ? En quoi sont-elles synonymes d'intégration mondiale pour cet océan ? (doc. 1, 2 et 4)

2. Quelles sont cependant les limites de ces nouvelles opportunités ? (doc. 1, 3, 4 et 5)

3. Quels sont les États concernés directement ou indirectement par ces nouvelles perspectives ? Montrez que cette mise en valeur de l'Arctique entraîne des tensions entre les intérêts nationaux et ceux de la communauté internationale (passage maritime, durabilité) (doc. 1, 2, 4 et 5).

3 Des passages maritimes risqués pour le trafic des conteneurs

Le transport par conteneurs est le secteur qui semble le moins intéressé par les routes arctiques. La présence de glace dérivante, d'icebergs, de bancs de brouillards épais rend le respect des horaires difficile. En particulier, la glace dérivante peut obstruer temporairement certains détroits, rendant très délicat le passage, ce qui provoquerait des retards, voire obligerait le navire à faire demi-tour pour transiter par Panama, avec des retards désastreux. Compte tenu du coût d'exploitation de navires à coque renforcée, d'un éventuel péage (déjà en vigueur sur le passage du Nord-Est du fait de l'escorte obligatoire en Russie) et des primes d'assurance plus élevées, il n'est pas certain que le coût réel de lignes de transit par les routes arctiques soit intéressant. Il n'y a aucun marché intermédiaire et aucun port équipé pour les conteneurs à desservir en chemin, ce qui réduit l'intérêt commercial de ces routes [polaires] par opposition aux multiples chargements/déchargements possibles le long des routes classiques de Suez ou Panama. Le trafic arctique semble effectivement augmenter, mais ce n'est ni une explosion, ni une circulation de transition, mais bien de destination. Ce sont surtout la desserte de communautés locales et le trafic lié à l'exploitation des ressources naturelles qui constituent le moteur de cette croissance. Les passages arctiques ne deviendront pas de nouveaux Panama.

F. Lasserre, « Des autoroutes maritimes polaires ? Analyse des stratégies des transporteurs maritimes dans l'Arctique », *Espace, société et territoire*, 2011.

4 L'Arctique : entre recherche de profit et durabilité.

L'ONG Greenpeace, en se positionnant près de cette plate-forme de forage pétrolier, tente de dénoncer les risques qui pèsent sur la durabilité de cet océan. Une marée noire y aurait des conséquences plus importantes qu'ailleurs (conditions climatiques extrêmes, éloignement géographique).

5 Les revendications canadiennes de la souveraineté de l'Arctique.

Caricature de Cardow dans *The Ottawa Citizen*, 31 août 2010.

Traduction : « Écoutez bien… Ah, voilà le moment où il [Stephen Harper, Premier ministre du Canada] proclame la souveraineté du Canada sur l'Arctique. »

Avec la fonte des glaces, le Canada tente de s'approprier le plateau continental et le contrôle du passage du Nord-Ouest. Il se heurte aux intérêts de la Russie (sous-marin russe sur le dessin) et à l'opposition des États-Unis et de l'Union européenne, qui œuvrent pour la libre circulation dans les détroits internationaux.

Vocabulaire

ZEE : voir p. 306.

EXERCICE GUIDÉ

SUJET Un produit mondialisé

En vous appuyant sur le cas du produit mondialisé étudié en classe, présentez les acteurs et les flux de la mondialisation.

Étape 1 Analyser le sujet

■ Identifier les mots-clés et délimiter l'espace concerné

Conseil *On n'analyse qu'un seul produit, celui étudié en classe. La consigne confirme qu'il est possible de reprendre le plan adopté dans l'étude de cas en construisant trois paragraphes.*
– En quoi le produit est-il inscrit dans la mondialisation ?
– Quels sont les acteurs de sa mondialisation?
– Quels flux sa mondialisation génère-t-elle ?

un **produit** mondialisé

En vous appuyant sur le cas du produit mondialisé étudié en classe, présentez les **acteurs** et les **flux de la mondialisation**.

Le produit choisi doit être représentatif du sujet : c'est un exemple pour comprendre un processus plus large, la mondialisation. Il s'agit d'utiliser la matière de l'étude de cas pour expliquer ce qu'est la mondialisation.

Le terme « mondialisé » rappelle qu'il ne s'agit pas d'étudier le produit pour lui-même, mais pour mieux appréhender la mondialisation.

Étape 2 Élaborer le plan

En utilisant l'étude de cas, complétez le tableau suivant :

Paragraphes	Étude de cas du café	Étude de cas de l'iPhone
1. Un produit inscrit dans la mondialisation	Présentez les régions productrices de café et les régions consommatrices, la diffusion mondiale et les limites de cette diffusion. .... **Conseil** *Complétez cette rubrique à l'aide du bilan de l'étude de cas, p. 270-271.*	Présentez les régions productrices de l'iPhone et les régions consommatrices, la diffusion mondiale et les limites de cette diffusion. .... **Conseil** *Complétez cette rubrique à l'aide du bilan de l'étude de cas, p. 278-279.*
2. Des acteurs aux stratégies contradictoires	Présentez les principaux acteurs de la filière du café et leurs stratégies. .... **Conseil** *Complétez cette rubrique à l'aide du bilan de l'étude de cas, p. 272-273.*	Présentez les principaux acteurs de la filière de l'iPhone et leurs stratégies. .... **Conseil** *Complétez cette rubrique à l'aide du bilan de l'étude de cas, p. 280-281.*
3. Des flux qui dessinent des réseaux complexes	Présentez le marché mondial du café. .... **Conseil** *Complétez cette rubrique à l'aide du bilan de l'étude de cas, p. 274-275.*	Présentez le marché mondial de l'iPhone. .... **Conseil** *Complétez cette rubrique à l'aide du bilan de l'étude de cas, p. 282-283.*

Complétez le tableau suivant. Le plan 1 et le plan 2 conviennent-ils ? Pourquoi ?

■ Rédiger l'introduction

L'introduction doit être courte (3 à 4 lignes) et annoncer rapidement le plan de la réponse organisée. Proposez une annonce de plan :

L'étude de cas menée en classe sur le café/l'iPhone permet de présenter les acteurs et les plus de la mondialisation. ....

....

....

Conseil *Pour annoncer votre plan, reportez-vous à la première colonne du tableau de l'étape 2.*

Intégrer des productions graphiques pour mettre en relation des faits de localisation spatiale différents :

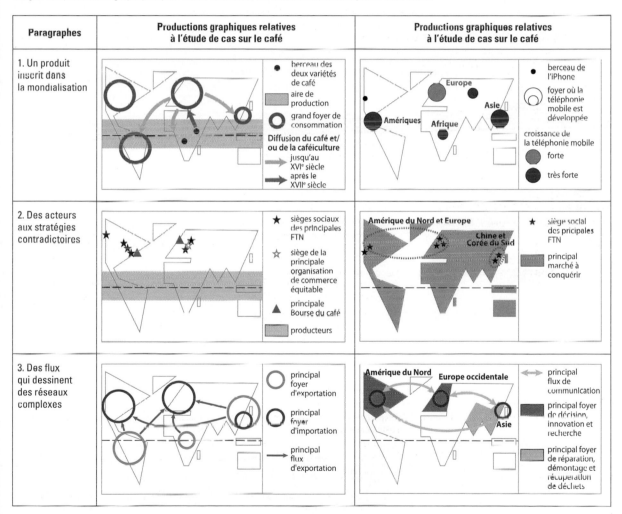

Paragraphes	Productions graphiques relatives à l'étude de cas sur le café	Productions graphiques relatives à l'étude de cas sur le café
1. Un produit inscrit dans la mondialisation	berceau des deux variétés de café ; aire de production ; grand foyer de consommation ; **Diffusion du café et/ou de la caféiculture** jusqu'au XVIᵉ siècle ; après le XVIIᵉ siècle	berceau de l'iPhone ; foyer où la téléphonie mobile est développée ; croissance de la téléphonie mobile forte ; très forte
2. Des acteurs aux stratégies contradictoires	sièges sociaux des principales FTN ; siège de la principale organisation de commerce équitable ; principale Bourse du café ; producteurs	siège social des pricipales FTN ; principal marché à conquérir
3. Des flux qui dessinent des réseaux complexes	principal foyer d'exportation ; principal foyer d'importation ; principal flux d'exportation	principal flux de communication ; principal foyer de décision, innovation et recherche ; principal foyer de réparation, démontage et récupération de déchets

■ Rédiger la conclusion

La conclusion doit être brève (3 à 4 lignes) et faire un bilan de la réflexion. Proposez une conclusion :

....

....

....

Conseil *Pour conclure, utilisez quelques phrases clés de la fiche de révision, p. 322.*

EXERCICE GUIDÉ

SUJET La mondialisation : acteurs, flux, débats

Étape 1 Analyser le sujet

La mondialisation : **acteurs**, flux, débats

■ Identifier les mots-clés
et délimiter l'espace concerné

Conseil *Dans l'intitulé d'un sujet, l'usage du pluriel et celui de la ponctuation sont à prendre en considération.*

La mondialisation caractérise un processus d'ouverture qui se réalise à l'échelle mondiale.

Quels sont les principaux acteurs de la mondialisation ? Quel est leur rôle dans l'organisation des flux ? Comment certains acteurs remettent-ils en cause la mondialisation ?

De quelle nature sont les échanges à travers le monde ? Comment s'organisent-ils ?

En quoi la mondialisation soulève-t-elle des questions, des oppositions ?

Étape 2 Rédiger la composition

La mondialisation est le résultat de stratégies d'acteurs plurielles et parfois opposées. Trois types d'acteurs interagissent dans la mondialisation, pour favoriser la diffusion du capitalisme, pour la réguler, voire la dénoncer.

La première phrase de chaque paragraphe annonce son contenu

Les acteurs privés, en premier lieu les FTN, constituent les acteurs centraux de la mondialisation et appartiennent à 80 % aux pays du Nord. Ils mettent en concurrence les territoires, poursuivant une logique d'avantages comparatifs et de division internationale du travail (DIT) : sièges sociaux dans les pôles de la Triade, unités de production dans les pays offrant une main-d'œuvre bon marché (Chine) ou un marché à conquérir. Ainsi, l'entreprise américaine Wal-Mart réalise à elle seule un chiffre d'affaires supérieur au PIB de la Norvège. Elle possède 65 000 fournisseurs dans plus de 60 pays et s'approvisionne essentiellement en Chine. Nike, Starbucks ou encore McDonald's se déploient aussi à l'échelle mondiale en délocalisant leurs approvisionnements et en implantant leurs centres de distribution dans de nombreux pays.

Argument

Mot de liaison

Exemple extrait du cours : il s'appuie sur des données précises (données chiffrées, lieux précis…)

■ Selon le modèle proposé pour le paragraphe 1, repérez dans le paragraphe ci-dessous les arguments et les exemples.

Les acteurs publics, en premier lieu les États, jouent également un rôle majeur dans la mondialisation. Parfois, ils l'encouragent en adaptant leurs territoires à la révolution des transports (par exemple construction de plates-formes multimodales) ou en ouvrant leurs systèmes économiques (diminution des droits de douane). Parfois, ils la régulent pour en limiter les dérives. Ainsi, la crise financière de 2007-2010 a provoqué une réforme du système financier aux États-Unis, impulsée par le gouvernement. Enfin, les États s'organisent en associations supranationales de coopération économique. C'est le cas de l'UE, de l'Alena, de l'Asean ou encore du Mercosur.

■ Rédiger les autres paragraphes de la composition en accordant une attention particulière aux exemples.

Étape 3 Illustrer la composition par des schémas

Schéma L'asymétrie des flux dans le monde

■ Compléter la légende du schéma.

Conseil *Le schéma est introduit mais pas décrit : inutile de répéter les informations cartographiées.*

Amérique du Nord
Europe occidentale
Japon

Des flux massifs au Nord
.... pôle de la Triade
.... flux majeur

Des flux secondaires au Sud
.... BRICS
.... flux secondaire

Limite Nord-Sud

EXERCICE GUIDÉ

SUJET Des territoires inégalement intégrés dans la mondialisation

Étape 1 Analyser le sujet

A quels territoires fait-on référence ici ? Relevez, au brouillon, les territoires qui seront étudiés. N'oubliez pas de réfléchir à différentes échelles.

■ Délimiter l'espace concerné et identifier les mots-clés

L'inégale intégration des territoires dans la mondialisation

Trouvez un synonyme au terme « intégration ». Quels sont les enjeux pour les pays ?

Le terme évoque un processus, une dynamique. Il faut donc insister sur les évolutions.

Conseil *Dans l'intitulé d'un sujet, l'utilisation du pluriel n'est jamais anodine et est à prendre en considération.*

Étape 2 Élaborer le plan

Conseil *Lister les informations sous forme de tableau permet de mieux organiser ses idées.*

Complétez le tableau suivant. Quel plan convient le mieux au sujet ? Pourquoi ?

Plan 1 / Plan 2	Paragraphe 1 Des territoires intégrés à la mondialisation	Paragraphe 1 Des territoires en voie d'intégration	Paragraphe 3 Des territoires en marge de la mondialisation
Paragraphe 1 De quels territoires parle-t-on ?	– façades/interfaces maritimes majeures (façade atlantique des États-Unis, mégalopole japonaise…) – métropoles mondiales –	– puissances émergentes (Brésil, Chine…) – territoires d'accueil des délocalisations (usines Foxconn à Shenzhen, en Chine) – territoires d'accueil des touristes internationaux	– États mal développés – régions désertées (rurales en déclin, industrielles en difficile reconversion…) – quartiers centraux défavorisés (ghettos aux États-Unis)
Paragraphe 2 Comment s'insèrent-ils dans l'économie mondiale ?	– échanges anciens et intenses (entre les pôles de la Triade) –	– explosion récente des échanges –	– réseaux de transport embryonnaires (régions montagneuses de l'ouest de la Chine) – ....
Paragraphe 3 Comment participent-ils à la gouvernance mondiale ?	– .... –	– .... –	– acteurs politiques absents sur la scène internationale (au Kenya, tensions politiques internes qui ne permettent pas au pays de s'affirmer à l'international)
Paragraphe 4 Comment sont-ils assimilés à la culture (sport, alimentation, art, mode de vie, tourisme…) mondiale ?	– des modèles culturels qui s'imposent (l'*American way of life*) –	– des modèles culturels qui émergent (Bollywood) –	– peu ou pas de mobilité internationale des populations (des déplacements restreints à l'échelle du quartier, dans les favelas de São Paulo)

Étape 3 Rédiger la composition

Terminez l'introduction en annonçant le plan.

En septembre 2011, l'ouverture de la Coupe du monde de rugby, en Nouvelle-Zélande, a passionné plus de 4 milliards de spectateurs et téléspectateurs du monde entier.

L'introduction est une phrase simple et courte

EXERCICE GUIDÉ

SUJET Une FTN actrice majeure de la mondialisation : Toyota

À partir de cet exemple, montrez que les FTN développent une stratégie d'internationalisation tout en maintenant un ancrage national. Montrez les limites du document.

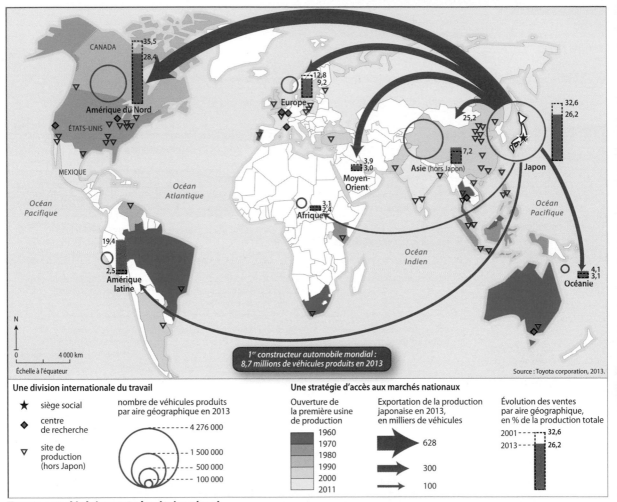

Toyota : un déploiement planétaire réussi

Source : Toyota corporation, 2013.

Étape 1 Analyser le sujet et la consigne

**■ Identifier les mots-clés
et délimiter l'espace concerné**

À partir de cet exemple, montrez que les **FNT** développent une *stratégie d'internationalisation* tout en maintenant un ancrage national. Montrez les limites du document.

Une **FTN** actrice majeure de la mondialisation : **Toyota**

Rappelez la définition d'une FTN. En quoi les FTN sont-elles des acteurs de la mondialisation ?

La mondialisation caractérise un processus qui se réalise à l'échelle mondiale. Quelles logiques guident les stratégies d'implantation des FTN ? Concernent-elles tous les espaces de la planète ? Pourquoi peut-on parler de division internationale du travail ?

En quoi le japonais Toyota est-il un exemple représentatif des FTN ?

À partir des informations du document et de vos connaissances personnelles, répondez aux questions du tableau.

Grandes parties du plan	Questions soulevées par le sujet	Informations prélevées dans le document
1. Une stratégie d'internationalisation poussée	– Quelles sont les principales étapes du déploiement planétaire de Toyota ? Quelles sont les activités concernées par ce déploiement ? Le territoire d'action de Toyota couvre-t-il l'ensemble de la planète ?	– .... – ....
2. Un ancrage national fort	– Quelle activité assure à Toyota un ancrage national fort ? – Que représente le marché japonais ?	– .... – ....
3. Un document qui apporte une vision partielle de la mondialisation	– Les modes de représentation choisis sont-ils pertinents ? – Quels autres acteurs de la mondialisation jouent un rôle dans la stratégie d'implantation de Toyota ?	– .... – ....

Étape 3 **Exploiter et synthétiser les informations**

Sur le modèle proposé ci-dessous pour le 1er paragraphe de l'analyse du document, rédigez les autres paragraphes de votre analyse.

Les logiques d'implantation de Toyota témoignent du rôle majeur des FTN dans la mondialisation. La production de Toyota est concentrée sur la Triade et l'Asie. Le Japon, berceau de la FTN, reste la 1re aire de production (près de la moitié de la production de véhicules en 2010). Le reste de l'Asie est la 2e aire de production. Entre 1960 et 1980, Toyota développe sa stratégie d'implantation vers les pays à main-d'œuvre à bas coût (Asie du Sud-Est, Brésil) et les marchés de consommation des pays riches (USA, Canada). Depuis 1990, ce sont les marchés émergents, la Russie et l'Europe qui intéressent la FTN. *Les stratégies d'implantation de Toyota s'adaptent donc en permanence aux évolutions de la mondialisation.*

> Courte phrase introduisant le paragraphe

> Prélèvement des informations dans le document

> Recours aux notions-clés pour analyser le document

> Courte phrase concluant le paragraphe

ENTRAÎNEMENT

SUJET **Une FTN actrice majeure de la mondialisation : Nike**

À partir de cet exemple, montrez que les FTN développent une stratégie d'internationalisation tout en maintenant un ancrage national. Montrez les limites du document.

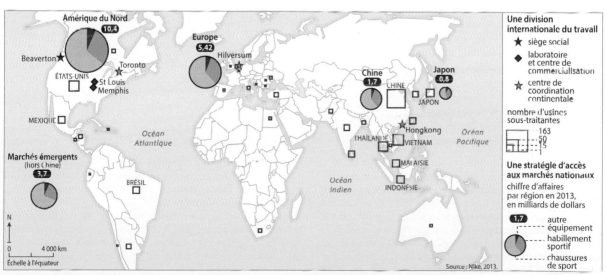

Nike : un déploiement planétaire s'appuyant sur un vaste réseau de firmes sous-traitantes

EXERCICE GUIDÉ

SUJET L'Arctique : un espace maritime géostratégique

En utilisant les informations de la carte et du texte, montrez les différents enjeux qui font de l'Arctique, espace maritime géostratégique, un nouveau territoire de la mondialisation. Montrez les limites du document.

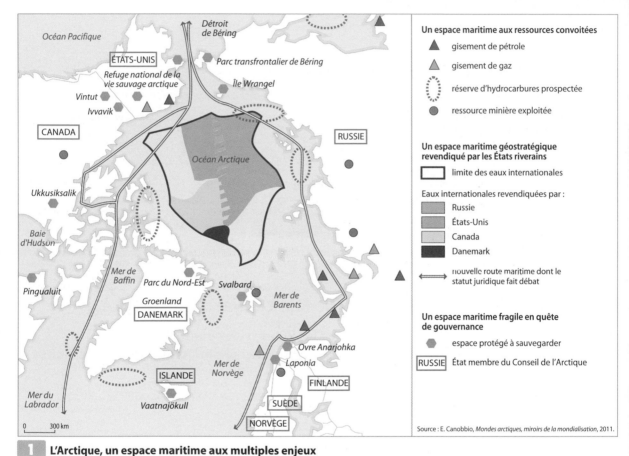

1 L'Arctique, un espace maritime aux multiples enjeux

2 Le passage du Nord-Ouest : une route maritime stratégique de la mondialisation des échanges

[Un] litige oppose Canadiens et Américains sur le statut du passage du Nord-Ouest, qui pourrait devenir une nouvelle route maritime internationale sous l'effet conjugué de l'exploitation des ressources minières et du développement de la navigation autour de l'Arctique en raison de la diminution de la banquise l'été. L'utilisation du passage du Nord-Ouest permettrait de réduire le trajet entre l'ouest de l'Europe et l'est de l'Asie par rapport au passage par Panama ou Suez. L'itinéraire via le nord canadien ne compte que 15 700 km, contre 21 200 km par Suez et 23 300 par Panama. Alors que le Canada considère ce passage comme partie intégrante de ses eaux territoriales, les États-Unis voudraient le voir qualifier de détroit international, au titre de l'article 37 de la Convention sur le droit de la mer, qui assure à tout navire la liberté de circulation. […] Or Ottawa craint qu'un libre passage favorise la transformation du passage en véritable route maritime, faisant peser des risques sur l'environnement.

M. Gérardot et P. Lemarchand (dir.), *Géographie des conflits*, 2011.

En utilisant les informations de la carte et du texte, montrez les différents enjeux qui font de l'Arctique, espace maritime **géostratégique**, un nouveau territoire de la **mondialisation**.

Quel intérêt présente l'Arctique dans le cadre de la mondialisation ? La consigne invite à éclairer la nature des enjeux autour de l'Arctique. Le classement de ces enjeux peut suggérer un plan pour rédiger l'étape 3.

L'Arctique : un espace maritime **géostratégique**.

■ Délimiter l'espace concerné et Identifier les mots-clés

Rappelez la définition de « territoire ». Pourquoi le terme « nouveau » est-il employé ?

L'Arctique ne se limite pas à l'océan Arctique. Le terme englobe les États riverains. Nommez-les.

Un espace géostratégique se caractérise par ses potentialités géographiques, économiques ou politiques et les tensions ou compétitions entre les États qu'elles entraînent.

Étape 2 Exploiter et confronter les informations

Complétez le tableau suivant. Le plan 1 et le plan 2 conviennent-ils ? Pourquoi ?

Conseil *Souvent les deux documents proposés se complètent. Il faut donc croiser les informations mais il faut aussi utiliser les notions géographiques pour les développer.*

Plan 1 Plan 2	Les enjeux	Les enjeux	Les enjeux ....
Un espace géostratégique à l'échelle mondiale	— Le statut juridique du passage du Nord-Ouest en débat : quel impact aurait le statut de détroit voulu par les USA ?	— Quel intérêt présentent les routes maritimes de l'Arctique dans le cadre de la mondialisation ?	— Quel est l'impact du réchauffement climatique sur l'Arctique ?
Un espace géostratégique à l'échelle régionale	— Le Conseil de l'Arctique : combien de membres ? Quel rôle ? — Des eaux internationales revendiquées. — Le Canada revendique la souveraineté sur le passage du Nord-Ouest.	— Quelles sont les ressources de l'Arctique ? — Quel lien établir avec la production et la consommation d'énergie dans le monde ? — Quel intérêt présente pour un État la souveraineté maritime ?	— Quels sont les risques pour les espaces protégés ? — Pourquoi le Canada revendique-t-il sa souveraineté sur le passage du Nord-Ouest ?

Étape 3 Organiser et synthétiser les informations

■ Présenter l'analyse de document(s)

L'Arctique est une région couverte par un océan en partie gelé et bordé par huit États. La carte et le texte permettent de montrer les enjeux géopolitiques, économiques et environnementaux de cette région dans un contexte de mondialisation des échanges.

■ Rédiger l'analyse de document(s)

Sur le modèle proposé pour la partie 1, rédigez les parties 2 et 3 de l'étude critique des documents.

Les enjeux géopolitiques dans la région de l'Arctique se cristallisent tout d'abord sur les limites de souveraineté maritime des États (tracé de la ZEE). D'une part, le passage du Nord-Ouest, une route maritime beaucoup plus courte pour le commerce international, est l'objet d'un litige entre le Canada (qui considère ce passage sous sa souveraineté, lui permettant ainsi d'en limiter le trafic) et les États-Unis qui souhaitent un statut de détroit ouvert à tous. Cette question prend une dimension exceptionnelle dans un contexte de mondialisation et d'explosion des échanges. D'autre part, les eaux internationales sont disputées par la Russie, le Canada, les USA et le Danemark, ce qui atteste l'importance majeure accordée par les États à leurs espaces maritimes.

Prélèvement des informations dans les documents

Recours aux notions clés pour analyser les documents

EXERCICE GUIDÉ

SUJET Pôles et flux de la mondialisation

Étape 1 Analyser le sujet

■ Identifier les mots-clés et délimiter l'espace concerné

Pôles et flux de la mondialisation

Qu'appelle-t-on un pôle ? Qu'est-ce qui distingue un pôle des autres territoires intégrés à la mondialisation ? Combien de pôles peut-on identifier dans ce monde qui est de plus en plus complexe ?	Comment le plan de la légende peut-il faire apparaître les liens entre processus, acteurs et flux de la mondialisation ?	Différencier et hiérarchiser les flux. Quels liens peut-on établir avec les acteurs ?	La « mondialisation » caractérise un processus qui se réalise à l'échelle mondiale.

■ Dégager une problématique

Quels sont les principaux pôles promus et les principaux flux générés par la mondialisation ?

Étape 2 Élaborer la légende

■ Organiser les informations

Rassemblez les idées essentielles en complétant le tableau suivant.

Conseil *Il faut lister en même temps les informations à faire figurer et leur localisation.*

Parties de la légende	Arguments	Localisations
Flux	– trois types de flux : matériels, immatériels et humains – des flux croissants et fortement polarisés – des flux qui s'organisent en réseaux	– Sud : exportation de matières premières et émigration d'une main-d'œuvre peu qualifiée – 80 % des échanges entre la Triade et les BRICS – Nord : émission de flux majeurs de capitaux – émigration d'une main-d'œuvre peu qualifiée vers le Nord et remise de fonds par cette main-d'œuvre vers le Sud
Pôles	– …………………………………………..	– ……………….…………………….…..

■ Rédiger la légende

Comparez les deux légendes suivantes, qui correspondent à la 1re partie du croquis final. Laquelle convient le mieux au sujet ? Pourquoi ?

Conseil *Soyez aussi attentif au titre de la partie qu'au choix des figurés et à leurs intitulés.*

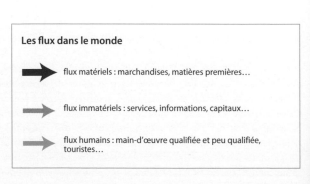

Un monde traversé par des flux croissants et asymétriques

flux majeur : marchandises, services, informations, capitaux, main-d'œuvre qualifiée…

flux secondaire : matières premières, produits illicites, main-d'œuvre peu qualifiée…

flux secondaire : capitaux (IDE, remise de fonds, aide au développement), touristes…

Les flux dans le monde

flux matériels : marchandises, matières premières…

flux immatériels : services, informations, capitaux…

flux humains : main-d'œuvre qualifiée et peu qualifiée, touristes…

Complétez la légende du croquis en choisissant des figurés adaptés.

Pôles et flux de la mondialisation

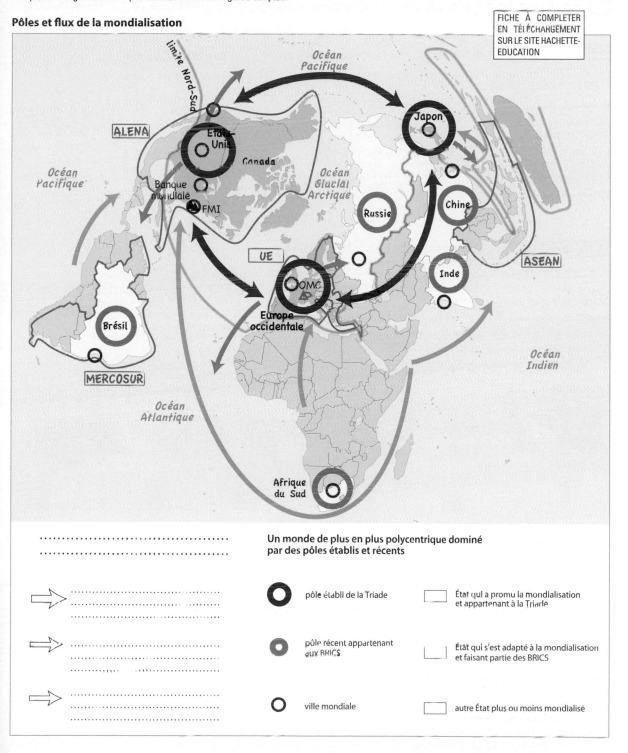

FICHE À COMPLETER EN TÉLÉCHARGEMENT SUR LE SITE HACHETTE-EDUCATION

Un monde de plus en plus polycentrique dominé par des pôles établis et récents

○ pôle établi de la Triade

□ État qui a promu la mondialisation et appartenant à la Triade

○ pôle récent appartenant aux BRICS

□ État qui s'est adapté à la mondialisation et faisant partie des BRICS

○ ville mondiale

□ autre État plus ou moins mondialisé

EXERCICE GUIDÉ

SUJET Une inégale intégration des territoires dans la mondialisation

Étape 1 Analyser le sujet

L'inégale intégration des territoires dans la mondialisation

■ Délimiter l'espace concerné
et identifier les mots-clés

Comment mesurer l'intégration à la mondialisation ? Quels sont les centres et les périphéries de la mondialisation ?

Tout espace mis en valeur par une société est un territoire. Le pluriel invite à considérer ces espaces à différentes échelles.

Quelles sont les grandes caractéristiques de ce processus ?

■ Dégager une problématique

Formulez une problématique qui suscite un débat.

Conseil *La problématique n'est pas une simple paraphrase du sujet avec un point d'interrogation à la fin. Elle doit permettre une démonstration.*

Étape 2 Élaborer la légende et choisir les figurés

■ Déterminer le sens des figurés

Les trois schémas suivants représentent exactement le même découpage du monde. Pourtant, par les choix cartographiques opérés, ils répondent à des sujets différents.

Attribuez un titre à chacun de ces schémas :

— L'inégale intégration des territoires dans la mondialisation
— Les inégalités de développement dans le monde
— Un espace mondial dominé par quelques puissances

Puis complétez la légende et la nomenclature de chaque schéma et justifiez leurs choix cartographiques.

Schéma **1** ....

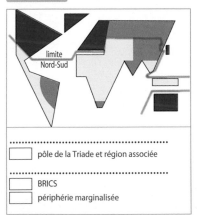

limite Nord-Sud

☐ pôle de la Triade et région associée

☐ BRICS
☐ périphérie marginalisée

Schéma **2** ....

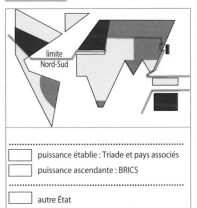

limite Nord-Sud

☐ puissance établie : Triade et pays associés
☐ puissance ascendante : BRICS

☐ autre État

Schéma **3** ....

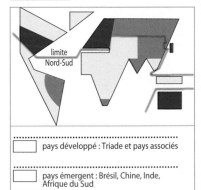

limite Nord-Sud

☐ pays développé : Triade et pays associés

☐ pays émergent : Brésil, Chine, Inde, Afrique du Sud
☐ autre pays en développement : dont PMA

■ Choisir les figurés et construire la légende

Remplissez le tableau p. 321 en associant à chaque figuré proposé une information.

Conseil *La clarté d'un croquis est essentielle. Le nombre et les formes de figurés doivent faire l'objet d'une réflexion minutieuse.*

Liste des informations à faire figurer dans la légende :

Flux majeur : capitaux, marchandises, informations, services, main-d'œuvre qualifiée ; périphérie dominée ; façade littorale majeure ; pays émergent : nouveau centre d'impulsion de la mondialisation ; territoire de la Triade : centre d'impulsion de la mondialisation ; flux secondaire : capitaux, tourisme ; ville mondiale ; périphérie intégrée ; flux secondaire : matières premières, main-d'œuvre peu qualifiée, produits illicites ; périphérie marginalisée (PMA) ; périphérie marginalisée (marge en réserve) ; puissance ascendante.

Information	Figuré	
Ville mondiale	Ponctuel	● ▲
....	Linéaire	◄► ➡ ➡ ••••
....	De surface	☐ ☐ ☐ ☐

Étape 3 Réaliser le croquis

Complétez la légende et le titre de la carte.

Titre : ....

Des territoires inégalement valorisés par la mondialisation

Les territoires moteurs de la mondialisation

■ ....
■ ....
● ville mondiale
••••

Des périphéries plus ou moins intégrées

☐ ....
☐ périphérie marginalisée

Des dynamiques de mise en concurrence des territoires

Des échanges asymétriques et polarisés

◄► ....
➡ ....
➡ ....

Des dynamiques de rééquilibrage ?

▲ puissance ascendante

L'essentiel

A. Quels sont les différents acteurs de la mondialisation ? Quels sont les différents flux mondiaux et quels réseaux mettent-ils en place ? Quels effets de la mondialisation font débat ?

➤ La mondialisation met en jeu trois types d'acteurs ayant chacun leurs stratégies :

- les FTN encouragent la mondialisation ;
- les États les plus puissants ont favorisé la mondialisation, mais la plupart tentent de la réguler ;
- d'autres acteurs encourageant autant qu'ils s'efforcent de réguler la mondialisation.

➤ La mondialisation est renforcée par trois types de flux qui tissent des réseaux :

- les mobilités humaines, de plus en plus complexes, s'accélèrent ;
- les flux matériels et immatériels explosent.

➤ La mondialisation provoque des effets sociaux et économiques, environnementaux et culturels qui font débat.

B. Quels sont les différents territoires intégrés ? Quelles sont les raisons et les conséquences de l'inégale intégration des territoires à la mondialisation ?

➤ Les centres d'impulsion sont les moteurs de la mondialisation

- À l'échelle mondiale, la Triade regroupe les territoires les plus intégrés et les BRICS s'affirment comme de nouveaux centres ;
- À l'échelle locale, les villes mondiales sont les principaux centres d'impulsions (centres d'affaires, technopôles, hubs).

➤ Le mal-développement est la cause et la conséquence de la faible intégration des territoires

- L'enclavement et le manque de moyens empêchent les États mal développés de s'intégrer ;
- Localement, des dynamiques d'intégrations sont cependant en cours ;
- Dans les pays du Sud et du Nord, une part de la société reste en marge de la mondialisation.

C. En quoi les espaces maritimes deviennent-ils de plus en plus un enjeu de la mondialisation ?

➤ Les espaces maritimes sont des espaces valorisés par la mondialisation

- Les échanges de marchandises se font presque essentiellement par la mer ;
- La mondialisation renforce et hiérarchise les littoraux et les espaces maritimes mondiaux.

➤ Les espaces maritimes sont convoités et sources de tensions

- Les États exploitent les ressources maritimes ;
- L'enjeu stratégique du contrôle des routes et des approvisionnements est source de tensions.

A. Les principaux flux de la mondialisation

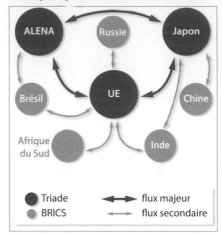

- ● Triade
- ● BRICS
- ⟷ flux majeur
- ⟵ flux secondaire

B. Les centres d'impulsion

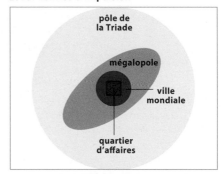

C. Le fonctionnement d'une interface

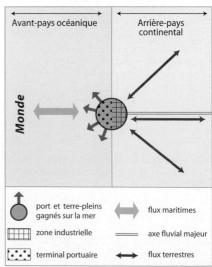

LA MONDIALISATION

La mondialisation met en jeu trois types d'acteurs ayant chacun leurs stratégies

Les centres d'impulsion sont les moteurs de la mondialisation

Les espaces maritimes sont des espaces valorisés par la mondialisation

+

La mondialisation est renforcée par trois types de flux qui tissent des réseaux

Le mal-développement est la cause et la conséquence de la faible intégration des territoires

Les espaces maritimes sont convoités et sources de tensions La mondialisation provoque des effets sociaux et économiques, environnementaux et culturels qui font débat

+

La mondialisation provoque des effets sociaux et économiques, environnementaux et culturels qui font débat

Ne pas confondre

Flux : quantité de personnes, de biens, d'informations ou de capitaux qui se déplacent dans l'espace mondial.

Échanges : ensemble des relations commerciales, financières, culturelles… entre les différents lieux de la planète.

Réseau : le mot est employé avec deux sens différents :

1. Ensemble des axes ou lignes sur lesquels circulent des flux et assurant les liaisons entre les différents lieux (qui forment des nœuds) de la planète ;

2. Ensemble des relations complexes entre les acteurs.

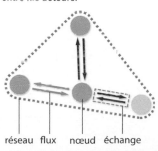

réseau flux nœud échange

Repères

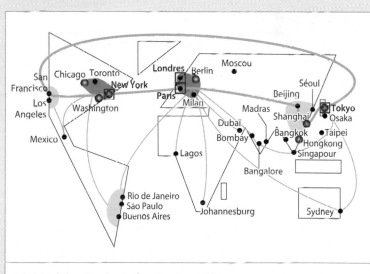

Schéma de l'archipel mégalopolitain mondial

▣ les 4 « global cities »

◉ ● métropole de l'AMM (« île ») plus ou moins importante

■ mégalopole des pôles de la Triade

▢ mégalopole en formation

═ mise en réseau plus ou moins dense

FIFTH BRICS SU

26 - 27 MARCH 2013   DURBAN, SOUT

Sommet des BRICS à Durban (Afrique du Sud) en 2013.

Le Brésil, la Russie, l'Inde, la Chine et l'Afrique du Sud, qui cherchent à transformer leur forte croissance en atout géopolitique, se réunissent en sommets depuis 2009. Leur entrée sur la scène mondiale et leur reclassement dans la hiérarchie des puissances symbolisent les principales dynamiques qui animent les grandes aires continentales.

THÈME 3

Dynamiques géographiques des grandes aires continentales

> **Quelles dynamiques liées à la mondialisation animent les grandes aires continentales ?**

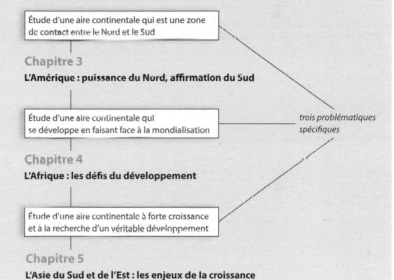

Étude d'une aire continentale qui est une zone de contact entre le Nord et le Sud

Chapitre 3
L'Amérique : puissance du Nord, affirmation du Sud

Étude d'une aire continentale qui se développe en faisant face à la mondialisation

trois problématiques spécifiques

Chapitre 4
L'Afrique : les défis du développement

Étude d'une aire continentale à forte croissance et à la recherche d'un véritable développement

Chapitre 5
L'Asie du Sud et de l'Est : les enjeux de la croissance

CHINE

JAPON

Océan Pacifique

Océan Indien

ASIE DU SUD ET DE L'EST

☐ aire continentale

☐ aire régionale

■ État

CHAPITRE 3

L'Amérique : puissance du Nord, affirmation du Sud

▰ Le continent américain offre un contraste fort entre le Nord (Canada, États-Unis), riche et développé, et le Sud (Amérique latine) en développement. Les nombreuses associations régionales de coopération font du continent américain un espace d'intégration régionale. Mais cette multiplication d'organisations constitue aussi un frein à une véritable intégration continentale et ne permet pas de dépasser les tensions inter et intraétatiques, qui restent multiples.

▰ Les États-Unis et le Brésil apparaissent comme deux géants au rôle mondial majeur mais différent, qui illustrent les nouveaux rapports de force internationaux. L'entrée en scène régionale et mondiale du Brésil lui permet, comme le font les États-Unis depuis longtemps, d'orienter la politique d'intégration continentale et de défendre ses intérêts à l'échelle planétaire. Les dynamiques régionales des deux États reflètent leurs puissances respectives.

> **En quoi le continent américain est-il révélateur de la puissance du Nord et de l'affirmation du Sud ?**

Le canal de Panama, une liaison majeure de l'interface caraïbe.

Petit État d'Amérique centrale, le Panama incarne à la fois une passerelle entre le continent américain et le reste du monde et le paradoxal réseau de transport des Caraïbes. Grâce à des ouvrages d'art spectaculaires (ici, écluses de Miraflores), son canal permet aux navires du monde entier de relier les océans Atlantique et Pacifique (à l'horizon de la photographie). Mais les flux américains nord-sud, eux, sont interrompus par l'absence, au sud du pays, d'un tronçon de 96 km de la route panaméricaine.

Quels sont les contrastes et les dynamiques du continent américain ?

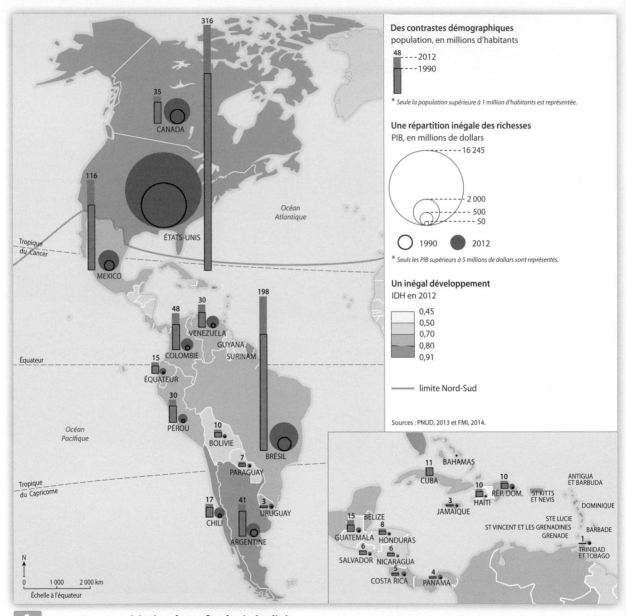

Des contrastes démographiques
population, en millions d'habitants

48 ----2012
---- 1990

* Seule la population supérieure à 1 million d'habitants est représentée.

Une répartition inégale des richesses
PIB, en millions de dollars

----- 16 245

---- 2 000
--- 500
-- 50

○ 1990   ● 2012

* Seuls les PIB supérieurs à 5 millions de dollars sont représentés.

Un inégal développement
IDH en 2012

0,45
0,50
0,70
0,80
0,91

—— limite Nord-Sud

Sources : PNUD, 2013 et FMI, 2014.

1 Le continent américain : de profondes inégalités

Questions

1. Quelles sont les formes d'intégration régionale et de tensions du continent américain ? (doc. 1)
2. Quel rôle les grandes puissances continentales (États-Unis, Brésil) jouent-elles dans cette intégration et dans ces tensions ?
3. Quels contrastes continentaux la carte présente-t-elle ? Les évolutions présentées tendent-elles à un rééquilibrage ? (doc. 2)
4. Dans quelle mesure le bassin caraïbe représente-t-il un exemple de l'ensemble des dynamiques continentales ?

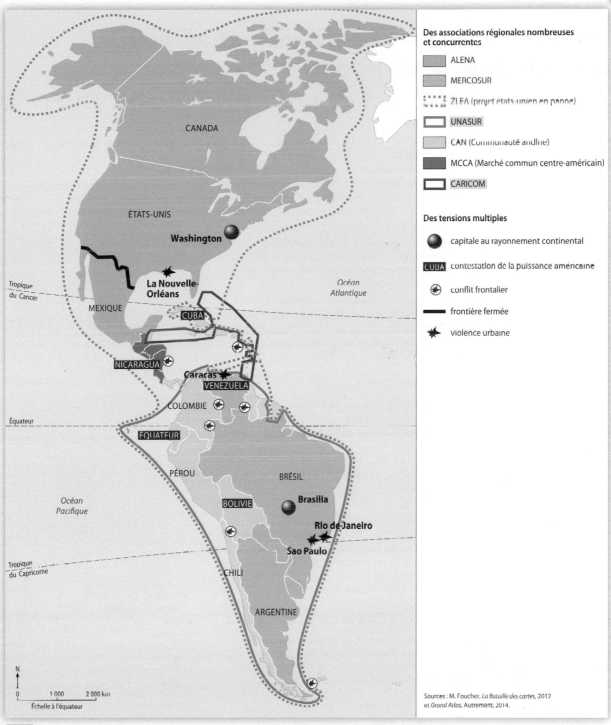

Des associations régionales nombreuses et concurrentes

- ALENA
- MERCOSUR
- ZLEA (projet états-unien en panne)
- UNASUR
- CAN (Communauté andine)
- MCCA (Marché commun centre-américain)
- CARICOM

Des tensions multiples

- capitale au rayonnement continental
- CUBA contestation de la puissance américaine
- conflit frontalier
- frontière fermée
- violence urbaine

Sources : M. Foucher, *La Bataille des cartes*, 2012 et *Grand Atlas*, Autrement, 2014.

2 **Le continent américain : entre tensions et intégrations régionales**

Le continent américain : entre tensions et intégrations régionales

> Comment les différentes tensions et formes d'intégrations régionales s'expriment-elles sur le continent américain ?

A Un continent aux multiples contrastes

■ **Le continent américain présente de grandes différences de développement**, entre un Nord développé (États-Unis, Canada) et un Sud diversifié **(voir IDH p. 240)** mais aussi entre les espaces intégrés à la mondialisation (littoral, métropole, CBD) et les périphéries délaissées (intérieur des continents, espace rural, bidonville). Ces inégalités génèrent des migrations (exode rural, migration Sud-Nord).

■ **Les contrastes culturels sont également marqués.** L'Amérique latine présente une relative unité culturelle qui s'oppose au modèle anglo-saxon des États-Unis et du Canada. Cependant, des minorités indiennes affirment leur identité **(doc. 1)**, tandis que le multiculturalisme est prégnant aux États-Unis.

■ **Le continent américain oppose des régimes politiques très différents.** L'histoire (dictatures, guérillas) explique le morcellement politique d'Amérique centrale mais aussi l'unification des États-Unis, du Brésil ou du Canada. Si les démocraties sont majoritaires, les oppositions idéologiques perdurent entre les régimes socialistes (Cuba, Venezuela) et libéraux (Colombie, Mexique).

B Un continent aux multiples tensions

■ **L'hégémonie américaine est la première source de tensions.** Longtemps « arrière-cour » des États-Unis, l'Amérique latine prend aujourd'hui ses distances. Si le Mexique, l'Amérique centrale et les Caraïbes restent liés à leur puissant voisin, le bolivarisme (Bolivie, Venezuela, **voir p. 332-333**) et l'attitude du président Obama (gel du projet de ZLEA depuis 2009) encouragent l'émancipation.

■ **Les tensions entre États sont nombreuses** même s'il n'y a pas eu de guerre depuis 1995. Les oppositions sont idéologiques (Venezuela/Colombie) et/ou frontalières : démarcation contestée de la ZEE, des réserves pétrolières (Surinam et Guyana), débordement du conflit colombien (Équateur, Venezuela).

■ **Les tensions internes sont aussi très fortes (doc. 2)** et la violence est généralisée **(Repère)**. Elle s'explique par les inégalités sociales (Brésil) et les activités criminelles (drogue), source et moyen de financement de conflit (Mexique, Colombie). Elle se concentre dans les bidonvilles, espaces de non-droit **(doc. 4)**. Les revendications des peuples indigènes peuvent aussi générer des tensions (Canada, Bolivie).

C Un continent entre intégration et cloisonnement

■ **Deux unions dominent : l'Alena et le Mercosur.** La première a accéléré le développement du Mexique, mais elle a accru sa dépendance économique à l'égard des États-Unis, qui bloquent les flux migratoires. Conçu comme alternative à la ZLEA, le Mercosur peine à dépasser la défense des intérêts nationaux **(doc. 1)**.

■ **Les autres associations régionales sont trop nombreuses pour être efficaces.** Les disparités entre États membres et la superposition des unions freinent la coopération : les échanges intrazone du Caricom ne représentent que 14 % des exportations totales. Les réseaux de communication sont mal connectés **(doc. 3)** et les espaces transfrontaliers dynamisés sont rares (Mexamerica).

■ **L'intégration productive est une réalité.** Sous la pression des institutions internationales (FMI, OMC), les États ouvrent leurs frontières. Malgré leurs différends, les États-Unis sont le 2e client et 1er fournisseur du Venezuela. Mais cette intégration privilégie surtout les États-Unis (accords bilatéraux) : en 2012, les échanges intrarégionaux d'Amérique latine ne couvrent que 27 % du commerce total.

Vocabulaire

ALENA (Accord de libre-échange nord-américain) : communauté économique créée en 1994 groupant le Canada, les États-Unis et le Mexique.

Amérique latine : Amérique hispanophone.

CARICOM : voir p. 329.

Intégration régionale : pour un État, processus visant à l'insérer dans les échanges à l'échelle d'une région. Elle peut être plus ou moins avancée (Mercosur) et s'élargir au domaine politique (Alba).

MERCOSUR (Marché commun du Sud) : communauté économique créée en 1991 groupant l'Argentine, le Brésil, le Paraguay, l'Uruguay et le Venezuela.

ZEE : voir p. 306.

ZLEA (Zone de libre-échange nord-américaine) : projet d'extension de l'ALENA à l'ensemble du continent américain.

Repère

Les multiples contrastes du continent américain

	États-Unis	Brésil	Honduras
RNB/hab. en 2012, en $	52 340	11 630	2 120
Part de la population vivant avec moins de 1,25 $ ppa par jour (2002-2011), en %	0	6,1	17,9
Nombre mensuel d'homicides pour 100 000 personnes entre 2004 et 2011	4,2	21	91,6
Nombre d'organisations régionales intégrées en 2014	3	5	6

Sources : PNUD, 2013 et Banque mondiale, 2014.

1 Le Mercosur, un marché commun imparfait

La construction du Mercosur s'est faite sur la base de la mise en place d'une union douanière : il s'agit de se défendre contre une mondialisation excessive en forte progression [...]. Dans la réalité, [...] seuls les échanges de produits sont concernés par le tarif extérieur commun. Celui-ci ne couvre en 2010 que les deux tiers des produits échangés dans l'espace du Mercosur. Les demandes de dérogation à la règle commune se multiplient [...]. En interne, les grandes asymétries constituent toujours un véritable frein à ce processus. Le différentiel dans les échanges est flagrant entre les petits pays (Paraguay et Uruguay) et les deux grands du Mercosur : Brésil, Argentine, mais aussi entre ces derniers. Cette tendance se renforce avec l'arrivée d'un nouveau membre, le Venezuela, qui apporte de nouvelles possibilités, mais aussi de nouvelles complexités. À la différence de l'Union européenne, le stade du marché commun n'est pas atteint [...] et encore moins celui de l'union économique qui exige un début d'harmonisation des politiques monétaires, économiques et sociales.

M. Gérardot et P. Lemarchand, *Géographie des conflits*, 2011.

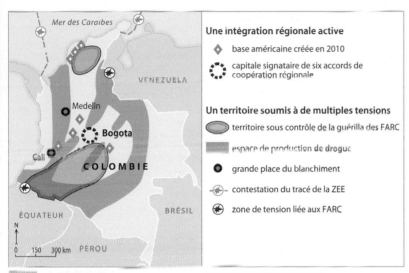

Une intégration régionale active

◆ base américaine créée en 2010

⟳ capitale signataire de six accords de coopération régionale

Un territoire soumis à de multiples tensions

⬭ territoire sous contrôle de la guérilla des FARC

▬ espace de production de drogue

⬤ grande place du blanchiment

⊛ contestation du tracé de la ZEE

⊛ zone de tension liée aux FARC

2 La Colombie : entre tensions et intégrations régionales

1. En quoi la Colombie est-elle représentative des tensions et des tentatives d'intégration du continent américain ?

2. Comparez cette carte avec le doc. 3 p. 333. Quels sont les points communs et les différences entre la Colombie et son voisin vénézuélien ?

3 L'Unasur projette la création d'une agence spatiale

Le 11 novembre 2011 à Lima, [...] les pays membres de l'Union des nations sud-américaines (Unasur[1]) ont annoncé leur volonté de créer une agence spatiale sud-américaine. « L'idée est d'accéder à l'espace le plus rapidement possible, avec un lanceur et des satellites de fabrication sud-américaine », a déclaré le ministre argentin de la Défense. [...] « Nous devons faire converger nos efforts pour diminuer les coûts », a ajouté le ministre, soulignant que la future agence aurait des fins « foncièrement pacifiques ». [...] Disposer de radars dans l'espace aérien civil devient de plus un impératif pour ne pas dépendre d'États disposant déjà de cette technologie. En outre, les nombreuses ressources que la région possède et doit protéger, notamment la production alimentaire, les ressources énergétiques et l'Amazonie, rendent nécessaire la création de cette agence. [...] Le gouvernement colombien aimerait utiliser ce satellite pour [...] lutter plus efficacement contre le narcotrafic et la contrebande près des zones frontalières, en plus de mesurer l'impact des changements climatiques sur son territoire.

A. Mandil, unasur.fr, décembre 2011.

1. Association de coopération de tous les pays d'Amérique du Sud (hors Guyane française), née en 2008 en opposition au projet américain de ZLEA.

1. Quelles sont les raisons qui justifient le projet de création d'une agence spatiale par l'Unasur ? En quoi cela témoigne-t-il d'une volonté d'intégration régionale ?

2. Pourquoi cette agence spatiale peut-elle devenir un moyen d'éviter les tensions sur le continent ?

4 Interventions des forces armées dans les favelas de Rio de Janeiro en novembre 2011.
Avant l'accueil des Jeux olympiques de 2016, la municipalité de Rio (Brésil) a fait appel à l'armée pour reprendre le contrôle des bidonvilles de la mégapole, contrôlés par les trafiquants.

En quoi le Venezuela est-il représentatif des tensions et tentatives d'intégrations américaines ?

Depuis les années 1990, le Venezuela incarne les contradictions des relations entre les États américains. En effet, grâce à ses exceptionnelles réserves pétrolières, ce pays peut développer une politique indépendante à l'égard des puissances continentales (États-Unis, Brésil), ce qui ne l'empêche pas de nouer des relations diverses avec ses voisins. On y observe également un raccourci des différentes tensions continentales.

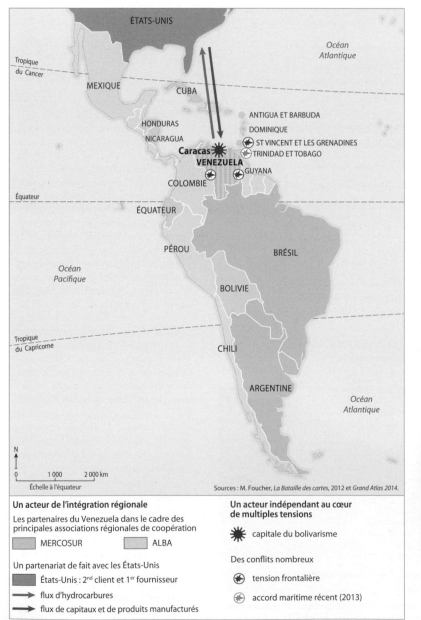

Sources : M. Foucher, *La Bataille des cartes*, 2012 et *Grand Atlas 2014*.

Un acteur de l'intégration régionale

Les partenaires du Venezuela dans le cadre des principales associations régionales de coopération

▢ MERCOSUR   ▢ ALBA

Un partenariat de fait avec les États-Unis

▢ États-Unis : 2nd client et 1er fournisseur

→ flux d'hydrocarbures

➡ flux de capitaux et de produits manufacturés

Un acteur indépendant au cœur de multiples tensions

✹ capitale du bolivarisme

Des conflits nombreux

⊛ tension frontalière

⊛ accord maritime récent (2013)

1 Le Venezuela sur le continent américain : entre intégrations et tensions régionales

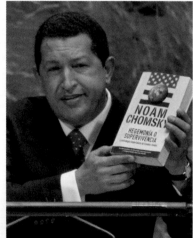

2 Le **bolivarisme** du président Hugo Chavez.

En 2006, le président Chavez (1954-2013), dans un geste de provocation, brandit à la tribune des Nations unies l'ouvrage du philosophe anarchiste Chomsky dénonçant l'impérialisme américain.

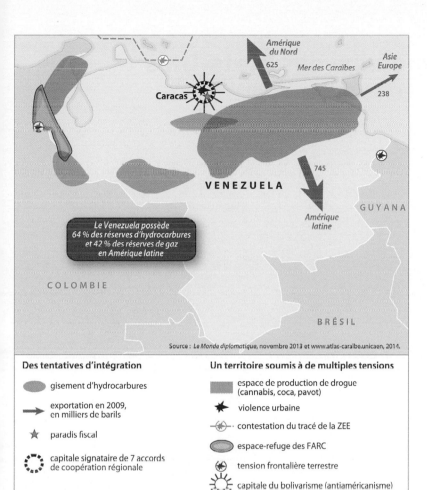

Le Venezuela possède 64 % des réserves d'hydrocarbures et 42 % des réserves de gaz en Amérique latine

Source : *Le Monde diplomatique*, novembre 2013 et www.atlas-caraïbe.unicaen, 2014.

Des tentatives d'intégration

- gisement d'hydrocarbures
- exportation en 2009, en milliers de barils
- paradis fiscal
- capitale signataire de 7 accords de coopération régionale

Un territoire soumis à de multiples tensions

- espace de production de drogue (cannabis, coca, pavot)
- violence urbaine
- contestation du tracé de la ZEE
- espace-refuge des FARC
- tension frontalière terrestre
- capitale du bolivarisme (antiaméricanisme)

3 Le territoire du Venezuela : entre tensions et intégrations régionales

4 Le Venezuela, un acteur majeur de l'intégration régionale

Lorsque Hugo Chavez est élu président du Venezuela en décembre 1998, la négociation proposée par les États-Unis d'une Zone de libre-échange des Amériques (ZLEA) est lancée. [...] Chavez ne tarde pas à critiquer ce projet et propose une Alternative bolivarienne pour les Amériques (Alba) en 2001. Désireux de promouvoir une intégration régionale sur des bases non commerciales, il s'emploie à construire une alliance de coopération. L'Alba comprend un important volet énergétique, grâce auquel le Venezuela fait profiter les autres pays latino-américains de ses ressources pétrolières.

L'Alba ne parvient guère à intéresser [...] que Cuba, la Bolivie, le Nicaragua, le Honduras, l'Équateur et les îles de la Dominique, mais il a le mérite de relancer le débat sur le modèle d'intégration désirable pour l'Amérique latine. Alors que la négociation pour la ZLEA est paralysée, en 2008, un nouveau projet voit le jour, l'Union des nations sud-américaines (Unasur), qui réunit tous les pays d'Amérique du Sud [...]. Le Marché commun du Sud (Mercosur) compte cinq membres [...]. Le Venezuela a rejoint le bloc en 2005.

O. Dabène (dir.), *Atlas de l'Amérique latine*, 2009.

5 Petare, le bidonville le plus violent du continent américain.

Petare, sur les hauteurs de Caracas, est l'un des plus grands bidonvilles d'Amérique du Sud. C'est dans ce barrio que la majorité des homicides ont lieu, mettant la capitale du Venezuela au 3e rang mondial pour le nombre d'homicides par habitant. Sur le mur : Jésus et la Vierge de Coromoto, la patronne du Venezuela, armés de fusils d'assaut. La Piedrita est le nom d'un collectif armé qui combat pour la révolution.

Questions

1. Quelles sont les tensions existant entre le Venezuela et les autres États du continent américain. (doc. 1 à 4)

2. Montrez que ces tensions s'observent à différentes échelles. (doc. 1 à 5)

3. Quelles sont les formes d'intégration régionale auxquelles le Venezuela participe ? Montrez qu'il y joue un rôle majeur (doc. 1, 3 et 4)

Quel est le rôle mondial des États-Unis et du Brésil ?

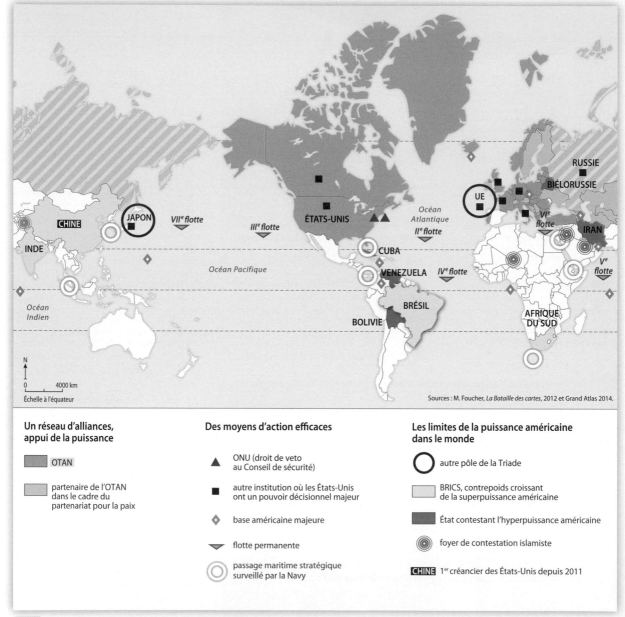

RUSSIE
BIÉLORUSSIE
CHINE
JAPON
VIIe flotte
IIIe flotte
ÉTATS-UNIS
UE
VIe flotte
IRAN
INDE
Océan Atlantique
IIe flotte
CUBA
V^e flotte
Océan Pacifique
VENEZUELA
IVe flotte
BRÉSIL
Océan Indien
AFRIQUE DU SUD
BOLIVIE

N
0   4000 km
Échelle à l'équateur

Sources : M. Foucher, *La Bataille des cartes*, 2012 et Grand Atlas 2014.

Un réseau d'alliances, appui de la puissance

- OTAN
- partenaire de l'OTAN dans le cadre du partenariat pour la paix

Des moyens d'action efficaces

- ▲ ONU (droit de veto au Conseil de sécurité)
- ■ autre institution où les États-Unis ont un pouvoir décisionnel majeur
- ◆ base américaine majeure
- ▽ flotte permanente
- ◎ passage maritime stratégique surveillé par la Navy

Les limites de la puissance américaine dans le monde

- ◯ autre pôle de la Triade
- BRICS, contrepoids croissant de la superpuissance américaine
- État contestant l'hyperpuissance américaine
- ◉ foyer de contestation islamiste
- CHINE 1er créancier des États-Unis depuis 2011

1 Les États-Unis : une présence politique mondiale écrasante

Vocabulaire

OTAN (Organisation du Traité de l'Atlantique Nord) : pacte militaire, créé en 1949 dans le cadre de la guerre froide, rassemblant les alliés européens (+ le Canada) des États-Unis.

IBAS ou G3 : forum de discussion trilatérale (Inde, Brésil, Afrique du Sud).
ASPA (Amérique du Sud-Pays arabes) : forum de discussion né en 2005 entre les 22 pays de la Ligue arabe et 12 pays sud-américains.

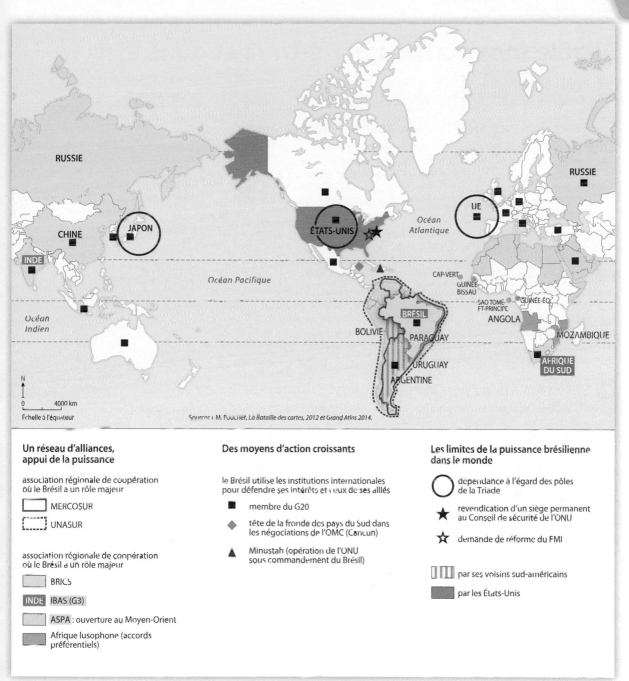

Un réseau d'alliances, appui de la puissance

association régionale de coopération où le Brésil a un rôle majeur

☐ MERCOSUR

⌐⌐⌐ UNASUR

association régionale de coopération où le Brésil a un rôle majeur

▨ BRICS

INDE IBAS (G3)

☐ ASPA : ouverture au Moyen-Orient

■ Afrique lusophone (accords préférentiels)

Des moyens d'action croissants

le Brésil utilise les institutions internationales pour défendre ses intérêts et ceux de ses alliés

■ membre du G20

◆ tête de la fronde des pays du Sud dans les négociations de l'OMC (Cancun)

▲ Minustah (opération de l'ONU sous commandement du Brésil)

Les limites de la puissance brésilienne dans le monde

○ dépendance à l'égard des pôles de la Triade

★ revendication d'un siège permanent au Conseil de sécurité de l'ONU

☆ demande de réforme du FMI

▥ par ses voisins sud-américains

■ par les États-Unis

2 Le Brésil : une audience politique mondiale grandissante

Questions

1. Quelles sont les caractéristiques de la présence géopolitique états-unienne et brésilienne dans le monde ? (doc. 1 et 2)
2. Sur quels moyens s'appuie cette audience internationale ?
3. Quelles sont les limites de cette présence planétaire ?

Le rôle mondial des États-Unis et du Brésil

> Comment la puissance des États-Unis et du Brésil s'affirme-t-elle ?

A États-Unis et Brésil : deux géants économiques

■ **Les États-Unis et le Brésil sont deux centres d'impulsion de la mondialisation** (Repère). Les premiers cumulent les records (agriculture, industrie, services) et dominent la Triade : en 2013, leur PIB (1er mondial) est supérieur à la somme des deux suivants (Chine, Japon). Le Brésil est une puissance émergente (6e PIB mondial) à la croissance rapide (multiplié par 4 entre 2003 et 2013) et diversifiée : agriculture (soja, café), énergie (pétrole), industrie (aéronautique).

■ **Les États-Unis et le Brésil occupent une place inégale dans le commerce mondial** (2e et 22e exportateurs mondiaux). Mais, si les exportations brésiliennes sont en forte hausse (multipliées par 4 entre 2002 et 2012) et excédentaires (+ 4 % en 2012), le déficit commercial des États-Unis est immense (– 51 % en 2012).

■ **Les États-Unis et le Brésil ont un poids financier contrasté.** Première puissance financière, les États-Unis ont des atouts majeurs : rôle mondial du dollar, places boursières (NYSE, Chicago), IDE sortants (32 des 100 premières FTN sont états-uniennes). La Bovespa (Bourse de São Paulo) n'est qu'au 48e rang mondial en 2012 mais les FTN brésiliennes s'affirment, surtout en Amérique latine : elles contrôlent plus de 1/5e de l'économie bolivienne.

B Les États-Unis : gendarme et modèle du monde ?

■ **Les États-Unis jouent un rôle politique majeur (*hard power*) dans le monde :** influence dans les institutions internationales (FMI, OMC), arme économique (*food power*, pétrole), déploiement militaire inégalé (mers, continents, espace) et réseau d'alliances hérité (OTAN).

■ **Les États-Unis restent un modèle attractif (*soft power*)** (doc. 2). Malgré la crise, leur modèle libéral attire toujours les capitaux (12 % des IDE mondiaux en 2012) et les hommes (élites). La force médiatique des États-Unis et leur maîtrise des NTIC (*net power*) expliquent la diffusion de l'*american way of life* : en 2014, McDonald's est présent dans 118 pays (doc. 1).

■ **L'hyperpuissance planétaire des États-Unis est contestée.** Elle provoque des réactions de rejet, parfois extrêmes (Alba, Al-Qaïda). Les puissances émergentes apparaissent comme des menaces pour le leadership économique mais la dépendance extérieure est forte (énergie, dette). Elle est aussi menacée par des fragilités internes (inégalités sociales, vieillissement de la population).

C Le Brésil, un géant en devenir

■ **Le Brésil, deuxième puissance continentale, apparaît comme un contrepoids à la domination états-unienne :** politique étrangère indépendante (ouverture à l'Iran), critique de l'impérialisme (dénonciation en 2010 de l'implantation de bases en Colombie), promotion d'une intégration latino-américaine (Unasur), programme d'armement nucléaire (doc. 3).

■ **Le Brésil est aussi un leader des puissances émergentes.** Tête de la fronde des pays du Sud contre les pays riches au sommet de l'OMC en 2003, il se rapproche des autres puissances émergentes (BRICS, IBAS). Aujourd'hui, le Brésil maintient son intérêt pour le Sud (sommets de l'Aspa, ouverture à l'Afrique lusophone).

■ **Le rôle mondial du Brésil a cependant ses limites.** Bien que membre du G20, il œuvre pour une plus large audience internationale en réclamant un siège permanent au Conseil de sécurité de l'ONU et une réforme du FMI. Au niveau continental, ses voisins (Argentine, Bolivie) dénoncent le néo-impérialisme brésilien (doc. 4 p. 339).

Vocabulaire

ALBA : voir p. 332.

ASPA : voir p. 334.

Food power (« arme alimentaire ») : moyen de pression politique qui entraîne une dépendance culturelle (habitudes alimentaires), économique et politique des pays clients.

Hard power (« puissance forte ») : domination qui s'exprime par la force militaire et stratégique.

Net power : puissance du réseau Internet.

Soft power (« puissance douce ») : domination qui s'exprime par la persuasion culturelle, politique ou économique.

UNASUR : voir p. 329.

Repère

Deux puissances majeures

Les greniers du monde, rang	États-Unis	Brésil
Soja	1er	2e
Maïs	1er	3e
Blé	3e	24e
Bovins	1er	2e
Nombre de FTN parmi les 500 premières, en 2013	99	8
IDE sortants en 2012, en millions de $	328 869 (1er)	2 821 (29e)
IDE entrants en 2012, en millions de $	167 620 (1er)	65 272 (3e)
Forces armées en 2013 (nombre d'hommes)	1 477 896 (2e)	371 199 (18e)

Sources : FAO, 2014, Fortune, 2014, Global firepower, 2014 et UNCTAD, 2014.

1 McDonald's, une chaîne alimentaire américaine mondialisée.

Ici, un restaurant à Koweït City (Koweït).

1. En quoi cette photographie illustre-t-elle le rayonnement économique et culturel des États-Unis dans le monde ?

3 Le Brésil, une puissance militaire en devenir.

Le pays cherche à se doter de sous-marins nucléaires d'ici à 2047 pour sécuriser ses gisements d'hydrocarbures off shore. Dilma Roussef présente ici la maquette d'un sous-marin construit en partenariat avec la France.

1. Comment le Brésil cherche-t-il à renforcer sa puissance ?

2. À l'aide du **doc. 2**, dites en quoi sa puissance n'est pas comparable à celle des États-Unis.

2 Les États-Unis, hyperpuissance multiforme

Les États-Unis ont été et restent un acteur central de la sécurité européenne, d'abord de l'Europe démocratique avant 1989, à l'époque de la guerre froide, puis pour l'ensemble des pays qui ont rejoint l'OTAN à la faveur de l'implosion de l'URSS après 1991. [...] Cette doctrine de sécurité [...] marque un retour aux fondamentaux de la politique extérieure des États-Unis. [...] D'où l'emploi répété de la notion de *smart power* par Hillary Clinton, synthèse du *hard* et du *soft power*, de la puissance militaire et de la puissance attractive. [...] Les États-Unis gardent la prééminence dans les trois domaines qui fondent la puissance : la prospérité matérielle [...], la capacité stratégique de projection externe et l'intention géopolitique du maniement des affaires internationales, à travers la capacité d'attraction d'un modèle socioculturel, l'exemple et la domination du marché des idées. [...]

Les États-Unis se réservent un pouvoir d'arbitrage sur les grands sujets internationaux. [...] Un accent particulier est mis par les responsables américains de la politique extérieure sur le rôle structurant des nouvelles technologies de communication. [...] L'enjeu est alors d'être reconnu comme l'acteur central (*global player*) dans un monde intégré plutôt que de se laisser confiner dans une rivalité avec les autres grandes puissances. [...] Ni splendide isolement ni domination hégémonique mais un rôle de chef d'orchestre des réseaux de communication et d'information.

M. Foucher (dir.), *La Bataille des cartes*, 2011.

1. Quelle définition le texte apporte-t-il au *hard* et au *soft power* ? Quels éléments du Repère p. 336 illustrent ces deux aspects de la puissance états-unienne ?

2. Par quels moyens les États-Unis entendent-ils rester un *global player* ?

Le Brésil, une puissance mondiale ?

Le Brésil, 6e puissance économique et membre des BRICS, affirme un rôle international croissant, à l'échelle continentale et, de plus en plus, à l'échelle mondiale. Il joue désormais un rôle stratégique dans les relations internationales en tant que membre du G20, mais surtout par la place qu'il occupe au sein des puissances émergentes.

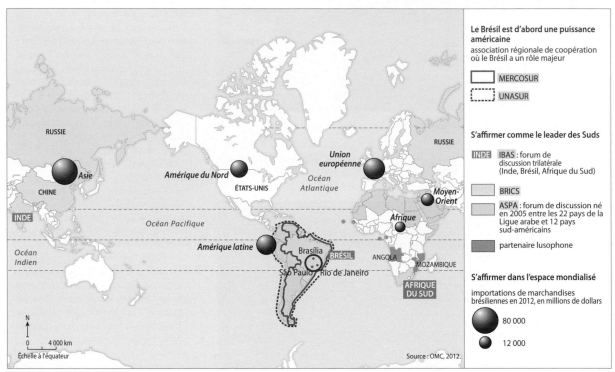

1 Le Brésil, un centre majeur de la mondialisation ?

2 L'affirmation des FTN brésiliennes

Les 5 premières FTN brésiliennes[1]	Domaine d'activité	Chiffre d'affaires en 2013, en milliards de dollars	Rang mondial	
			En 2005	En 2013
Petrobras	Énergie (hydrocarbures)	144	125	25
Banco do Brasil	Finances	72	419	116
Banco Bradesco	Finances	56	376	168
Vale	Extraction minière	48	(> 500)	210
JBS	Agroalimentaire	39	(> 500)	275

Source : *Fortune*, 2014.

1. En 2005, le Brésil comptait 3 FTN parmi les 500 premières mondiales ; en 2013, elle en compte 8.

Vocabulaire

ASPA : voir p. 334.
BRICS : voir p. 239.
IBAS : voir p. 334.
MERCOSUR : voir p. 330.
UNASUR : voir p. 329.

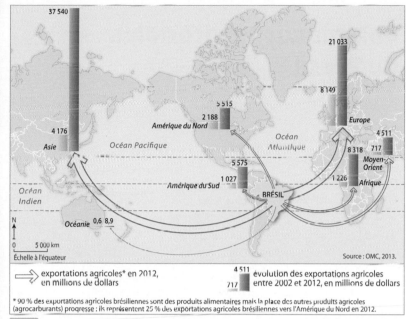

exportations agricoles* en 2012, en millions de dollars

4 511 / 717 évolution des exportations agricoles entre 2002 et 2012, en millions de dollars

Source : OMC, 2013.

* 90 % des exportations agricoles brésiliennes sont des produits alimentaires mais la place des autres produits agricoles (agrocarburants) progresse : ils représentent 25 % des exportations agricoles brésiliennes vers l'Amérique du Nord en 2012.

3 ● Le Brésil, futur grenier du monde ?

5 ● La Minustah, mission des Nations unies en Haïti commandée par le Brésil.
Casque bleu brésilien veillant au bon déroulement des élections présidentielles à Port-au-Prince en mars 2011.

1. Quel statut international le mandat confié par l'ONU confère-t-il au Brésil ?
2. Quelle mission spécifique la photographie illustre-t-elle ?

4 ● L'impérialisme brésilien en Amérique latine et dans le monde

Longtemps les Latino-Américains ont fustigé les États-Unis. Mais c'est au tour du Brésil, devenu une puissance économique globale, d'inquiéter ses voisins. [...] Dans plusieurs pays, les ambitions brésiliennes sont accueillies avec défiance. Un projet de route à travers la jungle de la Guyana a été suspendu, de crainte que le Brésil ne submerge son modeste voisin sous des flux migratoires et commerciaux. [...] C'est toutefois en Bolivie que les ambitions du Brésil ont provoqué les réactions les plus violentes. Grâce au financement de la Banque brésilienne de développement, l'objectif était de construire une route traversant un territoire indien bolivien isolé. C'était compter sans la révolte qui allait s'élever : des centaines de manifestants indiens sont arrivés dans la capitale bolivienne après une marche éreintante de plus de deux mois à travers l'Amazonie et les Andes. Ils reprochaient au président Evo Morales, autrefois leur champion, de soutenir ce projet. [...] Des centaines de milliers d'émigrants brésiliens se sont installés au Paraguay et ont acheté des terres destinées à l'agriculture à grande échelle dans ce pays bien moins densément peuplé. [...] Le pays s'appuie sur un corps diplomatique sophistiqué, des aides étrangères croissantes et les poches pleines de sa banque de développement, qui finance des projets non seulement en Amérique latine, mais également en Afrique. [...] Selon un ancien haut fonctionnaire bolivien [...], « tout comme la Chine en Asie, le Brésil veut asseoir son hégémonie régionale sur toute l'Amérique latine ».

The New York Times, cité par *Courrier international*, 24-30 novembre 2011.

Questions

1. Dans quels domaines le rayonnement brésilien dans le monde s'exprime-t-il ? Sur quels atouts repose-t-il ? (doc. 1 à 5)
2. Quels sont les espaces internationaux particulièrement concernés par l'ouverture brésilienne ? Pourquoi ? (doc. 1, 3, 4 et 5)
3. Quelles sont les limites de la puissance mondiale du Brésil ? (doc. 1, 4 et 5) Portez un regard critique sur les limites que ces documents ne permettent pas d'étudier.

Quelles sont les dynamiques territoriales des États-Unis et du Brésil ?

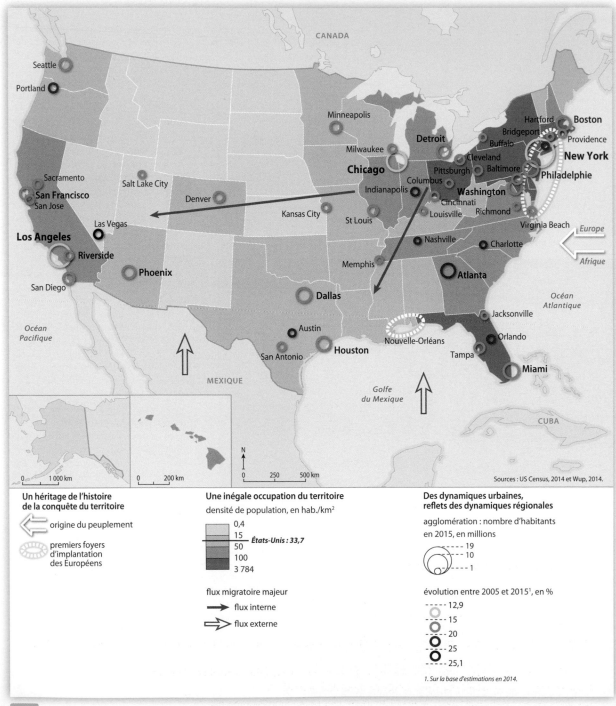

Un héritage de l'histoire de la conquête du territoire

◁ origine du peuplement

⬭ premiers foyers d'implantation des Européens

Une inégale occupation du territoire

densité de population, en hab./km²

	0,4
	15
	50 — *États-Unis : 33,7*
	100
	3 784

flux migratoire majeur

→ flux interne

⇒ flux externe

Des dynamiques urbaines, reflets des dynamiques régionales

agglomération : nombre d'habitants en 2015, en millions

○ 19 --- 10 --- 1

évolution entre 2005 et 2015[1], en %

○ 12,9
○ 15
○ 20
● 25
● 25,1

1. Sur la base d'estimations en 2014.

Sources : US Census, 2014 et Wup, 2014.

1 **Les dynamiques de peuplement des États-Unis**

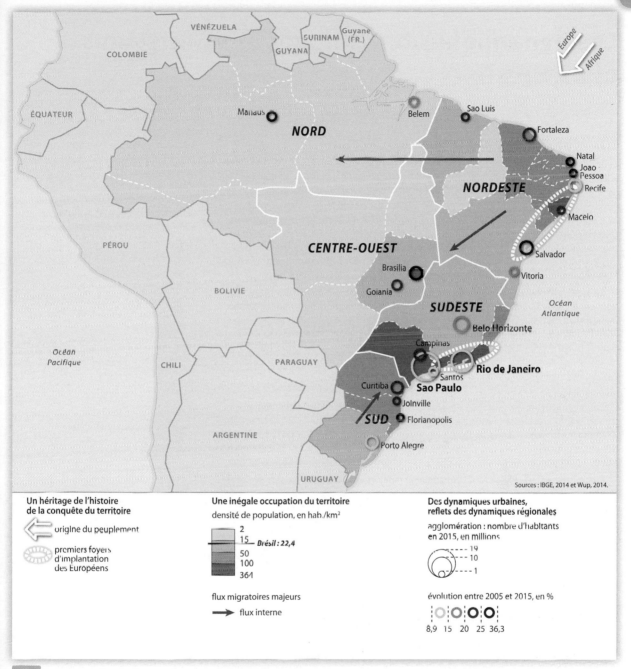

Un héritage de l'histoire de la conquête du territoire

⇐ origine du peuplement

⊂⊃ premiers foyers d'implantation des Européens

Une inégale occupation du territoire

densité de population, en hab./km²

2
15 — *Brésil : 22,4*
50
100
364

flux migratoires majeurs

→ flux interne

Des dynamiques urbaines, reflets des dynamiques régionales

agglomération : nombre d'habitants en 2015, en millions

--- 19
--- 10
--- 1

évolution entre 2005 et 2015, en %

○ ○ ○ ○ ○
8,9 15 20 25 36,3

Sources : IBGE, 2014 et Wup, 2014.

2 **Les dynamiques de peuplement du Brésil**

Questions

1. Quelles sont les étapes du peuplement des États-Unis et du Brésil ? Pourquoi peut-on parler d'histoire similaire ? (doc. 1 et 2)
2. Quels liens peut-on établir entre l'histoire du peuplement et la répartition actuelle de la population ?
3. Quelles dynamiques actuelles perpétuent cette mentalité pionnière ?
4. Où sont situées les grandes métropoles ? Comment leur population évolue-t-elle ?

Les dynamiques territoriales des États-Unis et du Brésil

> Quelles sont les dynamiques des territoires des États-Unis et du Brésil ?

A Deux territoires du Nouveau Monde

■ **L'histoire de la conquête pionnière du territoire des États-Unis et du Brésil est similaire** : population indigène exterminée et/ou reléguée, recours à l'esclavage, colonisation progressive à partir du littoral, choix de productions spéculatives (canne à sucre, coton).

■ **L'inégale répartition de la population est héritée de cette histoire pionnière**. D'importants flux migratoires internes subsistent des régions en crise vers les régions attractives (Sud des États-Unis, Sudeste, Amazonie). Si le brassage des populations est fort au Brésil (43 % de la population est métisse), la ségrégation socio-spatiale entre les différentes communautés perdure aux États-Unis.

■ **La mise en valeur extensive du territoire est issue de cette histoire** : développement d'espaces productifs agricoles (café, soja , élevage) **(doc.1)**, énergétiques (pétrole) ou industriels visant à valoriser les ressources, les axes de transport (Transamazonienne) ou les villes **(doc. 2)**. Aujourd'hui, l'avancée du front pionnier amazonien répond à des intérêts stratégiques, économiques et sociaux. Néanmoins, si le territoire des États-Unis est fortement maîtrisé, celui du Brésil reste à maîtriser.

B Des territoires intégrés à la mondialisation

■ **Les hommes et les activités se concentrent sur les littoraux**. Valorisés par la tradition d'ouverture et la mondialisation croissante des échanges, ils abritent les grandes métropoles (8 des 10 premières états-uniennes et brésiliennes) et la majorité de la population (4/5 des Brésiliens et 2/3 des États-uniens) **(doc. 3)**. La souveraineté sur les eaux territoriales (ZEE) est un enjeu stratégique (Amazonie bleue).

■ **Les métropoles concentrent les espaces décisionnels**. Les plus puissantes sont des mégapoles : New York (21,3 millions d'habitants et São Paulo (21) sont aux 5e et 7e rang mondial. Elles forment de vastes mégalopoles (ex : Mégalopolis).

■ **Les espaces transfrontaliers sont inégalement valorisés**. Favorisés par l'Alena, ceux des États-Unis (Mexamerica) représentent des espaces moteurs de leur économie aux échanges nombreux (marchandises, capitaux, main-d'œuvre) mais inégaux (flux migratoires). Le Brésil découvre aujourd'hui l'intérêt stratégique et économique d'intégrer ses marges amazoniennes longtemps délaissées et de valoriser son intégration au Mercosur.

C De forts déséquilibres territoriaux

■ **Le centre des États-Unis reste au nord-est mais le croissant périphérique est l'espace le plus dynamique**. Le Nord-Est est structuré par deux pôles majeurs, la mégalopolis, centre décisionnel planétaire, et les Grands Lacs en reconversion (crise industrielle). Composée de pôles isolés (Floride, Texas), la ceinture périphérique connaît un fort essor démographique et économique.

■ **Le Sudeste est le centre du Brésil** (70 % de la production industrielle) tandis que le Nordeste souffre de mal-développement (analphabétisme à 22 % contre 4,7 % à Brasilia). Le Nord et surtout le Centre-Ouest (Mato Grosso) sont dynamisés par la politique volontariste de conquête du territoire (Brasilia, front pionnier).

■ **Les marges sont des réserves de puissance**. L'intérieur du territoire des États-Unis (Grandes Plaines, Rocheuses) est une périphérie peu peuplée qui, comme l'Alaska ou Hawaï, offre des ressources naturelles (pétrole, terres agricoles). L'Amazonie couvre 54 % du territoire brésilien et sa mise en valeur, prédatrice pour l'environnement, cède localement la place à un développement durable (Acre).

Vocabulaire

Amazonie bleue : zone économique exclusive brésilienne riche en réserves pétrolières.

Front pionnier : espace en cours de peuplement dans le cadre d'une mise en valeur agricole ou minière.

Mégalopole : voir p. 300.

Mégalopolis : mégalopole du nord-est des États-Unis s'étendant de Boston à Richmond.

Repère A

L'organisation régionale des États-Unis

NORD-EST

MÉGALOPOLIS

New York

CALIFORNIE

Los Angeles

TEXAS

FLORIDE

Un territoire ouvert et dynamique

● ville mondiale

→ flux migratoire interne

•••• interface

Des espaces inégalement intégrés

centre majeur des États-Unis

limite de la *Sun Belt*

le croissant périphérique dynamique

espace moteur

périphérie peu dynamique

Repère B

L'organisation régionale du Brésil

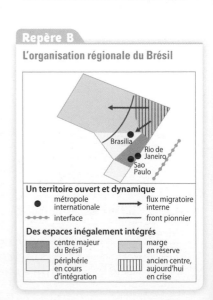

Brasilia

Rio de Janeiro

Sao Paulo

Un territoire ouvert et dynamique

● métropole internationale

→ flux migratoire interne

•••• interface

front pionnier

Des espaces inégalement intégrés

centre majeur du Brésil

marge en réserve

périphérie en cours d'intégration

ancien centre, aujourd'hui en crise

1 **La conquête de l'Amazonie par l'élevage extensif.** Afin de satisfaire les besoins alimentaires continentaux et mondiaux, l'élevage extensif et les cultures associées (soja) progressent en Amazonie, contribuant à la déforestation.

2 **Brasilia, la capitale symbole des dynamiques territoriales brésiliennes**

Rêvée dans les années 1950 par Juscelino Kubitschek, le chef d'État [...] qui voulait faire avancer le Brésil de cinquante ans en cinq ans, Brasilia est un miracle. Née au milieu de nulle part, à 1 000 km à l'intérieur des terres, au centre d'étendues désertiques, elle est le symbole d'un pays qui parviendrait enfin à concilier le littoral peuplé avec les grands espaces vides de l'Ouest. [...] Brasilia s'articule autour de constructions majeures [...] le long de l'« axe monumental » – bordé dans sa partie basse par les ministères, le théâtre et la cathédrale – qui mène à la place des Trois-Pouvoirs [...] : au centre, le Congrès national [...] et sur les deux rives, ici le Tribunal suprême et là, le Palais de la présidence. [...] Quatre ans après le début des travaux, Brasilia est inaugurée le 21 avril 1960. [...] Elle attire les Brésiliens des quatre coins du pays [...]. La démographie s'embrase : la ville compte 140 000 habitants en 1960, [...] 2,5 millions en 2008 [...] (4ᵉ ville du Brésil). Brasilia est aussi la ville où le revenu moyen des habitants est le plus élevé du pays.

L. Oualalou, *Brésil*, 2009.

1. En quoi la croissance spectaculaire de Brasilia illustre-t-elle les dynamiques territoriales du Brésil ?
2. Quelles sont les conséquences de la concentration des pouvoirs ?

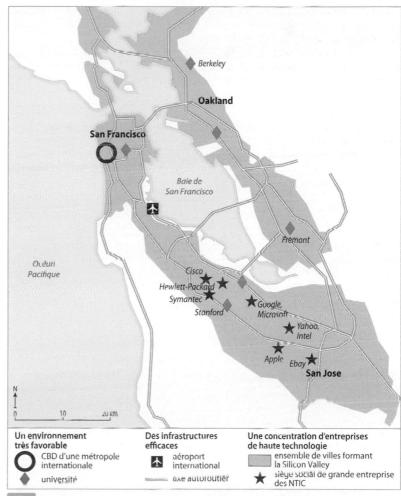

Un environnement très favorable
- ⭕ CBD d'une métropole internationale
- ◆ université

Des infrastructures efficaces
- ✈ aéroport international
- — axe autoroutier

Une concentration d'entreprises de haute technologie
- ▨ ensemble de villes formant la Silicon Valley
- ★ siège social de grande entreprise des NTIC

3 **La Silicon Valley, le laboratoire planétaire des NTIC**

1. Comment peut-on expliquer le dynamisme de la Silicon Valley ?
2. Montrez que ce document d'échelle locale illustre aussi les dynamiques économiques nationales et mondiales des États-Unis.

<... />

Quelles sont les dynamiques du territoire des États-Unis ?

L'organisation du territoire des États-Unis est héritée de l'histoire de son peuplement, mais également des dynamiques économiques. En effet, le centre de la puissance américaine est toujours le Nord-Est, terre d'arrivée des premiers colons, mais de nouveaux espaces s'imposent aujourd'hui, modifiant l'organisation du territoire.

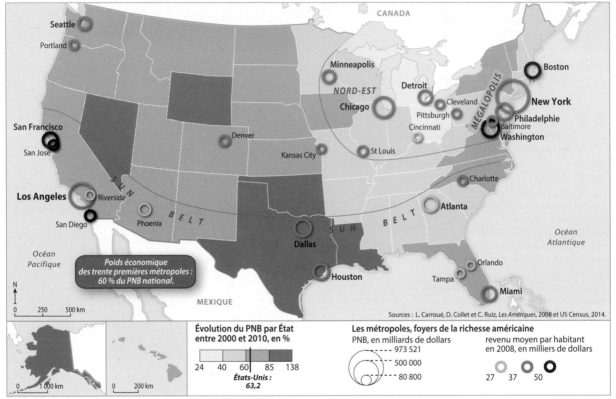

1 **Un inégal dynamisme de la croissance économique**

2 **La Californie, l'État le plus dynamique du croissant périphérique**

La Californie est l'État le plus dynamique, avec la Floride et le Texas, de la *Sun Belt* […]. Indépendant, il aurait le 8ᵉ PNB du monde : c'est l'État le plus riche (10 % de la richesse américaine) et le plus peuplé des États-Unis avec 36,7 millions d'habitants, soit 12 % de la population américaine. Il attire hommes, capital, entreprises et, face au Pacifique, s'intègre parfaitement à la mondialisation. C'est le premier État industriel de l'Union, d'abord avec le pétrole, puis avec l'aérospatiale […], l'électronique et l'informatique (Silicon Valley). C'est aussi le premier État agricole […] (10 % de la production, 90 % du vin américain) fondé sur l'irrigation et sur une organisation très capitalistique. La réputation de la Californie repose aussi sur ses universités prestigieuses (Berkeley) et ses instituts de recherche avancée. Ses actifs sont aussi bien d'un niveau élevé que des immigrés nombreux et à faible salaire.

B. Benoît et R. Saussac (dir.), *Les Amériques en fiches*, 2010.

3 **L'Alaska, une périphérie lointaine exploitée (ici Nikiski Beach).**
Bien que cumulant les handicaps (éloignement, conditions climatiques difficiles), l'Alaska reste un État stratégique pour la production d'hydrocarbures américaine (17 % de la production nationale).

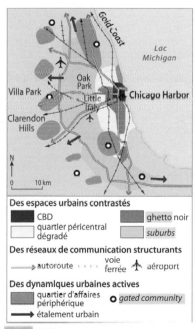

Des espaces urbains contrastés

- ■ CBD
- □ quartier péricentral dégradé
- ▨ ghetto noir
- ▨ suburbs

Des réseaux de communication structurants

- ---→ autoroute
- ···· voie ferrée
- ✈ aéroport

Des dynamiques urbaines actives

- ▨ quartier d'affaires périphérique
- ○ gated community
- ⟶ étalement urbain

4 **Chicago, une métropole dynamique**

5 **Dallas (Texas), des espaces urbains contrastés.**
La population de l'agglomération de Dallas a augmenté de 23 % entre 2000 et 2010. Cette explosion urbaine est liée au pouvoir d'attraction de cette métropole de la *Sun Belt* (pétrole, télécommunications).

Questions

1. Quels sont les espaces régionaux moteurs de la puissance américaine ? Quels sont les espaces en marge ? Comment expliquez-vous ces inégalités ? **(doc. 1 à 5)**
2. Montrez que ces inégalités spatiales s'observent à différentes échelles.
3. Quelles sont les dynamiques territoriales des États-Unis observables dans ces documents ?

EXERCICE GUIDÉ

SUJET Le continent américain : entre tensions et intégrations régionales

Étape 1 Analyser le sujet

Le **continent américain** : **entre tensions et** intégrations régionales

■ Délimiter l'espace concerné

> À quelle(s) échelle(s) doit-on se placer pour traiter le sujet ?

> Le continent américain n'a pas connu de guerre depuis 1995 (Équateur) mais reste un territoire soumis à de multiples tensions. De quelle nature sont ces tensions ?

> Le sujet invite à traiter des associations régionales de coopération économique. Quelles sont les autres formes d'intégration régionale ?

■ Identifier les mots-clés

■ Dégager la problématique

Conseil *Pour comprendre le sujet, il est nécessaire de réviser le cours en apprenant les principales notions du chapitre.*

Étape 2 Élaborer le plan

Associez chaque exemple à son information.

Informations	Exemples
– Contraste des régimes politiques – Différence de développement – Diversité religieuse – Tracé de la ZEE – Espaces inégalement intégrés à la mondialisation – ALENA – Peu d'espaces transfrontaliers dynamiques – Contraste de superficie des États – Revendication des peuples indigènes – Rôle des institutions internationales qui encouragent l'ouverture des frontières – Activités criminelles – Mercosur – « Arrière-cour » des États-Unis – Débordement de conflits internes – Des associations régionales globalement inefficaces – Antiaméricanisme – Variété linguistique – Grande violence urbaine – Revendication de ressources pétrolières – États-Unis : principal acteur de l'intégration productive – Une multitude d'associations régionales	– Peu d'échanges intrazone (14 % seulement des échanges du Caricom) – Opposition frontalière Surinam et Guyana – Accueil de bases militaires américaines en Colombie – Population métissée du Brésil – Importance des échanges commerciaux intrazone mais frein aux flux migratoires – Cartel de la drogue colombien – Amérique protestante/Amérique catholique – Favelas brésiliennes, espaces de non-droit – Alba/bolivarisme – Evo Morales, porte-parole des Indiens boliviens – Régimes socialistes (Venezuela, Cuba)/régimes libéraux (Colombie) – Littoraux ouverts (ports, infrastructures touristiques)/Intérieurs délaissés (agriculture vivrière) – Unasur – Mexamérique (twin cities : Ciudad Juarez/El Paso) – Micro-État (Belize, Sainte-Lucie)/État-continent (États-Unis, Brésil) – Tensions entre les partenaires (Argentine, Brésil) – Mexique, membre de l'Alena – IDH en 2012 : États-Unis (0,937 : 2e rang mondial)/Haïti (0,456 : 161e rang mondial) – Projet de ZLEA gelé – Eaux territoriales du Belize et du Honduras – Amérique hispanique/Amérique anglo-saxonne – OMC, FMI – Démocratie (États-Unis, Mexique)/régimes forts (Evo Morales en Bolivie, Castro à Cuba)

> Donnée statistique appuyant la démonstration

> Personnage emblématique

> Exemple de lieu précis

Complétez le tableau en classant les informations et leur(s) exemple(s).

1. Des contrastes marqués, source de tensions ou facteurs d'intégration ?	2. Des formes d'intégration multiples et trop nombreuses pour être efficaces ?	3. Des tensions à toutes les échelles
a. L'un des plus forts différentiels socio-économiques au monde – .... –	a. Un nombre record d'associations régionales de coopération économique – .... –	a. Au niveau continental, la domination états-unienne est source de tension – .... – ....
b. Des contrastes politiques marqués – .... –	b. Seules deux associations sont efficaces – .... –	b. Au niveau international, les tensions frontalières sont nombreuses – ....
c. Des différences culturelles qui scindent le continent en deux – .... –	c. Des formes d'intégration effective existent – .... –	c. Au niveau local, les tensions internes sont également très fortes – ....

Étape 3 Rédiger la composition

■ Rédiger un paragraphe de la composition

Entre les deux paragraphes suivants, lequel expose le mieux le premier argument de la composition (l'un des plus forts différentiels socio-économiques au monde). Pourquoi ?

Proposition 1 : *Le continent américain est d'abord marqué par l'un des plus forts différentiels socio-économiques au monde. En effet, si les États-Unis et le Canada se situent, par leur IDH, en tête des pays les plus développés à l'échelle continentale, mais également mondiale (2ᵉ et 11ᵉ rang), le reste du continent s'inscrit dans les pays du Sud. Haïti, avec un IDH de 0,456, appartient même au groupe des PMA tandis que l'Argentine (44ᵉ rang) ou le Brésil (85ᵉ) sont des pays émergents.*

Proposition 2 : *Les contrastes de développement sont forts sur le continent entre la partie nord et la partie sud. En effet, le niveau de vie des populations de certains pays comme Haïti ou la Bolivie est très faible tandis que celui des États-uniens ou des Canadiens est confortable. La grande pauvreté du Sud contraste donc fortement avec l'extrême richesse du nord du continent.*

■ Illustrer la composition par des schémas

Complétez la légende du schéma ci-dessous.

La domination états-unienne et sa contestation sur le continent américain

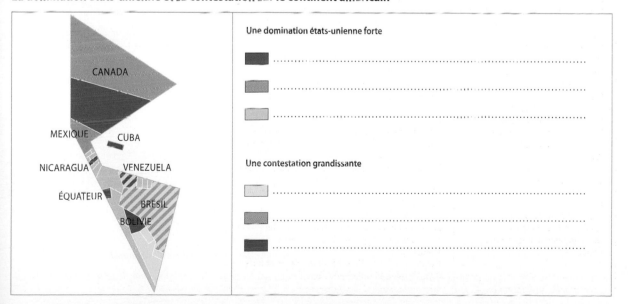

Une domination états-unienne forte

▮ ....

▯ ....

▯ ....

Une contestation grandissante

▯ ....

▯ ....

▮ ....

EXERCICE GUIDÉ

[**SUJET**] Le rôle mondial des États-Unis et du Brésil

Étape 1 Analyser le sujet

■ Délimiter l'espace concerné

Le rôle mondial des États-Unis et du Brésil

■ Identifier les mots-clés

| Dans quels domaines la puissance de ces États s'exprime-t-elle à l'échelle mondiale ? | L'échelle est mondiale. | Le sujet met ici en relation les États-Unis et le Brésil : leur influence mondiale est-elle comparable ? | Quelles sont les spécificités de chacune de ces puissances ? Sur quels atouts les États-Unis et le Brésil s'appuient-ils ? |

Étape 2 Élaborer le plan

Organisez les informations dans le tableau suivant. Quel plan convient le mieux au sujet ? Pourquoi ?

Plan 1 / Plan 2	1. Le rôle mondial des États-Unis	2. Le rôle mondial du Brésil
1. Un rayonnement économique majeur		
2. Un rôle politique important		
3. Des limites au rayonnement mondial		

Étape 3 Rédiger la composition

■ Illustrer la composition par des schémas
Complétez la légende du schéma ci-dessous et dites quel paragraphe de la composition il illustre.

Des réseaux d'alliances concurrentiels

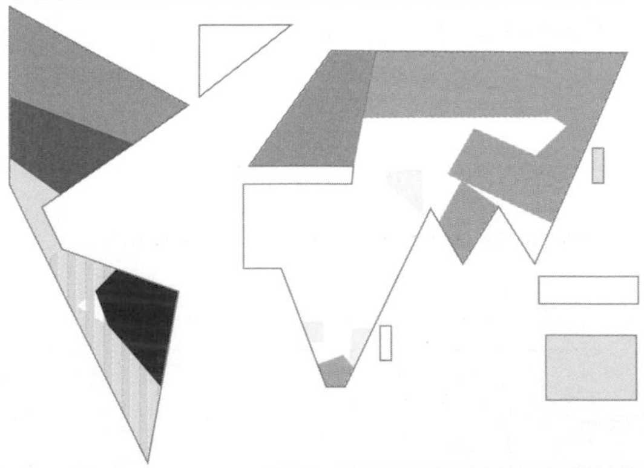

Le réseau d'alliance états-unien : un partenariat hérité de l'histoire

☐ États-Unis, chef de file du bloc occidental durant la guerre froide
☐ OTAN
☐ autres partenaires

Le réseau d'alliances brésilien : un partenariat d'intérêts économiques

☐ Brésil, chef de file de la contestation du Sud
☐ BRICS
☐ autres partenaires

■ Rédiger la conclusion
Terminez la rédaction de la conclusion suivante en rappelant les nuances apportées au sujet dans le 3e paragraphe du plan.

[**Conseil**] *La conclusion doit rappeler les grandes lignes de la composition.*
Terminez la rédaction de la conclusion suivante en rappelant les nuances apportées au sujet dans le 3e paragraphe du plan.

Même si les États-Unis et le Brésil sont devenus aujourd'hui des acteurs incontournables de la scène internationale, leurs rayonnements économiques et politiques ne sont donc pas comparables dans leur ampleur. ....

EXERCICE GUIDÉ

SUJET Les dynamiques territoriales des États-Unis et du Brésil

Étape 1 Analyser le sujet

■ Identifier les mots-clés

Les dynamiques territoriales des États-Unis et du Brésil

Recherchez la définition de « dynamiques » territoriales. À quelle(s) échelle(s) doit-on les étudier ?

Le terme « et » invite à comparer les territoires de ces deux États.

Quels sont les points communs entre les territoires du Brésil et des États-Unis ? Quelles sont leurs différences ?

Étape 2 Élaborer le plan

Complétez la liste des grands thèmes à aborder et groupez-les en deux ou trois paragraphes.

Conseil *Un plan comparatif est construit par grands thèmes de confrontation. Il est déconseillé de traiter les deux pays séparément : 1/ les dynamiques territoriales des États-Unis ; 2/ les dynamiques territoriales du Brésil.*

Peuplement inégal ; absence de tradition foncière ; métropolisation ; centre décisionnel ; région en crise ; marge délaissée ; périphérie, réserve de la puissance ; mégalopole ; flux migratoires ; mise en valeur extensive ; territoire du Nouveau Continent ; façade maritime ; ressources abondantes...

Étape 3 Rédiger la composition

■ Rédiger en comparant les deux États

Les dynamiques métropolitaines sont comparables, bien que différentes. En effet, aux États-Unis comme au Brésil, les hommes et les activités se concentrent dans les métropoles (New York, Los Angeles, São Paulo) qui accumulent le pouvoir décisionnel dans les domaines politique (Washington, Brasilia), économique (centres d'affaires de New York ou São Paulo), financier (NYSE de New York, Bovespa de São Paulo) culturel (Broadway à New York, Christ Corcovado à Rio de Janeiro). Cependant, si, aux États-Unis, de nombreuses villes peuvent être considérées comme des métropoles, au Brésil, le rayonnement est plus concentré (São Paulo, Brasilia essentiellement).

La comparaison met en valeur les points communs et les différences entre les deux États étudiés

Pour comparer, il faut étudier parallèlement les deux États, en multipliant les exemples précis de l'un et de l'autre

Rédigez le reste de la composition.

■ Illustrer la composition par des schémas

Complétez les schémas des dynamiques de peuplement des États-Unis et du Brésil, ainsi que la légende à l'aide des cartes p. 340-341.

Schéma 1 ....

Schéma 2 ....

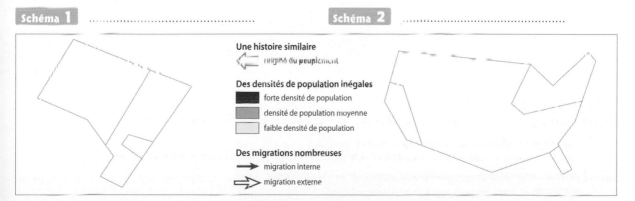

Une histoire similaire
origine du peuplement

Des densités de population inégales
- ■ forte densité de population
- ■ densité de population moyenne
- □ faible densité de population

Des migrations nombreuses
→ migration interne
⇒ migration externe

EXERCICE GUIDÉ

SUJET Le continent américain : entre tensions et intégrations régionales

En confrontant les deux documents, montrez que les frontières du continent américain s'effacent localement pour permettre l'intégration régionale, mais demeurent des espaces de tensions. Présentez les limites des documents pour traiter le sujet.

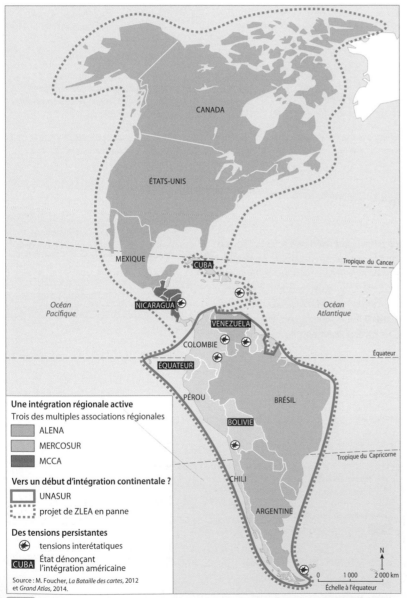

Une intégration régionale active

Trois des multiples associations régionales

- ALENA
- MERCOSUR
- MCCA

Vers un début d'intégration continentale ?

- UNASUR
- projet de ZLEA en panne

Des tensions persistantes

- tensions interétatiques
- CUBA État dénonçant l'intégration américaine

Source : M. Foucher, *La Bataille des cartes*, 2012 et *Grand Atlas*, 2014.

1 Tensions et principales associations régionales sur le continent américain

2 Les frontières américaines, lieux de tensions

Depuis quelques années, la problématique de la frontière resurgit […]. La maîtrise de cet espace périphérique devient primordiale à un moment où les échanges commerciaux et de personnes s'accroissent très rapidement. À l'intérieur d'un même espace d'intégration régionale, les différents gouvernements tentent de se réapproprier les espaces frontaliers qui semblent leur échapper. Actuellement, le redéploiement des forces de sécurité est général, avec parfois des législations particulières comme l'interdiction aux non-Argentins d'acheter des terres dans les zones des frontières. […] La Colombie tente de se réapproprier la région frontière avec l'Equateur en multipliant les épandages d'herbicides sur les champs de coca des FARC, y compris dans le pays voisin. […] Dans beaucoup de pays latino-américains, les régions périphériques ont été tardivement mises en valeur : elles demeurent souvent sous-peuplées voire très pauvres. […] Depuis peu, le Brésil a comme objectif d'intégrer ses propres marges amazoniennes occidentales et les espaces nationaux voisins, c'est-à-dire les régions amazoniennes des pays andins, dans son espace économique. Les dernières réalisations de routes transandines, financées par le Brésil […], tentacules brésiliens, sont souvent perçues comme les éléments du nouvel impérialisme brésilien, suscitant de plus en plus de tensions.

M. Gérardot et P. Lemarchand (dir.), *Géographie des conflits*, 2011.

Analyser le sujet et la consigne

En confrontant les deux documents, montrez que les **frontières** du continent américain s'effacent localement pour permettre l'**intégration régionale** mais demeurent des **espaces de tensions**.

Pourquoi la frontière est-elle un espace privilégié pour étudier les différentes formes d'intégrations et de tensions ?

Le continent américain **: entre tensions et** intégrations régionales

L'espace étudié est le continent américain dans son ensemble, ce qui n'exclut pas le changement d'échelles. À quelles échelles le sujet doit-il être traité ?

Quelles sont les formes de tension présentes sur le continent américain (voir cours 1) ? De quelle nature sont les tensions présentées dans le document ?

L'intégration régionale est un processus de mise en commun d'une partie des pouvoirs des États dans le cadre d'une organisation régionale. Plus la mise en commun est large, plus l'intégration régionale est forte.

■ Délimiter l'espace concerné et identifier les mots-clés

Conseil *En géographie, il est primordial de changer d'échelle pour apprécier totalement un phénomène.*

Exploiter et confronter les informations

À l'aide des documents, complétez la liste suivante d'informations et expliquez-les dans un tableau.

- *ALENA (États-Unis, Mexique, Canada)*
- *État dénonçant l'impérialisme américain*
- *MERCOSUR*
- *Intégration des marges amazoniennes du Brésil*
- *Tension frontalière entre la Colombie et ses voisins*
- ....

	Prélèvement des informations dans les documents	Explication à l'aide des connaissances personnelles
Intégrations	– ALENA	– Association régionale la plus active du continent, dominée par les États-Unis (flux de marchandises et de capitaux libres, flux humains contrôlés)
	– Intégration des marges amazoniennes du Brésil	– ....
	–	– ....
Tensions	– État dénonçant l'impérialisme américain – Tension frontalière entre la Colombie et ses voisins	– Réunis dans l'ALBA (critique des États unis par le bolivarisme)
	–	– ....
		– ....

Organiser et synthétiser les informations

■ Identifier les limites des documents pour traiter le sujet.

Terminez la rédaction du paragraphe suivant en montrant les lacunes des documents sur le thème de l'intégration.

Conseil *Les documents proposés à l'étude sont rarement exhaustifs. Il faut relever un éventuel oubli majeur relevant du sujet.*

Dernier paragraphe de l'analyse

Ces deux documents ont permis de montrer quelques-unes des tensions géopolitiques cristallisées par les frontières du continent américain. Pourtant, les frontières sont également le théâtre d'autres tensions, non évoquées ici. C'est le cas de celles liées aux migrations (frontière Mexique/États-Unis), au néo-impérialisme économique (échanges inégaux entre les États, y compris partenaires d'une association régionale comme le Mercosur) ou bien des tensions sur les frontières internes aux États (entre quartiers riches et pauvres comme dans les métropoles brésiliennes, entre régions intégrées et marges à conquérir). De même, les migrations sont bien présentées dans les documents...

Intérêt des documents pour traiter le sujet

Limites : omission d'une idée, subjectivité, représentation inadaptée...

EXERCICE GUIDÉ

SUJET Le rôle mondial du Brésil

Après avoir montré que le Brésil est un centre d'impulsion de la mondialisation qui présente de nombreux atouts, présentez les limites du document (nature du document, omission d'idées majeures, subjectivité).

Des ressources énergétiques : 2 millions de barils de pétrole par jour ; technologies de forage off shore très avancées.

Un lieu du tourisme international : le Christ du Corcovado, symbole de Rio et du Brésil.

Une puissance industrielle : 40 % du PIB brésilien ; 8e puissance sidérurgique et automobile mondiale en 2012 ; 4e constructeur automobile mondial.

La maîtrise des technologies nucléaires : 2 réacteurs nucléaires ; 6 % des réserves mondiales d'uranium.

Un constructeur aéronautique : 4e puissance aéronautique, en particulier grâce à Embraer, 2e exportateur brésilien.

Le Monde — HORS-SÉRIE
LULA DANS LE TEXTE
LES ATOUTS D'UN PAYS-CONTINENT
LES DIAGNOSTICS DE CARLOS GHOSN ET DE FERNANDO HENRIQUE CARDOSO
ORDEM E PROGRESSO
BRÉSIL
UN GÉANT S'IMPOSE

Après avoir montré que le Brésil
est un **centre d'impulsion de la
mondialisation** qui présente de
nombreux atouts, présentez les **limites**
du document pour traiter le sujet.

Un État peut jouer un rôle international s'il a des atouts. Ils peuvent
relever du territoire, de l'histoire, des stratégies de développement,
etc. Dans quels domaines la puissance brésilienne s'exerce-t-elle ?

Le rôle mondial **du** Brésil.

La consigne appelle à nuancer
le point de vue du document.
L'utilisation des connaissances
est alors primordiale.

Le Brésil est une puissance émergente et
ambitionne de jouer un rôle mondial.

- Identifier les mots-clés
- Délimiter l'espace concerné

Étape 2 Exploiter et confronter les informations

Conseil *Sur une affiche ou une page de magazine,
il faut décrypter les informations du texte
et de l'image en utilisant le cours.*

Selon le modèle proposé, classez les informations prélevées dans le document
en les illustrant par un exemple.

Prélèvement des informations dans le document	Recours aux notions-clés pour analyser le document	Exemple extrait des connaissances personnelles
– épi de blé –	– Un géant agricole (un grand producteur ; un grand exportateur) –	– 2e producteur mondial de soja et de bovins – ....

Étape 3 Organiser et synthétiser les informations

- Développer l'analyse de document

Parmi les propositions suivantes, choisissez les trois qui sont les plus appropriées pour construire les paragraphes du plan et ordonnez-les.

– Les limites de la puissance brésilienne dans le monde

– Les aspects de la présence brésilienne dans le monde

– Les atouts lui permettant d'affirmer son rôle mondial

– Les échelles du rôle mondial du Brésil

– Les moyens d'action du Brésil pour affirmer son rôle mondial

– Les limites du document pour traiter le sujet

- Identifiez les limites du document pour traiter le sujet

En utilisant le cours, complétez le paragraphe 3.

*Le document présente le Brésil comme une puissance capable de rivaliser avec les autres
puissances à l'échelle mondiale et permet, par l'image, de synthétiser les nombreux atouts
sur lesquels cette puissance repose. Cependant, ce document ne montre pas les points
faibles du Brésil. Si du point de vue économique, son PIB le place au 6e rang mondial,
il se classe au 85e rang pour l'IDH et sa puissance financière est loin d'égaler celle des
membres de la Triade (Bourse de São Paulo : 48e rang en 2012). Du point de vue scien-
tifique, ...
.... Enfin,
du point de vue politique, ...*

*Ce document est d'abord un document d'accroche d'un magazine et, à ce titre, il simplifie
une réalité beaucoup plus complexe.*

Intérêt du document
pour traiter le sujet

Limites : omission d'une idée, subjectivité,
représentation inadaptée, etc.

Utilisation des documents du cours pour
illustrer la réponse

- Conclure l'analyse de document

*Le Brésil s'affirme comme un géant en devenir. Son rôle s'affirme à l'échelle du continent
américain et, de plus en plus, à l'échelle planétaire (puissance émergente). Cependant, ce
rayonnement n'est pas sans limites ....
....*

Réponse à la question
soulevée par le sujet

Réponse nuancée au sujet

ENTRAÎNEMENT

SUJET Le rôle mondial des États-Unis

Présentez le rôle mondial des États-Unis en distinguant *hard power* et *soft power*. Mettre en évidence les limites de cette illustration en montrant qu'il caricature le rôle mondial des États-Unis.

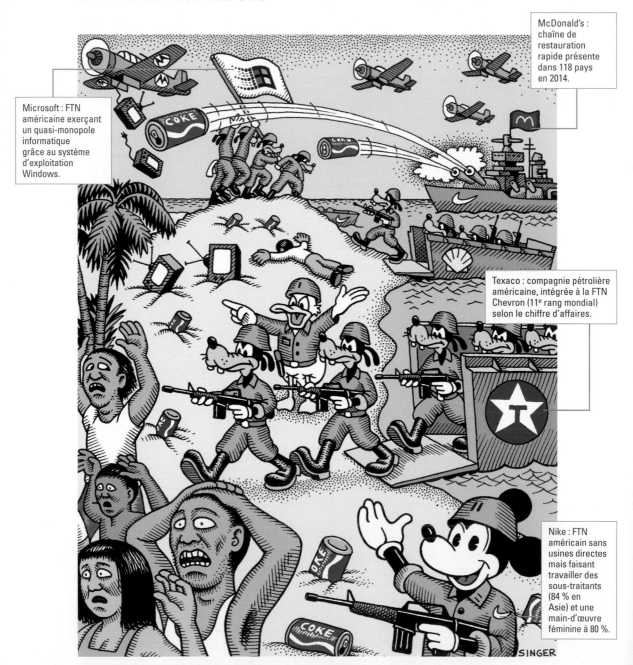

Microsoft : FTN américaine exerçant un quasi-monopole informatique grâce au système d'exploitation Windows.

McDonald's : chaîne de restauration rapide présente dans 118 pays en 2014.

Texaco : compagnie pétrolière américaine, intégrée à la FTN Chevron (11e rang mondial) selon le chiffre d'affaires.

Nike : FTN américain sans usines directes mais faisant travailler des sous-traitants (84 % en Asie) et une main-d'œuvre féminine à 80 %.

La superpuissance américaine : *soft power* ou *hard power* ? Dessin d'A. B. Singer, 1998.

ENTRAÎNEMENT

SUJET Le rôle mondial des États-Unis

À partir du document, présentez le rôle mondial des États-Unis. Montrez les limites de la représentation cartographique (choix cartographiques, informations retenues).

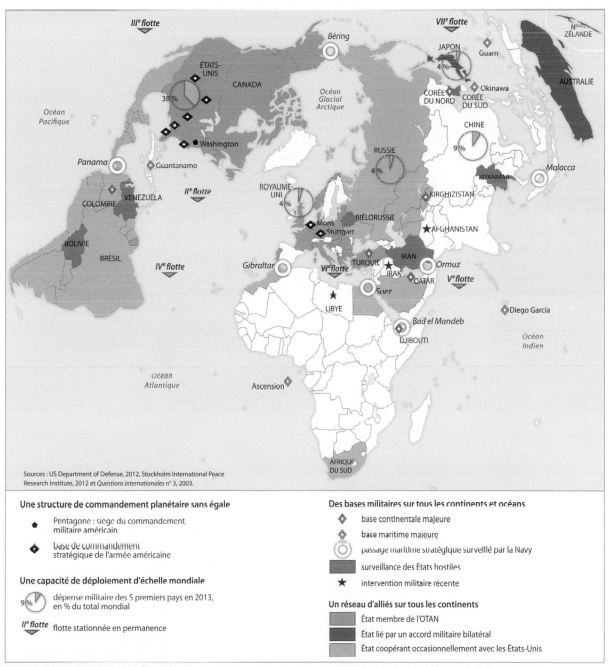

Une structure de commandement planétaire sans égale

- ★ Pentagone : siège du commandement militaire américain
- ◆ base de commandement stratégique de l'armée américaine

Une capacité de déploiement d'échelle mondiale

- ◑ 9 % dépense militaire des 5 premiers pays en 2013, en % du total mondial
- IIe flotte ▽ flotte stationnée en permanence

Des bases militaires sur tous les continents et océans

- ◇ base continentale majeure
- ◈ base maritime majeure
- ◎ passage maritime stratégique surveillé par la Navy
- ▇ surveillance des États hostiles
- ★ intervention militaire récente

Un réseau d'alliés sur tous les continents

- ▇ État membre de l'OTAN
- ▇ État lié par un accord militaire bilatéral
- ▇ État coopérant occasionnellement avec les États-Unis

Sources : US Department of Defense, 2012, Stockholm International Peace Research Institute, 2012 et *Questions internationales* n° 3, 2003.

La puissance militaire des États-Unis

EXERCICE GUIDÉ

SUJET Les dynamiques territoriales du Brésil

Étape 1 Analyser le sujet

■ Délimiter l'espace concerné

Les dynamiques territoriales du Brésil

Le fond fourni pour le croquis guide mais ne gomme pas la réflexion à mener à propos de l'échelle du sujet.

■ Identifier les mots-clés

Quelles dynamiques territoriales ont été identifiées dans l'analyse du sujet p. 349.

Un territoire est un espace approprié par les hommes et aménagé par un État. Comment cela apparaît-il sur un croquis ?

■ Dégager la problématique

La problématique suivante convient-elle ? Pourquoi ?

Quelles sont les grandes évolutions en cours sur le territoire brésilien ?

Étape 2 Choisir les figurés et réaliser le croquis

Complétez le croquis suivant.

Conseil *Attention au choix des figurés : le croquis doit rester lisible.*

Titre : ....

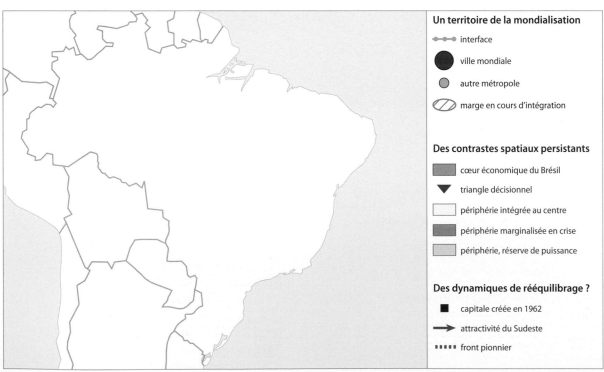

Un territoire de la mondialisation

- interface
- ville mondiale
- autre métropole
- marge en cours d'intégration

Des contrastes spatiaux persistants

- cœur économique du Brésil
- ▼ triangle décisionnel
- périphérie intégrée au centre
- périphérie marginalisée en crise
- périphérie, réserve de puissance

Des dynamiques de rééquilibrage ?

- ■ capitale créée en 1962
- → attractivité du Sudeste
- ▪▪▪▪ front pionnier

ENTRAÎNEMENT

SUJET Les dynamiques territoriales des États-Unis

Étape 1 Analyser le sujet

Les dynamiques territoriales des États-Unis

Définissez les termes du sujet en vous aidant du travail d'analyse du sujet p. 356 et du cours p. 342.

Conseil *La définition apportée doit tenir compte de la nature cartographique de l'exercice.*

■ Délimiter l'espace concerné

Complétez cette rubrique.

■ Identifier les mots-clés

Analysez le mot « dynamiques ».

Analysez le mot « territoriales »

Étape 2 Élaborer la légende

Complétez la légende du croquis.

Les dynamiques territoriales des États-Unis

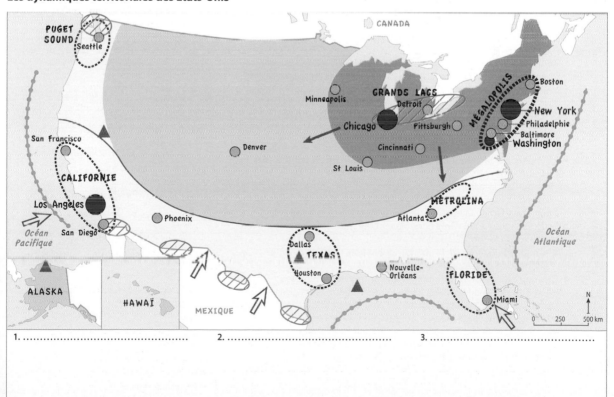

1. .... 2. .... 3. ....

A. Quelles dynamiques caractérisent le continent américain ?

Le continent américain, entre tensions et intégrations régionales
➤ Un continent marqué par de multiples contrastes :
- des différences de développement ; culturelles ; politiques.
➤ Un continent aux multiples tensions :
- qui se cristallisent face à l'hégémonie américaine ; qui existent également entre États voisins ; et à l'intérieur des États.
➤ Un continent écartelé entre intégration et cloisonnement :
- l'intégration productive est réelle ; l'intégration régionale est insuffisante : à l'exception du MERCOSUR et de l'ALENA.

B. Quel est le rôle mondial des États-Unis et du Brésil ?

Une inégale influence planétaire et une influence continentale à partager
➤ Deux centres d'impulsion de la mondialisation :
- Les États-Unis sont la première puissance économique, commerciale et financière mondiale ; le Brésil est une puissance émergente.
➤ Les États-Unis sont à la fois des gendarmes et constituent un modèle attractif :
- le *hard power* résulte de leur puissance politique et militaire, de leur influence dans les organismes de décision internationaux ;
- le *soft power* fait d'eux un modèle attractif planétaire ;
- il y a cependant des limites à leur hyperpuissance : contestations, concurrences, fragilités internes.
➤ Le Brésil est un géant en devenir :
- c'est une puissance américaine ; mais, c'est surtout une puissance leader des Suds ;
- son rôle mondial a néanmoins des limites : faiblesse dans les organismes décisionnels, critique du néo-impérialisme brésilien par les pays voisins.

C. Comment les territoires des États-Unis et du Brésil sont-ils organisés ?

Des dynamiques territoriales similaires
➤ L'histoire de la conquête pionnière a des conséquences sur le territoire :
- la population est inégalement répartie ; l'histoire du peuplement a conduit au brassage ethnique au Brésil et au multiculturalisme aux États-Unis ; la mise en valeur du territoire est extensive.
➤ Le Brésil et les États-Unis connaissent les mêmes dynamiques territoriales de la mondialisation :
- la métropolisation et la mégalopolisation ; la littoralisation ; la valorisation des espaces transfrontaliers.
➤ Ces deux territoires s'organisent en centres et périphéries :
- aux États-Unis, le nord-est est le centre majeur, alors que le croissant périphérique est l'espace le plus dynamique : les marges sont constituées de l'Alaska et les Grandes Plaines ;
- au Brésil, le Sudeste est le centre majeur tandis que le Nordeste est en retard de développement. Le Centre-Ouest est dynamisé par le front pionnier amazonien.

A. Le continent américain entre tensions et intégrations régionales

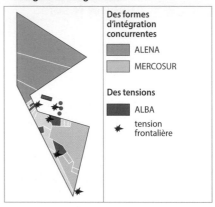

B. Le rôle mondial des États-Unis et du Brésil

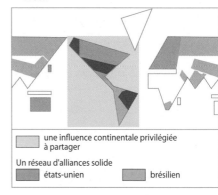

C. Les dynamiques régionales d'un État du Nouveau Monde

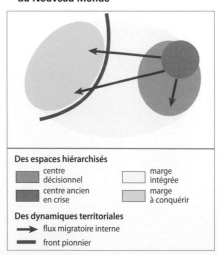

Organigramme de révision

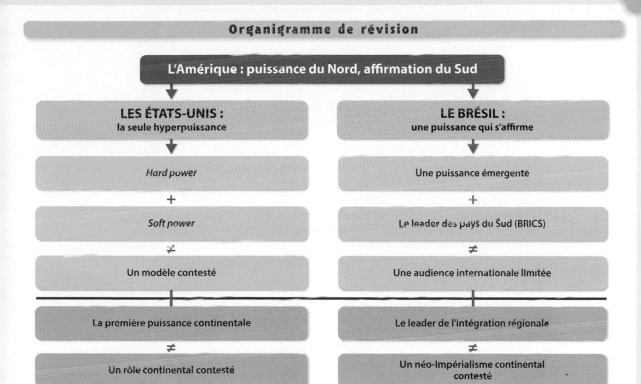

L'Amérique : puissance du Nord, affirmation du Sud

LES ÉTATS-UNIS : la seule hyperpuissance	**LE BRÉSIL :** une puissance qui s'affirme
Hard power	Une puissance émergente
+	+
Soft power	Le leader des pays du Sud (BRICS)
≠	≠
Un modèle contesté	Une audience internationale limitée
La première puissance continentale	Le leader de l'intégration régionale
≠	≠
Un rôle continental contesté	Un néo-impérialisme continental contesté

Ne pas confondre

Amérique du Nord, Amérique centrale, Amérique du Sud et Amérique latine, bassin caraïbe

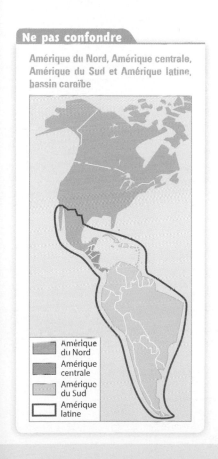

- Amérique du Nord
- Amérique centrale
- Amérique du Sud
- Amérique latine

Repères

ÉTATS-UNIS
1er PIB mondial

déficit commercial de 51 % en 2012

317 millions d'hab.

BRÉSIL
6e PIB mondial

multiplié par 4 entre 2003 et 2013

199 millions d'hab.

CHAPITRE 4

L'Afrique : les défis du développement

■ Le Sahara est le plus vaste désert chaud du monde. Peu peuplé, il abrite des ressources en eau et en énergie. Sans impulser un véritable développement humain, ces ressources sont fortement convoitées par les États et les FTN qui cherchent à contrôler et à stabiliser la région face à la multiplication des conflits et des tensions.

■ L'Afrique, sept fois plus étendue que l'Union européenne, a franchi le milliard d'habitants. À l'échelle planétaire, ce continent semble à l'écart du développement. Des conflits armés font des ravages et la malnutrition concerne près du quart de la population. Les défis restent nombreux pour créer un développement durable, mais la croissance se confirme, les démocraties progressent.

■ De plus, l'Afrique n'est plus à l'écart du monde. L'utilisation d'Internet et du téléphone mobile explose. L'exploitation des richesses du continent, convoitées en particulier par les pays émergents, l'intègre dans le marché mondial, même si les populations et les territoires s'ancrent inégalement dans la mondialisation, à l'image de l'Afrique du Sud.

> **Quels défis l'Afrique doit-elle relever face à la mondialisation ?**

NIGER   TCHAD
BÉNIN
NIGERIA
Lagos
CAMEROUN
Golfe de Guinée
GUINÉE ÉQU.
Équateur   GABON
Océan Atlantique

Le port de Lagos, un développement impulsé par la mondialisation

Comme de nombreuses villes portuaires africaines, Lagos est née avec la colonisation.
Capitale du Nigeria indépendant, elle perd ce statut en 1991 au profit d'Abuja. En cinquante ans,
elle passe de 230 000 habitants à plus de 11,5 millions et devient la métropole économique et
culturelle du Nigeria dont l'essor est lié au boom pétrolier. Elle est au centre des flux mondialisés
licites et illicites de l'Afrique de l'Ouest.

Quels sont les enjeux économiques et géopolitiques du Sahara ?

« Espace inutile » à l'époque coloniale, le Sahara (8,5 millions de km², 10 millions d'hab.) suscite la convoitise depuis la découverte de ses ressources en eau et en énergie dans les années 1950. Mais le contrôle et l'exploitation de ces ressources provoquent des conflits et profitent davantage aux États et aux espaces littoraux qu'aux Sahariens eux-mêmes. Par les tensions récentes et la question des migrations, le Sahara est au cœur de la géopolitique internationale.

1 En quoi le Sahara est-il un espace de fortes contraintes mais disposant de ressources ?

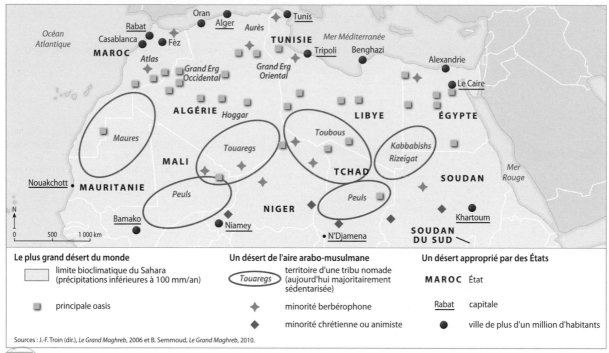

Le plus grand désert du monde

☐ limite bioclimatique du Sahara (précipitations inférieures à 100 mm/an)

▨ principale oasis

Un désert de l'aire arabo-musulmane

⬭ *Touaregs* territoire d'une tribu nomade (aujourd'hui majoritairement sédentarisée)

◆ minorité berbérophone

◆ minorité chrétienne ou animiste

Un désert approprié par des États

MAROC État

Rabat capitale

● ville de plus d'un million d'habitants

Sources : J.-F. Troin (dir.), *Le Grand Maghreb*, 2006 et B. Semmoud, *Le Grand Maghreb*, 2010.

1 Un immense désert, peu habité mais approprié par des États

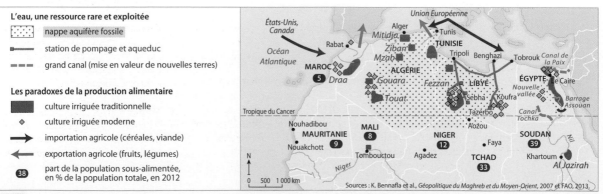

L'eau, une ressource rare et exploitée

▨ nappe aquifère fossile

▬ station de pompage et aqueduc

--- grand canal (mise en valeur de nouvelles terres)

Les paradoxes de la production alimentaire

■ culture irriguée traditionnelle

◇ culture irriguée moderne

➤ importation agricole (céréales, viande)

◀ exportation agricole (fruits, légumes)

38 part de la population sous-alimentée, en % de la population totale, en 2012

Sources : K. Bennafla et al., *Géopolitique du Maghreb et du Moyen-Orient*, 2007 et FAO, 2013.

2 La politique de développement agricole ambitieuse garantit-elle la sécurité alimentaire ?

3 **Des populations en marge du développement**

	Population en 2012, en millions d'hab.	IDH en 2012	Rang IDH sur 186 États en 2012	Pop. vivant avec moins de 1,25 $/ jour en 2011 (%)	Chômage en 2010 (%)
Algérie	36, 5	0,713	93	-	10
Égypte	84	0,662	112	1,7	10
Libye	6,5	0,769	64		30
Mali	16,3	0,344	182	50	30
Maroc	32,6	0,591	130	2,5	9,8
Mauritanie	3,6	0,467	155	23	30
Niger	16,6	0,304	186	44	-
Tchad	11, 8	0,340	184	62	-
Tunisie	10,7	0,712	94	1,4	14
Soudan	35	0,414	171	-	18,8

Sources : PNUD, 2013 et Banque mondiale, 2014.

parcelle irriguée par rampes-pivots — ghout — exploitation agricole

4 **Les usages de l'eau : agriculture moderne contre agriculture traditionnelle ?**

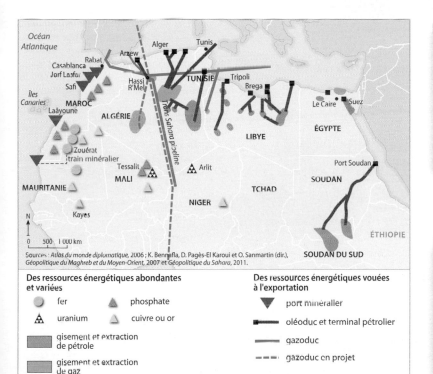
Sources : *Atlas du monde diplomatique*, 2006 ; K. Bennafla, D. Pagès-El Karoui et O. Sanmartin (dir.), *Géopolitique du Maghreb et du Moyen-Orient*, 2007 et *Géopolitique du Sahara*, 2011.

Des ressources énergétiques abondantes et variées
- fer
- uranium
- phosphate
- cuivre ou or
- gisement et extraction de pétrole
- gisement et extraction de gaz

Des ressources énergétiques vouées à l'exportation
- port minéralier
- oléoduc et terminal pétrolier
- gazoduc
- gazoduc en projet

5 **Des ressources énergétiques abondantes et variées.**

Deuxième fournisseur d'Europe, l'Algérie se situe au 10e rang mondial des exportateurs de pétrole et au 3e rang pour le gaz, devant la Libye (11e rang mais 40 % des réserves pétrolières de l'Afrique). Les hydrocarbures et les mines ont contribué à l'essor des villes sahariennes comme Hassi R'mel ou Hassi Messaoud en Algérie ou Zouérat en Mauritanie.

Vocabulaire

Ghout : fosse plantée de palmiers-dattiers irriguée par la nappe phréatique superficielle. Les ghouts sont peu à peu abandonnées au profit des parcelles irriguées par rampes-pivots grâce à des forages profonds.

Nappe aquifère fossile : nappe d'eau souterraine profonde et captive de la roche qui n'est pas ou peu alimentée. C'est une ressource non renouvelable, son exploitation l'épuise irrémédiablement.

Questions

1. Pourquoi le Sahara est-il un espace de fortes contraintes ? Comment la population est-elle répartie ? (doc. 1)

2. Quelles sont les ressources en eau et comment sont-elles exploitées ? Pourquoi les agricultures traditionnelles sahariennes sont-elles menacées ? (doc. 2 et 4)

3. Montrez que l'exploitation des ressources énergétiques n'impulse pas réellement un développement pour les populations sahariennes. (doc. 3 et 5)

2 Pourquoi le Sahara est-il un espace géopolitique fractionné ?

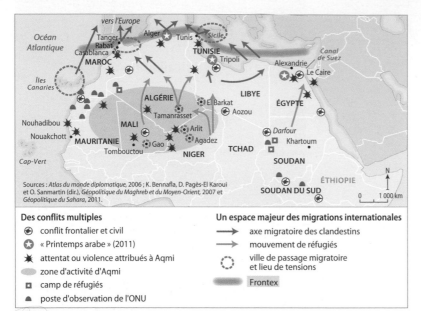

Sources : *Atlas du monde diplomatique*, 2006 ; K. Bennafla, D. Pagès-El Karoui et O. Sanmartin (dir.), *Géopolitique du Maghreb et du Moyen-Orient*, 2007 et *Géopolitique du Sahara*, 2011.

Des conflits multiples

- ⊛ conflit frontalier et civil
- ✪ « Printemps arabe » (2011)
- ✹ attentat ou violence attribués à Aqmi
- ⬭ zone d'activité d'Aqmi
- ▫ camp de réfugiés
- ▲ poste d'observation de l'ONU

Un espace majeur des migrations internationales

- → axe migratoire des clandestins
- → mouvement de réfugiés
- ⬭ ville de passage migratoire et lieu de tensions
- ▬ Frontex

6 Un espace au cœur des tensions régionales et internationales

8 Le Sahara pris en tenaille entre les grands groupes industriels et la menace islamiste ? Caricature de Gletz, *Jeune Afrique*, 21 mars 2011.

Les enlèvements par Aqmi se multiplient au Sahara contre le versement de rançon : 90 millions d'euros demandés pour libérer quatre Français enlevés au Niger en 2010.

7 Un espace majeur de migrations internationales

Les causes des migrations clandestines sont liées à la dégradation des conditions de vie, aux sécheresses et aux guerres. L'émigration clandestine, créant de véritables routes à travers le Maghreb, apparaît comme une tragédie humaine dont rendent compte les images de naufrages dans le détroit de Gibraltar, surnommé le « détroit de la mort ». Des carrefours de ralliement et d'éclatement des flux s'organisent : Tamanrasset, Sebha, Agadez pour les ressortissants de ces pays mais aussi pour ceux du Ghana, du Nigeria, du Mali, du Tchad, voire de Centrafrique et du Congo, etc. [...] On peut parler de trafics d'êtres humains organisés par des réseaux mafieux. Les réseaux deviennent complexes : les Pakistanais choisissent la filière saharienne quand des Maghrébins passent par la Turquie imités par des ressortissants sud-sahariens. La pression croissante de l'Union européenne incite les gouvernements à renforcer leur action de surveillance. Du Maroc à la Libye, les patrouilles policières se multiplient et des camps de détention sont apparus à Reggane (Algérie) ou Sebha (Libye).

B. Semmoud, *Maghreb et Moyen-Orient dans la mondialisation*, 2010.

Vocabulaire

Aqmi : mouvement islamiste terroriste, dont l'acronyme signifie « Al-Qaïda au Maghreb islamique ».

Frontex : coopération européenne de gestion et de surveillance des frontières extérieures de l'UE.

9 **Le problème humanitaire des Sahraouis en Algérie**

L'ONU s'est révélée impuissante à régler la question du Sahara occidental. Les Sahraouis trouvent refuge en Algérie, sur le plateau aride de Tindouf où les conditions de vie sont préoccupantes.

10 **Un enjeu sécuritaire international**

La présence de mouvements terroristes islamistes, le développement du trafic des stupéfiants et des armes, les migrations clandestines et les nouveaux enjeux pétroliers et miniers ont fini par mettre la question de la sécurité sur le devant de la scène, les États sahariens et les puissances occidentales ne pouvant plus tolérer un tel désordre : le Sahara est désormais un « front de guerre contre le terrorisme », les États-Unis jugeant que leur propre sécurité est dépendante des succès contre le terrorisme tout particulièrement au Maghreb Sahel dont sont originaires des combattants affrontés en Afghanistan. Dès 2002, soit un an après les attentats du 11 septembre 2001, les États-Unis cherchent à renforcer les capacités des gouvernements de la région. [...]
Les intérêts vitaux de la France sont aussi menacés par l'instabilité de la région [...]. C'est pourquoi elle cherche à développer sa coopération sécuritaire et militaire avec ses anciennes colonies sahéliennes, notamment dans le domaine des flux migratoires à destination de l'Europe. Les amalgames entre « terrorisme » et « migration clandestine » sont de plus en plus récurrents si bien que des États comme l'Algérie ont renforcé leurs contrôles des déplacements dans la zone à la satisfaction des États-Unis et de l'Europe.

A. Bourgeot, E. Grégoire « Désordres, pouvoirs et recompositions territoriales au Sahara »,
Hérodote, mars 2011.

Questions

1. Montrez en quoi le Sahara est une zone d'instabilité. Quels en sont les facteurs et les acteurs ? (doc. 6 à 8)

2. Pourquoi le Sahara est-il un enjeu stratégique pour les grandes puissances internationales ? (doc. 6 à 10)

3. Comment les grandes puissances internationales interviennent-elles dans cette région et la rendent-elle dépendante ? (doc. 6, 9 et 10)

3 Pourquoi le Sahara est-il un espace convoité ?

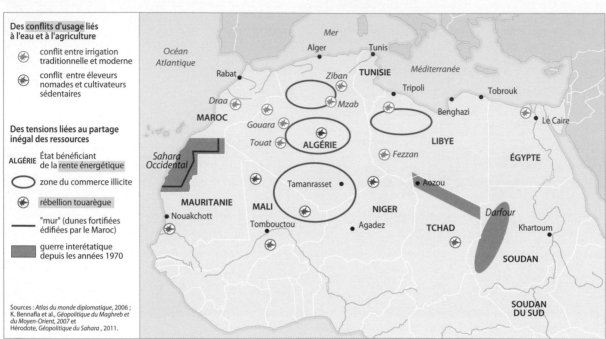

Des conflits d'usage liés à l'eau et à l'agriculture

- ✳ conflit entre irrigation traditionnelle et moderne
- ✳ conflit entre éleveurs nomades et cultivateurs sédentaires

Des tensions liées au partage inégal des ressources

- ALGÉRIE — État bénéficiaire de la rente énergétique
- ⬭ zone du commerce illicite
- ✳ rébellion touarègue
- — "mur" (dunes fortifiées édifiées par le Maroc)
- ▬ guerre interétatique depuis les années 1970

Sources : *Atlas du monde diplomatique*, 2006 ; K. Bennafla et al., *Géopolitique du Maghreb et du Moyen-Orient*, 2007 et *Hérodote, Géopolitique du Sahara*, 2011.

11 **Des tensions pour le contrôle des ressources sahariennes**

Des investissements chinois à l'origine de nombreux aménagements

- ▬ autoroute
- ┅ voie ferrée en construction en 2012
- ╌ projet de conduite d'eau
- ▲ exploitation pétrolière

Un marché à partager

- ═ voie ferrée financée par d'autres entreprises étrangères

Source : F. Souiah, "*La société algérienne au miroir des migrations chinoises*", Moyen-Orient n° 7, 2010.

12 **Des ressources algériennes convoitées en particulier par la Chine**

13 **Le Sahara, un producteur d'énergie pour l'Europe ?**

[Depuis 2009,] le principe [de l'initiative industrielle allemande Desertec] séduit toujours le monde politique : il promet de couvrir 15 % des besoins énergétiques européens par de l'électricité solaire propre produite en Afrique du Nord d'ici 2050. [...].

Or [...] l'énergie solaire thermodynamique, bien qu'éprouvée du point de vue technologique, est chère, très chère [et], selon les calculs de la Banque mondiale, jusqu'à 70 % de la production d'électricité du Sud devront être exportés afin de rendre les projets rentables. [...] Cela suppose plusieurs grandes réalisations pour bénéficier des effets d'apprentissage et des rendements d'échelle. Sans tarif d'achat suffisamment juteux, celles-ci semblent impossibles. Or les annonces de baisse des tarifs – concernant le solaire photovoltaïque, pour l'instant – s'enchaînent [et certains projets risquent d'être abandonnés].

[...] La construction d'une vision partagée pour un monde énergétique durable à l'horizon 2050 ne pourra se faire qu'avec la participation, en tant que pairs, de nos voisins du Sud et de l'Est.

Le Monde, 1er novembre 2010.

14 Le tourisme : une ressource à mettre en valeur.

Encouragés par l'État marocain, les habitants du sud marocain se reconvertissent dans le tourisme en tirant partie d'un milieu naturel exceptionnel. L'un des sites les plus fréquenté a d'ailleurs été ironiquement baptisé « dune Fram » du nom du voyagiste.

15 Les activités illicites, une réponse à l'échec des politiques de développement

À propos du trafic du hachisch et de la cocaïne, la porosité des frontières sahariennes et la faiblesse des systèmes judiciaires et policiers nationaux ont constitué pour les trafiquants un avantage comparatif déterminant dans leur choix d'emprunter, depuis 2006, la voie sahélo-saharienne vers l'Europe. Loin d'être combattue par leurs dirigeants, l'arrivée de ces produits est, au contraire, tolérée car ils permettent l'apport de cash que l'économie formelle et les projets de développement sont incapables de fournir aux populations. Ces trafics de drogue vont de pair avec une accélération de la circulation des armes, d'abord légères puis lourdes depuis la guerre civile en Libye. Aussi, la zone sahélo-saharienne se caractérise-t-elle par un fort développement des activités criminelles qui s'effectuent en toute impunité : les frontières protègent les trafiquants locaux des poursuites et ralentissent les enquêtes. De plus, ceux-ci bénéficient de l'appui de réseaux structurés au sein desquels sont impliquées de hautes personnalités politiques et des militaires de haut rang comme l'attestent les arrestations de personnages importants et de membres des forces de sécurité.

A. Bourgeot, E. Grégoire, « Désordres, pouvoirs et recompositions territoriales au Sahara », *Hérodote*, mars 2011.

Vocabulaire

Conflit d'usage : rivalité entre différents utilisateurs d'une même ressource, ici l'eau.

Rébellion touarègue : depuis les années 1980, les groupes targui berbérophones, marginalisés sur le plan politique et économique, revendiquent régulièrement davantage de reconnaissance de la part des gouvernements du Mali et du Niger.

Rente énergétique : revenu issu de la vente des hydrocarbures et détenus par les gouvernants. Il profite peu à la population et au développement locaux.

Questions

1. Quels sont les acteurs qui profitent le plus de l'exploitation des ressources sahariennes dans le contexte de la mondialisation ? (doc. 11 à 15)

2. Montrez que l'accès aux ressources constitue un facteur de tensions et de guerre au sein des États et entre les États (doc. 11)

3. Pourquoi les activités illicites et la criminalité se développent-elles de plus en plus dans l'espace saharien ? (doc. 11 et 12)

Le Sahara : ressources, conflits

> Quels sont les enjeux économiques et géopolitiques du Sahara ?

A Un désert riche en ressources mais peu développé

■ **Le Sahara est un espace contraignant peu peuplé.** Ce désert aride et immense (plus de 8,5 km²) est longtemps resté en marge. La population y est relativement faible (10 millions d'habitants) ce qui contraste avec les fortes densités des littoraux méditerranéen et atlantique. Les populations sahariennes culturellement très diverses se concentrent dans les oasis et les villes.

■ **L'eau souterraine est l'une des principales ressources naturelles du Sahara.** Les immenses nappes aquifères fossiles alimentent une agriculture moderne irriguée grâce aux grandes stations de pompage et aux canaux construits par les États (Libye, Égypte). Très gourmande en eau, cette activité se développe souvent au détriment de l'agriculture traditionnelle.

■ **Les ressources énergétiques sont variées mais bénéficient peu aux populations sahariennes.** Le fer, l'uranium, les phosphates et des hydrocarbures sont exploités au cœur du désert, loin des lieux de consommation (doc. 2). Destinés aux villes littorales ou à l'exportation, ils dégagent des bénéfices qui ne profitent pas aux populations locales dont le développement humain reste faible (Mali, Tchad).

B Un espace géopolitique fragmenté

■ **Le Sahara est un espace politiquement instable.** Dix États se partagent ce désert mais les conflits et tensions sont de plus en plus vifs : conflits interétatiques, guerres civiles, attentats liés à la mouvance islamiste (Aqmi). L'absence de démocratie a conduit aux révolutions de 2011 (Égypte, Libye, Tunisie).

■ **Les flux de migrants sont aussi sources de tensions.** Venus du Sud, leurs parcours sont de plus en plus longs et complexes pour échapper aux patrouilles. L'Europe tente de maîtriser les flux de clandestins par le dispositif Frontex, qui permet la surveillance de la Méditerranée. De nombreux accords sont signés entre États pour contrôler localement la région (camps de détention des migrants en Algérie et en Libye).

■ **Longtemps à la marge, l'espace saharien est donc au cœur de la géopolitique internationale.** La communauté internationale s'inquiète de l'instabilité politique qui favorise les trafics illégaux et l'essor du terrorisme dans une région riche en ressources naturelles stratégiques. L'ONU intervient dans l'observation des conflits (Sahara Occidental) et la gestion des camps de réfugiés (Algérie, Soudan).

C Un désert convoité par de nombreux acteurs

■ **Les États et les FTN sont les grands bénéficiaires des ressources.** Les FTN et les États étrangers sont surtout intéressés par l'exploitation des hydrocarbures comme le montre la forte présence chinoise (Algérie, Niger [doc. 3]). Les États qui se partagent le Sahara tentent d'en capter les bénéfices mais ces ressources constituent une rente énergétique plus qu'un levier du développement local.

■ **Des conflits sont générés, directement ou indirectement, par les ressources naturelles.** Le partage de l'eau suscite des conflits d'usage entre agriculteurs sédentaires et éleveurs nomades. La volonté de contrôler les richesses énergétiques et minières réelles ou supposées explique en partie les conflits armés : rébellion touarègue, guerre de sécession au Soudan.

■ **L'essor des trafics au Sahara a pris une ampleur inégalée.** Des acteurs locaux cherchent à bénéficier de la circulation des hommes et des marchandises de la région (doc. 1) en créant des activités illicites. Certaines villes (Tamanrasset) sont devenues les plaque-tournantes de ces trafics de drogue, d'armes et de contrebande mis en œuvre par des réseaux mafieux.

Vocabulaire

Aqmi : voir p. 364.
Conflit d'usage : voir p. 367.
Frontex : voir p. 364.
Nappe aquifère fossile : voir p. 363.
Rébellion touarègue : voir p. 367.
Rente énergétique : voir p. 367.

Repère

Un désert instable et sous dépendance

- ⬭ rente pétrolière et intérêts des FTN
- ◯ zone d'activités illicites
- ✳ conflit d'usage et interethnique
- ✳ conflit armé
- —— limite sud du Sahara

Les routes transsahariennes, des artères vitales

2 **L'exploitation du pétrole à Hassi Messaoud (Algérie)**

3 L'uranium, une ressource convoitée au Niger

Ici, on l'appelle « la route de l'uranium ». Elle relie la ville de Tahoua, à l'ouest de la capitale, à Arlit, dans le nord du pays, où se trouvent les mines exploitées par l'entreprise française Areva. Daouda et ses amis la connaissent bien. Ces jeunes du quartier Terminus, dans le centre de Niamey, ont presque tous de la famille dans le Nord. Et ils ne décolèrent pas. […] Une longue journée est nécessaire pour venir à bout de cette route de 600 km devenue au fil des ans une mauvaise piste. Comme eux, beaucoup de Nigériens y voient le symbole du manque de retombées de l'exploitation de l'uranium pour les populations. Le Niger est le quatrième producteur mondial de ce minerai, mais il est aussi, avec la République démocratique du Congo, le plus pauvre de la planète. […]

Le président du Niger, Mahamadou Issoufou, a déclaré vouloir revoir son partenariat avec Areva, présent depuis quarante ans dans le pays, estimant qu'il n'est pas « gagnant-gagnant ». Selon le chef de l'État, le Niger tire de son uranium 100 millions d'euros par an, à peine 5 % de son budget. […] Dans ce rapport de force, le Niger tire parti de la compétition internationale pour l'accès aux matières premières. Les autorités n'hésitent pas à brandir la menace de la concurrence chinoise. L'ancien président Mamadou Tandja, renversé en 2010, s'en était déjà servi pour obtenir le doublement du prix d'achat de l'uranium. La Chine a depuis obtenu la mine d'Azelik (nord) et surtout l'exploitation du pétrole à l'est. À Niamey, le « pont de l'amitié » Chine-Niger flambant neuf qui enjambe le fleuve Niger témoigne de cette présence croissante de Pékin et de sa « diplomatie du cadeau ».

Le gouvernement est aussi poussé par les attentes d'une société civile solide qui a déjà obtenu plusieurs avancées, dont une loi prévoyant que 15 % des revenus miniers et pétroliers reviennent aux régions d'extraction et l'inscription dans la Constitution de garanties sur la gestion des ressources naturelles.

Le Monde, géo et politique, le 26 avril 2013.

Le continent africain face au développement

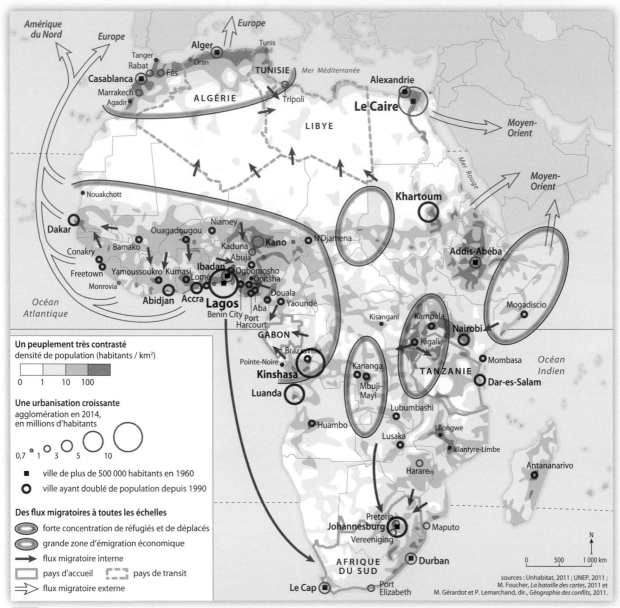

Un peuplement très contrasté
densité de population (habitants / km²)

0   1   10   100

Une urbanisation croissante
agglomération en 2014,
en millions d'habitants

0,7   1   3   5   10

■   ville de plus de 500 000 habitants en 1960

◎   ville ayant doublé de population depuis 1990

Des flux migratoires à toutes les échelles

⬭ forte concentration de réfugiés et de déplacés
⬭ grande zone d'émigration économique
➜ flux migratoire interne
▭ pays d'accueil   ┆┆┆ pays de transit
⇒ flux migratoire externe

sources : Unhabitat, 2011 ; UNEP, 2011 ;
M. Foucher, *La bataille des cartes*, 2011 et
M. Gérardot et P. Lemarchand, dir., *Géographie des conflits*, 2011.

1   **Une répartition de la population en mutation**

Questions

1. Quels sont les contrastes de peuplement en Afrique ?

2. Comment cette carte montre-t-elle que le continent africain est aujourd'hui largement urbanisé ?

3. Donnez des exemples de migrations à l'échelle locale, nationale et extracontinentale.

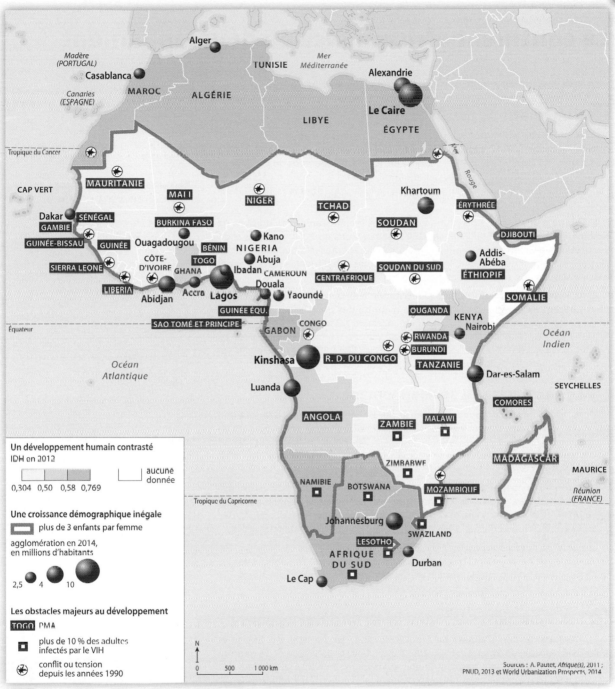

Un développement humain contrasté
IDH en 2012

0,304 0,50 0,58 0,769 | aucune donnée

Une croissance démographique inégale

☐ plus de 3 enfants par femme

agglomération en 2014,
en millions d'habitants

2,5 4 10

Les obstacles majeurs au développement

TOGO PMA

■ plus de 10 % des adultes infectés par le VIH

✱ conflit ou tension depuis les années 1990

Sources : A. Pautet, *Afrique(s)*, 2011 ;
PNUD, 2013 et World Urbanization Prospects, 2014

2 Une Afrique plurielle face aux défis du développement

Questions

1. Dans quelle partie de l'Afrique la fécondité est-elle la plus importante ?
2. De quelle nature sont les obstacles au développement ? Quels sont les pays les plus concernés ?
3. Quels sont les deux espaces régionaux les plus développés ?

Le continent africain face au développement

> **En quoi le développement est-il un défi majeur pour l'Afrique ?**

A L'impératif du développement

■ **Avec plus d'un milliard d'habitants et un fort taux d'accroissement naturel, l'Afrique s'inscrit dans la transition démographique (Repère)**. C'est le continent le plus jeune : 41 % de la population a moins de 15 ans. L'espérance de vie (56 ans en moyenne) s'allonge avec la baisse de la mortalité. Le nombre d'enfants par femme est de 5 à 7 en Afrique subsaharienne mais de 2 à 3 dans les villes et dans les pays arabes (doc. 1).

■ **L'Afrique s'urbanise à un rythme exceptionnellement rapide : le nombre de citadins est passé de 32 millions en 1950 à 460 millions en 2014**. La population des métropoles a fortement augmenté mais les villes petites et moyennes sont de plus en plus attractives. Partout, les cultures urbaines substituent leurs normes et leurs pratiques aux valeurs et usages de la tradition.

■ **Mais l'accès à l'eau potable, une alimentation suffisante, l'école, la santé, un travail décent ne sont pas assurés pour la majorité des populations**. Les bidonvilles s'étendent et se densifient. La forte mortalité infantile (56 ‰ en Afrique subsaharienne) dénonce les carences des structures d'encadrement social. La plupart des pays de l'Afrique subsaharienne ont un IDH faible à très faible. C'est la région du monde la plus touchée par le paludisme et le sida.

B Les obstacles au développement

■ **L'insécurité alimentaire concerne tous les pays. La malnutrition touche environ 232 millions de personnes et les émeutes de la faim sont récurrentes**. Faute d'investissement, les agricultures vivrières sont délaissées pour les cultures d'exportation (café, cacao, fleurs…). Les risques environnementaux (érosion des sols, déforestation, désertification) pénalisent localement les pratiques agricoles.

■ **Les structures économiques demeurent fragiles : faiblesse de l'industrie, des infrastructures, des nouvelles technologies et des services sophistiqués**. Le secteur informel assure la vie et la survie du plus grand nombre. L'opacité des économies de réseaux (licites et illicites) freine les investissements productifs.

■ **Les conflits armés concernent plus de 20 % de la population**. La misère et les luttes de pouvoir alimentent l'insécurité. Des jeunes sont instrumentalisés par les chefs de guerre pour contrôler richesses et territoires (les *diamants de sang*). Les famines sont le produit des guerres (Corne de l'Afrique).

C Les dynamiques récentes, levier du développement ?

■ **La démocratisation s'affirme en Afrique du Sud, au Sénégal, au Ghana et émerge en Tunisie, en Égypte…** (doc. 2) Les associations de village et de quartier et la scolarisation des femmes contribuent au développement (doc. 3). Mais, sur le continent, les régimes autoritaires sont plus nombreux que les démocraties.

■ **Les taux de croissance sont relativement forts (de 2 à 6 %)**. Le commerce et les investissements s'intensifient. Les plans d'ajustement structurels (PAS) ont réduit la dette des États en contrepartie de la suppression des droits de douane et des aides aux producteurs. Mais agriculteurs, éleveurs et artisans subissent de plein fouet la concurrence des produits importés à bas prix.

■ **Des puissances régionales émergent**. Trois groupes de pays contribuent aux deux tiers du PIB du continent : l'Afrique du Sud (17 %), le Nigeria, l'Égypte et l'Algérie (entre 10 et 14 % chacun), enfin, l'Anglola et le Maroc (environ 5 %). Partout, les disparités régionales sont très fortes. Le maintien de l'aide internationale reste capital.

Repère

La population de l'Afrique de 1960 à 2020

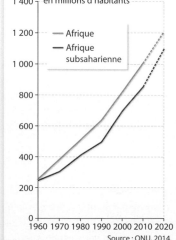

en millions d'habitants

— Afrique
— Afrique subsaharienne

Source : ONU, 2014.

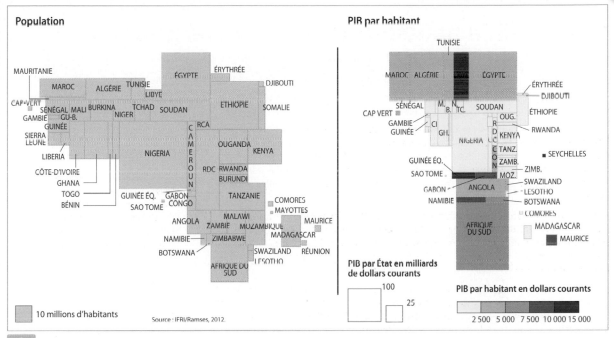

Population

MAURITANIE
MAROC
ALGÉRIE
TUNISIE
LIBYE
ÉGYPTE
ÉRYTHRÉE
DJIBOUTI
CAP-VERT
SÉNÉGAL MALI
GAMBIE
GU-B.
GUINÉE
SIERRA LEONE
LIBERIA
CÔTE-D'IVOIRE
GHANA
TOGO
BÉNIN
BURKINA
NIGER
TCHAD
SOUDAN
ÉTHIOPIE
SOMALIE
RCA
CAMEROUN
NIGERIA
OUGANDA
KENYA
RDC
RWANDA
BURUNDI
GUINÉE ÉQ.
SAO TOME
GABON
CONGO
TANZANIE
COMORES
MAYOTTES
ANGOLA
ZAMBIE
MALAWI
MOZAMBIQUE
MAURICE
NAMIBIE
ZIMBABWE
MADAGASCAR
BOTSWANA
SWAZILAND
LESOTHO
RÉUNION
AFRIQUE DU SUD

10 millions d'habitants

Source : IFRI/Ramses, 2012.

PIB par habitant

TUNISIE
MAROC ALGÉRIE ÉGYPTE
ÉRYTHRÉE
DJIBOUTI
SÉNÉGAL M. N. SOUDAN
B. TC.
CAP VERT
GAMBIE CI
GUINÉE GH.
NIGERIA
OUG.
R D C
ÉTHIOPIE
RWANDA
KENYA
TANZ.
ZAMB.
SEYCHELLES
GUINÉE ÉQ.
SAO TOME
GABON
NAMIBIE
ANGOLA
ZIMB.
MOZ.
SWAZILAND
LESOTHO
BOTSWANA
COMORES
MADAGASCAR
MAURICE
AFRIQUE DU SUD

PIB par État en milliards de dollars courants

100
25

PIB par habitant en dollars courants

2 500 5 000 7 500 10 000 15 000

1 **Population et richesse en Afrique**

1. Quels sont les cinq pays les plus peuplés ? Quels sont les pays au niveau de vie le plus élevé ?

2 **L'Afrique, dernière frontière du développement**

Depuis Tunis, épicentre du séisme qui secoue le monde arabe mais aussi l'Afrique, la demande d'un changement profond s'exprime avec plus ou moins d'acuité, selon le contexte local. Ce vaste mouvement de contestation et cette aspiration sans précédent à rattraper un retard criant dans bien des domaines (développement, libertés, démocratie, citoyenneté, État de droit, justice, etc.) sonnent le grand réveil des peuples... Nous avons ainsi découvert qu'en Tunisie, en Égypte ou en Côte d'Ivoire, une grande partie de la population était au courant de (presque) tout : des turpitudes de leurs dirigeants et de leurs familles, des progrès accomplis par des pays, en Asie ou en Amérique latine, qui étaient, au moment des indépendances, au même niveau de développement que les leurs, avec des atouts mais aussi des handicaps similaires. L'Afrique, cette dernière frontière du développement dont la jeunesse est le principal capital, change. Plus vite qu'on ne le croit. De Tunis au Cap, en passant par Le Caire, Alger, Rabat, Dakar, Abidjan, Douala, Conakry ou Antananarivo.

Jeune Afrique, éditorial du hors-série n° 27, 2011.

1. Que signifie le titre de ce document ?

3 **Les femmes et le développement**

Aya, héroïne de BD, incarne le dynamisme des femmes dans un quartier populaire d'Abidjan (Côte d'Ivoire). *Aya de Yopougon* (t. 1, 2005).

1. Comment expliquer l'étonnement du père d'Aya ?

Pourquoi le développement de l'Afrique guinéenne est-il si contrasté ?

Du Libéria à l'Angola, les 13 États du Golfe de Guinée se singularisent par l'abondance de leurs ressources en hydrocarbures, minières et agricoles (café, coton, cacao) qui peuvent être des leviers de leur développement. Cependant, les inégalités y sont très fortes et de nombreux freins au développement persistent.

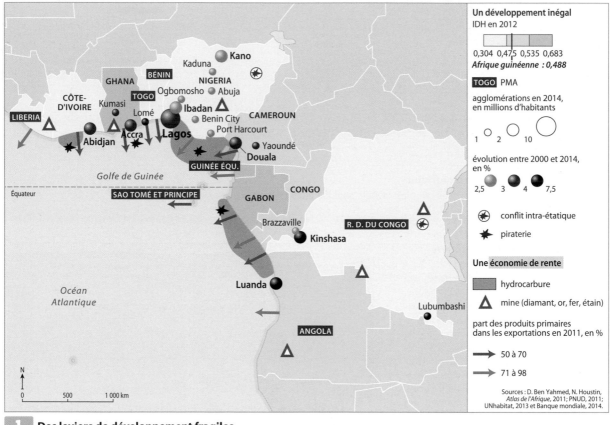

1 Des leviers de développement fragiles

2 Un développement contrasté

		Côte-d'Ivoire	Gabon	Nigéria	République Démocratique du Congo
RNB par hab., en $ ppa	2004	800	3 980	610	120
	2012	1 220	10 040	1 440	230
Espérance de vie, en années	2004	47	60	48	48
	2012	50	63	52	49
Population ayant accès à une source d'eau en milieu rural, en %	2004	68	44	41	28
	2011	68	41	47	29
Rang dans le classement des États défaillants[1], en 2013		12	99	16	2

1. Classement annuel de *Found For Peace* sur 178 pays. Plus le rang est proche de 1, plus l'État est considéré comme défaillant.

Sources : FFP, 2013, PNUD, 2014 et Banque mondiale, 2014.

3 Les quartiers d'affaire et résidentiel, vitrines de la modernité de Lagos (Nigéria)

a. Victoria Island
Victoria Island est l'actuel quartier d'affaire de Lagos. Le quartier résidentiel le plus cher de la ville est aujourd'hui saturé.

b. Le chantier d'Eko Atlantic City
Eko Atlantic City est une île artificielle en construction. Elle devrait accueillir 250 000 habitants sur 9 km². Elle jouera le rôle de brise-lame et permettra de protéger la lagune de Lagos.

4 Le Golfe de Guinée, un espace convoité et fragile

Les conflits et différends centrés sur les ressources naturelles dans le Golfe de Guinée, avec leur cohorte de tensions inter-États et régionales, se sont intensifiés pour le contrôle de ses ressources naturelles, notamment les champs pétrolifères, le bois et les minerais solides. La plupart des pays du Golfe de Guinée au rang desquels le Nigeria, le Cameroun, le Gabon, la Guinée équatoriale et Sao Tomé et Principe ont tous été impliqués dans de telles disputes.

Au niveau national, les normes régissant l'exploitation des ressources naturelles sont à la fois inadéquates et mal appliquées [...]. Il s'en est suivi une dégradation massive de l'environnement naturel et une destruction irréversible des écosystèmes.

Par exemple, les communautés des pays du Golfe de Guinée sont fréquemment témoins de fuites de pétrole responsables de dégâts écologiques. Les terres agricoles en deviennent infertiles et non productives, avec pour conséquence une baisse permanente de production chez les agriculteurs. De la même manière, les communautés de pêcheurs sont incapables de subvenir à leurs besoins en raison de multiples déversements de produits pétroliers qui détruisent l'environnement marin et entraînent une pollution excessive.

Réseau des Citoyens du Golfe de Guinée, 2014.

5 L'électrification rurale par l'énergie solaire : le cas du Bénin

Aujourd'hui, l'électrification est un enjeu du développement des espaces ruraux, notamment pour faire fonctionner les pompes à eau qui permettent l'irrigation des cultures.

Questions

1. Montrez que ces pays connaissent une amélioration de leurs conditions de vie. (doc. 2, 3 et 5)
2. Sur quels atouts repose le développement dans les pays d'Afrique guinéenne ? (doc. 1)
3. Montrez cependant que le développement humain est encore faible et inégal. (doc. 1 et 2)
4. Quels sont les freins au développement ? (doc. 1, 2 et 4)

Vocabulaire

Économie de rente : économie faiblement diversifiée qui s'appuie surtout sur les ressources naturelles.

Le continent africain face à la mondialisation

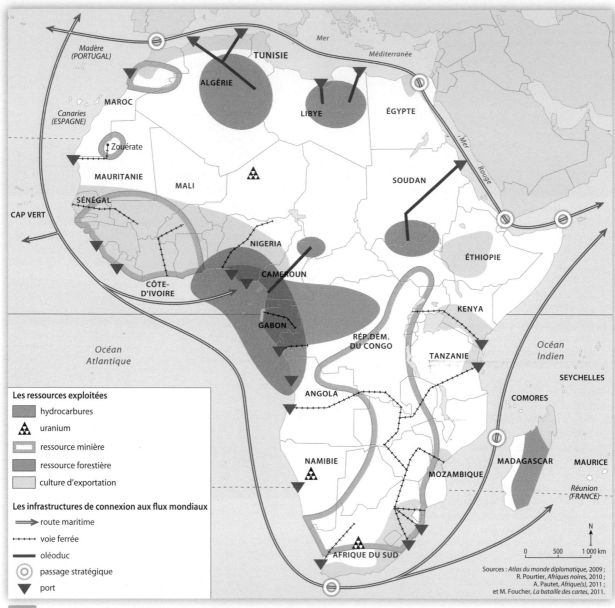

Les ressources exploitées
- hydrocarbures
- uranium
- ressource minière
- ressource forestière
- culture d'exportation

Les infrastructures de connexion aux flux mondiaux
- route maritime
- voie ferrée
- oléoduc
- passage stratégique
- port

Sources : *Atlas du monde diplomatique*, 2009 ;
R. Pourtier, *Afriques noires*, 2010 ;
A. Pautet, *Afrique(s)*, 2011 ;
et M. Foucher, *La bataille des cartes*, 2011.

1 Les ressources en Afrique : un facteur de mondialisation

Questions

1. Les ressources exploitées en Afrique sont-elles semblables au Sahara et hors du Sahara ? **(voir aussi p. 362 à 367)**
2. D'après cette carte, quelles ressources sont aujourd'hui convoitées ? Pourquoi ?
3. Où sont localisées les infrastructures de transformation et d'exportation ?

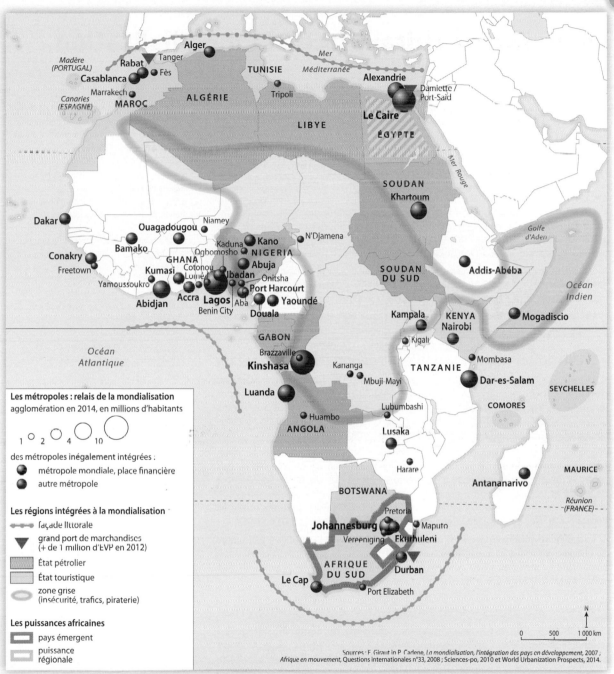

Les métropoles : relais de la mondialisation
agglomération en 2014, en millions d'habitants

1 ○ 2 ○ 4 ○ 10 ○

des métropoles inégalement intégrées :

● métropole mondiale, place financière
● autre métropole

Les régions intégrées à la mondialisation

●━●━● façade littorale

▼ grand port de marchandises
(+ de 1 million d'EVP en 2012)

▨ État pétrolier

☐ État touristique

⬭ zone grise
(insécurité, trafics, piraterie)

Les puissances africaines

▭ pays émergent

▭ puissance
régionale

Sources : F. Giraut in P. Cadene, *La mondialisation, l'intégration des pays en développement*, 2007 ;
Afrique en mouvement, Questions internationales n°33, 2008 ; Sciences-po, 2010 et World Urbanization Prospects, 2014.

2 Les espaces de la mondialisation en Afrique

Questions

1. Quel rôle les villes et les littoraux jouent-ils dans l'intégration mondiale de l'Afrique ?
2. Comment l'intérieur du continent s'intègre-t-il à la mondialisation ?
3. Citez trois États intégrés à la mondialisation, trois États en cours d'intégration et trois États en marge.

Le continent africain face à la mondialisation

> Quelle est la place de l'Afrique dans la mondialisation ?

A L'Afrique, une marge en économie extravertie

■ **Les économies de rente caractérisent les États africains.** Cinquante ans après les indépendances, ces derniers ne contrôlent ni les capitaux, ni la technologie, ni le marché, ni les prix et sont toujours soumis à leurs clients de l'UE, des États-Unis et de Chine. Les produits vendus, peu transformés, représentent à peine 4 % de la valeur des exportations (légales) dans le monde (**Repère**).

■ **Les FTN des pays du Nord et d'Asie contrôlent le commerce des produits agricoles et l'exploitation de gisements miniers** (doc. 3) **ou énergétiques** (pétrole, gaz, uranium). La prospérité des États et des élites africaines dépend très largement de ces très puissantes entreprises qui investissent en Afrique (doc. 1).

■ **Les ONG tentent de pallier les carences étatiques dans les domaines sociaux et environnementaux.** Les conflits et les crises économiques provoquent des migrations internationales vers d'autres pays africains (80 %) et vers les pays du Nord (20 %).

■ **Les trafics illicites s'articulent dans des réseaux globalisés** : drogues, armes, contrefaçons, pierres précieuses, traite des êtres humains, vente d'organes, etc.

B L'Afrique, nouvel acteur de la géopolitique mondiale

■ **Depuis le 11 septembre 2001, les États-Unis et l'UE surveillent à nouveau l'Afrique,** car certaines régions (Sahara, Somalie...) servent de bases aux groupes terroristes et à la piraterie. Depuis une décennie, la présence des pays émergents (Chine, Inde, Brésil, Turquie) se renforce et se diversifie (doc. 2). Les États africains côtiers utilisent leur position entre Amérique, Europe et Asie.

■ **L'Afrique est convoitée pour ses ressources énergétiques, minières et végétales.** Elle détient environ 12 % des réserves mondiales de pétrole, 60 % des réserves de terres cultivables, le 2e massif forestier du monde, 80 % des réserves de coltan et un potentiel immense en énergies renouvelables (soleil, eau, vent, biomasse) (voir doc. 5 p. 363 et doc. 13 p. 366). L'envolée des prix des matières premières la met au cœur de la compétition internationale pour leur contrôle.

■ **Le désenclavement numérique est spectaculaire grâce à l'explosion de l'usage du téléphone mobile et à la diffusion des NTIC.** Les câbles sous-marins haut débit améliorent l'accès des villes côtières à Internet. Le Maghreb et l'Afrique du Sud concentrent la moitié des internautes.

C Les « Afriques » entre intégration et marginalisation

■ **L'Afrique du Sud est la seule puissance complète du continent, intégrée à la finance mondiale** par la Bourse de Johannesburg. Le Nigeria, l'Égypte et les États du Maghreb s'affirment comme puissances régionales. Pour peser davantage dans l'économie et la diplomatie mondiale, les États se regroupent dans des organisations régionales (SADC, UA).

■ **L'Afrique subsaharienne concentre 34 PMA (sur 49 dans le monde).** Leurs économies sont fondées sur la rente agricole (Côte d'Ivoire, Sénégal, Mali...), minière (RDC, Sierra Leone, Guinée...) ou pétrolière (Soudan et Soudan du Sud, Angola...). Ils sont affaiblis par la dépendance alimentaire, les variations des cours des matières premières et les conflits nationaux, interethniques ou interétatiques. Les régions sahéliennes sont pénalisées par leur enclavement.

■ **La mondialisation ne bénéficie qu'aux classes moyennes urbaines** (doc. 4) **et aux diasporas** (indienne, libanaise, chinoise...). Les laissés-pour-compte de la croissance sont les habitants des bidonvilles, les ruraux sans débouchés économiques et les minorités ethniques et politiques qui constituent les flux migratoires.

Repère

L'essor des exportations de l'Afrique 1948-2012

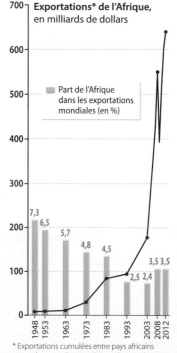

Exportations* de l'Afrique, en milliards de dollars

■ Part de l'Afrique dans les exportations mondiales (en %)

7,3 — 6,5 — 5,7 — 4,8 — 4,5 — 2,5 — 2,4 — 3,5 — 3,5

1948 1953 1963 1973 1983 1993 2003 2008 2012

* Exportations cumulées entre pays africains et vers les pays d'autres régions du monde.

Source : OMC, 2014.

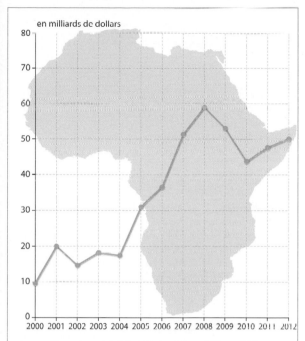

en milliards de dollars

La part du montant global des IDE absorbés par l'Afrique (4 %) est la plus basse du monde. Mais, en termes absolus, la valeur de ces flux financiers vers l'Afrique est importante et augmente rapidement, notamment dans les secteurs pétroliers et miniers.

Source : CNUCED, 2014

1 Les flux nets[1] d'IDE vers l'Afrique (2000-2012)

1. IDE nets = IDE entrants – IDE sortants, voir définition p. 292.

3 L'Afrique dans la production minière mondiale

Minerai	Pays	Part de la production mondiale (%)	Rang
Platine	Afrique du Sud	30	1er
Chrome	Afrique du Sud	40	1er
Diamant	Botswana	18,5	2e
	RDC	15,5	3e
Cobalt	RDC	72	1er
Or	Afrique du Sud	7	5e
Manganèse	Afrique du Sud	18	2e
	Gabon	7,5	3e
Titane	Afrique du Sud	13,7	2e
Uranium	Niger	7,6	4e
	Namibie	6	5e

Source : World Mineral Production 2007-2011.

2 L'affirmation de la « Chinafrique »

Les grandes entreprises chinoises se sont fait une spécialité de construction d'infrastructures dans des délais records. En quelques années, le réseau routier éthiopien a été modernisé de façon spectaculaire. En 2007, la Chine et la RDC ont signé un protocole pour des infrastructures routières et ferroviaires. Protocole exemplaire de ces échanges «infrastructures contre permis minier ou forestier». Les sociétés chinoises emploient une abondante main-d'œuvre importée de Chine. Efficace, peu rémunérée et à faible protection sociale, elle rend toute concurrence impossible, au point que des projets financés par les pays européens font appel à des entreprises chinoises... On estime à 100 000 le nombre de travailleurs venus de Chine employés dans ces entreprises (à environ 750 000 le nombre total de Chinois en Afrique). Phénomène nouveau, un nombre croissant de Chinois investissent la petite entreprise commerciale et artisanale et pénètrent jusqu'à l'informel. Au Cap, les « triades[1] » ont même supplanté les Nigérians dans l'organisation du commerce illicite des drogues... Sur le terrain du petit commerce, les Chinois exercent une concurrence que les Africains ne sont pas prêts d'accepter : des émeutes anti-chinoises se sont déjà produites, par exemple au Soudan et au Sénégal.

Roland Pourtier, *Afriques noires*, 2010.

1. Nom donné aux réseaux mafieux en Chine.

4 L'émergence de classes moyennes

La taille de la famille (deux enfants) et la pratique des loisirs balnéaires caractérisent les classes moyennes qui émergent en Afrique (ici à Maputo au Mozambique).

1. En quoi ces familles sont-elles représentatives des mutations de la société en Afrique ?

Comment l'Afrique du Sud s'intègre-t-elle dans la mondialisation

L'Afrique du Sud est un géant africain (25 % du PIB du continent). Ses ressources minières attirent les investisseurs étrangers comme la Chine qui l'a fait entrer dans le groupe des BRICS en 2011, lui conférant ainsi un rôle politique international. Cependant, la croissance du pays est entravée par des inégalités sociales très fortes.

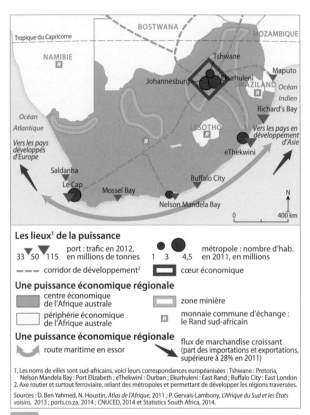

Les lieux[1] de la puissance

- port : trafic en 2012, en millions de tonnes 33 50 115
- métropole : nombre d'hab. en 2011, en millions 1 3 4,5
- corridor de développement[2]
- cœur économique

Une puissance économique régionale

- centre économique de l'Afrique australe
- périphérie économique de l'Afrique australe
- zone minière
- R monnaie commune d'échange : le Rand sud-africain

Une puissance économique régionale

- route maritime en essor
- flux de marchandise croissant (part des importations et exportations, supérieure à 28% en 2011)

1. Les noms de villes sont sud-africains, voici leurs correspondances européanisées : Tshwane : Pretoria, Nelson Mandela Bay : Port Elizabeth ; eThekwini : Durban ; Ekurhuleni : East Rand ; Buffalo City : East London
2. Axe routier et surtout ferroviaire, reliant des métropoles et permettant de développer les régions traversées.

Sources : D. Ben Yahmed, N. Houstin, *Atlas de l'Afrique*, 2011 ; P. Gervais-Lambony, *L'Afrique du Sud et les États voisins*, 2013 ; ports.co.za, 2014 ; CNUCED, 2014 et Statistics South Africa, 2014.

1 L'Afrique du Sud, une puissance économique émergente

3 Des inégalités sociales persistantes

	Afrique du Sud	Afrique sub-saharienne
Population urbaine en 2011, en %	62,4	37
Population ayant accès à une source d'eau en 2011, en %	79	63
Adultes vivant avec le VIH en 2012, en %	17,9	4,6
Population ayant un travail en 2010, en %	49,6	74,5
Taux d'utilisateurs d'Internet en 2010, en %	12,3	11,3
Taux d'homicides, en 2004-2011, pour 100 000 habitants	31,8	20,4
Taux d'alphabétisation en 2005-2010, en %	88,7	63
IDH en 2012	0,629	0,475

Sources : Banque mondiale, 2014 et PNUD 2014.

2 L'Afrique du Sud, une porte d'entrée pour la Chine en Afrique

En Afrique du Sud, les investisseurs chinois achètent principalement des matières premières (le sous-sol du pays recèle notamment 80 % des réserves mondiales de manganèse, 40 % pour l'or). La première économie du continent noir est aussi un marché dynamique porté par une classe moyenne noire, un débouché appréciable pour les groupes chinois, tels les fabricants de produits électroménagers, comme Hisense. À partir d'Afrique du Sud, les entreprises chinoises ont accès à un marché régional, vaste de 260 millions d'habitants, celui de la SADC (Communauté de développement de l'Afrique australe) et qui devrait s'élargir. En prenant des participations dans le capital des entreprises sud-africaines, les groupes chinois accèdent à de nouveaux marchés en Afrique, sans pour autant apparaître au premier plan. L'ouverture d'une usine en Afrique du Sud est motivée par plusieurs facteurs : éviter les droits de douanes à l'entrée de ce marché, ne pas supporter le coût du transport, et utiliser les matières premières du pays à des prix plus attractifs. Enfin, les ports en eaux profondes (eThekwini , Saldanha Bay et Richard's Bay) et la position stratégique du pays situé sur la route entre l'Asie et l'Europe sont également des atouts, puisque les navires en provenance d'Asie peuvent faire escale dans les ports sud-africains, avant de rejoindre l'Europe.

F. Lafargue, « L'Afrique du Sud et la Chine, un mariage de raison ? », *Afrique contemporaine* n° 242, 2012.

4 Des inégalités sociales héritées

Entrée du township de Soweto (SOuth WEstern TOwnship) à Johannesburg.

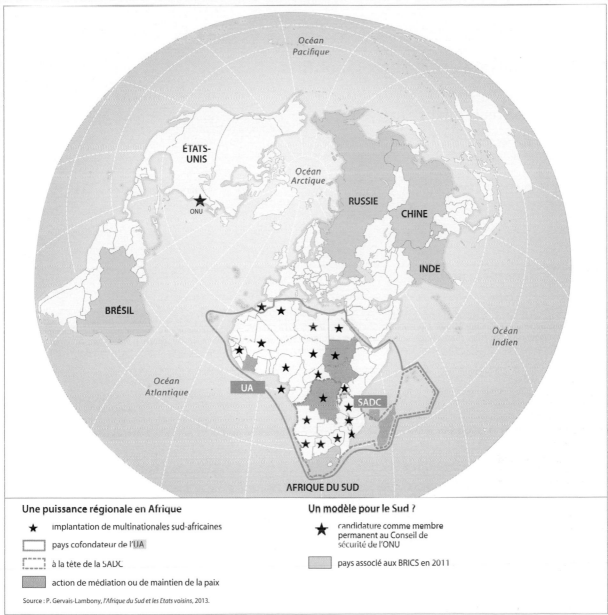

Une puissance régionale en Afrique

★ implantation de multinationales sud-africaines

▢ pays cofondateur de l'UA

⬚ à la tête de la SADC

▨ action de médiation ou de maintien de la paix

Un modèle pour le Sud ?

★ candidature comme membre permanent au Conseil de sécurité de l'ONU

▨ pays associé aux BRICS en 2011

Source : P. Gervais-Lambony, *l'Afrique du Sud et les États voisins*, 2013.

5 **Une puissance émergente en Afrique et dans le monde ?**

Questions

1. Quels sont les atouts permettant à l'Afrique du Sud d'être une puissance économique émergente ? (**doc. 1, 2 et 5**)

2. Comment s'affirme l'émergence politique de l'Afrique du Sud ? (**doc. 5**)

3. Quels sont les freins sociaux qui limitent l'émergence ? (**doc. 3 et 4**)

Prépa BAC | COMPOSITION 7

EXERCICE GUIDÉ

SUJET Le Sahara : ressources, conflits

Étape 1 Analyser le sujet

■ Identifier les mots-clés et délimitez l'espace concerné.

Conseil *Utilisez le vocabulaire spécifique acquis dans le chapitre (aridité, terminal pétrolier...)*

Le Sahara : **ressources, conflits**

> Quelles sont les limites du Sahara (pays concernés) et quelles sont les caractéristiques de ce territoire ?

> Listez les ressources du Sahara qui suscitent les convoitises et qui en font un territoire stratégique.

> Trouvez un synonyme au terme « conflits ». Quels conflits existent, en lien avec le contrôle et l'exploitation des ressources ? Y a-t-il d'autres conflits ?

Étape 2 Élaborer le plan

À l'aide du cours p. 368, donnez un titre au 3ᵉ paragraphe du tableau et complétez la liste d'arguments suivante.

Longtemps à la marge, l'espace saharien est aujourd'hui au cœur de la géopolitique internationale ; L'essor des trafics au Sahara a pris une ampleur inégalée ; Le Sahara est un espace politiquement instable ; Des conflits sont générés, directement ou indirectement, par les ressources naturelles ; Les ressources énergétiques sont variées mais bénéficient peu aux populations sahariennes.

Reportez ces arguments dans la 2ᵉ colonne du tableau.

	Arguments	Exemples
Paragraphe 1 Un désert riche en ressources mais peu peuplé	– Le Sahara est un espace contraignant peu peuplé. – .... –	– précipitations inférieures à 100 mm/an – .... – ....
Paragraphe 2 Un espace géopolitique fragmenté	– .... – .... –	– .... – .... – ....
Paragraphe 3	– .... – .... –	– .... – .... – ....

À l'aide des documents des pages 362 à 367, illustrez chaque idée d'un ou deux exemples.

Étape 3 Rédiger la composition

Le Sahara est un espace contraignant peu peuplé. Caractérisé par l'aridité (les précipitations y sont par exemple inférieures à 100 mm/an) et l'immensité (plus de 8,5 km²), ce désert est longtemps resté en marge. À l'époque coloniale, il était en effet considéré comme un espace inutile. La population y est relativement faible (7 millions d'habitants), ce qui contraste avec les fortes densités des littoraux méditerranéen et atlantique. Les populations sahariennes sont culturellement très diverses comme le prouve la cohabitation entre nomades touareg, minorités berbérophones, minorités chrétiennes ou animistes dans des États principalement musulmans. Enfin, les habitants du Sahara se concentrent dans les oasis (Fezzan en Libye, Tademaït en Algérie) et les villes (Tamanrasset en Algérie, Gao au Mali).

> La première phrase de chaque paragraphe annonce son contenu

> Argument

> Mot de liaison

> Exemple extrait du cours : il s'appuie sur des données précises (données chiffrées, lieux précis...)

Sur le modèle du premier paragraphe, rédigez la suite de la composition.

Conseil *Pour illustrer la composition, il n'est pas attendu un schéma complet sur le sujet.*

Complétez le titre et le schéma 1 illustrant le premier paragraphe de la composition en sélectionnant les informations dans la liste ci-dessous.

Ressources en eau et aménagements hydrauliques ; zone d'activités illicites ; flux migratoire ; zone d'exploitation des énergies ; intérêt des FTN ; zone d'insécurité alimentaire et de mal-développement ; exportation des ressources ; conflit armé ; importation nécessaire des denrées alimentaires ; région à faible densité, peuplée par des groupes minoritaires ; présence internationale.

Complétez la légende du schéma 2 ci-dessous.

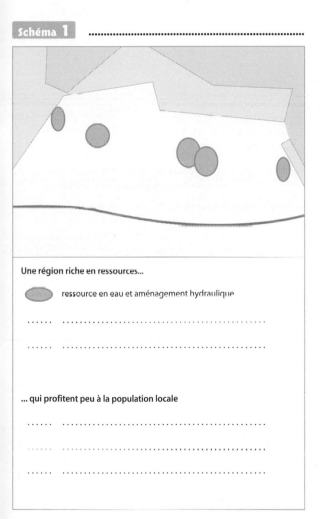

Schéma 1 ....

Une région riche en ressources...

⬭ ressource en eau et aménagement hydraulique

....

....

... qui profitent peu à la population locale

....

....

....

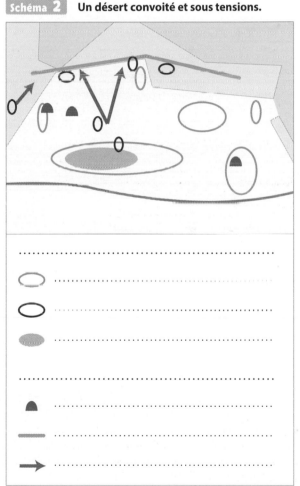

Schéma 2 **Un désert convoité et sous tensions.**

....

⬭ ....

⬭ ....

⬭ ....

....

◗ ....

▬ ....

➜ ....

EXERCICE GUIDÉ

SUJET Le continent africain face
au développement et à la mondialisation

Étape 1 Analyser le sujet

■ Identifier les mots-clés et délimiter
l'espace concerné.

Le continent africain **face au développement** et **à la mondialisation**

Si l'échelle concernée est celle du continent, il ne
faut pas omettre les autres échelles : quelles sont les
disparités intrarégionales ?

Cette expression suggère
l'existence d'un problème.

Reportez-vous à la définition
p. 240. Quels sont les obstacles
au développement de l'Afrique ?

Quelle est la place
de l'Afrique dans la
mondialisation ?

Étape 2 Élaborer le plan

Complétez les deux premières colonnes du tableau avec les verbes proposés.

Paragraphes *Verbes à utiliser pour formuler les grandes parties : se confronter, s'affirmer, se creuser*	Arguments *Verbes à utiliser pour formuler les arguments : s'imposer, être, demeurer, accuser, émerger, se mettre, devoir surmonter, devenir*	Exemples
1. Un continent en marge de la mondialisation, qui .... progressivement	a. L'Afrique .... une périphérie dans la mondialisation b. L'Afrique .... un nouvel acteur géopolitique sur la scène internationale	– L'Afrique représente à peine 4 % de la valeur des exportations dans le monde – ....
2. Un continent qui......................... aux défis du développement	a. L'Afrique.......................... en mal de développement b. L'Afrique.......................... les obstacles à son développement c. De nouveaux leviers de développement .... progressivement en place.	– .... – .... – ....
3. Les « Afriques », des disparités qui .... à toutes les échelles	a. L'Afrique du Sud................................. comme seule puissance complète b. Des puissances régionales .... c. L'Afrique subsaharienne .... un retard important	– .... – .... – ....

Complétez la 3e colonne du tableau avec les exemples suivants :

34 des 49 PMA sont en Afrique subsaharienne ; Certaines régions d'Afrique servent de bases aux groupes terroristes et à la piraterie ; Les plans d'ajustements structurels imposés par le FMI et la Banque mondiale ont réduit la dette des États africains ; l'émergence de l'Afrique du Sud est un modèle pour les autres pays d'Afrique ; les conflits armés concernent 20 % de la population africaine ; L'Afrique a l'IDH continental le plus faible du monde ; les États du Maghreb affirment leur puissance grandissante.

Étape 3 Rédiger la composition

En vous appuyant sur les réponses à l'étape 1, rédigez une courte introduction de la composition.

Conseil *La forme de l'introduction est libre mais il est important d'y définir le ou les mots-clés du sujet.*

Complétez le paragraphe suivant en utilisant les mots de liaison adaptés.

Conseil *L'utilisation judicieuse des mots de liaison montre la bonne maîtrise de la langue.*

……………….., l'insécurité alimentaire concerne tous les pays. ………….. la malnutrition touche environ 230 millions de personnes et les émeutes de la faim sont récurrentes (2008). ……….., faute d'investissement, les agricultures vivrières sont délaissées pour les cultures d'exportation (café, cacao, fleurs…). ………………., les risques environnementaux (érosion des sols, déforestation, désertification) pénalisent localement les pratiques agricoles.

Étape 4 Illustrer la composition par un schéma

Complétez la légende et le schéma ci-dessous.   Complétez le titre et la légende du schéma ci-dessous.

Schéma 1 **Les obstacles du développement**   **Schéma 2** ....

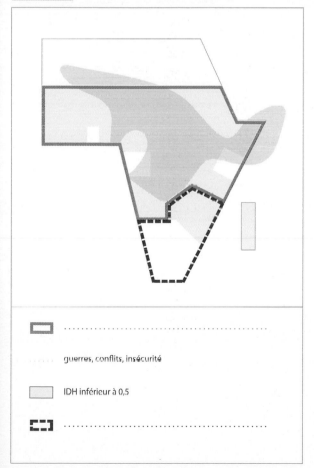

☐ ....

┈┈┈ guerres, conflits, insécurité

▢ IDH inférieur à 0,5

⊏⊐ ....

☐ ....

⋯⋯ espaces connectés (façades maritimes, câblage numérique)

▨ IDH supérieur à 0,5

ENTRAÎNEMENT

SUJET   Le Sahara : ressources, conflits

Pourquoi peut-on dire que le Sahara dispose de ressources importantes mais que les tensions géopolitiques constituent un frein au développement de cet espace ? Quelles limites (choix cartographiques, informations retenues) ce document présente-t-il pour traiter le sujet ?

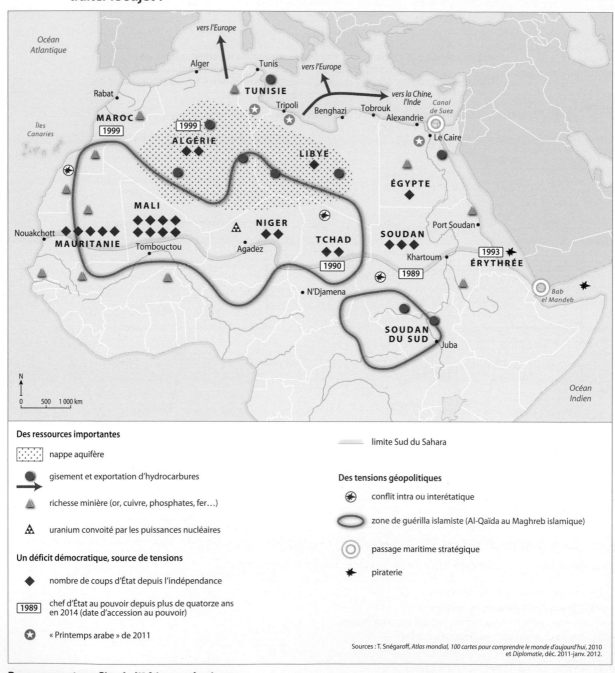

Des ressources importantes

⬚ nappe aquifère

● gisement et exportation d'hydrocarbures

▲ richesse minière (or, cuivre, phosphates, fer…)

⚛ uranium convoité par les puissances nucléaires

Un déficit démocratique, source de tensions

◆ nombre de coups d'État depuis l'indépendance

1989 chef d'État au pouvoir depuis plus de quatorze ans en 2014 (date d'accession au pouvoir)

✪ « Printemps arabe » de 2011

▬▬ limite Sud du Sahara

Des tensions géopolitiques

✹ conflit intra ou interétatique

◯ zone de guérilla islamiste (Al-Qaïda au Maghreb islamique)

◎ passage maritime stratégique

✺ piraterie

Sources : T. Snégaroff, *Atlas mondial, 100 cartes pour comprendre le monde d'aujourd'hui*, 2010 et *Diplomatie*, déc. 2011-janv. 2012.

Ressources et conflits de l'Afrique saharienne

■ Identifier les mots-clés et délimiter l'espace concerné

Le sujet invite à recenser les ressources du Sahara mais aussi les convoitises qu'elles suscitent et qui sont un facteur de tensions.

Quels sont les pays concernés par cette région de l'Afrique ?

Quelles sont les différentes formes de conflits et de tensions inter et intra-étatiques ? En quoi aggravent-elles les retards de développement de la région ?

Ressources et conflits du Sahara
Pourquoi peut-on dire que le Sahara **dispose de ressources importantes mais que les tensions géopolitiques constituent un** frein au développement **de cet espace ?**
Quelles limites (choix cartographiques, informations retenues) ce document présente-t-il pour traiter le sujet ?

Aider-vous par exemple des savoir-faire acquis dans le chapitre 1 sur la représentation cartographique d'un espace.

Définir le terme développement. Quels sont les signes de retard de développement de la région ?

Étape 2 **Exploiter et confronter les informations**

Complétez le tableau ci-dessous.

Conseil *Utiliser les informations des documents cités dans la 3ᵉ colonne pour enrichir la réflexion et éviter la paraphrase.*

	Informations prélevées dans le document	Connaissances personnelles
Montrez que le Sahara dispose de ressources géostratégiques à l'échelle régionale et mondiale.	– ressources énergétiques : .... – .... –	voir doc. 5 p. 363, doc. 12 p. 366 et doc. 2 p. 362
Quelles informations montrent que la zone est politiquement instable ? Quelles activités criminelles aggravent les tensions géopolitiques ? Pourquoi l'accès aux ressources est-il aussi un facteur de tension ?	– .... – .... – .... – .... – .... – .... – .... – .... –	voir doc. 15 p. 367 et doc. 11 p. 366
Pourquoi les tensions géopolitiques constituent-elles un frein au développement ?	– .... – .... –	voir doc. 6 p. 364

Étape 3 **Organiser et synthétiser les informations**

Dans la liste suivante, choisissez un titre à chacun des trois paragraphes de l'analyse de document.

– *Des ressources importantes et convoitées*
– *Des ressources et des tensions géopolitiques*
– *Une mise en valeur compromise par les tensions géopolitiques*
– *Des conflits et tensions géopolitiques nombreux*
– *Le Sahara, un espace de tensions géopolitiques*
– *Un espace au retard de développement important*
– *Un développement freiné par les tensions politiques*

ENTRAÎNEMENT

SUJET   Le continent africain face au développement

En confrontant les deux documents, montrez que l'Afrique dispose d'atouts importants mais que les disparités de développement constituent un frein à son insertion dans la mondialisation. Identifiez les limites de ces deux documents.

1   L'Afrique sur la voie du développement ?

Et si l'Afrique était en train de devenir la nouvelle zone émergente du monde ? [...] Pour Jean-Michel Severino et Olivier Ray, auteurs du *Temps de l'Afrique*, le premier atout du continent est d'être engagé dans une révolution démographique. Avec 1,8 milliard d'habitants prévus en 2050 selon les projections de l'ONU, l'Afrique aura 25 % d'habitants de plus que la Chine et, surtout, aura vu sa population multipliée par dix en un siècle seulement, du jamais-vu dans l'histoire de l'humanité. Comme pour les pays riches et émergents actuels, cette poussée de la force de travail peut être source de croissance. Elle s'accompagnera d'une urbanisation galopante et d'une densification des territoires susceptibles de nourrir une croissance interne par la création de vastes marchés intérieurs et l'installation de relations villes-campagnes mutuellement avantageuses, les campagnes alimentant les villes et les villes produisant des services et des biens pour les campagnes. [...]

L'Afrique attire aussi progressivement un peu plus d'investisseurs étrangers. On évoque souvent les capitaux apportés par la Chine pour financer les infrastructures énergétiques et minières qu'elle utilise pour alimenter son industrie. Mais les investisseurs étrangers s'intéressent également de plus en plus au secteur bancaire, au commerce, au transport ou encore aux télécoms [...].

Enfin, le continent dispose d'un potentiel agricole et énergétique important, susceptible notamment de répondre aux demandes croissantes des classes moyennes des pays émergents d'Asie. L'Afrique concentre en effet 60 % des terres arables non cultivées de la planète, elle dispose de vastes ressources minières et d'un énorme potentiel énergétique. [...]

Tout n'est pas rose pour autant. [...] Le développement de l'Afrique est très inégal et les disparités entre pays risquent encore de s'accroître dans les années qui viennent.

« La croissance démographique s'accompagne de migrations internes qui occasionnent une pression foncière et nourrissent une conflictualité qui peut détruire la croissance », poursuit Jean-Michel Severino. L'Afrique est également en très mauvaise posture face au réchauffement climatique. Elle est très exposée aux évènements extrêmes, et en particulier à la montée des eaux dans les zones côtières de l'ouest qui devraient rassembler 250 millions d'habitants en 2050.

Sur le plan de l'insertion internationale du continent, les économistes de l'AFD[1] soulignent également que si l'intensification des relations avec les pays émergents d'Asie est nécessaire pour profiter du dynamisme de la zone, elle « risque de polariser encore davantage les économies africaines autour des activités extractives et de ralentir ainsi le besoin de diversification (sectorielle) du continent ».

C. Chavagneux, « L'Afrique est bien repartie », *Alternatives économiques*, juillet-août 2011.

1. Agence française de développement.

2   De fortes disparités de développement

Pays	Rang mondial de l'IDH en 2012	RNB/hab. en 2012, en dollars PPA	Taux d'alphabétisation en 2005-2010 (part des 15 ans et plus)	Espérance de vie à la naissance en 2012, en années	Nombre moyen d'enfants par femme, prévisions 2010-2015	Part de la population vivant avec moins de 1,25 $ par jour, 2002-2011, en %
Libye	64e	13 765	88	75	2,4	–
Afrique du Sud	121e	9 594	89	53	2,4	14
Nigeria	153e	2 102	61	52	5,5	68
Niger	186e	701	29	55	7	44
Monde	–	**10 223**	**81**	**70**	**2,5 ,4**	–

Source : PNUD, 2013.

Analyser le sujet et la consigne

■ Identifier les mots-clés et
délimiter l'espace concerné

Le sujet est à l'échelle du continent africain mais le tableau de données statistiques montre les inégalités internes du continent.

Définir le terme « développement ». Quels indicateurs permettent de mesurer les écarts de développement du continent africain ?

Quels sont les atouts de l'Afrique ? Pensez à classer ces atouts : démographie, économie…

Le continent africain face au développement
En confrontant les deux documents, montrez que l'Afrique dispose d'atouts importants mais que les disparités de développement constituent un frein à son insertion dans la mondialisation. Identifiez les limites de ces deux documents.

Quelle est la place de l'Afrique dans la mondialisation ? Quels sont les obstacles à son insertion ?

Ces documents abordent-ils tous les aspects du sujet ?

Étape 2 **Exploiter et confronter les informations**

Conseil *Pour éviter la paraphrase, il faut classer les informations et les rattacher à un argument plus général.*

Complétez le tableau suivant.

	Prélèvement des informations dans les documents	Apport de connaissances personnelles
Quels atouts peuvent faire de l'Afrique « une nouvelle zone émergente du monde » ?	– sur le plan démographique : *une croissance démographique qui peut être source de croissance* – sur le plan économique : .... –	– Voir C du cours 2 p. 372 : quelles dynamiques récentes peuvent soutenir le développement de l'Afrique ? – Voir B cours 2 : donner des exemples de ressources énergétiques de l'Afrique.
Quelles faiblesses freinent l'insertion de l'Afrique dans la mondialisation ?	– sur le plan environnemental : *risques liés au réchauffement climatique (montée des eaux sur les zones côtières fortement peuplées)* – sur le plan du développement : Les indicateurs économiques : – .... – .... Les indicateurs démographiques et sociaux : –	– voir A et B cours 2 p. 372 : quels obstacles sont des freins à l'intégration dans la mondialisation ? – Voir A cours 3 p. 378 expliquez la dernière phrase du doc. 1 mise entre guillemets.
Des leviers de développement qui ne concernent pas toutes les « Afriques »	–	– Voir C du cours 3 p. 378 : quels pays profitent le plus des dynamiques récentes de développement ?

Étape 3 **Organiser et synthétiser les informations**

Complétez la rédaction du premier paragraphe puis rédigez la suite de l'analyse de documents en suivant l'exemple du premier paragraphe :

L'Afrique dispose de nombreux atouts pour devenir une « nouvelle zone émergente ». En effet, la forte croissance démographique (population multipliée par 10 en un siècle, taux de fécondité élevé dans les pays les plus pauvres) peut nourrir la croissance économique (main-d'œuvre nombreuse, création de marchés intérieurs, relations villes-campagnes mutuellement avantageuses) ....

Mais les disparités de développement restent fortes et sont un frein à son insertion dans la mondialisation. ....

Des leviers de développement apparaissent qui ne concernent cependant pas tous les pays d'Afrique de la même façon. ....

ENTRAÎNEMENT

SUJET Le continent africain face à la mondialisation

En confrontant les deux documents, montrez que l'Afrique devient un nouveau marché à conquérir et que ses atouts sont multiples.

1 L'Afrique, un champ d'expansion pour les investissements extérieurs

Arrivés sur le continent africain à la fin des années 1990, Huawei et Zhongxing Telecom (ZTE), les deux géants chinois spécialisés dans la fabrication de téléphones, ont bousculé le marché local. [...] Basés tous les deux à Shenzhen, en Chine, [ils] se sont imposés dans le paysage africain des télécommunications, au nez et à la barbe des [...] leaders mondiaux.

Arrivé en 1998 en Afrique, où il est désormais actif dans plus de trente pays, Huawei travaille ainsi avec la plupart des opérateurs locaux présents, dont les sud-africains Telkom et MTN, le kenyan Safaricom, le français Orange [...]. [Il] a clairement défini une nouvelle stratégie : « Dans le passé, nous étions focalisés sur les opérateurs télécoms. Désormais, nous visons

également les consommateurs », confirme Wan Biao, directeur exécutif de Huawei Device.

Sur le terminal à conteneurs de Can Island, à Lagos, des hangars entiers sont destinés au montage de téléphones Huawei qui alimenteront l'Afrique, mais aussi l'Europe. Loin encore de tacler le plus gros vendeur, Nokia (453 millions de téléphones en 2010), la marque chinoise a tout de même écoulé quelque 7 millions de portables au premier semestre 2011. Objectif : devenir le 3e vendeur de mobiles en 2015. Rien que sur le marché nigérian, le fabricant a frappé un grand coup en lançant en septembre [...] son smartphone Ideos à un prix inférieur à 75 euros.

M. Pauron, « Télécoms, les nouvelles visées des opérateurs chinois en Afrique », Jeuneafrique.com, nov. 2011.

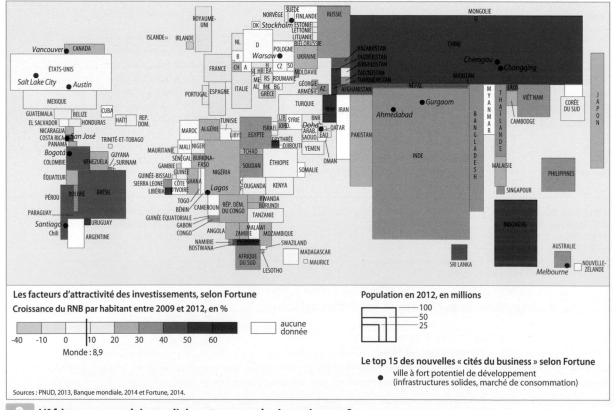

Les facteurs d'attractivité des investissements, selon Fortune

Croissance du RNB par habitant entre 2009 et 2012, en %

-40 -10 0 10 20 30 40 50 60 aucune donnée

Monde : 8,9

Population en 2012, en millions

100
50
25

Le top 15 des nouvelles « cités du business » selon Fortune

● ville à fort potentiel de développement (infrastructures solides, marché de consommation)

Sources : PNUD, 2013, Banque mondiale, 2014 et Fortune, 2014.

2 L'Afrique, un marché mondial porteur pour les investisseurs ?

Étape 1 ▌ Analyser le sujet et la consigne

■ Identifier les mots-clés et délimiter l'espace concerné

Conseil *La confrontation de deux documents invite à comparer les points de vue (points communs, différences) mais également les omissions de l'un et de l'autre.*

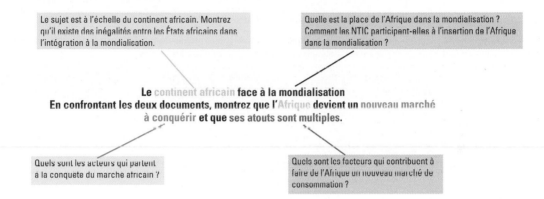

Le sujet est à l'échelle du continent africain. Montrez qu'il existe des inégalités entre les États africains dans l'intégration à la mondialisation.

Quelle est la place de l'Afrique dans la mondialisation ? Comment les NTIC participent-elles à l'insertion de l'Afrique dans la mondialisation ?

Le continent africain face à la mondialisation
En confrontant les deux documents, montrez que l'Afrique devient un nouveau marché à conquérir et que ses atouts sont multiples.

Quels sont les acteurs qui partent à la conquête du marché africain ?

Quels sont les facteurs qui contribuent à faire de l'Afrique un nouveau marché de consommation ?

Étape 2 ▌ Exploiter et confronter les informations

Complétez le tableau suivant.

	Prélèvement des informations dans les documents	Apport de connaissances personnelles
Quels sont les facteurs d'attractivité de l'Afrique pour les investissements ?	– Un marché de consommateurs qui s'élargit : Doc. 1 : .... Doc. 2 : .... – Des villes qui ont un fort potentiel de développement :	– Pourquoi la démographie de l'Afrique est-elle un atout ? Voir Cours 2 p. 372.
Quelles sont les FNT qui s'intéressent au marché de la téléphonie mobile en Afrique ?	– Comment les FTN adaptent-elles leur stratégie de développement au niveau de vie de l'Afrique ? –	– Montrez que le développement du numérique contribue à l'insertion de l'Afrique dans la mondialisation (voir Cours 3 p. 378)
Quels sont les pays où les investissements se concentrent ?	– .... –	– Expliquez l'inégale intégration des territoires africains dans la mondialisation. Voir Carte p. 377.

Étape 3 ▌ Organiser et synthétiser les informations

Rédigez l'analyse de documents en organisant votre réponse dans les paragraphes suivants.

a) Un nouveau marché à conquérir qui repose sur de multiples atouts
b) Des FTN qui s'intéressent de plus en plus au marché africain
c) Des territoires africains inégalement intégrés à la mondialisation

EXERCICE GUIDÉ

SUJET Le continent africain : contrastes de développement et inégale intégration dans la mondialisation

Étape 1 Analyser le sujet

■ Identifier les mots-clés et délimiter l'espace concerné

Le sujet évoque l'échelle continentale. N'y a-t-il pas des éléments de diversité ?

Pourquoi le développement et l'intégration de l'Afrique dans la mondialisation présentent-ils de forts contrastes ?

Le continent africain : **contrastes de développement** et inégale **intégration dans la mondialisation**.

Qu'est-ce que le développement ? Comment caractériser le développement africain par rapport au reste du monde ?

Quelles relations peut-on établir entre le développement et la mondialisation ?

Qu'est-ce que la mondialisation ? Quelles sont les formes d'intégration du continent dans la mondialisation ?

Étape 2 Sélectionner les informations

Complétez les schémas suivants (figurés, nomenclature) et leur légende en vous aidant des cartes p. 370, 371, 376 et 377.

Schéma 1 Un mal-développement, frein à l'intégration à la mondialisation

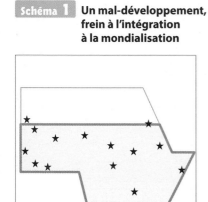

....
....

...... situation sanitaire mal maîtrisée

...... industrie peu diversifiée

★ ....
....

Schéma 2 Des atouts pour une intégration croissante à la mondialisation

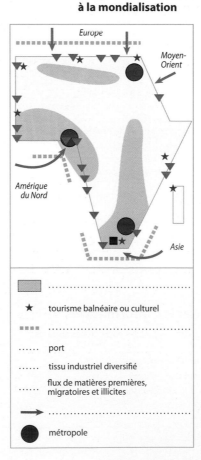

Europe

Moyen-Orient

Amérique du Nord

Asie

▓ ....

★ tourisme balnéaire ou culturel

▪▪▪▪ ....

...... port

...... tissu industriel diversifié

...... flux de matières premières, migratoires et illicites

→ ....

● métropole

Schéma 3 Les « Afriques » face au développement et à la mondialisation

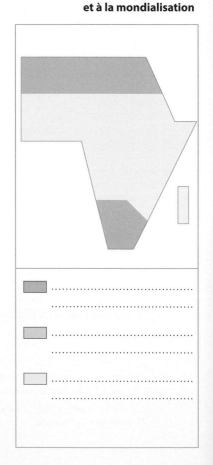

▓ ....
....

▒ ....
....

░ ....
....

Étape 3 Réaliser le croquis

À partir des trois schémas, complétez le croquis en sélectionnant les informations les plus significatives.

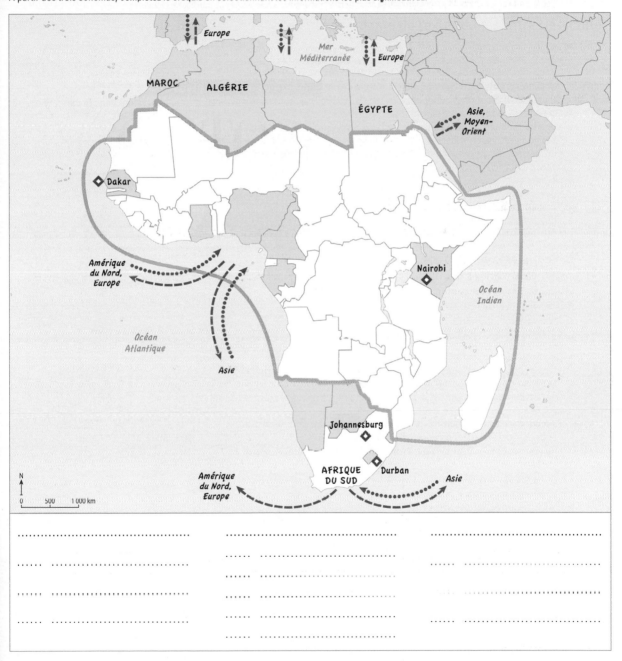

L'essentiel

A. Quels sont enjeux économiques et géopolitiques du Sahara ?

Une région riche en ressources très instable

➤ Le plus grand désert du monde
- des contraintes : contraintes climatiques, région en marge, faiblesse du développement
- des atouts : ressources naturelles nombreuses et variées (hydrauliques, minières, énergétiques)

➤ Un espace géopolitique fragmenté
- une instabilité politique qui se manifeste par la multiplication des tensions et des conflits
- un espace stratégique qui suscite l'attention des grandes puissances mondiales (migrations, terrorisme)

➤ Un espace convoité
- des acteurs qui profitent des ressources : FTN, États rentiers, États étrangers
- des acteurs en marge : population locale
- des conflits pour s'approprier les ressources à toutes les échelles

B. Pourquoi le développement est-il un défi majeur pour l'Afrique ?

Un impératif pour un continent d'un milliard d'habitants

➤ Des raisons impérieuses de se développer :
- une population jeune, croissante et de plus en plus urbaine ;
- mais la grande majorité des habitants n'a pas accès aux biens de première nécessité.

➤ De nombreux obstacles au développement :
- l'insécurité alimentaire, la fragilité des structures économiques, la corruption, l'insécurité et les guerres civiles.

➤ Des dynamiques récentes, mais des inégalités très fortes entre les États :
- l'essor du commerce et des transports, favorisé par la croissance et la démocratisation en cours ;
- des puissances régionales qui émergent : Afrique du Sud, Nigeria.

C. Quelle est la place de l'Afrique dans la mondialisation ?

Un continent en cours d'intégration

➤ L'Afrique, une marge extravertie :
- des économies fondées sur l'exportation de produits primaires peu transformés ;
- une mainmise des FTN des pays du Nord et d'Asie.

➤ L'Afrique, un enjeu géopolitique mondial :
- un continent convoité pour ses ressources et sa position stratégique ;
- l'Europe, les États-Unis et les pays émergents en concurrence pour contrôler ses richesses.

➤ Une intégration très sélective dans la mondialisation :
- une puissance complète, l'Afrique du Sud, et des périphéries intégrées (Nigeria, Égypte) ;
- les PMA, marges convoitées dépendantes de l'aide internationale.

Schémas cartographiques

A. L'Afrique face au développement

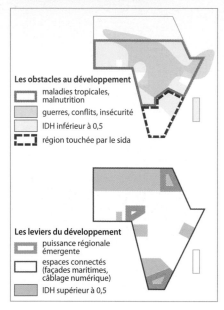

Les obstacles au développement
- maladies tropicales, malnutrition
- guerres, conflits, insécurité
- IDH inférieur à 0,5
- région touchée par le sida

Les leviers du développement
- puissance régionale émergente
- espaces connectés (façades maritimes, câblage numérique)
- IDH supérieur à 0,5

B. La place de l'Afrique dans la mondialisation

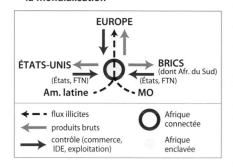

- flux illicites
- produits bruts
- contrôle (commerce, IDE, exploitation)
- Afrique connectée
- Afrique enclavée

Organigramme de révision

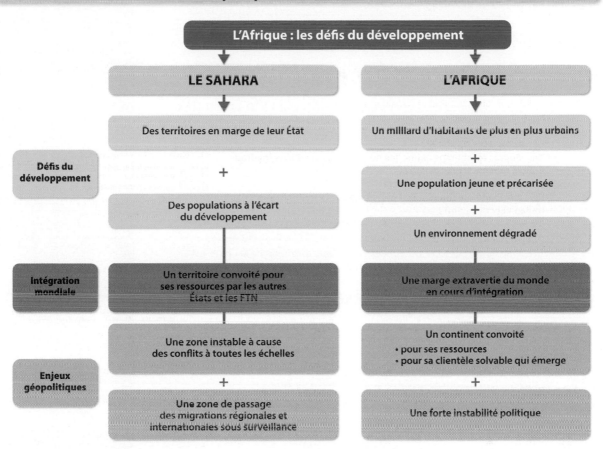

L'Afrique : les défis du développement

LE SAHARA

Des territoires en marge de leur État

+

Des populations à l'écart du développement

Un territoire convoité pour ses ressources par les autres États et les FTN

Une zone instable à cause des conflits à toutes les échelles

+

Une zone de passage des migrations régionales et internationales sous surveillance

L'AFRIQUE

Un milliard d'habitants de plus en plus urbains

+

Une population jeune et précarisée

+

Un environnement dégradé

Une marge extravertie du monde en cours d'intégration

Un continent convoité
• pour ses ressources
• pour sa clientèle solvable qui émerge

+

Une forte instabilité politique

Défis du développement

Intégration mondiale

Enjeux géopolitiques

Repères

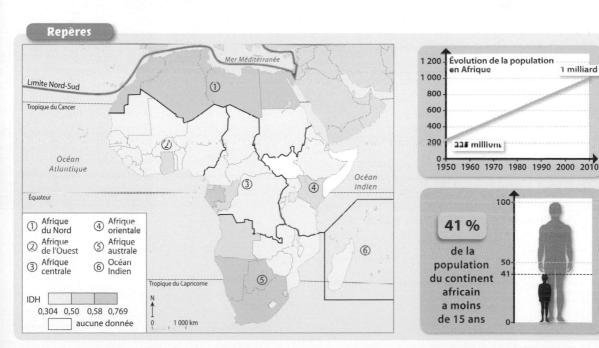

Mer Méditerranée

Limite Nord-Sud

Tropique du Cancer

Océan Atlantique

Équateur

Océan Indien

① Afrique du Nord
② Afrique de l'Ouest
③ Afrique centrale
④ Afrique orientale
⑤ Afrique australe
⑥ Océan Indien

Tropique du Capricorne

IDH
0,304 0,50 0,58 0,769
aucune donnée

N
0   1 000 km

Évolution de la population en Afrique

1 milliard

225 millions

1950 1960 1970 1980 1990 2000 2010

41 % de la population du continent africain a moins de 15 ans

CHAPITRE 5

L'Asie du Sud et de l'Est : les enjeux de la croissance

■ L'essor économique de l'Asie du Sud et de l'Est se traduit par des taux de croissance élevés. L'émergence de cette aire continentale, à laquelle on rattache l'Asie du Sud-Est, est telle que des États comme la Chine et l'Inde sont en passe de réussir leur sortie du sous-développement. La ville de Mumbai est un cas emblématique de cette situation de transition.

■ L'émergence de l'Asie du Sud et de l'Est, qui concentre un peu plus de la moitié de la population mondiale, s'appuie sur une main-d'œuvre abondante qui bénéficie de plus en plus de la croissance du fait de la hausse des salaires. Mais cette population très nombreuse peut devenir un frein pour la croissance économique de la région.

■ Cette forte croissance, qui est le moteur de la fulgurante ascension de la Chine, est à l'origine d'un basculement du centre de gravité du monde vers l'Asie qui compte désormais deux puissances : la Chine et le Japon. L'entrée sur la scène régionale et mondiale de la Chine, plus que celle de l'Inde dont la puissance restera encore modeste d'ici à 2025, modifie sensiblement les rapports de force internationaux.

> **L'Asie du Sud et de l'Est peut-elle, par son potentiel de croissance, devenir le nouveau centre du monde ?**

Le quartier d'affaires à Kuala Lumpur (Malaisie).

Sorti de terre en moins de quinze ans, le quartier d'affaires de Kuala Lumpur est une vitrine de la modernité de la Malaisie qui, selon le FMI, maintiendrait sa croissance au-dessus de 5 % jusqu'en 2016. Depuis la fin des années 1970, la Malaisie s'est lancée dans une stratégie de développement fondée sur les exportations et s'est transformée à un rythme soutenu. Les tours Petronas, qui ont été les plus hautes du monde jusqu'en 2005, témoignent de cette émergence à succès.

La population et la croissance en Asie du Sud et de l'Est

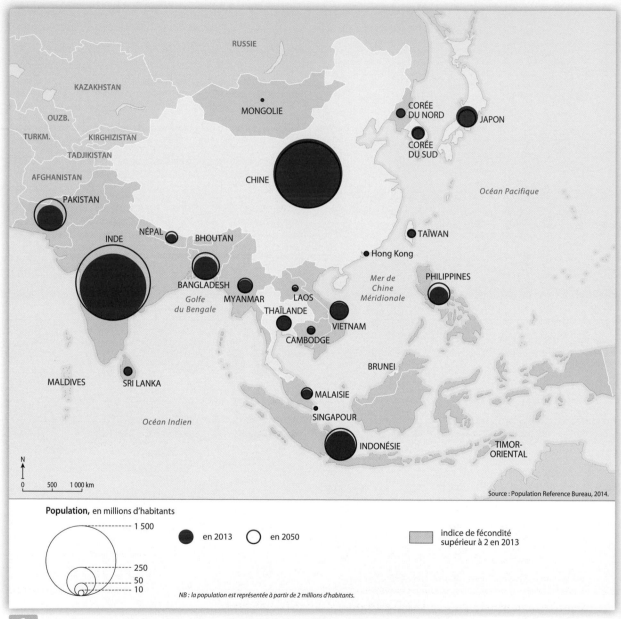

1 Une aire continentale qui concentre la majeure partie de la population mondiale

Source : Population Reference Bureau, 2014.

Population, en millions d'habitants

1 500 — 250 — 50 — 10

en 2013   en 2050

indice de fécondité supérieur à 2 en 2013

NB : la population est représentée à partir de 2 millions d'habitants.

Questions

1. Quels sont les géants démographiques de l'Asie du Sud et de l'Est ?
2. Quels sont les États dont la population va, selon les estimations, augmenter d'ici à 2050 ? Où se situent-ils essentiellement ?
3. Quels sont ceux dont la population va diminuer ? Où se situent-ils essentiellement ?

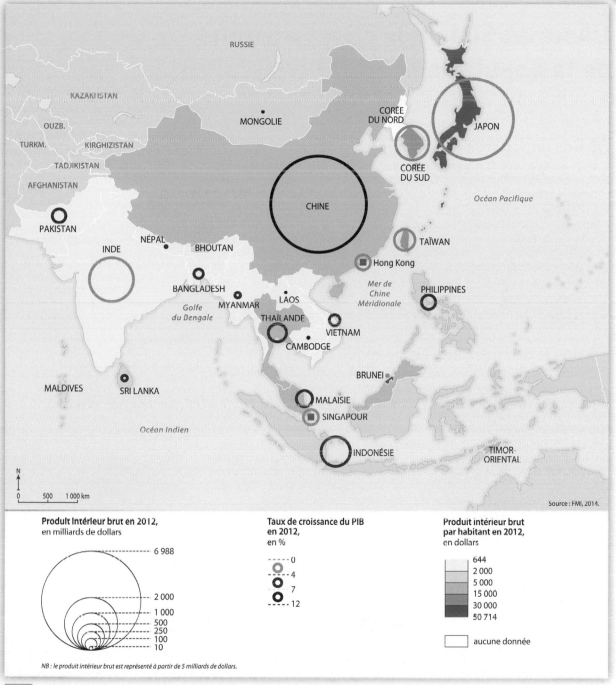

Produit Intérieur brut en 2012,
en milliards de dollars

6 988

2 000
1 000
500
250
100
10

NB : le produit intérieur brut est représenté à partir de 5 milliards de dollars.

**Taux de croissance du PIB
en 2012,**
en %

0
4
7
12

**Produit intérieur brut
par habitant en 2012,**
en dollars

644
2 000
5 000
15 000
30 000
50 714

aucune donnée

Source : FMI, 2014.

2 **Une aire continentale qui connaît la plus forte croissance économique**

Questions

1. Quels sont les géants économiques de l'Asie du Sud et de l'Est ?
2. Quels sont les États où la croissance économique est la plus forte ?
3. Montrez que l'Asie du Sud et de l'Est est la partie du monde qui connaît actuellement la plus forte croissance économique, mais qu'elle reste un espace largement à la recherche d'un développement.

L'Asie du Sud et de l'Est : les défis de la population et de la croissance

> La population et la croissance permettent-elles un développement de l'Asie du Sud et de l'Est ?

A Une importante population

■ **L'Asie du Sud et de l'Est comporte les deux premiers foyers de peuplement de la planète.** Avec 3,9 milliards d'habitants en 2013, elle concentre 55,4 % de la population mondiale.

■ **La Chine et l'Inde sont des géants démographiques.** Avec 1,37 et 1,28 milliard d'habitants en 2013, elles regroupent 66,8 % de la population de l'Asie du Sud et de l'Est. L'Inde deviendrait le pays le plus peuplé du monde vers 2030 en raison d'un accroissement naturel plus fort que celui de la Chine (1,5 % contre 0,5 % en 2013).

■ **L'Asie méridionale et orientale connaît un ralentissement de sa croissance démographique.** En Asie de l'Est, qui a précocement entamé sa transition démographique, la fécondité moyenne est inférieure à la moyenne mondiale (1,4 contre 2,6 en 2013). En Asie du Sud et en Asie du Sud-Est, la majorité des indices de fécondité reste supérieure à 2,5 (doc. 2).

B Une forte croissance économique

■ **L'Asie du Sud et de l'Est est la partie du monde qui connaît la plus forte croissance économique.** En 2013, le FMI donne à 14 pays une croissance supérieure à 5 %. Cette croissance se fonde sur la demande intérieure : ainsi la consommation des ménages et les investissements dans les transports (TGV chinois), les logements collectifs et les services à la population jouent-ils un rôle moteur (Repère A).

■ **L'Asie du Sud et de l'Est est un continent à forte croissance car son économie est aussi tournée vers l'extérieur.** Depuis les années 1950, les pays asiatiques ont adopté une stratégie de sortie du sous-développement initiée par le Japon et fondée sur les exportations. Depuis les années 1980, la Chine symbolise cette stratégie de « pays atelier » orientée vers les marchés extérieurs (Repère B).

■ **Cette stratégie s'appuie sur une main-d'œuvre abondante, qualifiée et compétitive.** L'Asie du Sud et de l'Est constitue la région du monde aux conditions de travail les plus avantageuses pour les entreprises et, par conséquent, une destination accueillante pour les investissements étrangers. En 2010, les pays de l'Asean ont accueilli deux fois plus de flux d'IDE que l'année précédente (doc. 1).

C De grands défis d'avenir

■ **L'Asie du Sud et de l'Est est désormais confrontée à la question du vieillissement de la population.** Au Japon, la baisse de la fécondité (1,4 en 2013) et l'allongement de l'espérance de vie (86 ans pour les femmes et 79 pour les hommes) font que les actifs doivent supporter la charge d'un grand nombre de non-actifs.

■ **L'Asie du Sud et de l'Est doit faire face à la question de la pauvreté.** Même si la croissance permet un rattrapage des niveaux de vie occidentaux et l'émergence d'une classe moyenne, elle ne répond pas, pour l'instant, complètement aux besoins de la population. En 2010, la proportion de personnes disposant de moins de 1,25 dollar par jour s'élève à 39 % de la population totale en Asie du Sud, 19 % en Asie de Sud-Est et 16 % en Asie de l'Est. (doc. 3)

■ **L'Asie du Sud et de l'Est doit surmonter de nombreuses autres difficultés.** Celle du développement de l'enseignement supérieur, nécessaire pour permettre à la production industrielle d'un pays de monter en gamme. Celle des besoins croissants en ressources et en produits de base qui exercent des pressions sur l'environnement.

Vocabulaire

Asie méridionale et Asie orientale : l'Asie méridionale correspond au sous-continent indien et à l'aire de diffusion de la culture indienne et l'Asie orientale à l'aire de diffusion de la culture chinoise.

Montée en gamme : stratégie d'industrialisation d'un pays qui, dans un premier temps, se spécialise dans la production de biens à faible valeur ajoutée et qui, dans un second temps, utilise les recettes effectuées pour passer à la production de biens à plus haute valeur ajoutée. Parallèlement, il délocalise dans les pays voisins, qui débutent leur industrialisation, la production de gamme inférieure. On parle aussi de remontée de filières.

Repère A

Évolution du PIB de l'Asie du Sud et de l'Est depuis 1980

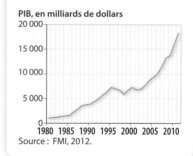

PIB, en milliards de dollars

Source : FMI, 2012.

Repère B

Les étapes de l'essor économique de l'Asie du Sud et de l'Est

Les étapes de l'essor économique de l'Asie du Sud et de l'Est

IDH	PIB/hab.	Japon — *NPIA**	Années 1950-1970
		Dragons Corée du Sud, Hongkong, Singapour, Taïwan	Années 1970-1980
limite			
Nord-Sud		**Tigres** Indonésie, Malaisie, Philippines, Thaïlande	Années 1980-1990
		Chine, Inde	Années 1990
		Vietnam, Cambodge	Phases

*Nouveaux Pays Industrialisés d'Asie
Source : B. Benoit et R. Saussac (dir.), *L'Asie*, 2011.

1 **Sri Lanka : un « pays atelier ».** Ces travailleuses fabriquent des pantalons pour Mark's and Spencer.

1. Définir l'expression « pays atelier » à l'aide de la photographie.
2. Que deviennent les pantalons une fois qu'ils sont fabriqués ?

2 **Japon : les enjeux du déclin démographique**

En 2025, le Japon aura perdu 10 millions d'habitants. La population active aura diminué de 12 millions et représentera à peine 60 % de la population totale. Le nombre des plus de 65 ans aura augmenté de 18 millions et ils constitueront 30 % de la population, alors que les moins de 15 ans (– 5,5 millions) n'en représenteront même plus 10 %. [...] Toutefois le pire n'est jamais sûr. Les jeunes pourraient tirer profit d'une diminution de la population active qui ferait disparaître le chômage et augmenter les salaires. Ils devraient aussi bénéficier d'un meilleur système éducatif – moins d'élèves, plus de concurrence entre les établissements pour les attirer. L'emploi des seniors et, plus encore, celui des femmes seront favorisés. [...]
Nonobstant l'amélioration du taux d'activité des femmes et des seniors, le Japon devra sans doute importer de la main-d'œuvre, en s'ouvrant dans une certaine mesure à l'immigration. Les autorités chiffrent les besoins d'ici à 2020 à 92 000 entrées par an. [...] Si restreinte qu'elle puisse être, cette immigration contrôlée porterait la population d'origine étrangère à 4 % de la population totale (contre 1,7 % aujourd'hui). Il est fort probable que l'essentiel de la main-d'œuvre importée sera cantonnée aux emplois de rebut, mais le Japon, du fait de sa démographie, a déjà aussi besoin d'informaticiens, d'ingénieurs et de médecins.

J.-M. Bouissou, « Le Japon est-il en déclin ? », *Questions internationales*, mars-avril 2011.

3 **Hongkong : la vie en cage des plus pauvres.**
Mesurant 1 mètre de large sur 1,90 mètre de long et 1 mètre de hauteur, la cage est une pièce grillagée sur l'extérieur et louée 150 euros par mois. Une salle-dortoir peut accueillir une demi-douzaine de cages superposées.

Quels sont les défis posés par la croissance économique de l'Inde ? L'exemple de Mumbai

Mumbai incarne, auprès du monde, la vitrine de la modernité de l'Inde par excellence. Cette ville de près de 21 millions d'habitants connaît actuellement une croissance économique forte qui se reflète dans son organisation spatiale. Mais cette ville riche en développement souffre d'importantes inégalités et des problèmes classiques de logement et de transport.

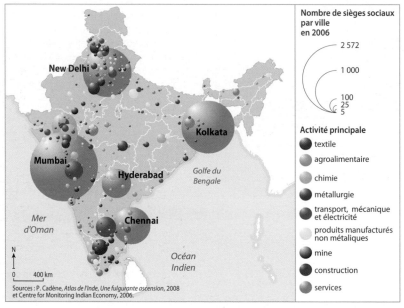

Nombre de sièges sociaux par ville en 2006

2 572
1 000
100
25
5

Activité principale
- textile
- agroalimentaire
- chimie
- métallurgie
- transport, mécanique et électricité
- produits manufacturés non métalliques
- mine
- construction
- services

Sources : P. Cadène, *Atlas de l'Inde, Une fulgurante ascension*, 2008 et Centre for Monitoring Indian Economy, 2006.

1 L'Inde : une puissance économique

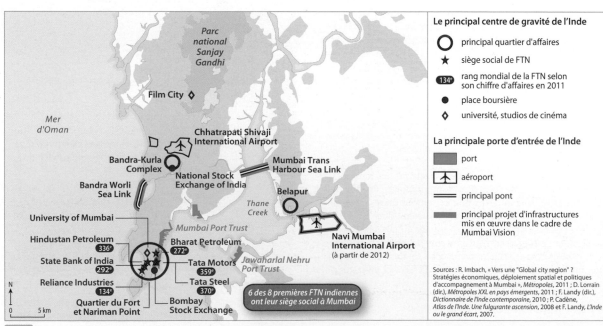

Le principal centre de gravité de l'Inde
- ⭕ principal quartier d'affaires
- ★ siège social de FTN
- 134ᵉ rang mondial de la FTN selon son chiffre d'affaires en 2011
- ● place boursière
- ◇ université, studios de cinéma

La principale porte d'entrée de l'Inde
- port
- aéroport
- principal pont
- principal projet d'infrastructures mis en œuvre dans le cadre de Mumbai Vision

Sources : R. Imbach, « Vers une "Global city region" ? Stratégies économiques, déploiement spatial et politiques d'accompagnement à Mumbai », *Métropoles*, 2011 ; D. Lorrain (dir.), *Métropoles XXL en pays émergents*, 2011 ; F. Landy (dir.), *Dictionnaire de l'Inde contemporaine*, 2010 ; P. Cadène, *Atlas de l'Inde. Une fulgurante ascension*, 2008 et F. Landy, *L'Inde ou le grand écart*, 2007.

6 des 8 premières FTN indiennes ont leur siège social à Mumbai

2 Mumbai : une ville intégrée dans la mondialisation.

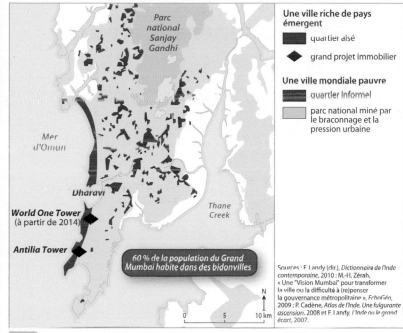

3 **Mumbai : une ville marquée par des inégalités socio-spatiales**

4 **Mumbai : une ville à la croissance incontrôlée**

5 Mumbai Vision : devenir une ville mondiale

Dès 1993, le cabinet McKinsey[1] produit un premier rapport soulignant les forces de Mumbai pour devenir un centre financier international et, en 1995, des industriels proches de la chambre de commerce de Mumbai créent Bombay First, [un] cercle de réflexion [qui] regarde vers l'Asie, et en particulier Singapour et Hong Kong, pour y trouver de nouvelles perspectives d'avenir pour la ville.

Une vision d'ensemble […] est relancée au début des années 2000 […], dont l'objectif affirmé est d'élaborer une stratégie pour transformer Mumbai en une ville de classe mondiale d'ici à 2013. […] Il s'agit bien d'un plaidoyer pour la globalité et l'attractivité de la ville, tout en s'inscrivant, ville pauvre oblige, dans un objectif de réduction de la pauvreté urbaine.

Le diagnostic posé est le suivant : la croissance économique est entravée par le manque de logements […] et le déficit d'infrastructures. Par conséquent, des investissements colossaux s'imposent dans ces deux secteurs. […] En ce qui concerne le financement, le rapport McKinsey avait estimé les besoins […] à environ 40 milliards de dollars. […] Mais les experts de la Banque mondiale font des estimations bien supérieures.

D. Lorrain (dir.), *Métropoles XXL en pays émergents*, 2011.

1. Le premier cabinet de stratégie du monde.

Questions

1. Montrez que Mumbai est l'un des principaux points d'ancrage de l'Inde dans la mondialisation. (doc. 1 et 2)

2. Montrez qu'à Mumbai la croissance économique se traduit par une croissance spatiale mal maîtrisée. (doc. 3 et 4)

3. Montrez que Mumbai est une métropole du Sud qui cherche à s'affirmer sur la scène internationale. (doc. 2 et 5)

Japon et Chine : les deux puissances majeures en Asie du Sud et de l'Est

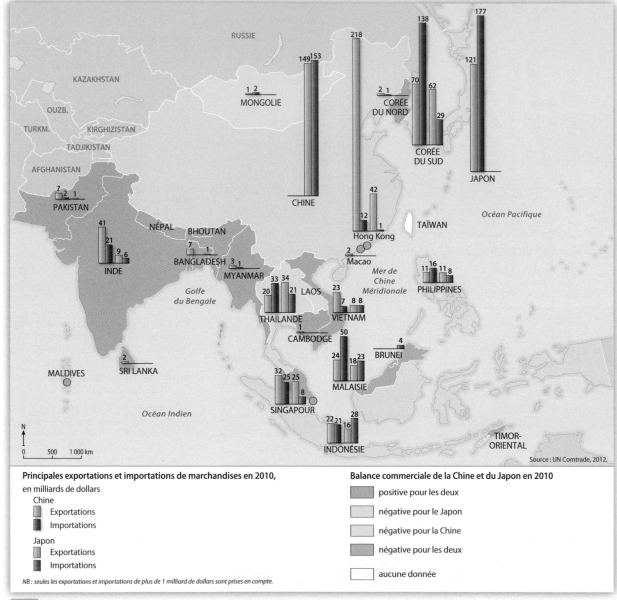

Principales exportations et importations de marchandises en 2010,
en milliards de dollars

Chine
- Exportations
- Importations

Japon
- Exportations
- Importations

NB : seules les exportations et importations de plus de 1 milliard de dollars sont prises en compte.

Balance commerciale de la Chine et du Japon en 2010
- positive pour les deux
- négative pour le Japon
- négative pour la Chine
- négative pour les deux
- aucune donnée

Source : UN Comtrade, 2012.

1 Des partenaires et des rivaux économiques

Questions

1. Quel est le principal partenaire commercial du Japon ? De la Chine ?
2. Avec quelle région de l'Asie du Sud et de l'Est le Japon et la Chine échangent-ils le plus ?
3. Quelle est la région de l'Asie du Sud et de l'Est la moins intégrée ?
4. Le Japon et la Chine ont-ils les mêmes partenaires commerciaux ?

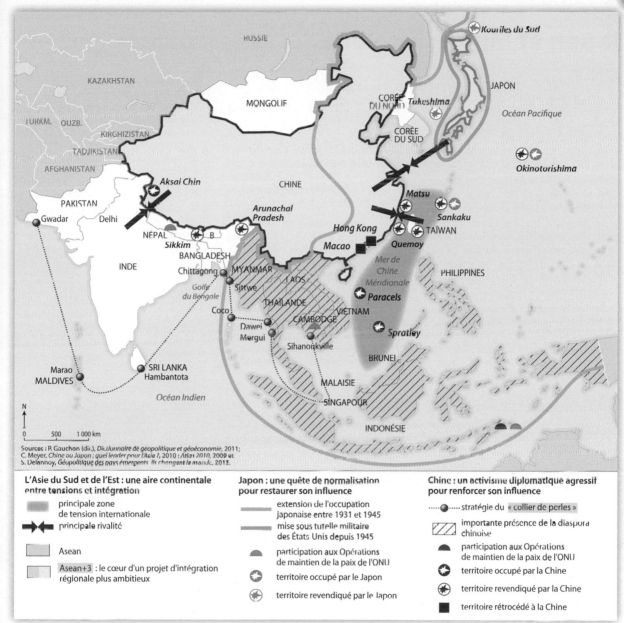

L'Asie du Sud et de l'Est : une aire continentale entre tensions et intégration

- principale zone de tension internationale
- principale rivalité
- Asean
- Asean+3 : le cœur d'un projet d'intégration régionale plus ambitieux

Japon : une quête de normalisation pour restaurer son influence

- extension de l'occupation japonaise entre 1931 et 1945
- mise sous tutelle militaire des États Unis depuis 1945
- participation aux Opérations de maintien de la paix de l'ONU
- territoire occupé par le Japon
- territoire revendiqué par le Japon

Chine : un activisme diplomatique agressif pour renforcer son influence

- stratégie du « collier de perles »
- importante présence de la diaspora chinoise
- participation aux Opérations de maintien de la paix de l'ONU
- territoire occupé par la Chine
- territoire revendiqué par la Chine
- territoire rétrocédé à la Chine

2 Des rivaux stratégiques

Questions

1. Montrez que l'Asie du Sud et de l'Est est une aire continentale conflictuelle, mais en voie d'intégration.
2. Par quels moyens la Chine cherche-t-elle à renforcer son influence en Asie du Sud et de l'Est ?
3. Pourquoi le Japon apparaît-il en retrait sur le plan stratégique ?

Vocabulaire

« Collier de perles » : stratégie chinoise visant à établir une série de bases permanentes dans l'océan Indien en vue de sécuriser son approvisionnement énergétique. Pour cela, la Chine modernise ou construit des ports dans les pays voisins de l'Inde, son ancienne rivale qu'elle contourne.

Asean + 3 : groupe informel créé pendant la crise de 1997-1998 qui a accéléré le processus d'intégration régionale au plan monétaire et financier. Le Japon milite pour que l'Asean + 3 s'ouvre à l'Australie, l'Inde et la Nouvelle-Zélande et que l'intégration s'étende aux plans politique et stratégique afin de contenir l'influence croissante de la Chine dans la région.

Japon et Chine : concurrences régionales

> Comment se manifeste la rivalité entre le Japon et la Chine en Asie du Sud et de l'Est ?

A Des rivaux économiques

■ **Le Japon et la Chine se disputent le leadership économique en Asie du Sud et de l'Est, alors même que les deux économies sont interdépendantes.** Leurs échanges commerciaux se sont intensifiés après l'entrée de la Chine à l'OMC en 2001 : entre 2000 et 2010, les exportations chinoises au Japon triplent, tandis que les importations japonaises en Chine quadruplent (doc. 3).

■ **Le Japon est le leader économique dans la région.** Sa suprématie est financière : le surplus d'épargne, notamment celle des ménages, lui a permis d'accumuler un important patrimoine à l'étranger au point de devenir le premier créancier de l'Asie du Sud et de l'Est. Sa suprématie est aussi technologique : le Japon est devenu une économie de la connaissance axée sur une recherche et une innovation permanentes.

■ **La Chine entend s'imposer comme le leader économique dans la région.** En trente ans, elle a comblé son retard en s'ouvrant avec succès aux échanges commerciaux et aux investissements étrangers qui lui ont permis de devenir l'« atelier du monde », notamment celui de l'Asie. Aujourd'hui, elle ambitionne de détrôner le Japon sur le plan technologique en devenant le « laboratoire du monde » (Repère A, doc. 1).

B Des rivaux stratégiques

■ **Le Japon et la Chine se disputent le leadership stratégique en Asie du Sud et de l'Est.** Ils s'engagent pourtant, lorsqu'ils signent le traité de paix et d'amitié de 1978, à ne pas « rechercher l'hégémonie dans la région Asie-Pacifique ».

■ **Le Japon aspire à une normalisation de ses relations avec les pays asiatiques.** Son expansionnisme en Asie entre 1931 et 1945 pèse encore lourd sur celle-ci. Aussi, pour restaurer son influence, il opère un recentrage de sa politique étrangère sur l'Asie en menant une diplomatie économique (aide publique au développement), en s'impliquant dans les questions de sécurité (opérations de maintien de la paix) et en défendant la création d'une Communauté asiatique sur le modèle européen. Sa démilitarisation et sa mise sous tutelle militaire des États-Unis le privent cependant d'un attribut essentiel de la puissance.

■ **La Chine aspire à une ascension qui puisse l'imposer comme la seule puissance globale de la région.** Sa politique étrangère en Asie vise à renforcer son influence en désamorçant les craintes d'une « menace chinoise ». Elle se décline en trois axes : élimination de conflits frontaliers, même si des contestations sur les frontières maritimes (archipels de la mer de Chine) et terrestres (Himalaya, Taïwan) subsistent ; maintien de la stabilité dans la péninsule coréenne ; diplomatie économique (accords commerciaux bilatéraux, sauf avec le Japon) (doc. 2).

C Le scénario d'avenir le plus probable

■ **Aucun de ces deux géants asiatiques ne peut prétendre pour l'instant à un leadership global dans la région.** Japon et Chine s'imposent différemment comme puissances régionales : le premier est le leader économique de la région, le second le leader stratégique.

■ **Le partage du leadership entre le Japon et la Chine est le scénario le plus probable pour les vingt prochaines années.** Ce coleadership, qui s'ébauche depuis les années 2000, vise à servir au mieux les intérêts des deux pays : le Japon a besoin de l'expansion chinoise pour rebondir et la Chine de l'avance technologique du Japon pour devenir le leader incontesté en Asie du Sud et de l'Est.

Vocabulaire

« **Atelier du monde** » : expression que l'on réserve à la Chine pour désigner son rôle pivot de plate-forme d'assemblage. Nombre de produits ne sont pas à proprement parler fabriqués en Chine (*made in China*), il y sont seulement assemblés à partir de composants importés (*made by China*). Ce rôle explique l'explosion du commerce extérieur chinois.

Leadership : capacité d'un État à exercer une influence sur la scène régionale ou mondiale et à s'imposer comme une puissance régionale ou mondiale.

Repère A

Principaux flux entrants d'IDE en Chine en 2010, en % et en milliards de dollars

Allemagne, France, Pays-Bas et Royaume-Uni
4,5 % (4,8)

Autres **9,6 % (10,1)**

États-Unis **3,9 % (4,0)**

Japon et Dragons **82,0% (86,8)**

Total : 105,7 milliards de dollars

Source : ministère du Commerce de la République populaire de Chine, 2012.

Repère B

L'Asie du Sud et de l'Est dans le commerce extérieur de la Chine

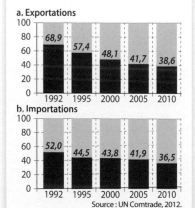

a. Exportations

1992	1995	2000	2005	2010
68,9	57,4	48,1	41,7	38,6

b. Importations

1992	1995	2000	2005	2010
52,0	44,5	43,8	41,9	36,5

Source : UN Comtrade, 2012.

1 Le TGV chinois : un symbole du rattrapage technologique.

L'entreprise publique CSR, qui explique que ce TGV est un produit du savoir-faire chinois, reçoit une partie des pièces conçues et produites sur le territoire chinois par des entreprises étrangères. Le japonais Kawasaki dénonce la ressemblance des trains de nouvelle génération avec le Shinkansen.

1. Ce train est-il le résultat de la recherche-développement chinoise ?
2. Expliquez pourquoi l'utilisation de l'adjectif « chinois » pour qualifier ce TGV est discutable.

3 Japon et Chine : deux puissances dominantes de l'Asie du Sud et de l'Est

	Japon	Chine
Poids dans la population d'Asie du Sud et de l'Est en 2013, en millions d'habitants et en %	127,3 3,2	1 365,2 34,5
Poids dans le PIB d'Asie du Sud et de l'Est en 2011, en milliards de dollars et en %	5 458,8 36,4	6 102,72 40,7
Exportations en 2010, en milliards de dollars – *dont en Asie du Sud et de l'Est*	769,4 *379,5* *43,9 %*	1 577,8 *609,6* *38,6 %*
Importations en 2010, en milliards de dollars – *dont en Asie du Sud et de l'Est*	692,6 *290,6* *42,0 %*	1 396,0 *508,8* *36,5 %*
Flux sortants d'IDE en 2010, en milliards de dollars – *dont en Asie du Sud et de l'Est*	57,2 *22,1* *38,7 %*	60,0 *43,3* *62,9 %*
Stocks sortants d'IDE en 2010, en milliards de dollars – *dont en Asie du Sud et de l'Est*	830,5 *212,7* *25,6 %*	317,2 *221,0* *69,6 %*
Dépenses militaires en 2010, en milliards de dollars	54,5	119,4
Forces armées en 2009, en milliers d'hommes	248	2 285

Sources : FMI, 2012, Population Reference Bureau, 2013, SIPRI, 2012, The Economist, *Pocket World in Figures. 2012 Edition*, 2011, China Statistical Yearbook, 2011 et Japan Statistical Yearbook, 2011.

1. Le Japon et la Chine sont-ils des puissances ayant les mêmes atouts ?

2 Chine : un activisme diplomatique agressif vis-à-vis de ses voisins

La Chine croise ainsi les ambitions régionales et mondiales : elle s'oppose à plusieurs de ses voisins dans des conflits territoriaux et développe une géopolitique du pré-carré asiatique afin de contrer la présence américaine jugée envahissante dans la région.

C'est d'abord le Japon qui fait les frais des revendications territoriales de la Chine – et de Taïwan – sur les îles Senkaku officiellement intégrées au territoire japonais. […] Les États-Unis, qui s'appuient sur l'allié japonais depuis 1945, soutiennent la position du Japon car les îles Senkaku sont intégrées dans le périmètre du traité de sécurité nippo-américain en mer de Chine méridionale et constituent ainsi, précisément, une barrière contre le danger chinois. […]

La Chine revendique également l'intégralité de l'archipel des Spratly, cette centaine de poussières d'îles inhabitées qui se trouvent à mi-chemin entre le Vietnam et les Philippines. 21 îles appartiennent officiellement au Vietnam, 9 ont été annexées par la Chine, tandis que la Malaisie, les Philippines et Brunei en occupent également quelques-unes. La revendication chinoise sur les Spratly, de même que sur les îles Paracels, obéit à sa logique stratégique de protection des couloirs maritimes empruntés par les conteneurs et les tankers à destination ou en provenance des ports chinois. En cela, […] [elle] s'inscrit dans la stratégie du « collier de perles », qui consiste à installer des bases navales sur les routes commerciales chinoises.

S. Delannoy, *Géopolitique des pays émergents. Ils changent le monde*, 2012.

Comment s'exprime l'influence du Japon en Asie du Sud et de l'Est ?

Depuis les années 1980, le Japon sort de son isolement en rétablissant des relations avec ses voisins dont la méfiance se nourrit du souvenir douloureux laissé par l'occupation nippone entre 1931 et 1945.

Le Japon, qui doit faire face à la fulgurante ascension de la Chine, ambitionne de restaurer son influence sur la scène régionale et de s'imposer comme puissance incontestée en Asie du Sud et de l'Est.

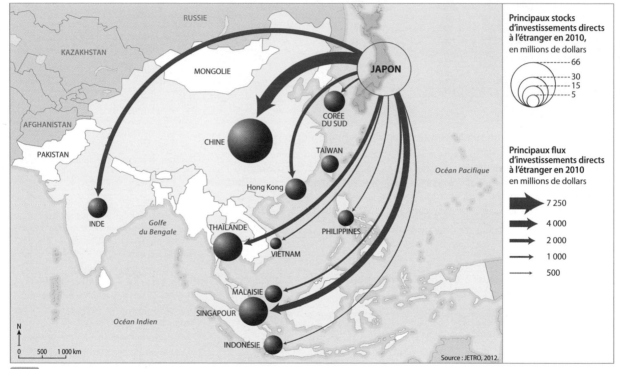

1 Les investissements du Japon en Asie du Sud et de l'Est.

2 Cambodge : un rôle de premier plan

Coller au plus près de l'Asean, telle est la ligne de conduite de Tokyo qui [...] soutient la résolution sur le Cambodge proposée à l'Assemblée générale des Nations unies par l'Asean. Et ainsi Tokyo finit par faire, sans heurt, son entrée [...] par la porte de la Conférence internationale sur le Cambodge [...] de 1989 à 1991. [...] [Le Japon] est choisi pour coparrainer, avec l'Australie, la Commission chargée de la reconstruction du Cambodge, et c'est un Japonais [...] qui est nommé à la tête de l'Autorité provisoire des Nations unies au Cambodge (Apronuc). Enfin, et c'est une grande première de l'histoire du Japon d'après-guerre, 6 000 soldats nippons feront partie de la force militaire déployée au Cambodge par les Nations unies. [...]

Aides publiques et investissements élargissent l'influence que Tokyo s'efforce de se voir reconnaître dans la région. La visite du Premier ministre japonais [...], en [...] 2000, la première depuis 40 ans, s'effectue sans aucun incident, alors que, la même année, les visites des secrétaires généraux des partis communistes de Chine et du Vietnam suscitent des manifestations d'hostilité. [...] Il promet l'aide de son pays pour la décennie à venir [...], tandis qu'il obtient de ses hôtes leur soutien à la candidature du Japon à un siège au Conseil de sécurité aux Nations unies. [...] La liste des contributions nippones est longue et variée : infrastructures (ponts à Phnom Penh), rénovation du port de Sihanouk-Ville, aide alimentaire, [...] aide au déminage.

P. Richer, *Le Cambodge de 1945 à nos jours*, 2009.

3 **Chine : un partenaire commercial dont le Japon a besoin**

a. Sites chinois de production de la Prius Plug-in Hybrid ;

b. La Prius Plug-in Hybrid : voiture électrique qui se recharge à partir d'une prise standart en 1 heure 30 ;

c. Akio Toyoda, président de Toyota, au Salon de l'automobile de Shanghai en 2011.

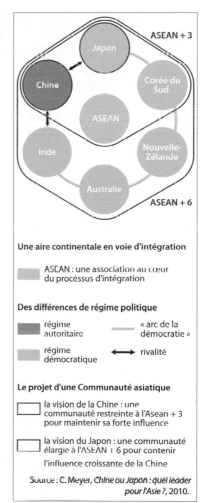

Une aire continentale en voie d'intégration

ASEAN : une association au cœur du processus d'intégration

Des différences de régime politique

régime autoritaire

« arc de la démocratie »

régime démocratique

rivalité

Le projet d'une Communauté asiatique

la vision de la Chine : une communauté restreinte à l'Asean + 3 pour maintenir sa forte influence

la vision du Japon : une communauté élargie à l'ASEAN + 6 pour contenir l'influence croissante de la Chine

Source : C. Meyer, *Chine ou Japon : quel leader pour l'Asie ?*, 2010.

5 **Le projet d'une Communauté asiatique : une vision japonaise ambitieuse**

Depuis le milieu des années 2000, le Japon a proposé la création d'une Communauté asiatique qui est l'axe majeur de sa politique étrangère dans la région.

---

a. Exportations

	1992	1995	2000	2005	2010
	25,6	37,0	33,6	41,1	49,3

b. Importations

	1992	1995	2000	2005	2010
	25,1	32,4	37,0	40,9	42,0

Source : UN Comtrade, 2012.

4 **L'Asie du Sud et de l'Est dans le commerce extérieur du Japon**

Questions

1. Quels sont les attributs de la puissance du Japon en Asie du Sud et de l'Est ? (doc. 1, 3 et 4)

2. Montrez que le Japon opère un recentrage de son économie et de sa politique étrangère sur l'Asie du Sud et de l'Est. (doc. 2, 4 et 5)

3. Montrez que le Japon et la Chine sont partenaires économiques mais rivaux stratégiques. (doc. 1, 3 et 5)

Japon et Chine : deux grandes puissances du monde

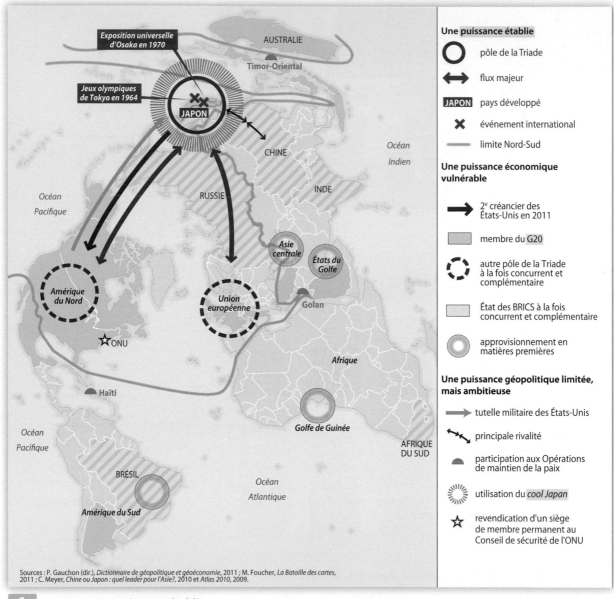

Une puissance établie

○ pôle de la Triade

⟷ flux majeur

JAPON pays développé

✕ événement international

— limite Nord-Sud

Une puissance économique vulnérable

➜ 2ᵉ créancier des États-Unis en 2011

◻ membre du G20

⟲ autre pôle de la Triade à la fois concurrent et complémentaire

◻ État des BRICS à la fois concurrent et complémentaire

◎ approvisionnement en matières premières

Une puissance géopolitique limitée, mais ambitieuse

➜ tutelle militaire des États-Unis

⤬ principale rivalité

◗ participation aux Opérations de maintien de la paix

☀ utilisation du *cool Japan*

☆ revendication d'un siège de membre permanent au Conseil de sécurité de l'ONU

Carte labels : Exposition universelle d'Osaka en 1970 ; Jeux olympiques de Tokyo en 1964 ; AUSTRALIE ; Timor-Oriental ; JAPON ; CHINE ; Océan Indien ; RUSSIE ; INDE ; Océan Pacifique ; Asie centrale ; États du Golfe ; Golan ; Amérique du Nord ; ONU ; Union européenne ; Afrique ; Haïti ; Golfe de Guinée ; AFRIQUE DU SUD ; Océan Pacifique ; BRÉSIL ; Océan Atlantique ; Amérique du Sud

Sources : P. Gauchon (dir.), *Dictionnaire de géopolitique et géoéconomie*, 2011 ; M. Foucher, *La Bataille des cartes*, 2011 ; C. Meyer, *Chine ou Japon : quel leader pour l'Asie?*, 2010 et *Atlas 2010*, 2009.

1 Le Japon : une puissance établie

Vocabulaire

Cool Japan : voir p. 412.
G20 : voir p. 230.
Puissance établie : voir p. 429.

Questions

1. Expliquez pourquoi le Japon est considéré comme une « puissance établie ».
2. Quelles sont les forces et les faiblesses de la puissance économique japonaise ?
3. Montrez que la puissance économique du Japon est plus importante que sa puissance géopolitique.

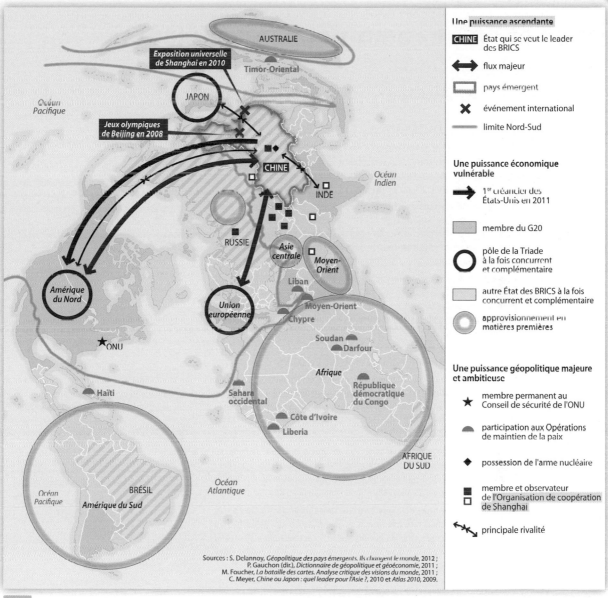

Une puissance ascendante

CHINE État qui se veut le leader des BRICS

↔ flux majeur

☐ pays émergent

✕ événement international

— limite Nord-Sud

Une puissance économique vulnérable

➡ 1er créancier des États-Unis en 2011

▨ membre du G20

◯ pôle de la Triade à la fois concurrent et complémentaire

▢ autre État des BRICS à la fois concurrent et complémentaire

◉ approvisionnement en matières premières

Une puissance géopolitique majeure et ambitieuse

★ membre permanent au Conseil de sécurité de l'ONU

◖ participation aux Opérations de maintien de la paix

◆ possession de l'arme nucléaire

■ membre et observateur
☐ de l'Organisation de coopération de Shanghai

↞↠ principale rivalité

Sources : S. Delannoy, *Géopolitique des pays émergents. Ils changent le monde*, 2012 ;
P. Gauchon (dir.), *Dictionnaire de géopolitique et géoéconomie*, 2011 ;
M. Foucher, *La bataille des cartes. Analyse critique des visions du monde*, 2011 ;
C. Meyer, *Chine ou Japon : quel leader pour l'Asie ?*, 2010 et *Atlas 2010*, 2009.

2 **La Chine : une puissance ascendante**

Vocabulaire

Organisation de coopération de Shanghai (OCS) : club de 6 pays, né en 1991, dominé par Moscou et Pékin, agissant, dans cette région stratégique et riche en hydrocarbures, comme un contrepoids aux États-Unis et à l'OTAN.
Puissance ascendante : voir p. 429.

Questions

1. Expliquez pourquoi la Chine est considérée comme une « puissance ascendante ».
2. Quelles sont les forces et les faiblesses de la puissance économique chinoise ?
3. Montrez que la puissance géopolitique de la Chine est plus importante que celle du Japon.

Japon et Chine : ambitions mondiales

> Qu'est-ce qui permet au Japon et à la Chine d'atteindre le statut de puissance mondiale qu'ils ambitionnent ?

A Puissance établie, puissance ascendante

■ **La planète compte deux puissances asiatiques : le Japon et la Chine.** La croissance économique de la Chine a entraîné son entrée sur la scène mondiale et son reclassement dans la hiérarchie des puissances. En 2010, elle détrône le Japon de son rang de 2ᵉ économie mondiale qu'il détenait depuis 1968.

■ **Les trajectoires des deux puissances asiatiques présentent des similitudes.** Ces deux pays longtemps repliés sur eux-mêmes sont contraints par l'Occident à s'ouvrir dans la seconde moitié du XIXᵉ siècle. Après la guerre, ils suivent un modèle de développement fondé sur les exportations (« Haute Croissance » japonaise entre 1955 et 1973 et «Trente Glorieuses» chinoises entre 1978 et 2008) (doc. 2).

■ **Le Japon et la Chine présentent cependant une différence majeure : le niveau de vie.** Le Japon est une puissance établie ayant un haut niveau de vie, tandis que la Chine est considérée comme une puissance ascendante ou prématurée marquée par un niveau de vie faible. En 2011, entre le PIB par habitant du Japon et celui de la Chine, l'écart est de l'ordre de 10 à 1.

B Des puissances économiques vulnérables

■ **La Chine et le Japon pèsent fortement dans l'économie mondiale.** Les deux PIB, qui sont loin derrière celui des États-Unis, représentent ensemble 18 % du PIB mondial en 2011. La Chine et le Japon sont devenus les premiers banquiers des États-Unis puisqu'ils détiennent ensemble 45,7 % des bons du Trésor en 2011.

■ **Le Japon reste une formidable puissance économique malgré la stagnation qui le mine depuis vingt ans.** Il produit presque autant que la Chine (en 2011, 8,7 % du PIB mondial contre 9,3 %) avec douze fois moins d'actifs. Son industrie possède 45 % du parc mondial des robots. Son patrimoine à l'étranger, qui s'élève à 2 500 milliards de dollars en 2010, lui rapporte bien plus que son commerce.

■ **La Chine est une puissance économique récente mais très dépendante de l'extérieur.** Sa stratégie de sortie du sous-développement la transforme en plate-forme d'assemblage de produits fabriqués ailleurs, ce qui en fait le 1ᵉʳ exportateur mondial en 2009. Elle l'oblige aussi à s'approvisionner en matières premières en se liant avec les parties utiles du monde (Afrique, Asie centrale et Moyen-Orient) (Repère A).

C Des puissances géopolitiques ambitieuses

■ **Le Japon et la Chine pèsent différemment dans les rapports de force internationaux.** Démilitarisé à l'issue de la guerre et protégé par les États-Unis, le Japon est un « nain politique ». Membre permanent du Conseil de sécurité de l'ONU et du club des États ayant l'arme nucléaire, la Chine se veut le leader des BRICS.

■ **Confronté à la Chine, le Japon entend jouer un rôle politique mondial en s'émancipant de la tutelle des États-Unis.** Depuis 1992, il participe aux opérations de maintien de la paix (Irak, Afghanistan) (doc. 2). En 2000, le Japon revendique un siège de membre permanent du Conseil de sécurité de l'ONU. Parallèlement, il s'assure une image positive dans le monde en vantant le *Cool Japan* (doc. 3).

■ **La Chine ambitionne de jouer un rôle politique mondial et d'égaler, voire dépasser, les États-Unis.** Elle défend l'idée d'un partenariat privilégié avec eux, que certains nomment G2. La conquête de l'espace et des abysses, l'ouverture d'instituts Confucius, le développement de médias internationaux (CCTV, agence Xinhua), le nombre croissant d'étudiants chinois à l'étranger et la diplomatie du panda sont les signes de son aspiration à devenir une superpuissance (Repère B).

Vocabulaire

Bon du Trésor : les bons du Trésor sont émis pour financer le déficit budgétaire d'un pays. Le Japon et la Chine, qui les considèrent comme des placements financiers, achètent donc de la dette.

BRICS : voir p. 239.

Cool Japan : stratégie de communication qui vise à modifier l'image du Japon dans le monde et à renforcer son rayonnement culturel à travers l'exportation de la culture de masse : mangas, dessins animés, jeux vidéo, musique (J-pop), modes vestimentaires, cuisine.

G2 : sorte de directoire sino-américain assurant une co-gestion des affaires économiques du monde.

Puissance ascendante : voir p. 429.

Puissance établie : voir p. 429.

Repère A

Évolution du commerce extérieur du Japon et de la Chine depuis 1990

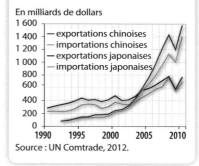

En milliards de dollars
— exportations chinoises
— importations chinoises
— exportations japonaises
— importations japonaises

Source : UN Comtrade, 2012.

Repère B

Évolution du nombre d'étudiants chinois à l'étranger depuis 1985

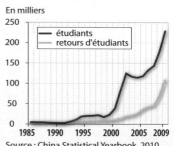

En milliers
— étudiants
— retours d'étudiants

Source : China Statistical Yearbook. 2010.

1 Japon : la participation au maintien de la paix en Irak en 2005

1. En quoi consiste l'intervention de l'armée japonaise en Irak en 2005 ?

2 Chine : une puissance ascendante

La Chine est bien sûr le pays le plus dangereux : peuplée de plus de 1,35 milliard de personnes, la Chine est parvenue en trente ans à passer du sous-développement le plus tragique au rang de seconde puissance mondiale par le PIB. Elle a réussi à intégrer les règles de l'économie de marché, elle a intégré l'OMC en 2001 tout en se protégeant contre la concurrence étrangère à coups de politiques monétaires habiles, ce qui lui permet d'être la première puissance exportatrice du monde depuis 2009. Elle est parvenue à exercer une aura sur nombre de pays du Sud qui voient dans la Chine un partenaire qui leur offre du « gagnant-gagnant » et non pas une relation déséquilibrée fondée sur le paternalisme. Enfin, la Chine, qui est depuis longtemps une puissance nucléaire, n'omet de maîtriser ni le hard power, en investissant de façon croissante dans sa défense, ni le soft power, en promouvant l'apprentissage du mandarin dans le monde entier.

S. Delannoy, *Géopolitique des pays émergents. Ils changent le monde*, 2012.

3 Japan Expo : un engouement pour la culture de masse japonaise.

La France est le deuxième marché mondial du manga avant celui de la Corée du Sud. En 2011, Japan Expo a été fréquentée par 192 000 visiteurs.

1. Quelle image le Japon renvoie-t-il à travers l'exportation de cette forme de culture ?

Comment la Chine exerce-t-elle son influence dans le monde ?

La montée en puissance de la Chine est le principal signe d'un basculement du centre de gravité du monde en Asie qui bouleverse l'ensemble des rapports politiques et économiques.
Ce pays émergent, dont le projet géopolitique est de devenir un « pays riche et puissant », tire parti de ses résultats économiques pour s'imposer de plus en plus sur la scène mondiale.

1 **Une puissance diplomatique et économique.** Caricature de Chappatte, *Le Temps*, 4 décembre 2011.

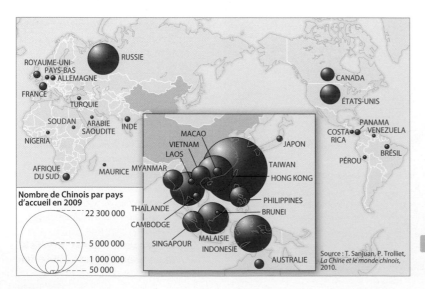

Nombre de Chinois par pays d'accueil en 2009
- 22 300 000
- 5 000 000
- 1 000 000
- 50 000

Source : T. Sanjuan, P. Trolliet, *La Chine et le monde chinois*, 2010.

2 **L'Organisation de coopération de Shanghai : un activisme diplomatique en Asie centrale**

[Les rapports de la Chine] avec les pays d'Asie centrale sont ambivalents. Elle convoite leurs abondantes ressources mais craint la contagion de l'islamisme dans ses provinces limitrophes. L'Organisation de coopération de Shanghai (OCS), dont le secrétariat permanent est basé à Pékin, et qui comprend la Chine, la Russie, le Kazakhstan, l'Ouzbékistan et le Tadjikistan, contitue pour elle l'instrument d'une étroite coopération et stratégique. [...]
Elle en retire deux [...] bénéfices : l'accès privilégié à d'abondantes ressources tant pétrolières que minières aux marches de l'empire et une forme de glacis protecteur contre l'influence américaine dans cette région. De ce point de vue, les intérêts de la Chine rejoignent ceux de la Russie avec laquelle elle a signé en 2001 un traité d'amitié et de coopération. Leurs échanges économiques ne sont pas encore à la hauteur de leur potentiel mais la Russie est pour la Chine son premier fournisseur d'armes ; surtout, les deux pays partagent les mêmes réserves sur la politique de puissance des États-Unis et la même conception d'un ordre mondial multipolaire sous l'égide de l'ONU. Forum d'abord économique, l'OCS n'est pas une sorte d'OTAN de l'Asie centrale, mais la dimension politique n'en est pas absente.

C. Meyer, *Chine ou Japon : quel leader pour l'Asie ?*, 2010.

3 **Les Chinois d'outre-mer : un réseau au service du rayonnement de la Chine**

The Economist

Shameless greed at AIG

One more try on Iran

What's wrong with General Electric

Farmers rake it in

Let Michelle be Michelle

Economist.com

How China sees the world

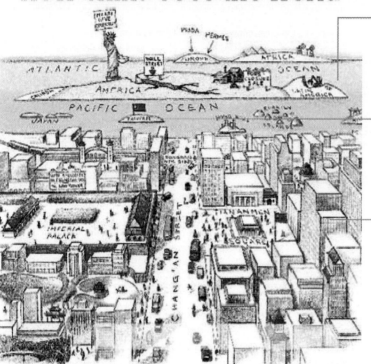

4 **Une vision du monde centrée sur elle-même.**
Couverture de *The Economist*,
21-27 mars 2009.
La Chine se considère jusqu'au xixe siècle comme « l'Empire du milieu ».

Une ouverture sur l'étranger depuis la fin des années 1970

Un objectif : la réunification avec l'île de Taïwan

Le littoral, une interface avec le monde occidental

Questions

1. Comment la Chine voit-elle le monde ? (doc. 2, 4 et 5)
2. Montrez que l'influence de la Chine est économique, militaire et diplomatique. (doc. 1, 2 et 5)
3. Montrez que la dépendance de la Chine vis-à-vis de l'étranger est forte. (doc. 1, 2, 4 et 5)

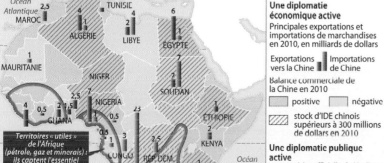

Une diplomatie économique active
Principales exportations et importations de marchandises en 2010, en milliards de dollars

Exportations vers la Chine / Importations de Chine

Balance commerciale de la Chine en 2010
- positive
- négative

stock d'IDE chinois supérieurs à 300 millions de dollars en 2010

Une diplomatie publique active
- visite officielle de Hu Jintao entre 2003 et 2010
- État ayant des relations diplomatiques ouvertes avec Taïwan

NB : seules les exportations et les importations de plus de 500 millions de dollars sont prises en compte.

Sources : UN Comtrade, 2012 ; China Statistical Yearbook, 2011 ; et M. Foucher, *La Bataille des cartes*. Analyse critique des visions du monde ; S. Delannoy, *Géopolitique des pays émergents. Ils changent le monde*, 2012.

5 **Afrique : une dépendance de la Chine pour l'approvisionnement en matières premières**

Prépa BAC [COMPOSITION 9]

EXERCICE GUIDÉ

SUJET L'Asie du Sud et de l'Est : les défis de la population et de la croissance

Étape 1 Analyser le sujet

> Définir cette aire continentale qui inclut, par extension, l'Asie du Sud-Est.

■ Délimiter l'espace concerné
et identifier les mots-clés

L'Asie du Sud et de l'Est : **les défis de la population et de la croissance**

> Relever un défi consiste à répondre à une situation, à affronter une chose qui peut représenter un problème. En ligne de mire, c'est la question du développement de l'aire continentale qui est posée.

> Rappeler que l'Asie du Sud et de l'Est concentre la majeure partie de la population mondiale. Identifier le rôle de la population dans la croissance économique, et donc dans le développement.

> Rappeler que l'Asie du Sud et de l'Est est la partie du monde qui connaît actuellement la plus forte croissance économique. Expliquer en quoi la population est facteur de croissance économique, et donc contribue au développement.

Étape 2 Élaborer le plan

À l'aide du cours et des connaissances personnelles, détaillez le plan suivant en argumentant et en illustrant par des exemples et des schémas.

> **Conseil** *Formuler des titres de parties paragraphes (« Une aire continentale qui... ») permet de mettre en valeur les enchaînements de la réflexion. Rédiger les titres sous la forme d'une phrase n'est pas indispensable au brouillon, mais cette phrase peut servir pour introduire le paragraphe.*

Plan

Paragraphe 1. Une aire continentale qui concentre la majeure partie de la population mondiale

Idée 1. Les deux principaux foyers de population sont asiatiques
Exemple(s) : ....

Idée 2. Les deux géants démographiques de la planète sont asiatiques
Exemple(s) : ....

Idée 3. L'Asie du Sud et de l'Est n'est cependant plus une bombe démographique
Exemple(s) : ....

Schéma Un ralentissement de la croissance démographique

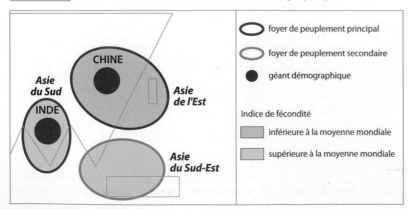

foyer de peuplement principal
foyer de peuplement secondaire
géant démographique

Indice de fécondité
inférieure à la moyenne mondiale
supérieure à la moyenne mondiale

CHINE
Asie du Sud
Asie de l'Est
INDE
Asie du Sud-Est

Paragraphe 2. Une aire continentale qui connaît la plus forte croissance économique

Idée 4. La croissance se fonde de plus en plus sur la demande intérieure
Exemple(s) : ....

Idée 5. La croissance se fonde essentiellement sur la demande extérieure
Exemple(s) : ....

Idée 6. La croissance s'appuie sur une main-d'œuvre abondante, qualifiée et compétitive
Exemple(s) : ....

Sur le modèle du paragraphe 1, construisez un schéma.
La légende du schéma ci-dessous regroupe sans structuration tous les items des paragraphes 2.

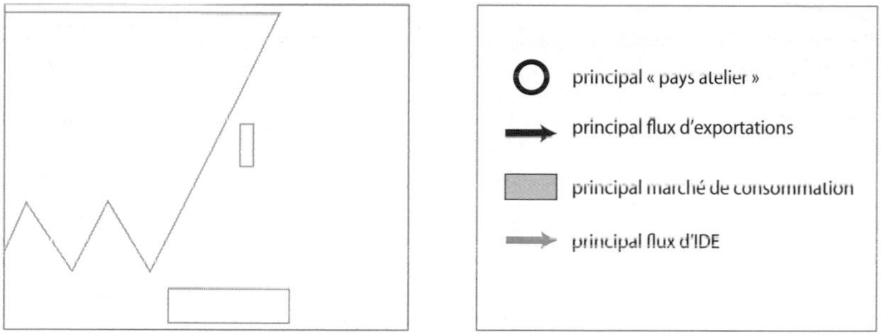

Conseil *À l'intérieur d'un paragraphe, les idées s'enchaînent sans qu'il soit besoin de retourner à la ligne.*

Conseil *Enrichir un schéma est toujours possible, mais le nombre restreint d'informations garantit sa clarté.*

○ principal « pays atelier »

➤ principal flux d'exportations

▭ principal marché de consommation

➤ principal flux d'IDE

Paragraphe 3. Une aire continentale qui doit faire face à de grands défis d'avenir

Idée 7. L'Asie du Sud et de l'Est doit faire face au vieillissement de la population
Exemple(s) : ....

Idée 8. L'Asie du Sud et de l'Est doit faire face à la pauvreté
Exemple(s) : ....

Idée 9. L'Asie du Sud et de l'Est doit faire face à d'autres défis
Exemple(s) : ....

Sur le modèle des paragraphes 1 et 2, construisez un schéma.

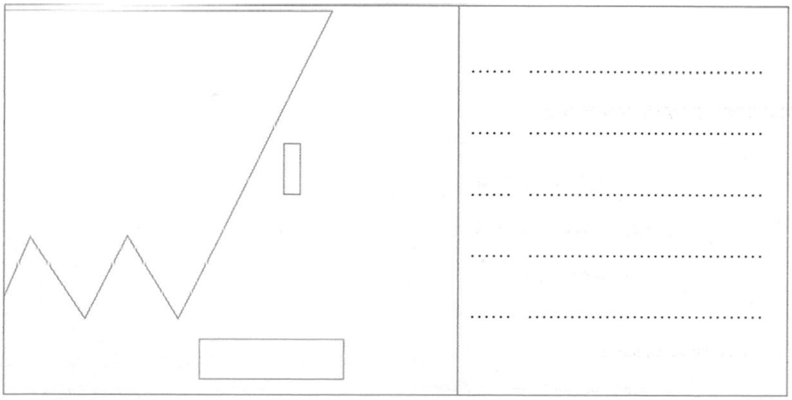

Étape 3 Rédiger la composition

Rédigez intégralement la composition à l'aide du plan détaillé. Soignez vos schémas car ces productions graphiques sont valorisées.

EXERCICE GUIDÉ

SUJET Japon-Chine : concurrences régionales, ambitions mondiales

Étape 1 · Analyser le sujet

■ Délimiter l'espace concerné
et identifier les mots-clés

> Le tiret indique qu'il est nécessaire de conduire une réflexion comparative. Le plan ne peut pas être organisé autour de deux parties traitant successivement du Japon et de la Chine.

Japon-Chine : concurrences régionales, ambitions mondiales

> Justifiez le choix de comparer ces deux États asiatiques. À l'aide du cours, expliquez pourquoi une réflexion comparative incluant l'Inde serait moins pertinente.

> Le terme « concurrence » confirme qu'il est nécessaire de conduire une réflexion comparative à l'échelle régionale. Qu'est-ce que se disputent le Japon et la Chine ? Dans quels domaines ?

> Le terme « ambition » fait référence au statut de puissance auquel le Japon et la Chine aspirent sur le plan mondial : dans quels domaines ?

Étape 2 · Élaborer le plan

En utilisant l'étude de cas, complétez le tableau suivant :

Paragraphes	Arguments	Exemples
1. Une concurrence à l'échelle régionale	Le Japon et la Chine sont à la fois des partenaires et des rivaux économiques, les co-leaders de l'Asie du Sud et de l'Est et des rivaux stratégiques. **Justifier pourquoi :** • Le Japon et la Chine sont à la fois des partenaires et des rivaux économiques. .... • Le Japon et la Chine sont les co-leaders de l'Asie du Sud et de l'Est. .... • Le Japon et la Chine sont des rivaux stratégiques. .... **Conseil** *Complétez cette rubrique à l'aide du cours 2, p. 406.*	**Ilustrer les raisons :** .... **Conseil** *Complétez cette rubrique à l'aide du cours 2, p. 406.*
2. Des ambitions à l'échelle mondiale	À la fois similaires et différents, le Japon et la Chine sont des puissances géopolitiques vulnérables et économiques ambitieuses. **Justifier pourquoi :** • Le Japon et la Chine sont des puissances à la fois similaires et différentes. .... • Le Japon et la Chine sont des puissances géopolitiques vulnérables. .... • Le Japon et la Chine sont des puissances économiques ambitieuses. .... **Conseil** *Complétez cette rubrique à l'aide du cours 3, p. 412.*	**Illustrer les raisons :** .... **Conseil** *Complétez cette rubrique à l'aide du cours 3, p. 412.*

■ Rédiger l'introduction

L'introduction doit être courte (3 à 4 lignes) et annoncer rapidement le plan de la réponse organisée.
Proposez une annonce de plan :

La forte croissance est à l'origine d'un basculement du centre de gravité du monde vers l'Asie du Sud et de l'Est qui compte désormais deux puissances : le Japon et la Chine.

....

....

....

....

■ Rédiger les paragraphes

La Chine et le Japon sont des rivaux qui se disputent le leardership de l'Asie du Sud et de l'Est.

....

....

....

....

....

....

....

....

....

La Chine et le Japon sont des puissances économiques et géopolitiques qui ont des ambitions mondiales.

....

....

....

....

....

....

....

....

....

....

■ Rédiger la conclusion

La conclusion doit être brève (3 à 4 lignes) et faire un bilan de la réflexion. Proposez une conclusion :

....

....

....

....

Conseil *Pour conclure, utilisez quelques phrases clés de la fiche de révision, p. 428.*

ENTRAÎNEMENT

SUJET ## Les défis de la croissance en Asie du Sud et de l'Est

À partir de l'analyse de ces documents, montrez que la croissance économique représente un défi majeur en Asie du Sud et de l'Est.
Montrez les limites des documents.

1 **L'Inde, un pays émergent.** Dessin de Khushdeep Kaur, *The Times of India*, 2011.

2 **Le boom immobilier, facteur et conséquence de la croissance en Chine.**

Dans la métropole de Guangzhou (Canton) comme dans le reste des villes chinoises, la pression immobilière est forte. Les candidats à l'achat choisissent sur plan et maquette leur logement dans les vastes programmes immobiliers.

ENTRAÎNEMENT

SUJET La Chine face aux concurrences régionales en Asie du Sud et de l'Est

Montrez la place qu'occupe la Chine en Asie du Sud et de l'Est et les concurrences régionales auxquelles elle doit faire face. Montrez les limites des documents.

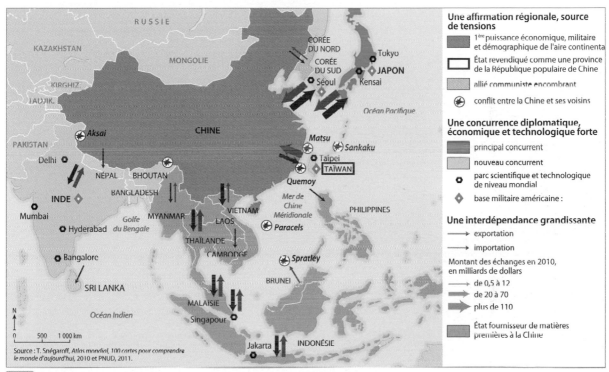

1 La Chine en Asie du Sud et de l'Est : entre tensions et intégration

Source : T. Snégaroff, *Atlas mondial, 100 cartes pour comprendre le monde d'aujourd'hui*, 2010 et PNUD, 2011.

2 L'Inde : un partenaire et un rival

Rivaux sur terre, l'Inde et la Chine le sont davantage encore dans l'océan Indien. New Delhi souffre d'un complexe d'encerclement lié à l'essor du « collier de perles » sous influence chinoise (la construction de ports jusqu'au détroit d'Ormuz) et au déploiement de missiles sur le plateau tibétain. De son côté, Pékin est convaincu que l'Inde est en mesure de lui bloquer l'accès à « sa » mer de Chine [...]. Les inquiétudes sont d'autant plus vives de part et d'autre que l'essentiel des approvisionnements en hydrocarbures de chacun se fait au Proche-Orient et passe par l'océan Indien. [...]

Cette rivalité donne lieu à la formation de coalitions régionales. Proche du Pakistan, de la Birmanie et du Sri Lanka, la Chine courtise des partenaires avec lesquels l'Inde souhaiterait conserver ou développer de bonnes relations, comme l'Iran, le Népal et le Bangladesh. New Delhi, pour sa part, cherche à exploiter l'inquiétude face à la puissance chinoise de pays aussi différents que le Vietnam, Singapour et le Japon – avec lequel a été signé en 2006 un important accord de partenariat stratégique. Il se rapproche par ailleurs des États-Unis [...].

Ces relations bilatérales compliquées n'empêchent pas les deux pays de se retrouver – et de converger – de plus en plus souvent dans les instances multilatérales. La multiplicité des institutions regroupant des pays asiatiques [...] accroît la fréquence et l'intensité des échanges : l'Inde et la Chine sont aujourd'hui membres d'une demi-douzaine d'organisations de ce genre, à l'échelle régionale ou intercontinentale.

C. Jaffrelot, « Inde-Chine, conflits et convergences », *Le Monde diplomatique*, mai 2011.

ENTRAÎNEMENT

SUJET Le Japon : une puissance majeure en Asie du Sud et de l'Est

**À partir des documents, montrez que le Japon est une puissance régionale et qu'il entretient des relations ambivalentes avec la Chine.
Montrez les limites des documents.**

1   Uniqlo au Sanlitun Village à Beijing (Chine). Uniqlo, une entreprise japonaise de prêt-à-porter qui accélère son déploiement planétaire, participe à l'image positive du Japon dans le monde.

2   Indonésie : un rôle de premier plan

Malgré les pénibles souvenirs laissés par la guerre du Pacifique et l'occupation nippone, l'Indonésie partage avec le Japon des intérêts communs. [...]

L'Asie de l'Est est largement dominée par la puissance nippone dont les investissements et le commerce ont structuré la région. En Indonésie, le Japon a opéré son retour grâce aux réparations de guerre, dès les années 1950. Très vite, le Japon est devenu le premier investisseur étranger dans l'archipel, et son premier client et fournisseur. Il est aussi le plus important créancier du pays. Selon la Banque des règlements internationaux, jusqu'en juillet 1997, le Japon avait prêté au secteur privé indonésien quelque 23 milliards de dollars.

L'Indonésie bénéficie d'une aide nippone résolue et continue, qui est la contrepartie de ses avantages vitaux, tant sur le plan des ressources naturelles (gaz naturel) que stratégique : la moitié des cent cinquante navires de plus de 30 000 tonnes traversant chaque jour les détroits de Malacca, Singapour, Lombok et Makasar sont japonais ; les trois quarts du pétrole importé par les Japonais passent par ces détroits ; en cas de fermeture, les pétroliers géants devraient allonger leur trajet de 78 % en contournant l'Australie. [...]

Dans les calculs de Jakarta, le puissant Japon joue un rôle de contrepoids face à la grande Chine. La diplomatie indonésienne cherche ainsi à aménager une relation triangulaire équilibrée avec la RPC et le Japon, pour ne dépendre d'aucun des deux.

F. Raillon, *Indonésie. Les voies de la survie*, 2007.

ENTRAÎNEMENT

SUJET Les ambitions mondiales du Japon

À travers l'analyse de ces documents, montrez les ambitions mondiales du Japon.

manga
jeux vidéo
mode
arts et traditions
animations
invités

japan touch
FESTIVAL
5000m2 dédiés à la culture japonaise

13e
ÉDITION

Samedi 3
Dimanche 4
décembre 2011

Double Mixte - Lyon Villeurbanne

Horaires :
Samedi : 11h - 20h
Dimanche : 10h - 18h

Tarifs :
Samedi : 9 €
Dimanche : 8 €
Pass week end : 14 €

www.asiexpo.com/japantouch

www.asiexpo.com
asiexpo

1 Le *cool Japan*, un rayonnement culturel

2 **Des ambitions mondiales dépendantes des États-Unis et concurrencées par la Chine**

Longtemps, Tokyo s'est contenté d'être le supplétif militaire des Américains dans la région. Mais la donne a été modifiée par l'émergence de la Chine dans les affaires du monde, qui a conduit les États-Unis à chercher des contrepoids asiatiques [...]. Après la révision de l'accord stratégique signé en 2005 avec Washington, les forces militaires nipponnes, jusqu'alors purement défensives, se transforment en armée d'intervention apte à se projeter à l'extérieur. Même si [...] la Constitution japonaise interdit toujours l'utilisation de l'armée dans des conflits internationaux, Tokyo aimerait s'affranchir des contraintes liées à l'après-guerre et s'affirmer sur la scène mondiale. D'autant que son voisin chinois occupe très largement la place. Si leurs rapports connaissent des périodes de fortes tensions (comme en 2005-2006), les liens économiques, eux, ne se sont jamais distendus depuis l'ouverture de la Chine. Ce qui n'exclut évidemment pas la concurrence politique – en Asie, notamment vis-à-vis de l'Association des nations de l'Asie du Sud-Est, en Afrique (dans la course aux matières premières) et dans les rencontres internationales (tel le G20, qui réunit les puissances les plus riches et les nations émergentes). [...] En fait, le trio sino-américano nippon mène une sarabande endiablée, faite de relations économiques étroites, de rapports diplomatiques houleux et de méfiance réelle [...].

E. Guyonnet, « Le Japon méconnu », *Le Monde diplomatique, Manière de voir*, juin-juillet 2009.

ENTRAÎNEMENT

SUJET ## Les ambitions mondiales de la Chine

À travers l'analyse de ces documents, montrez les ambitions mondiales de la Chine.

1 **Défilé du 60e anniversaire de la création de la République populaire de Chine, en 2009**

2 Des ambitions militaires et spatiales fortes

Le budget de la défense [chinoise] est passé de 32,8 milliards de dollars en 2003 à 119 milliards en 2010 et son armée s'élève aujourd'hui à 2,5 millions d'hommes et à plus de 800 000 réservistes, ce qui en fait la première armée du monde par les effectifs. [...] Selon les différents rapports annuels sur la puissance militaire chinoise faits par les États-Unis, les investissements officiels seraient très en deçà de la réalité, son programme balistique serait le plus actif du monde et ses capacités de projection lui permettraient bientôt d'atteindre des porte-avions de l'autre côté du Pacifique. Les Américains s'inquiètent donc de l'augmentation des capacités militaires chinoises portée par une puissante industrie de l'armement, et se demandent quels sont les réels objectifs du géant chinois : assurer au mieux sa défense, ou effrayer des voisins protégés jusqu'ici par le bouclier américain. [...]

[En matière de conquête spatiale], les Chinois sont pour l'instant à la traîne derrière les États-Unis et la Russie, mais l'énergie qu'ils mettent à rattraper au plus vite leur retard porte ses fruits depuis une dizaine d'années. L'objectif de la Chine se porte aujourd'hui sur la Lune, que les Chinois aimeraient conquérir à l'horizon 2025, mais aussi sur l'exploration de la planète Mars : un satellite nommé Yinghuo-1 a ainsi été lancé en collaboration avec la Russie le 7 novembre 2011 afin d'être mis sur orbite autour de Mars. [...] La Chine souhaite également installer en orbite basse terrestre sa propre station spatiale à l'horizon 2020.

S. Delannoy, *Géopolitique des pays émergents*, 2012.

ENTRAÎNEMENT

SUJET ## Les ambitions mondiales de la Chine

À partir des documents, montrez que la Chine est une puissance économique incontournable, mais qu'elle reste très dépendante de l'extérieur. Montrez les limites des documents en insistant sur ce qu'ils ne montrent pas.

1 **Des besoins croissants en matières premières**

2 La Chine et les BRICS

[Dans le groupe des BRICS,] les projets de coopération restent essentiellement bilatéraux, aucune règle de fonctionnement en commun n'a été établie, et aucune structure réellement pérenne n'a été mise en place. Les raisons de cette difficulté à se rapprocher, au-delà des effets d'annonce, repose sur la divergence de leurs intérêts qui nuit à leur capacité d'union, et sur leur potentiel très inégal : les BRICS souffrent d'une sorte de macrocéphalie si l'on considère que la Chine est leur tête. La Chine n'est pas une puissance émergente comme les autres : elle représente 50 % du PIB des BRICS, les deux tiers du commerce de l'ensemble, et occupe la place de premier partenaire commercial de ces pays en représentant 9 à 14 % de leur commerce extérieur.

La Chine est de son côté beaucoup moins dépendante des autres BRICS, qui occupent des places comprises entre le 9e et le 23e rang dans son commerce extérieur. Ces caractéristiques hors norme et la montée en puissance quasiment inéluctable qu'elles sous-tendent expliquent que la Chine ait des visées mondiales plus claires. L'attitude de la Chine est d'ailleurs révélatrice de l'admiration qu'elle éprouve pour les États-Unis, seul pays qu'elle estime à sa hauteur, instrumentalisant souvent les autres espaces si bien que le comportement de la Chine vis-à-vis des pays européens semble finalement proche des relations qu'elle entretient avec l'Afrique. Dans les négociations entre BRICS, le poids de la Chine est donc disproportionné.

S. Delannoy, *Géopolitique des pays émergents*, 2012.

ENTRAÎNEMENT

SUJET **Les ambitions mondiales de la Chine**

À partir du document, montrez que la Chine est une puissance économique récente, mais qu'elle reste très dépendante de l'extérieur. Montrez les limites du document en insistant sur ce qu'il ne montre pas.

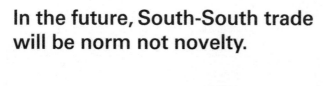

In the future, South-South trade will be norm not novelty.

Statue en terre cuite de l'armée de l'empereur Qin (IIIᵉ siècle avant notre ère).

Tongs jaune et verte (aux couleurs du drapeau brésilien) de la marque brésilienne Havaianas.

Direct trade between fast-growing nations is reshaping the world economy. HSBC is one of the leading banks for trade settlement between China and Latin America. There's a new world emerging. Be part of it.

There's more on trade at www.hsbc.com/inthefuture

HSBC

Campagne publicitaire de la banque britannique HSBC

Traduction : (en haut) « Demain, le commerce Sud/Sud ne sera plus un phénomène marginal mais bel et bien la norme » ; (en bas) « Aujourd'hui, le commerce direct entre les nations à forte croissance vient rebattre toutes les cartes de l'économie mondiale. HSBC fait partie de ces grandes banques établissant des liens commerciaux entre la Chine et l'Amérique latine. Un monde nouveau est en train d'émerger. Ne restez pas sur le banc de touche. »

ENTRAÎNEMENT

SUJET Les ambitions mondiales du Japon

À partir des documents, montrez que le Japon est une puissance économiquement forte, mais géopolitiquement limitée et qu'il ambitionne d'atteindre le statut de puissance mondiale. Montrez les limites des document.

1 Shibuya : l'un des centres de Tokyo

2 La place du Japon dans le monde

Pendant la guerre froide, [la] géopolitique [du Japon] est marquée par trois tendances : il transforme en atout la démilitarisation subie pour devenir la deuxième puissance économique mondiale ; ancré dans le « monde libre », il est désormais l'allié des États-Unis ; il cherche à rétablir des relations avec ses voisins malgré les différences de régimes politiques.

Tourné vers l'économie depuis la Seconde Guerre mondiale, [...] [le Japon adhère] aux organisations internationales [...] : il devient successivement membre du FMI et de la Banque mondiale (1952), du GATT (1955), de l'ONU (1956), de l'OCDE (1964), et fait partie du G6 à sa création, en 1975. [...] Symbole de sa puissance nouvelle, le Japon organise les Jeux olympiques en 1964 (à Tokyo) et l'Exposition universelle en 1970 (à Osaka).

Son pacifisme, isolationniste, ne se convertit pas en *soft power*. L'implication du Japon dans la lutte contre la prolifération et pour le désarmement, et son importante contribution au budget de l'ONU lui ont permis d'être l'État ayant le plus souvent occupé un siège de membre non permanent au Conseil de sécurité – et non d'obtenir le siège de membre permanent auquel il prétend depuis les années 1960.

Son principal obstacle est la Chine, une réforme de l'ONU nécessitant l'approbation de chacun des membres permanents du Conseil. Le « capital sympathie » qu'il tire de l'animation et des mangas, en Asie comme en Europe, ne se traduit pas en influence politique.

P. Gauchon (dir.), *Dictionnaire de géopolitique et de géoéconomie*, 2011.

L'essentiel

A. La population et la croissance permettent-elles un développement de l'Asie du Sud et de l'Est ?

Des facteurs permettant un développement incomplet de cette aire

➤ Une aire continentale concentrant la majeure partie de la population mondiale :
- ces deux géants démographiques de la planète constituent les deux premiers foyers de peuplement ;
- leur croissance démographique connaît un ralentissement.

➤ L'aire continentale qui a la plus forte croissance économique :
- cette croissance se fonde sur la demande extérieure et, de plus en plus, sur la demande intérieure ;
- elle s'appuie sur une main-d'œuvre abondante et compétitive.

➤ Une aire continentale qui reste confrontée à de grands défis :
- le vieillissement de la population ;
- la pauvreté de la population, ses besoins croissants en éducation, en logement et en ressources.

B. Comment se manifeste la rivalité entre le Japon et la Chine en Asie du Sud et de l'Est ?

Des rivaux qui se disputent le leadership de l'Asie du Sud et de l'Est

➤ Un leadership économique du Japon sur cette aire :
- sa suprématie est financière et technologique ;
- pour s'imposer comme leader économique, la Chine doit détrôner le Japon sur le plan technologique.

➤ Un leadership stratégique de la Chine sur cette aire :
- la Chine cherche à renforcer son influence en désamorçant les craintes d'une « menace chinoise » ;
- le Japon cherche à restaurer son influence en recentrant sa politique étrangère sur l'Asie.

➤ Un leadership global de l'aire continentale à partager :
- ni le Japon ni la Chine ne possède pour l'instant ce leadership ;
- le partage de ce leadership, qui s'ébauche depuis cinq ans, vise à servir les intérêts des deux pays.

C. Comment le Japon et la Chine atteignent-ils le statut de puissance mondiale ?

Des puissances économiques et géopolitiques qui ont des ambitions mondiales

➤ Le Japon est une puissance établie ; la Chine est une puissance ascendante :
- la Chine a détrôné le Japon de son rang de 2e économie mondiale ;
- mais son niveau de vie reste dix fois moins élevé que celui du Japon.

➤ Le Japon et la Chine sont des puissances économiques vulnérables :
- le Japon reste une formidable puissance économique malgré la stagnation qui le mine depuis vingt ans ;
- la Chine est une puissance économique récente, mais très dépendante de l'extérieur.

➤ Le Japon et la Chine sont des puissances géopolitiques ambitieuses :
- le Japon vise un rôle politique mondial en s'émancipant de la tutelle des États-Unis ;
- la Chine vise un rôle politique mondial en égalant voire dépassant les États-Unis.

A. Une population et une croissance qui permettent un développement incomplet de l'Asie du Sud et de l'Est

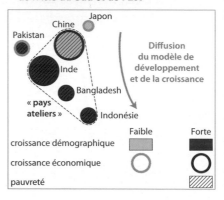

B. Des rivaux qui se disputent le leadership de l'Asie du Sud et de l'Est

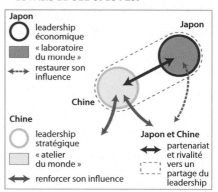

C. Des puissances qui ont des ambitions mondiales

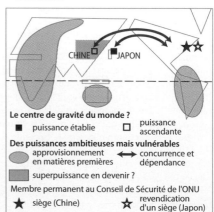

Organigramme de révision

L'Asie du Sud et de l'Est

est caractérisée par → *est l'enjeu de* ↓ *est dominée par* →

Un développement incomplet
↓
Elle concentre la majeure partie de la population mondiale
+
Elle connaît la plus forte croissance économique
+
Elle reste encore confrontée à de grands défis

Une rivalité entre le Japon et la Chine, qui se disputent le leadership
↓
Le Japon est le leader économique
+
La Chine est le leader stratégique
+
Le Japon et la Chine se partageront probablement le leadership global

Deux puissances ayant des ambitions mondiales : le Japon, une puissance établie ; La Chine, une puissance ascendante
↓
Le Japon et la Chine sont des puissances économiques vulnérables
+
Le Japon et la Chine sont des puissances géopolitiques ambitieuses

Ne pas confondre

Puissance établie / puissance ascendante

Puissance établie : expression du géographe Michel Foucher désignant un centre de pouvoir ancien et reconnu qui a un poids économique et un niveau de vie élevés.

Puissance ascendante : expression du géographe Michel Foucher désignant un centre de pouvoir nouveau et en ascension ayant un poids éconononomique élevé mais un niveau de vie faible. Il parle aussi de puissance prématurée.

Flux d'IDE sortants / flux d'IDE entrants

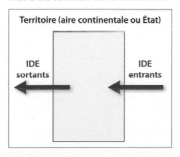

Repères

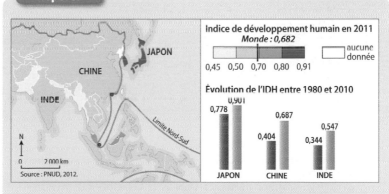

Source : PNUD, 2012.

Indice de développement humain en 2011
Monde : 0,682

0,45 0,50 0,70 0,80 0,91 | aucune donnée

Évolution de l'IDH entre 1980 et 2010

JAPON : 0,778 / 0,901
CHINE : 0,404 / 0,687
INDE : 0,344 / 0,547

Nombre de véhicules en circulation en Chine

76,2 millions en 2009   200 millions en 2020

Source : *Le Monde magazine*, 25 septembre 2010.

LEXIQUE GÉOGRAPHIE

A

Acteurs : ensemble de ceux qui, par leurs comportements, peuvent agir sur l'espace (firmes transnationales, États, ONG, individus…). Ce pouvoir dépend des intérêts, des moyens et des stratégies de chaque acteur. Par leur action collective, les acteurs produisent du territoire. Voir p. 273.

Afrique subsaharienne : partie de l'Afrique située au sud du Sahara. Voir p. 372.

Aire de civilisation : espace identifié comme ayant une unité culturelle, du fait que les sociétés humaines qui y vivent adoptent des modes de pensée et de vie semblables. Voir p. 245.

ALBA : « aube » en espagnol. Alternative bolivarienne pour les Amériques. Voir p. 332.

ALENA (Accord de libre-échange nord-américain) : communauté économique créée en 1994 groupant le Canada, les États-Unis et le Mexique. Voir p. 330.

Altermondialisme : courant de pensée qui recherche des alternatives à la mondialisation libérale surtout fondées sur la réduction des inégalités et la protection de l'environnement. Voir p. 294.

Amazonie bleue : zone économique exclusive brésilienne riche en réserves pétrolières. Voir p. 342.

Amérique centrale : Voir p. 359.

Amérique latine : Amérique hispanophone. Voir p. 330.

Amérique du Nord : Voir p. 359.

Amérique du Sud : Voir p. 359.

Anamorphose : carte dans laquelle la surface d'un territoire est proportionnelle au phénomène représenté. Voir p. 240.

AQMI : mouvement islamiste terroriste, dont l'acronyme signifie « Al-Qaïda au Maghreb islamique ». Voir p. 364.

Arc de crise (ou croissant de crise) : région concentrant des foyers de violence et de guerre dus à l'enchevêtrement de peuples différents, à l'exploitation du pétrole et aux questions religieuses. Voir p. 236.

Archipel métropolitain mondial : ensemble des villes mondiales qui, étroitement connectées en réseaux, organisent le monde et nouent des relations privilégiées entre elles. Voir p. 300.

Asean + 3 : groupe informel créé pendant la crise de 1997-1998 qui a accéléré le processus d'intégration régionale au plan monétaire et financier. Le Japon milite pour que l'Asean + 3 s'ouvre à l'Australie, l'Inde et la Nouvelle-Zélande et que l'intégration s'étende aux plans politique et stratégique afin de contenir l'influence croissante de la Chine dans la région. Voir p. 405.

Asie méridionale et Asie orientale : l'Asie méridionale correspond au sous-continent indien et à l'aire de diffusion de la culture indienne et l'Asie orientale à l'aire de diffusion de la culture chinoise. Voir p. 400.

ASPA (Amérique du Sud-Pays arabes) : forum de discussion né en 2005 entre les 22 pays de la Ligue arabe et 12 pays sud-américains. Voir p. 334.

« Atelier du monde » : expression que l'on réserve à la Chine pour désigner son rôle pivot de plate-forme d'assemblage. Nombre de produits ne sont pas à proprement parler fabriqués en Chine (*made in China*), il y sont seulement assemblés à partir de composants importés (*made by China*). Ce rôle explique l'explosion du commerce extérieur chinois. Voir p. 406.

B

Bolivarisme : courant politique d'Amérique du Sud se référant au Vénézuélien Simon Bolivar (1783-1830) et incarné jusqu'en 2013 par Hugo Chavez. Il prônait l'unification des peuples d'Amérique latine, considérés comme « dominés », et la lutte contre l'hégémonie états-unienne. Voir p. 332.

Bon du Trésor : les bons du Trésor sont émis pour financer le déficit budgétaire d'un pays. Le Japon et la Chine, qui les considèrent comme des placements financiers, achètent donc de la dette. Voir p. 412.

BRICS : noyau pilote des principaux pays ascendants : Brésil, Russie, Inde, Chine et Afrique du Sud. Voir p. 239.

C

CARICOM : association régionale de coopération des Caraïbes. Voir p. 329.

CBD *(Central Business District)* : quartier d'affaires. Voir p. 300.

Centrage : choix cartographique privilégiant un espace placé au centre de la carte. Les planisphères utilisés en Europe sont le plus souvent européano-centrés. Voir p. 235.

Centre d'impulsion : ville ou région motrice de la mondialisation où les pouvoirs de décision sont très concentrés. Ces pouvoirs sont économiques (sièges sociaux, Bourses), politiques (institutions nationales et internationales), mais aussi culturels. Voir p. 300.

Centre / périphérie : opposition entre un centre qui domine un espace et des périphéries qui sont dominées. Ces deux ensembles entretiennent des flux dissymétriques et cette organisation peut se lire à toutes les échelles (ville, région, État et monde). Voir p. 298.

Chiite/sunnite : deux courants de l'islam. Pour les sunnites, qui se réclament de la tradition (sunna), la direction de la communauté des croyants doit être assumée par le plus sage des musulmans. Pour les chiites, elle doit l'être par le gendre du Prophète, Ali, puis par ses descendants. Voir p. 239.

« Collier de perles » : stratégie chinoise visant à établir une série de bases permanentes dans l'océan Indien en vue de sécuriser son approvisionnement énergétique. Pour cela, la Chine modernise ou construit des ports dans les pays voisins de l'Inde, son ancienne rivale qu'elle contourne. Voir p. 405.

Coltan : minerai utilisé pour fabriquer les condensateurs et résistances des téléphones portables, des consoles de jeux vidéo et autres appareils électroniques. Voir p. 378.

Commerce équitable : système d'échange garantissant un revenu juste au producteur qui, ainsi, bénéficie d'une partie raisonnable du prix payé par le consommateur. Voir p. 273.

Conflit d'usage : rivalité entre différents utilisateurs d'une même ressource, ici l'eau. Voir p. 367.

Cool Japan : stratégie de communication qui vise à modifier l'image du Japon dans le monde et à renforcer son rayonnement culturel à travers l'exportation de la culture de masse : mangas, dessins animés, jeux vidéo, musique (J-pop), modes vestimentaires, cuisine. Voir p. 412.

Coopérative : groupement d'agriculteurs ayant pour but de défendre leurs intérêts et d'augmenter leurs marges face aux conditions d'organisation de la production et des marchés. Voir p. 273.

D

Degré de financiarisation : rapport entre le stock de capitaux d'un pays et son PIB. Voir p. 286.

Démondialisation : processus visant à limiter le libre-échange, à travers la relocalisation de la production et des emplois et le retour à un protectionnisme ciblé via des droits de douanes. Voir p. 294.

Destinée manifeste : idéologie née au XIXe siècle qui affirme la mission des États-Unis à répandre la démocratie et leur modèle de civilisation. Voir p. 239.

Développement : ensemble des processus sociaux et économiques apportant aux hommes une plus grande sécurité, une plus grande satisfaction de leurs besoins. Voir p. 240.

Développement durable : développement qui permet de satisfaire nos besoins actuels sans compromettre la possibilité pour les générations futures de satisfaire les leurs. Le développement durable doit conduire à plus d'équité entre les hommes et les générations. Voir p. 251.

Diamants de sang : trafic de diamants alimentant guerres et rébellions (Angola, Liberia, RDC…). Voir p. 372.

Discrétisation : Voir doc. 3 p. 234.

Division internationale du travail : spécialisation des pays dans un type d'activité (recherche, innovation, production, montage…). Voir p. 288.

E

Échanges : ensemble des relations commerciales, financières, culturelles… entre les différents lieux de la planète. Voir p. 323.

Échelle : La définition est double : – numérique : rapport entre les distances réelles d'un espace et celles de la carte ; – géographique : échelon d'analyse spatiale d'un phénomène par le géographe : local, régional, continental, global. Voir p. 235.

Économie de rente : économie faiblement diversifiée qui s'appuie surtout sur les ressources naturelles. Voir p. 375.

Économie de réseaux : système fondé sur les liens de connaissance et les réseaux privés pour accéder aux soins, documents administratifs, diplômes, logement, emploi… Voir p. 372.

Économie extravertie : économie dont une grande part des activités est destinée aux exportations. Voir p. 378.

Enclavement : situation de territoires qui, faute d'être bien desservis par des voies de communication, sont moins intégrés aux échanges donc isolés. Voir p. 304.

Environnement : au sens étroit, milieu naturel ; au sens large, ensemble des éléments naturels et sociaux qui nous entourent. Voir p. 251.

F

Façade maritime : littoral qui concentre un grand nombre de villes portuaires ouvertes aux échanges mondiaux et en liaison avec un même arrière-pays. Voir p. 306.

Feedering : système de transfert de conteneurs. Les porte-conteneurs transocéaniques déchargent sur des petits porte-conteneurs à partir d'un hub où les porte-conteneurs doivent faire escale vers les ports secondaires. Voir p. 306.

Filière : secteur d'activité rassemblant les activités de production (secteur amont), de transformation, de conditionnement et de conservation, de transport et de commercialisation (secteur aval) d'un produit. Voir p. 273.

Flux : quantités de personnes, de biens, d'informations ou de capitaux qui se déplacent dans l'espace mondial. Voir p. 284.

Food power (« arme alimentaire ») : moyen de pression politique qui entraîne une dépendance culturelle (habitudes alimentaires), économique et politique des pays clients. Voir p. 336.

Forum social mondial : rassemblement annuel organisé par le mouvement altermondialiste pour débattre des problèmes liés à la mondialisation et proposer des solutions non libérales. Voir p. 294.

Frontex : coopération européenne de gestion et de surveillance des frontières extérieures de l'UE. Voir p. 364.

Front pionnier : espace en cours de peuplement dans le cadre d'une mise en valeur agricole ou minière. Voir p. 342.

FTN (firme transnationale) : entreprise possédant au moins une filiale à l'étranger. Voir p. 273.

G

G2 : sorte de directoire sino-américain assurant une co-gestion des affaires économiques du monde. Voir p. 412.

G8 (ou Groupe des huit) : Voir p. 230.

G20 : Voir p. 230.

Gated community : quartier résidentiel privé dont l'accès est contrôlé. Voir p. 344.

Géopolitique : branche de la géographie étudiant les rivalités étatiques, mais aussi intra- et interétatiques. Voir p. 236.

Ghetto : quartier dévitalisé, dégradé et enclavé qui concentre des communautés ethniques pauvres. Voir p. 344.

Ghout : fosse plantée de palmiers-dattiers irriguée par la nappe phréatique superficielle. Les ghouts sont peu à peu abandonnées au profit des parcelles irriguées par rampes-pivots grâce à des forages profonds. Voir p. 363.

Gouvernance : ensemble des règles, des acteurs et des actions liés à une question commune (ex. : régulation du capitalisme, développement durable) et exerçant une autorité. Voir p. 236.

H

Hard power (« puissance forte ») : domination qui s'exprime par la force militaire et stratégique. Voir p. 336.

Hub : en anglais, aéroport ou port où convergent toutes les correspondances du réseau aérien ou maritime à l'échelle mondiale, européenne, nationale sous la forme de rayons (spokes) desservis séparément. Voir p. 300.

I

IBAS ou G3 : forum de discussion trilatérale (Inde, Brésil, Afrique du Sud). Voir p. 334.

IDE : investissement d'une firme à l'étranger par la création ou le rachat d'une entreprise existante. Voir p. 292.

IDH (indice de développement humain) : indicateur de développement qui prend en compte : – l'espérance de vie à la naissance ; – le taux d'alphabétisation des adultes ; – le revenu national brut par habitant (qui remplace désormais le PIB). Voir p. 240.

Intégration régionale : pour un État, processus visant à l'insérer dans les échanges à l'échelle d'une région. Elle peut être plus ou moins avancée (Mercosur) et s'élargir au domaine politique (Alba). Voir p. 330.

Interface : lieu privilégié d'échanges entre un espace et le reste du monde. Elle peut être linéaire (littoral, frontière), ponctuelle (port, aéroport), continentale ou maritime. Voir p. 300.

Islamisme : idéologie politique visant à l'instauration d'un État où l'islam est la base du fonctionnement des institutions, de l'économie et de la société. Voir p. 239.

L

Leadership : capacité d'un État à exercer une influence sur la scène régionale ou mondiale et à s'imposer comme une puissance régionale ou mondiale. Voir p. 406.

M

Marché : ensemble des offres et des demandes d'un bien. Le marché génère des flux qui forment un réseau. Voir p. 276.

Mégalopole : vaste ensemble de villes qui forme un tissu urbain continu. Voir p. 300.

Mégalopolis : mégalopole du nord-est des États-Unis s'étendant de Boston à Richmond. Voir p. 342.

MERCOSUR (Marché commun du Sud) : communauté économique créée en 1991 groupant l'Argentine, le Brésil, le Paraguay, l'Uruguay et le Venezuela. Voir p. 330.

Mondialisation : processus de mise en relation de plus en plus intense et directe des différentes parties du monde. Très sélective géographiquement, la mondialisation provoque, par la mise en concurrence et la valorisation des territoires, de profondes inégalités, causant une intégration différenciée de ces territoires dans un monde interdépendant et hiérarchisé. Voir p. 265.

Montée en gamme : stratégie d'industrialisation d'un pays qui, dans un premier temps, se spécialise dans la production de biens à faible valeur ajoutée et qui, dans un second temps, utilise les recettes effectuées pour passer à la production de biens à plus haute valeur ajoutée. Parallèlement, il délocalise dans les pays voisins, qui débutent leur industrialisation, la production de gamme inférieure. On parle aussi de remontée de filières. Voir p. 400.

N

Nappe aquifère fossile : nappe d'eau souterraine profonde et captive de la roche qui n'est pas ou peu alimentée. C'est une ressource non renouvelable, son exploitation l'épuise irrémédiablement. Voir p. 363.

Net power : puissance du réseau Internet. Voir p. 336.

Nord : ensemble des pays développés. Voir p. 240.

NPIA : Voir Repère B p. 400.

O

ONG (organisation non gouvernementale) : les ONG sont des acteurs de la société civile aux divers domaines d'intervention (environnement, humanitaire, droits de l'homme). Voir p. 294.

Organisation de coopération de Shanghai (OCS) : club de 6 pays, né en 1991, dominé par Moscou et Pékin, agissant, dans cette région stratégique et riche en hydrocarbures, comme un contrepoids aux États-Unis et à l'OTAN. Voir p. 411.

OTAN (Organisation du Traité de l'Atlantique Nord) : pacte militaire, créé en 1949 dans le cadre de la guerre froide, rassemblant les alliés européens (+ le Canada) des États-Unis. Voir p. 334.

P

Paradis fiscal : territoire où le régime fiscal est particulièrement avantageux pour les capitaux étrangers. Voir p. 300.

PAS (Plan d'ajustement structurel) : ensemble de mesures imposées par le FMI et la Banque mondiale pour lutter contre l'endettement des États à partir des années 1970. Voir p. 372.

Pavillon de complaisance : adresse d'un navire dans un État qui propose aux propriétaires des avantages fiscaux et une réglementation plus souple. Voir p. 306.

Pays émergents : pays du Sud et dont la croissance économique est forte. Les pays émergents, dont le poids dans l'économie mondiale est de plus en plus important, représentent un ensemble inorganisé. Voir p. 242.

PIB/PNB : Voir p. 240.

PMA : pays les moins avancés, selon 4 critères (espérance de vie inférieure à 55 ans, revenu inférieur à 2 dollars par jour, taux d'alphabétisation inférieur ou égal à 40 %, industrialisation inférieure ou égale à 10 % du PIB). Voir p. 378.

Polycentrisme : ordre mondial basé sur l'existence de plusieurs centres. Dans les relations internationales, la période de l'hyperpuissance américaine (1991-2001) a laissé la place à une nouvelle organisation, fondée avant tout sur la croissance économique, dans laquelle les États-Unis doivent composer avec l'affirmation de puissances ascendantes. Voir p. 242.

Projection : procédé imaginé pour représenter à plat la Terre qui est une sphère. Il en existe plus de 200 qui portent le nom de leur créateur et aucune n'est absolument exacte : il n'est pas possible de cartographier la Terre sans la déformer. Le choix d'une projection dépend donc surtout de ce que l'on veut représenter. Voir p. 235.

Puissance : capacité d'un État à influer sur le comportement des autres États. Voir p. 242.

Puissance ascendante : expression du géographe Michel Foucher désignant un centre de pouvoir nouveau et en ascension ayant un poids économique élevé mais un niveau de vie faible. Il parle aussi de puissance prématurée. Voir p. 429.

Puissance établie : expression du géographe Michel Foucher désignant un centre de pouvoir ancien et reconnu qui a un poids économique et un niveau de vie élevés. Voir p. 429 .

R

Rébellion touarègue : depuis les années 1980, les groupes targui berbérophones, marginalisés sur le plan politique et économique, revendiquent régulièrement davantage de reconnaissance de la part des gouvernements du Mali et du Niger. Voir p. 367.

Réfugié : personne fuyant une situation politique qui la met en danger dans son pays d'origine (guerre civile, dictature, persécution ethnique ou religieuse). Voir p. 292.

Rente énergétique : revenu issu de la vente des hydrocarbures et détenus par les gouvernants. Il profite peu à la population et au développement locaux. Voir p. 367.

République islamique d'Iran : État où les principes fondateurs, en matière politique, économique et sociale, proviennent de l'islam chiite. Voir p. 239.

Réseau : le mot est employé avec deux sens différents : 1. ensemble des axes ou lignes sur lesquels circulent des flux et assurant les liaisons entre les différents lieux (qui forment des nœuds) de la planète ; 2. ensemble des relations complexes entre les acteurs. Voir p. 276.

Réseau social : plate-forme virtuelle de socialisation sur laquelle les internautes peuvent se construire des profils, accéder à ceux des autres et communiquer avec eux. Voir p. 294.

S

SADC : Communauté de développement de l'Afrique australe (née en 1980) ; l'Afrique du Sud y entre en 1994. Voir p. 378.

Secteur informel : activités de l'économie populaire non prise en compte par la comptabilité nationale. Voir p. 372.

Soft power (« puissance douce ») : domination qui s'exprime par la persuasion culturelle, politique ou économique. Voir p. 336.

Suburbs : banlieue pavillonnaire devenue la principale structure de peuplement aux États-Unis par l'étendue et par la population. Voir p. 344.

Sud : ensemble des pays en développement. Voir p. 240.

Sun Belt : espace groupant les États périphériques de la Californie à la Floride, bénéficiant d'un climat ensoleillé. Voir p. 344.

T

Technopole : ville qui a développé des activités de hautes technologies. Lorsqu'on parle de technopôle, il s'agit d'un parc technologique. Voir p. 300.

Terre-plein : étendue de terre gagnée sur la mer. À la différence du polder, essentiellement agricole, le terre-plein a une vocation industrielle et tertiaire. Voir p. 303.

Terrorisme : emploi de la terreur à des fins politiques ou religieuses. Voir p. 236.

Township : ex-quartier ouvrier réservé aux non-blancs au temps de l'apartheid, implanté en périphérie des villes. Voir p. 381.

Transition démographique : passage d'un régime démographique à natalité et mortalité élevées à un régime à natalité et mortalité faibles. Voir p. 372.

Triade : ensemble des trois régions qui dominent l'économie mondiale : l'Amérique du Nord (États-Unis et Canada), l'Europe occidentale et le Japon. Parfois, cette définition s'élargit à d'autres pays d'Asie orientale (Corée du Sud, Taïwan, Hongkong et Singapour) ou intègre la Chine littorale. Voir p. 242.

U

UA : l'Union africaine remplace en 2002 l'Organisation de l'unité africaine née en 1963. Voir p. 378.

UNASUR : Union des nations sud-américaines. Voir p. 329.

V

Ville mondiale : métropole qui concentre des fonctions rares et de très haut niveau et exerce une influence dans l'ensemble ou une partie du monde. Voir p. 300.

Z

ZEE : zone économique exclusive, espace maritime de 200 miles marins autour des côtes sur lequel un État exerce sa souveraineté. Voir p. 306.

ZES : zone économique spéciale. Voir p. 306.

ZLEA (Zone de libre-échange nord-américaine) : projet d'extension de l'ALENA à l'ensemble du continent américain. Voir p. 330.

Zone franche : espace où les activités économiques bénéficient de conditions fiscales favorables. Voir p. 300.

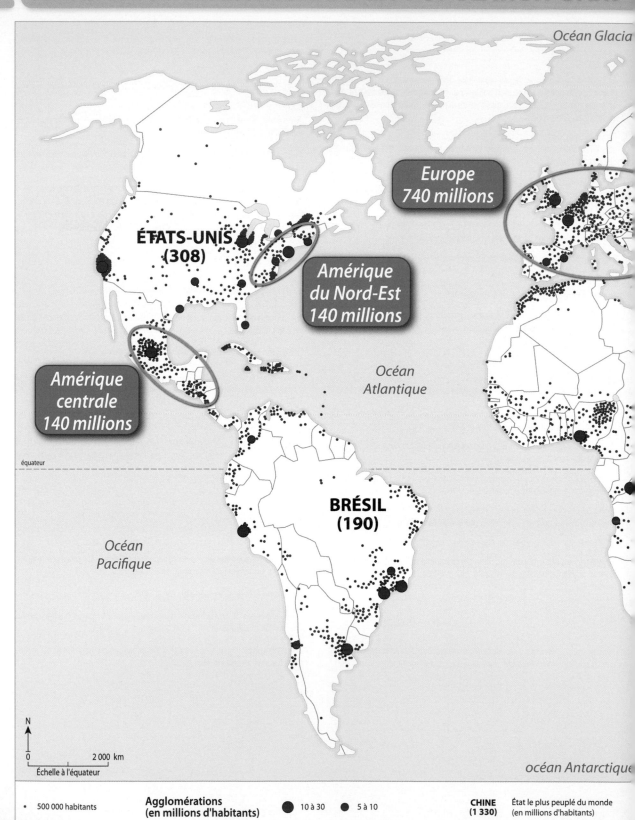

Océan Glacia

Europe
740 millions

ÉTATS-UNIS
(308)

Amérique
du Nord-Est
140 millions

Amérique
centrale
140 millions

Océan
Atlantique

équateur

BRÉSIL
(190)

Océan
Pacifique

N

0   2 000 km
Échelle à l'équateur

océan Antarctique

• 500 000 habitants

Agglomérations
(en millions d'habitants)
⬤ 10 à 30   • 5 à 10

CHINE
(1 330)

État le plus peuplé du monde
(en millions d'habitants)

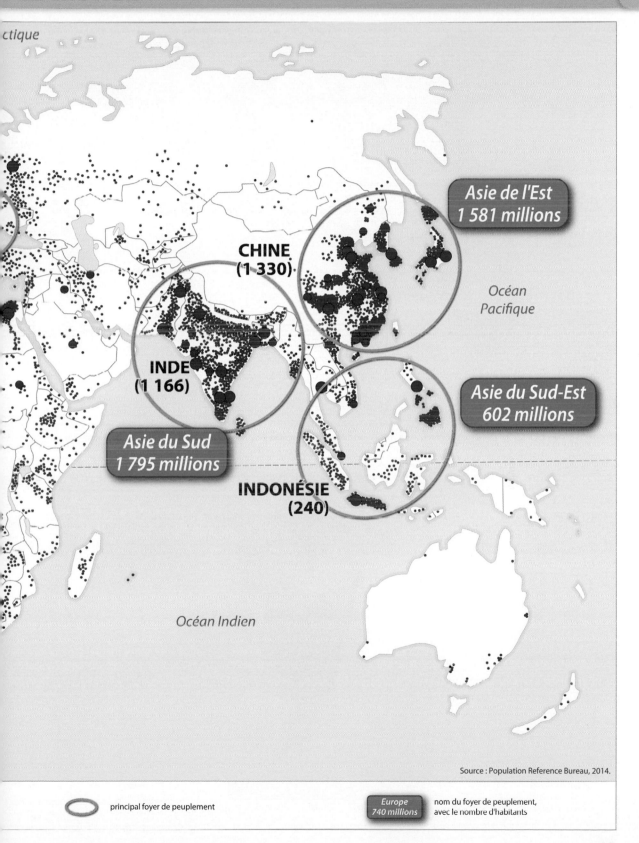

ctique

**Asie de l'Est
1 581 millions**

**CHINE
(1 330)**

Océan
Pacifique

**INDE
(1 166)**

**Asie du Sud-Est
602 millions**

**Asie du Sud
1 795 millions**

**INDONÉSIE
(240)**

Océan Indien

Source : Population Reference Bureau, 2014.

principal foyer de peuplement

*Europe
740 millions* nom du foyer de peuplement,
avec le nombre d'habitants

CANADA

NORVÈGE

ISLANDE

ÉTATS-UNIS

ROYAUME-UNI

IRLANDE

DANEMARK

ALLEMAGNE

FRANCE

ITALIE

PORTUGAL ESPAGNE

Tropique
du Cancer

TUNISIE

MEXIQUE

MAROC

ALGÉRIE

CUBA

HAÏTI RÉP. DOMINICAINE

CAP-VERT MAURITANIE

MALI

NIGER

Océan
Atlantique

GUATEMALA HONDURAS

SÉNÉGAL

BURKINA
FASO

NICARAGUA

COSTA RICA

GUINÉE

NIGERIA

TCHAD

PANAMÁ

VENEZUELA

CÔTE
D'IVOIRE

GUYANA GUYANE FR.

COLOMBIE

LIBERIA

GHANA

CAMEROUN

CENTRAFRIQUE

Équateur

ÉQUATEUR

SURINAM

GABON CONGO

RÉP.
DU CONGO

PÉROU

BRÉSIL

ANGOLA

Océan
Pacifique

BOLIVIE

NAMIBIE

BOTSWANA

PARAGUAY

Tropique
du Capricorne

CHILI

URUGUAY

ARGENTINE

N

0   1 000   2 000 km

Échelle à l'équateur

PIB par habitant,
en dollars, en 2012

231   1 500   4 000   7 500   15 000   40 000   106 000

aucune
donnée

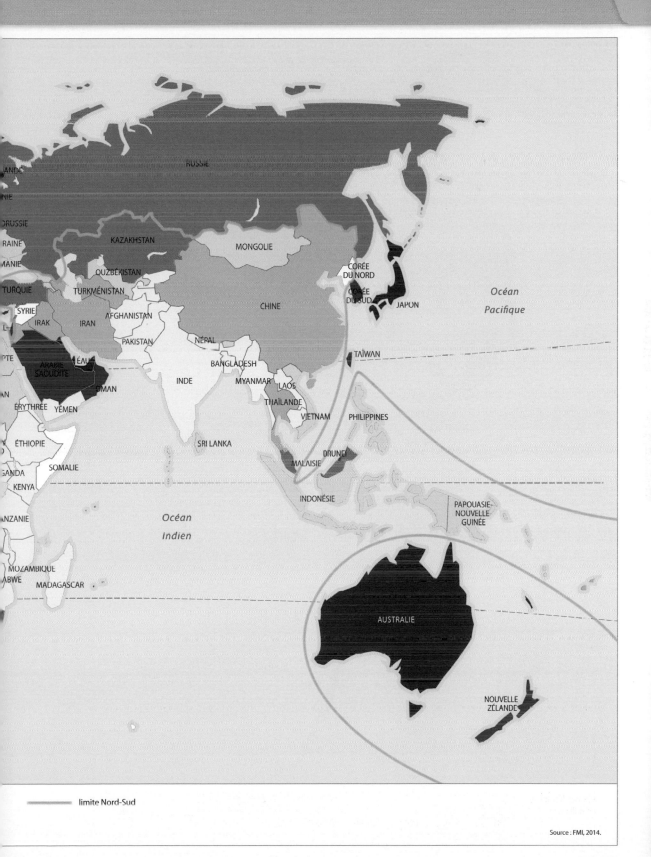

RUSSIE

KAZAKHSTAN

MONGOLIE

OUZBÉKISTAN

TURKMÉNISTAN

CORÉE
DU NORD

CORÉE
DU SUD

JAPON

Océan
Pacifique

TURQUIE

SYRIE

IRAK

IRAN

AFGHANISTAN

CHINE

PAKISTAN

NÉPAL

TAÏWAN

ÉAU

BANGLADESH

ARABIE
SAOUDITE

OMAN

INDE

MYANMAR

LAOS

THAÏLANDE

ÉRYTHRÉE

YÉMEN

VIETNAM

PHILIPPINES

ÉTHIOPIE

SRI LANKA

SOMALIE

BRUNEI

KENYA

MALAISIE

INDONÉSIE

PAPOUASIE-
NOUVELLE-
GUINÉE

NZANIE

Océan
Indien

MOZAMBIQUE

ABWE

MADAGASCAR

AUSTRALIE

NOUVELLE
ZÉLANDE

limite Nord-Sud

Source : FMI, 2014.

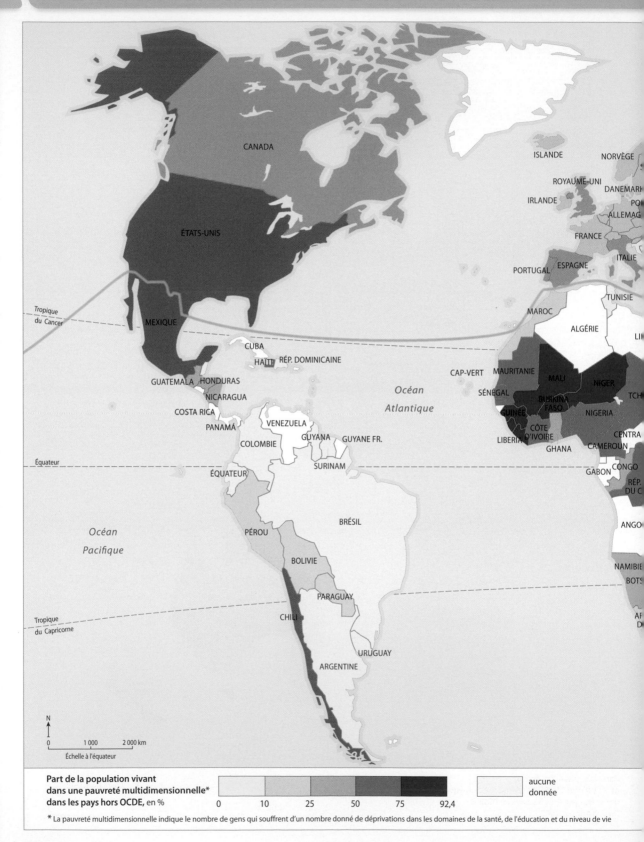

CANADA

ISLANDE
NORVÈGE
ROYAUME-UNI
DANEMARK
IRLANDE
PO
ALLEMAG
ÉTATS-UNIS
FRANCE
ITALIE
PORTUGAL ESPAGNE
TUNISIE
Tropique
du Cancer
MEXIQUE
MAROC
ALGÉRIE
LI
CUBA
RÉP. DOMINICAINE
HAÏTI
CAP-VERT MAURITANIE
MALI
NIGER
GUATEMALA HONDURAS
SÉNÉGAL
BURKINA
TCH
NICARAGUA
Océan
FASO
Atlantique
GUINÉE
NIGERIA
COSTA RICA
CÔTE
PANAMÁ
VENEZUELA
D'IVOIRE
CENTRA
LIBERIA
GUYANA GUYANE FR.
CAMEROUN
COLOMBIE
GHANA
SURINAM
GABON
CONGO
Équateur
ÉQUATEUR
RÉP.
DU C
BRÉSIL
ANGO
Océan
PÉROU
Pacifique
BOLIVIE
NAMIBIE
BOTS
PARAGUAY
CHILI
Tropique
du Capricorne
AF
D
URUGUAY
ARGENTINE

N

0   1 000   2 000 km

Échelle à l'équateur

Part de la population vivant dans une pauvreté multidimensionnelle* dans les pays hors OCDE, en %

0   10   25   50   75   92,4

aucune donnée

* La pauvreté multidimensionnelle indique le nombre de gens qui souffrent d'un nombre donné de déprivations dans les domaines de la santé, de l'éducation et du niveau de vie

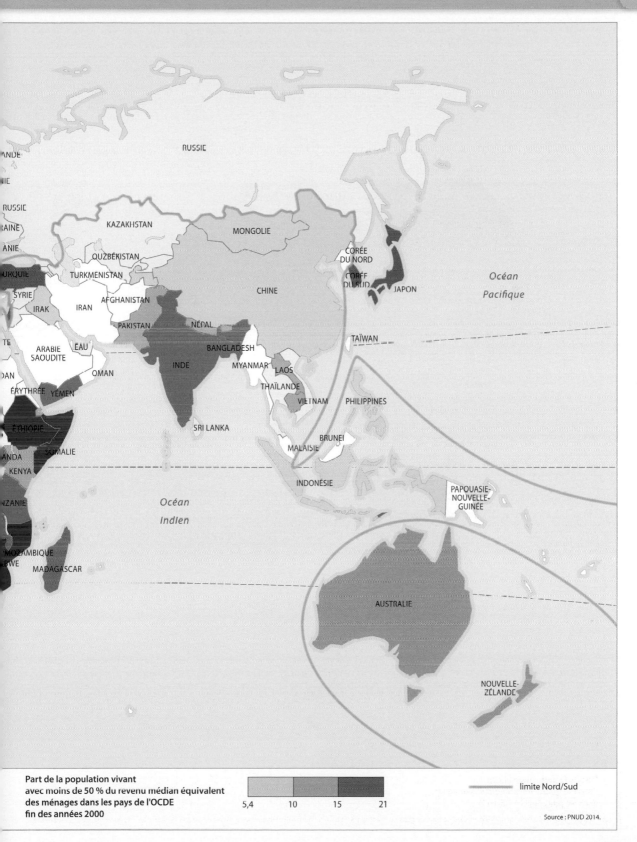

Part de la population vivant
avec moins de 50 % du revenu médian équivalent
des ménages dans les pays de l'OCDE
fin des années 2000

5,4   10   15   21

limite Nord/Sud

Source : PNUD 2014.

CANADA

ISLANDE

NORVÈGE

SU

ROYAUME-UNI

DANEMARK

IRLANDE

PAYS-BAS

POI

BELGIQUE

ALLEMAGNE

15

18

ÉTATS-UNIS

FRANCE

SUISSE

4

23

ITALIE

11

8

ESPAGNE

2

20

1

25

PORTUGAL

TUNISIE

Tropique du Cancer

MEXIQUE

MAROC

Océan
Atlantique

BAHAMAS

ALGÉRIE

LIBY

CUBA

RÉP. DOMINICAINE

HAÏTI

ANTIGUA ET BARBUDA

CAP-VERT

MAURITANIE

BELIZE

JAMAÏQUE

DOMINIQUE

MALI

NIGER

GUATEMALA

HONDURAS

SAINTE-LUCIE

SÉNÉGAL

TCHAD

EL SALVADOR

NICARAGUA

ST-VINCENT ET LES GRENADINES

GAMBIE

BURKINA

GRENADE

GUINÉE-BISSAU

FASO

BÉNIN

NIGERIA

COSTA RICA

TRINITÉ ET TOBAGO

GUINÉE

PANAMÁ

VENEZUELA

SIERRA LEONE

CÔTE

TOGO

CENTRA

LIBERIA

D'IVOIRE

COLOMBIE

GUYANA

GUYANE FR.

GHANA

CAMEROUN

SURINAM

GUINÉE ÉQUATORIALE

Équateur

ÉQUATEUR

SÃO TOMÉ ET PRINCIPE

GABON

RÉP

CONGO

DU

Océan
Pacifique

PÉROU

BRÉSIL

ANGOLA

BOLIVIE

NAMIBIE

BOT

PARAGUAY

*Tropique du
Capricorne*

CHILI

A

ARGENTINE

URUGUAY

N

0   1 000   2 000 km

Échelle à l'équateur

RUSSIE

STONIE
ETTONIE
TUANIE
USSIE

INE
OLDAVIE

NIL
GÉORGIE
RQUIE
SYRIE
IRAK
JORDANIE
KOWEÏT
6 QATAR
ARABIE
SAOUDITE
ÉAU
OMAN
ÉRYTHRÉE
YÉMEN
DJIBOUTI
ETHIOPIE
SOMALIE
DA
KENYA
ZANIE
COMORES
LAWI
OZAMBIQUE
WE
MADAGASCAR
SWAZILAND
LESOTO

KAZAKHSTAN
OUZBÉKISTAN
KIRGHIZSTAN
TURKMÉNISTAN
TADJIKISTAN
AFGHANISTAN
PAKISTAN
NÉPAL
7
INDE
BANGLADESH
MYANMAR
THAÏLANDE
CAMBODGE
SRI LANKA
MALDIVES
SINGAPOUR
SEYCHELLES
INDONÉSIE
MAURICE

MONGOLIE

CHINE

CORÉE
DU NORD
JAPON
CORÉE
DU SUD

TAÏWAN

LAOS
VIETNAM
PHILIPPINES

BRUNEI
MALAISIE

TIMOR-
LESTE

PAPOUASIE-
NOUVELLE
GUINÉE

Océan
Pacifique

Océan
Indien

AUSTRALIE

NOUVELLE-
ZÉLANDE

ANIE	6 BAHREIN	11 CROATIE	16 MACÉDOINE	21 SERBIE	
DORRE	7 BHOUTAN	12 HONGRIE	17 MONTÉNÉGRO	22 SLOVAQUIE	
MÉNIE	8 BOSNIE-HERZ.	13 KOSOVO	18 RÉPUBLIQUE TCHÈQUE	23 SLOVÉNIE	
TRICHE	9 BULGARIE	14 LIBAN	19 RWANDA	24 Autorité nationale palestinienne	
RBAÏDJAN	10 BURUNDI	15 LUXEMBOURG	20 SAINT-MARIN	25 VATICAN	

BIOGRAPHIES DES ACTEURS CLÉS

A

Arafat, Yasser (1929-2004)
Ingénieur au Koweït, il fonde en 1959 le Fatah, une organisation de résistance palestinienne qui prône la lutte armée. Il prend la direction de l'Organisation de libération de la Palestine (OLP) en 1969. Au début des années 1970, il soutient des actions terroristes menées par l'OLP à l'étranger. Puis, ayant fait le choix de la négociation politique, il obtient la reconnaissance internationale de son organisation et devient un interlocuteur incontournable dans les relations israélo-arabes. En 1993, il signe à Washington les accords d'Oslo qui lui valent le prix Nobel de la paix (avec les Israéliens Yitzhak Rabin et Shimon Peres) ; il est président de l'Autorité palestinienne de 1996 jusqu'à sa mort. *Voir p. 134 et 148.*

B

Ben Gourion, David (1886-1973)
Né en Pologne en 1886, il s'installe en Palestine dès 1906. Sioniste convaincu, il dirige à partir de 1935 l'Agence juive, gouvernement officieux des juifs de Palestine. Favorable à l'immigration des juifs, il s'oppose aux Britanniques qui souhaitent limiter celle-ci et devient chef de l'armée clandestine juive (*Haganah*) ; au départ des Britanniques, il proclame le 14 mai 1948 l'État d'Israël, dont il est Premier ministre jusqu'en 1963. Farouche défenseur du jeune État, il décide de s'engager dans la guerre de Suez. Il est considéré comme l'un des principaux bâtisseurs de l'État d'Israël. *Voir p. 148.*

Ben Laden, Oussama (1957-2011)
Fils d'un milliardaire saoudien, il est converti au djihadisme à l'université. Ben Laden part combattre en Afghanistan en 1982 et y fonde Al-Qaïda en 1988. Son coup d'État en Arabie saoudite ayant échoué, il se réfugie au Soudan (1992-1996) puis retourne en Afghanistan sous la protection des talibans. Il y organise les attentats du 11 septembre 2001. Traqué pendant dix ans par les États-Unis, il est abattu au Pakistan en mai 2011. *Voir p. 93.*

C

Chirac, Jacques (né en 1932)
Homme politique français. Chef du parti gaulliste à partir de 1974, qu'il transforme en RPR (Rassemblement pour la République) en 1976, il est successivement Premier ministre de Valéry Giscard d'Estaing (1974-1976), maire de Paris (1977-1995) et à nouveau Premier ministre de « cohabitation » de François Mitterrand (1986-1988). Il est élu président de la République à sa troisième tentative, en 1995. Il est réélu, après cinq ans de cohabitation avec la gauche, en 2002, où il affronte au second tour le candidat du Front national, Jean-Marie Le Pen. Il se retire de la vie politique en 2007. *Voir p. 38, 62 et 178.*

Cordier, Daniel

Cordier, Daniel (né en 1920)
Engagé dans la France libre dès juin 1940, Daniel Cordier est le secrétaire de Jean Moulin d'août 1942 à juin 1943 et participe à la création du Conseil national de la Résistance. Après la guerre, il est marchand d'art, critique et collectionneur. Il devient historien à la fin des années 1970. *Voir p. 26 et 39.*

D

Delors, Jacques (né en 1925)
Homme politique socialiste français, il est député européen de 1979 à 1981, puis ministre de l'Économie et des Finances (1981-1984). En janvier 1985, il devient président de la Commission européenne, poste qu'il occupe pendant 10 ans. Partisan d'une Europe fédérale, il donne à l'idée européenne une nouvelle impulsion par le traité de l'Acte unique (1986) et celui de Maastricht (1992). Il quitte la vie politique après avoir renoncé à se présenter à l'élection présidentielle de 1995. *Voir p. 190 et 199.*

Deng Xiaoping (1904-1997)
Il découvre le communisme lors de son séjour en France puis en URSS dans les années 1920. De retour en Chine, il soutient Mao et occupe des fonctions de premier plan dans la République populaire créée en 1949. Mais, en désaccord avec le Grand Bond en avant, il reproche à Mao de négliger les impératifs économiques, ce qui lui vaut d'être écarté du pouvoir dans les décennies 1960-1970. Réhabilité ensuite, il devient le maître de la Chine en 1978 et le reste jusqu'à sa mort en 1997. Il donne priorité à la modernisation de l'économie. Le « petit Timonier » laisse en revanche inchangé un régime politique qui réserve au PCC le monopole du pouvoir. *Voir p. 107 et 119.*

G

Gates, Bill (né en 1955)
Informaticien formé à Harvard, il fonde en 1975 la firme Microsoft pour diffuser ses logiciels. Grâce au succès de Windows, Bill Gates est l'homme le plus riche du monde dès 1995. Il utilise sa fortune pour créer une organisation charitable, la Bill and Melinda Gates Foundation, à laquelle il a déjà donné 28 milliards de dollars. En 2006, il quitte la direction de Microsoft pour s'occuper de sa fondation. *Voir p. 79.*

Gaulle, Charles de (1890-1970)
Militaire de carrière, brièvement sous-secrétaire d'État en 1940, Charles de Gaulle lance, depuis Londres, un appel à poursuivre le combat le 18 juin 1940. Il s'impose progressivement comme le chef de la France libre et fédère la résistance intérieure dans le Conseil national de la Résistance. Chef du Gouvernement provisoire de la République française de 1944 à 1946, il démissionne en raison de son désaccord avec les projets constitutionnels et politiques qui se mettent en place. Il s'oppose dès lors résolument à la IVᵉ République. Il retrouve le pouvoir à la faveur de la

crise algérienne en 1958, obtient un changement de Constitution et devient président de la République de 1959 à 1969. Il incarne la présidentialisation du régime. *Voir p. 37, 60 ,162 et 176.*

H

Harbi, Mohammed (né en 1933)
Il a exercé d'importantes responsabilités au sein du FLN et a participé aux premières négociations des accords d'Évian. Après l'indépendance de l'Algérie en 1962, il devient conseiller du président Ben Bella. Il est emprisonné en 1965, après le coup d'État de Houari Boumediene. Assigné en résidence surveillée en 1971, il s'évade en 1973 et rejoint la France. Il reprend des études d'histoire et devient professeur à l'université de Paris-VIII. Il est l'auteur de nombreux ouvrages sur l'histoire de l'Algérie. *Voir p. 50 et 63.*

Hussein, Saddam (1937-2006)
De confession sunnite, Saddam Hussein accède au pouvoir en 1969, à la suite d'un coup d'État du parti Baas, et cumule toutes les hautes fonctions de l'État à partir de 1979. Sa dictature s'appuie sur un pouvoir clanique (familial, tribal et confessionnel) et une sévère répression policière. Il engage son pays dans trois guerres : en 1980 contre l'Iran ; en 1991 et en 2003 contre des coalitions internationales, menées par les États-Unis. Il est arrêté par les Américains, après la chute de Bagdad. Il est condamné à mort par un tribunal irakien et exécuté en 2006. *Voir p. 135 et 147.*

K

Khomeiny, Rouhollah (1902-1989)
Ce haut dignitaire religieux chiite (*ayatollah*) renverse la monarchie occidentalisée du shah lors de la Révolution islamique de 1979. La guerre avec l'Irak lui permet de renforcer son pouvoir. Il transforme l'Iran en un État islamique qu'il dirige jusqu'à sa mort avec le titre de « Guide spirituel de la Révolution », faisant l'objet d'un véritable culte de la personnalité. Il est particulièrement hostile aux États-Unis et à Israël, qualifiés de « grand » et de « petit Satan ». *Voir p. 147.*

Klarsfeld, Serge (né en 1935)
Avocat et historien français. Fils de déporté, il fonde en 1979, avec sa femme Beate, l'association des Fils et Filles de déportés juifs de France. Il a consacré sa vie à la recherche des responsables de la déportation des juifs de France afin de les traduire en justice, et à l'écriture de l'histoire du génocide. *Voir p. 37.*

L

Lamy, Pascal (né en 1947)
Diplômé de l'ENA, membre du Parti socialiste depuis 1969, Pascal Lamy a entamé une carrière de haut fonctionnaire avant d'exercer les fonctions de conseiller politique du gouvernement entre 1981 et 1984, puis de directeur de cabinet du prési-

dent de la Commission européenne entre 1984 et 1994, Il devient ensuite directeur du Crédit lyonnais avant d'être nommé Commissaire européen chargé du commerce international entre 1999 et 2004. Il défend alors l'idée que seul un pouvoir supranational peut relever les défis de la mondialisation face auxquels les États sont démunis. Il applique ces conceptions à la tête de l'OMC, qu'il dirige entre 2005 et 2013. *Voir p. 214 et 224.*

M

Malraux, André (1901-1976)
Homme politique français, il est avant tout célèbre pour son œuvre littéraire (*La Condition humaine* qui lui vaut le prix Goncourt, *L'Espoir*, etc.). Homme engagé, il combat en Espagne républicaine puis dans la Résistance française. Ministre de l'Information en 1945-1946, il devient un fervent gaulliste et retrouve le gouvernement en 1958 comme ministre délégué à la présidence du Conseil (1958-1959) puis ministre d'État chargé des Affaires culturelles de 1959 à 1969. Il conduit une politique culturelle ambitieuse, marquée du sceau de l'interventionnisme. *Voir p. 177.*

Mao Zedong (Mao Tsé-toung) (1893-1976)
Membre fondateur du PCC, il comprend vite la nécessité de s'appuyer sur l'immense paysannerie déshéritée plutôt que sur un prolétariat industriel exsangue. Devenu le numéro 1 du PCC à la faveur de la Longue Marche (1934-1935), il lui donne, en 1949, la victoire contre les nationalistes en conjuguant réforme agraire et lutte patriotique contre l'envahisseur japonais. L'action du « grand Timonier » à la tête de la République populaire de Chine est ensuite marquée par le primat donné à l'idéal égalitaire sur les impératifs du développement, la prise de distance par rapport à l'URSS, le culte de sa personnalité, l'habileté à se maintenir au pouvoir en dressant « les masses » contre ses contradicteurs. *Voir p. 106 et 118.*

Mendès France, Pierre (1907-1982)
Avocat, député à partir de 1932, il entre au gouvernement conduit par Léon Blum en 1938. Chargé par le général de Gaulle du ministère de l'Économie nationale en 1944, il démissionne en 1945 car il est partisan d'une plus grande rigueur financière. Président du Conseil en 1954-1955, il fait la paix en Indochine et conduit une politique de réformes. Pierre Mendès France s'oppose en 1958 à l'établissement de la Ve République. Malgré un bref retour à l'Assemblée nationale en 1967-1968, il devient dès lors essentiellement une figure morale de la gauche française. *Voir p. 176.*

Mitterrand, François (1916-1996)
Homme politique socialiste français, plusieurs fois ministre sous la IVe République puis longtemps opposant au général de Gaulle, il est élu président de la République en 1981 et réélu en 1988. Avec le chancelier de la RFA Helmut Kohl, il renouvelle l'axe franco-allemand (poignée de main célèbre à Verdun en 1984). Il soutient les projets fédéralistes de Jacques Delors et est, avec lui,

à l'origine du traité de Maastricht sur l'Union européenne (1992), qu'il fait approuver par référendum par les Français. *Voir p. 163 et 178.*

N

Nasser, Gamal Abdel (1918-1970)
Militaire de carrière, Nasser est l'un des fondateurs du mouvement nationaliste égyptien des « officiers libres » qui renverse la monarchie pro-britannique du roi Farouk en 1952. Devenu président (*raïs*) de l'Égypte en 1956, Nasser cherche à concilier développement, non-alignement et panarabisme. En 1956, il nationalise le canal de Suez et tient en échec les anciennes puissances coloniales alliées d'Israël grâce au soutien soviétique. Il conserve un grand prestige malgré le revers militaire égyptien de 1967. *Voir p. 146.*

O

Obama, Barack (né en 1961)
D'origine modeste, le premier président noir des États-Unis est né à Hawaï d'un père kenyan et d'une mère blanche américaine. Élevé en Indonésie, il est emblématique d'une Amérique-monde. Formé à Harvard, il a été avocat et travailleur social à Chicago avant de s'engager chez les démocrates. Sénateur, il s'oppose à la guerre menée en Irak par G. W. Bush. En 2008, il gagne l'élection présidentielle. Il est réélu pour un second mandat en 2012. *Voir p. 93.*

P

Paxton, Robert (né en 1932)
Historien américain, il consacre son travail de thèse, dans les années 1960, à l'étude de l'armée française d'armistice. En 1972, il publie un ouvrage intitulé *Vichy France : Old Guard and New Order*, publié en France sous le titre de *La France de Vichy* (1973). Ce livre retentissant marque une nette rupture avec le contenu des travaux historiques précédents consacrés au régime du maréchal Pétain. *Voir p. 38.*

R

Rabin, Yitzhak (1922-1995)
Né à Jérusalem, il combat pendant la première guerre israélo-arabe de 1947-1949, où il s'illustre dans la bataille de Jérusalem ; chef d'état-major, il est le principal artisan de la victoire de la guerre des Six Jours en 1967. À la tête du parti travailliste, il incarne la gauche israélienne. Le prestige de sa carrière militaire lui permet de devenir deux fois Premier ministre en 1974 et 1992. Il est associé aux processus et accords de paix d'Oslo de 1993, qui aboutissent à la reconnaissance d'une Autorité palestinienne autonome. Il est assassiné le 4 novembre 1995 par un étudiant juif d'extrême droite hostile au processus de paix avec les Palestiniens. *Voir p. 134 et 149.*

Reagan, Ronald (1911-2004)
Comédien à Hollywood, il dirige le syndicat des acteurs en pleine « chasse aux sorcières » (1947-1952). Républicain conservateur, il est gouverneur de

Californie entre 1967 et 1975. Reagan est élu président en 1980 face au sortant Jimmy Carter. Ses deux mandats (1981-1989) sont marqués par une politique économique libérale et la restauration de la puissance diplomatique des États-Unis face à l'URSS. *Voir p. 78 et 91.*

Rousso, Henry (né en 1954)
Historien français spécialiste de la Seconde Guerre mondiale et auteur d'ouvrages fondateurs sur l'histoire des mémoires. Il est à l'origine de la notion de « résistancialisme » qui qualifie les mémoires dominantes (gaulliste et communiste) de l'après-guerre. Il a contribué, dans son ouvrage *Le Syndrome de Vichy* (1987), à faire évoluer les mémoires de la période de Vichy. *Voir p. 36.*

S

Stiglitz, Joseph (né en 1943)
Économiste américain, il est professeur d'économie à l'université de Princeton quand il devient en 1995 conseiller du président américain Bill Clinton, puis économiste en chef de la Banque mondiale. Partisan keynésien d'une régulation économique par l'État, il dénonce l'action du FMI et de la Banque mondiale comme socialement injuste. Prix Nobel d'économie en 2001, il analyse la crise de 2008 comme le résultat d'une dérégulation financière excessive. *Voir p. 215 et 223.*

Stora, Benjamin (né en 1950)
Né à Constantine en Algérie qu'il quitte en 1962, Benjamin Stora est inspecteur général de l'Éducation nationale, après avoir longtemps enseigné à l'université de Paris-XIII et à l'Institut national des langues et civilisations orientales. Il est l'un des spécialistes français de l'histoire du Maghreb contemporain, des guerres de décolonisation et de l'histoire de l'immigration maghrébine en Europe. *Voir p. 61.*

T

Truman, Harry (1884-1972)
D'origine modeste, Truman est élu sénateur démocrate du Missouri en 1935. Vice-président de F. D. Roosevelt en 1944, il devient président à la mort de ce dernier en avril 1945. Il se heurte à Staline durant la conférence de Potsdam et hâte la capitulation du Japon par l'emploi de deux bombes atomiques. Il officialise en 1947 la stratégie du *containment* pour contrer l'expansion du communisme, abandonnant l'isolationnisme traditionnel des États-Unis. *Voir p. 90.*

V

Van Rompuy, Herman (né en 1947)
Homme politique belge, natif de la partie flamande, membre du parti chrétien-démocrate, il est Premier ministre de son pays en 2008, avant d'être choisi, à partir de 2010, par les chefs d'État et de gouvernement européens, pour être le premier président du Conseil européen. Homme de dialogue, c'est lui qui représente l'Union européenne à l'étranger ; son mandat a été renouvelé jusqu'en septembre 2014. *Voir p. 200.*

Accords Blum-Byrnes (28 mai 1946) : accords autorisant un prêt de 500 millions de dollars des États-Unis à la France en échange de la fin des quotas d'importation français sur les films américains. *Voir p. 84.*

Accords de Copenhague : texte non contraignant adopté en 2009 qui affirme la nécessité de limiter le réchauffement climatique à 2 °C par rapport à l'ère préindustrielle et qui annonce la poursuite du protocole de Kyoto pour plafonner les émissions de gaz à effet de serre. *Voir p. 218.*

Acquis communautaire : ensemble des textes juridiques communautaires hérités des différents traités, c'est-à-dire la somme des droits et obligations qui lient les États membres. *Voir p. 198.*

Administration : système chargé de gérer les différents services publics organisés par l'État, et sous le contrôle de celui-ci. *Voir p. 160.*

Agence de notation : entreprise chargée d'évaluer la capacité d'un emprunteur (État, entreprise) à faire face au remboursement d'une dette. *Voir p. 222.*

ALENA : accord créant une zone de libre-échange signé par les États-Unis, le Canada et le Mexique en 1992. *Voir p. 199.*

ALN : Armée de libération nationale, branche armée du FLN. *Voir p. 52.*

Altermondialisme : mouvement hétérogène opposé à la mondialisation libérale accusée d'aggraver les inégalités sociales, politiques et économiques, et qui propose d'instaurer de nouvelles formes de gouvernance plus démocratiques et équitables. *Voir p. 220.*

American way of life : mode de vie américain caractérisé par la consommation de masse. *Voir p. 86.*

APEC : coopération économique pour l'Asie pacifique. *Voir p. 223.*

Appelés : jeunes Français ayant combattu en Algérie dans le cadre de leur service militaire (environ 2 millions entre 1956 et 1962). *Voir p. 60.*

Approfondissement : renforcement de la collaboration entre les États membres avec la mise en place de politiques communes et d'institutions allant vers le fédéralisme. *Voir p. 188.*

Archives : ensemble des documents produits ou reçus par toute personne ou par tout organisme dans l'exercice de son activité. Matériau de l'historien. *Voir p. 30.*

Atlantistes : se dit d'États proches des États-Unis et soutenant leur politique extérieure. *Voir p. 199.*

Austérité : politique économique qui cherche à rétablir l'équilibre des finances, limiter le déficit et l'endettement en augmentant les impôts et en réduisant la dépense publique. *Voir p. 196.*

Ayatollah : haut dignitaire religieux chiite. *Voir p. 142.*

Baas : parti politique panarabe, socialiste et laïc, existant en Syrie et en Irak. *Voir p. 134.*

Balance des paiements courants : ensemble des flux de capitaux entre un pays et le reste du monde, du fait du commerce extérieur, des investissements étrangers, etc. Si le solde est négatif, le pays dépend de financements étrangers. *Voir p. 111.*

Bataille d'Alger : Alger devient en 1957 un des lieux des combats entre l'armée française, dirigée par le général Massu, et la branche armée du FLN, dirigée par Ahmed Ben Bella. Les civils en sont les principales victimes. La torture y est largement utilisée par l'armée. *Voir p. 56.*

BRICS : groupe de cinq grands pays émergents : Brésil, Russie, Inde, Chine et Afrique du Sud. Ils tiennent un sommet annuel depuis 2009. *Voir p. 108.*

Central Intelligence Agency (CIA) : agence gouvernementale de renseignement extérieur qui peut mener des opérations clandestines hors des frontières. *Voir p. 86.*

Coexistence pacifique : stratégie préconisée par Khrouchtchev à partir de 1956 qui consiste à remplacer la confrontation directe avec le monde occidental par une compétition économique, scientifique et technique. *Voir p. 110.*

Cohabitation : période durant laquelle le Premier ministre est issu d'une majorité parlementaire opposée au chef de l'État. *Voir p. 163.*

Collectivité territoriale : division administrative située au-dessous de l'échelon national, gérée par un conseil élu et possédant la personnalité juridique ainsi qu'un budget propre. *Voir p. 168.*

Comics : bandes dessinées populaires mettant en valeur des super-héros et publiées aux États-Unis depuis les années 1930. *Voir p. 84.*

Communisme : selon Karl Marx, le dernier stade de l'évolution du socialisme. Après la prise du pouvoir par les ouvriers qui établissent une dictature temporaire imposant à la bourgeoisie une transformation radicale de la société, le communisme apparaît. Il correspond à une société égalitaire, sans classes sociales et sans État, où chacun individu reçoit « selon ses besoins ». *Voir p. 103.*

Complexe militaro-industriel : ensemble des décideurs politiques, des responsables militaires et des industriels chargés d'assurer la fourniture matérielle des forces armées. *Voir p. 82.*

Concession : droit d'exploitation du pétrole accordé à une société privée. *Voir p. 136.*

Confucianisme : Pensée élaborée par Kongfuzi (latinisé en Confucius), qui vécut de 555 à 479 avant J.-C. Son enseignement repose sur la raison combinée au respect des usages. Le régime impérial le transforme en une doctrine figée exaltant l'obéissance aux autorités établies. Assimilé à l'immobilisme de la Chine ancienne, il est rejeté au XXe siècle par les courants réformateurs avant de connaître un renouveau (**néoconfucianisme contemporain**). *Voir p. 103.*

Conseil d'État : institution chargée de conseiller le gouvernement dans l'élaboration des projets de loi et de régler les conflits impliquant les administrations publiques. *Voir p. 164.*

Consensus de Washington : ensemble des règles suivies par le FMI pour ses plans d'ajustement structurel. Ces règles organisent le désengagement de l'État dans l'économie et la libéralisation de celle-ci. *Voir p. 216.*

Cour des comptes : institution destinée à contrôler la régularité de la gestion financière de l'État, de la Sécurité sociale et des organismes publics. *Voir p. 164.*

Crime contre l'humanité : faits inhumains portant atteinte à la personne physique ; violations graves et caractérisées des droits de l'homme. Ce crime est imprescriptible. *Voir p. 32.*

Critères de convergence : critères dits « de Maastricht » que doivent respecter les États membres souhaitant adopter la monnaie unique : un déficit public inférieur à 3 % du PIB, une dette publique ne dépassant pas 60 % du PIB et une inflation maîtrisée. *Voir p. 200.*

Cycle de Doha : nouveau cycle de négociations lancé par l'OMC en 2001 et baptisé « programme de développement ». *Voir p. 225.*

Décentralisation : processus aboutissant au transfert d'une partie des compétences de l'État central vers des collectivités territoriales (régions, départements, communes, etc.). *Voir p. 160 et 168.*

Déficit : excédent de dépenses par rapport aux recettes ; un budget en déficit impose d'emprunter de l'argent (et donc d'augmenter la dette) pour combler cette différence. *Voir p. 196.*

Déréglementation / Dérégulation : adaptation française du terme anglais *deregulation*, la déréglementation consiste à assouplir voire à supprimer les règles, fixées par les États, qui encadrent l'activité économique. Le mouvement de déréglementation a commencé à la fin des années 1970 aux États-Unis et en Grande-Bretagne avant de gagner de nombreux pays. *Voir p. 210.*

Destinée manifeste : courant de pensée qui prend de l'ampleur dès le XIXe siècle et qui attribue aux États-Unis le rôle d'éclairer et de guider le monde. *Voir p. 74.*

« Devoir de mémoire » : expression apparue dans les années 1990 qui désigne le devoir oral de se souvenir d'un événement traumatisant afin de rendre hommage aux victimes. *Voir p. 38.*

Diaspora : communauté formée à l'étranger par les expatriés d'un pays. *Voir p. 105.*

Djihad : ce terme, souvent traduit par « guerre sainte », renvoie pourtant à une notion plus vaste d'« effort pour la foi », qui comprend aussi bien les efforts pour être un meilleur musulman que le combat contre des non-musulmans. *Voir p. 142.*

Doctrine Truman ou **doctrine du** *containment* (endiguement) : stratégie élaborée par les États-Unis en 1947, visant à prévenir et à limiter l'expansion mondiale du modèle communiste par des moyens économiques, militaires et culturels. *Voir p. 80.*

DROM : département et région d'outre-mer, collectivité territoriale au double statut, équivalent à celui de la métropole. Les DROM sont la Guadeloupe, la Martinique, la Guyane, la Réunion et, depuis 2011, Mayotte. *Voir p. 178.*

Économie socialiste de marché : économie où le libéralisme économique se développe au sein d'un système politique autoritaire se proclamant toujours communiste. *Voir p. 106.*

Élargissement : processus d'adhésion progressive de nouveaux pays à l'Union. Ces pays doivent respecter un certain nombre de critères (État de droit, démocratie, économie de marché viable, etc.) pour être considérés comme candidats puis être admis. *Voir p. 188.*

Équilibre de la terreur : situation d'égalité entre les arsenaux nucléaires américains et soviétiques durant la guerre froide. Une guerre directe entre les deux pays entraînerait la destruction des deux belligérants. *Voir p. 82.*

État-nation : type d'organisation politique marqué par la coïncidence entre un territoire dirigé par une autorité unique plus ou moins centralisée et une population ayant conscience de former un seul peuple (langue, histoire, culture, valeurs communes). *Voir p. 160.*

État-providence : système où l'État est chargé d'assurer un minimum de bien-être à toute la population par des prestations sociales financées par l'impôt et les cotisations sociales. *Voir p. 166.*

Europhilie : position favorable à l'Union européenne et à l'approfondissement de l'intégration européenne. *Voir p. 194.*

Euroscepticisme : doute sur l'utilité et l'intérêt de l'Union européenne. *Voir p. 201.*

Fédayins : combattants palestiniens. *Voir p. 148.*

Fédéralisme : courant politique favorable à la transformation de l'Union européenne en une fédération d'États. Ces derniers acceptent de céder une partie de leurs pouvoirs à une institution supranationale. Dans ce but, les fédéralistes sont partisans d'un approfondissement des politiques européennes. *Voir p. 188.*

Firme multinationale (FMN) ou **firme transnationale (FTN)** : société qui agit à l'échelle de la planète en détenant tout ou une partie du capital d'entreprises situées en dehors de son territoire d'origine. *Voir p. 86.*

FLN : Front de libération nationale. Mouvement politique créé en novembre 1954 pour obtenir l'indépendance de l'Algérie. Il s'impose en 1962 contre les autres groupes nationalistes algériens. *Voir p. 50.*

FNACA : Fédération nationale des anciens combattants en Algérie, Maroc et Tunisie. Association qui vise à défendre les droits de ces anciens combattants. *Voir p. 54 et 62.*

Fonctionnaire : personne travaillant dans la fonction publique. *Voir p. 164.*

Forum économique mondial (FEM) : réunion annuelle à Davos des principaux décideurs politiques et économiques du monde entier qui symbolise, aux yeux des altermondialistes, la mondialisation libérale. *Voir p. 224.*

Forum social mondial (FSM) : réunion périodique d'organisations altermondialistes. *Voir p. 213.*

G20 : forum qui rassemble les dix-neuf premières

économies mondiales plus l'Union européenne. *Voir p. 120.*

GATT : *General Agreement on Tariffs and Trade*. Accord international de libéralisation et d'abaissement des tarifs douaniers renouvelé régulièrement entre 1947 et 1995. *Voir p. 90 et 211.*

Génocide : extermination organisée et systématique d'une population. *Voir p. 32.*

GIEC : Groupe d'experts intergouvernemental sur l'évolution du climat. Il a pour objectif d'évaluer les risques liés au réchauffement climatique et d'envisager des stratégies d'atténuation de ces changements. *Voir p. 224.*

Gouvernance européenne : expression qui désigne la façon dont les pouvoirs sont organisés et exercés au sein de l'Union européenne à travers les relations entre les différents acteurs publics et privés. *Voir p. 188.*

Gouvernance mondiale : expression qui désigne un modèle idéal reposant sur la mise en place de règles internationales pour encadrer l'économie mondiale et favoriser la croissance économique globale. Pour faire face aux enjeux économiques et environnementaux que pose la mondialisation, l'échelle de l'État-nation s'avère trop réduite : à problème mondial, réponse mondiale. *Voir p. 210.*

Gouvernement : ensemble des ministres, dirigés par le président du Conseil puis par le Premier ministre, chargés d'assurer le pouvoir exécutif, conjointement ou sous la direction du président de la République. *Voir p. 160.*

Grand Bond en avant : en 1958-1962, mobilisation intensive de la paysannerie afin d'industrialiser les campagnes et d'accentuer l'aspect collectif de la vie rurale au sein de communes populaires regroupant plusieurs villages. La désorganisation qu'il entraîne engendre une dramatique famine. *Voir p. 119.*

Groupe de Shanghai : créé à l'initiative de Pékin, il associe la Chine à la Russie et aux anciennes républiques soviétiques d'Asie centrale, pour combattre les tendances séparatistes et développer une coopération économique et militaire. *Voir p. 121.*

Groupes porteurs de mémoire : ensemble d'individus partageant une même mémoire collective. *Voir p. 36 et 60.*

Hamas : mouvement islamiste sunnite palestinien créé en 1987 pendant l'Intifada. *Voir p. 142.*

Hard power : puissance militaire et économique détenue par un État. *Voir p. 78.*

Harki : soldat algérien musulman engagé dans l'armée française pendant la guerre d'Algérie. *Voir p. 52.*

Hezbollah : mouvement islamiste chiite fondé au Liban en 1982. *Voir p. 142.*

Histoire : reconstruction savante des événements du passé, qui vise à rechercher la vérité et l'objectivité grâce à un travail croisé sur des sources diverses. *Voir p. 24 et 48.*

Historiographie : étude de la façon dont les historiens « fabriquent » l'histoire : dans quel contexte, avec quels outils et dans quel but. *Voir p. 24 et 48.*

Hyperpuissance : concept popularisé par Hubert Védrine (ministre français des Affaires étran-

gères de 1997 à 2002), en 1999, pour définir la superpuissance des États-Unis devenue sans rivale après la chute de l'URSS en 1991. *Voir p. 74.*

IDH : l'indicateur de développement humain mesure le niveau de développement des pays en conjuguant le PIB par habitant, l'espérance de vie à la naissance et le niveau d'instruction de la population. Il varie de 0 à 1. *Voir p. 111.*

Impérialisme : dans le langage communiste, le terme désigne la volonté des puissances capitalistes de dominer économiquement le monde. *Voir p. 110.*

Indignés : mouvement citoyen né en Espagne en 2011, sous le nom de « Mouvement du 15 mai », visant à réformer le système économique et politique. *Voir p. 220.*

Initiative de défense stratégique (IDS) : projet de défense présenté par l'administration Reagan en 1983 qui planifie la construction d'un bouclier anti-missiles balistiques. *Voir p. 91.*

Intifada : révolte palestinienne des territoires occupés qui se caractérise par des jets de pierre contre les soldats israéliens et des actes de désobéissance civile. *Voir p. 149.*

Investissement direct à l'étranger (IDE) : capitaux investis par des entreprises hors des frontières de leur pays d'origine. *Voir p. 77 et 120.*

Islam / Islamisme : l'islam est une religion née en Arabie au VIIᵉ siècle. L'islamisme est un mouvement radical qui voit dans l'islam une idéologie politique ayant pour but l'islamisation de l'État et de la société. *Voir p. 130.*

Isolationnisme : doctrine de politique extérieure dominante aux États-Unis jusqu'en 1941, qui prône la non-intervention des États-Unis dans les affaires des pays étrangers. *Voir p. 74.*

Jacobinisme : doctrine héritée du nom d'un club de révolutionnaires parisiens en 1789, défendant une autorité centralisée et une gestion très administrative du pouvoir. *Voir p. 168.*

Juifs / Israéliens : le terme de « juifs » se définit au sens strict par la religion, désignant les fidèles du judaïsme ; selon une loi votée par l'État d'Israël en 1950, tout juif dans le monde a le droit d'immigrer en Israël. Les Israéliens sont des citoyens de l'État d'Israël. Si 76 % des Israéliens sont de confession juive, les autres citoyens sont majoritairement des Arabes musulmans restés en Israël après la division de la Palestine en 1949. *Voir p. 130.*

« Justes parmi les nations » : l'expression désigne les personnes ayant mis leur vie en danger pour sauver des juifs durant la guerre. *Voir p. 30.*

Laogai : système concentrationnaire chinois équivalent du goulag soviétique. *Voir p. 118.*

Libéralisme économique / Néolibéralisme : théorie économique érigeant la propriété privée, la liberté d'entreprendre et le libre-échange en piliers majeurs de l'activité économique. À partir des années 1980, les défenseurs du néolibéralisme militent pour une déréglementation accrue et pour une restriction de l'intervention de l'État dans les affaires économiques, espérant ainsi favoriser la croissance. *Voir p. 210.*

Libre-échange : doctrine économique qui préconise la suppression de toute entrave aux échanges. *Voir p. 91.*

Ligue arabe : association des États arabes dont le but est de développer la concertation politique entre ses membres. *Voir p. 148.*

Lobbyiste : personne organisant un groupe de pression pour défendre des intérêts particuliers. *Voir p. 218.*

Lois d'amnistie : lois votées en 1946, 1947, 1951 et 1953, qui annulent les inculpations pour certaines catégories de crimes. Elles témoignent de la volonté d'oubli d'après-guerre. *Voir p. 36.*

Lois d'amnistie : de 1962 et 1982, différentes lois stipulent que les actes commis pendant la guerre, notamment les actes de torture ou les actions des généraux putschistes, sont amnistiés. *Voir p. 60.*

Loi mémorielle : loi établissant une vérité officielle sur un événement historique. *Voir p. 39.*

Loi organique : loi qui précise le fonctionnement des pouvoirs publics. *Voir p. 168.*

M

Majorité qualifiée : processus de décision qui nécessite l'accord d'une forte majorité des membres pour prendre une décision, et non plus l'unanimité. Elle a été fixée à 55 % des membres et 65 % de la population de l'Union. *Voir p. 200.*

« Malgré-Elles » : terme utilisé pour qualifier les 15 000 femmes originaires d'Alsace et de Moselle incorporées de force entre 1942 et 1945 dans différentes structures nazies. *Voir p. 39.*

« Malgré-Nous » : terme utilisé pour qualifier les 130 000 Alsaciens et Mosellans incorporés de force dans l'armée allemande ; entre 30 000 et 40 000 d'entre eux mourront au combat ou en captivité. *Voir p. 39.*

Mandat : ancienne possession coloniale confiée à une puissance européenne en vue de la conduire à l'indépendance. *Voir p. 148.*

Maoïsme : idéologie révolutionnaire définie par Mao Zedong et popularisée par le *Petit Livre rouge*, édité à des millions d'exemplaires dans de nombreuses langues. *Voir p. 119.*

Marché commun : zone économique où les droits de douane entre les pays ont été supprimés. *Voir p. 192.*

Maréchalisme : attachement à la personne du maréchal Pétain. *Voir p. 38.*

Marines : infanterie de marine des États-Unis formant un corps d'armée autonome privilégié dans les opérations extérieures. *Voir p. 77.*

Mémoire : ensemble des souvenirs qui résultent des événements vécus par des individus, des groupes ou des institutions. La mémoire est donc par définition plurielle et partielle car elle relève de la subjectivité, de l'expérience particulière vécue. *Voir p. 24 et 48.*

Mémoire collective : mémoire partagée, transmise et construite par la société, dominante dans l'espace public. *Voir p. 32.*

Mémoire officielle : expression d'un pouvoir politique qui s'exprime au fil des commémorations et qui contribue à forger la mémoire nationale d'un événement. *Voir p. 30.*

Mémorial : monument servant à commémorer un événement ou des personnes disparues. *Voir p. 28.*

MERCOSUR : marché commun du Sud. Coopération économique et douanière entre le Brésil, l'Argentine, le Paraguay et l'Uruguay (1992). *Voir p. 199 et 223.*

Merkozy : le terme « Merkozy » (Merkel / Sarkozy) a été utilisé pour désigner les positions communes de la France et de l'Allemagne et critiquer le choix de l'austérité pour sortir de la crise. *Voir p. 192.*

MES : Mécanisme européen de stabilité. Dispositif européen de gestion des crises financières pouvant aider les États en difficulté de la zone euro. *Voir p. 196.*

MNA : Mouvement national algérien. Parti nationaliste rival du FLN créé en novembre 1954 par Messali Hadj. *Voir p. 52.*

Multilatéralisme : organisation de la politique extérieure d'un État conformément aux principes démocratiques en tenant compte des positions de tous les acteurs concernés. *Voir p. 93.*

Multipolarité : système qui repose avant tout sur la coexistence et la concurrence entre les grandes puissances économiques. *Voir p. 223.*

Musulmans / Arabes : les musulmans sont des fidèles de la religion islamique. Les Arabes constituent un peuple, qui se définit par l'usage de la langue arabe. Tous les musulmans ne sont pas arabes : au Proche et Moyen-Orient, les musulmans sont aussi turcs, perses, etc. 95 % des Arabes sont musulmans, mais il existe aussi des Arabes chrétiens, surtout en Égypte, au Liban et en Syrie. *Voir p. 130.*

N

Nationalisation : prise de contrôle du capital d'une entreprise privée par l'État afin de la transformer en une propriété publique. *Voir p. 166.*

Négationnisme : position qui remet en cause l'existence du génocide des juifs pendant la Seconde Guerre mondiale. *Voir p. 37.*

Néocolonial : qui rappelle la dépendance des colonies par rapport à leur métropole, à travers des liens économiques, militaires, culturels, etc. *Voir p. 108.*

Néoconfucianisme contemporain : Courant de pensée encouragé par le pouvoir actuel qui, sous couvert « d'harmonie », vante la stabilité politique et sociale du pays. *Voir p. 103.*

NTIC : nouvelles technologies de l'information et de la communication. *Voir p. 222.*

O

OAS : Organisation de l'armée secrète pour la défense de l'Algérie française (1961-1962). Elle regroupe les partisans du maintien par tous les moyens (y compris le terrorisme) de la France en Algérie. *Voir p. 59.*

« Occupy Wall Street » : mouvement citoyen inspiré du mouvement des Indignés, né à New York en septembre 2011 avant de s'étendre à près de 1 500 villes dans plus de 80 pays, qui proteste contre les dérives du capitalisme financier. *Voir p. 220.*

OCDE : Organisation de coopération et de développement économique qui rassemble les économies des pays les plus avancés. *Voir p. 218.*

OMC : organisation née en 1995 pour encadrer et promouvoir la libéralisation des échanges internationaux. *Voir p. 92, 120 et 212.*

OPEP : Organisation des pays exportateurs de pétrole. Organisation créée en 1960 dont l'objectif est de contrôler les prix et la production pétrolière. *Voir p. 136.*

Opinion publique : expression, souvent relayée par les médias, des idées défendues par une partie importante des citoyens d'un pays. *Voir p. 160.*

Ordonnance : texte législatif décidé par le gouvernement par délégation du Parlement. *Voir p. 172.*

Organisation de coopération de Shanghai (OCS) : initiée par la Chine sous le nom de « groupe de Shanghai » en 1996, elle associe ce pays à la Russie et aux républiques d'Asie centrale. L'objectif est à l'origine de stabiliser la région face à la poussée islamiste et aux revendications autonomistes. L'OCS a mis ensuite en place une coopération militaire et commerciale (pétrole et gaz). *Voir p. 114.*

ORTF (Office de radiodiffusion-télévision française) : établissement chargé du service public de l'audiovisuel fondé en 1964 et supprimé en 1974. *Voir p. 170.*

OTAN : Organisation du traité de l'Atlantique Nord (1950). Organisation militaire dominée par les États-Unis et regroupant les pays ayant signé l'Alliance atlantique en 1949 (États-Unis, Canada, pays d'Europe occidentale). *Voir p. 74.*

P

Pacte de Bagdad : alliance militaire (1955) qui réunit l'Irak, l'Iran, la Turquie, le Pakistan et le Royaume-Uni, destinée à contenir l'influence de l'URSS au sud, vers le Proche et Moyen-Orient. *Voir p. 146.*

Pacte de stabilité : ensemble de critères que les États de la zone euro se sont engagés à respecter et qui impose à ces États d'avoir à terme des budgets proches de l'équilibre. *Voir p. 192.*

Pacte de Varsovie : alliance militaire conclue en 1955 entre l'URSS et les États communistes européens. *Voir p. 74.*

Palestine / Israël : la Palestine est une région géographique ancienne du Proche-Orient, s'étendant à l'est le long de la Méditerranée ; ses limites actuelles correspondent à la Palestine du mandat britannique et comprennent Israël, la Cisjordanie et Gaza. Israël est un État créé en Palestine en 1948. *Voir p. 130.*

Panarabisme : volonté d'unifier les peuples arabes en dépassant les clivages religieux. *Voir p. 134.*

Pantouflage : pour un haut fonctionnaire, désigne le fait de quitter le service de l'État pour aller travailler dans le secteur privé. *Voir p. 164.*

Partenaires sociaux : ensemble des acteurs économiques (employés, patrons, etc.), représentés par les organisations syndicales, chargés de s'entendre sur des sujets d'intérêt général. *Voir p. 172.*

PAS : Programme ou plan d'ajustement structurel. Programme de réformes économiques imposé par le FMI ou la Banque mondiale aux pays en difficulté financière en contrepartie de leur aide. Il oblige ces pays à réduire leurs dépenses publiques, à privatiser des entreprises et à ouvrir leurs marchés nationaux. Les conséquences sociales de ces plans ont entraîné de nombreuses critiques. *Voir p. 212.*

Pays émergents : leur PIB par habitant est inférieur à celui des pays développés, mais ils connaissent une croissance économique rapide et leur niveau de vie ainsi que les structures économiques convergent progressivement vers ceux des pays développés. *Voir p. 103.*

PCOM : pays et collectivité d'outre-mer. Nom donné depuis 2003 à certains anciens territoires d'outre-mer (TOM), qui bénéficient d'une large autonomie et d'une organisation politique particulière. *Voir p. 178.*

Pétainisme : approbation de la politique menée par le régime de Vichy. *Voir p. 38.*

Pieds-noirs : habitants de l'Algérie d'origine européenne. *Voir p. 54.*

Planification : système mis en place par Jean Monnet en 1946, dans lequel l'État fixe tous les cinq ans des objectifs de production indicatifs jugés nécessaires à la modernisation du pays. Les plans quinquennaux sont abandonnés en 1993. *Voir p. 166.*

Plan Marshall : aide massive (matériel, prêts et dons financiers) proposée de 1947 à 1951 par les États-Unis aux pays européens pour leur reconstruction. *Voir p. 80.*

Privatisation : transfert de la totalité ou d'une partie des participations de l'État dans le capital d'une entreprise publique à des acheteurs privés, sous forme d'actions cotées en Bourse. *Voir p. 166.*

Proche et Moyen-Orient : dans la tradition géographique française, le « Proche-Orient » désigne les régions de la Méditerranée orientale, de la Turquie à l'Égypte. L'expression « Moyen-Orient », d'inspiration anglo-saxonne, englobe le Proche-Orient dans un ensemble régional à dominante musulmane allant de l'Égypte à l'Iran et du Caucase à la péninsule Arabique. *Voir p. 130.*

Protectionnisme : politique économique dont le but est de favoriser l'économie nationale en limitant l'entrée de produits étrangers. *Voir p. 214.*

R

Rapatriés : l'ensemble des personnes en provenance d'Algérie et réfugiées en France en 1962. *Voir p. 54.*

Réalistes : le terme désigne ici les dirigeants communistes qui privilégient l'efficacité économique par rapport aux dogmes marxistes que défendent les « orthodoxes » (ou « conservateurs »). *Voir p. 119.*

Recherche et développement (R&D) : dans une entreprise ou un État, ensemble des dépenses ayant pour objet d'accroître le stock de connaissances en vue de nouvelles inventions ou innovations. *Voir p. 112.*

Référendum : consultation directe du peuple à propos d'une question législative ou constitutionnelle. *Voir p. 194.*

Régime parlementaire : système politique dominé par l'instance législative (le Parlement), qui détient des avantages sur le pouvoir exécutif (motion de censure permettant de renverser le gouvernement). *Voir p. 163.*

Régime semi-présidentiel : système dans lequel le président de la République détient l'essentiel du pouvoir exécutif, mais dans lequel le gouvernement reste responsable de ses actions devant l'Assemblée nationale. Cette dernière conserve la possibilité de renverser le gouvernement. *Voir p. 162.*

Résistancialisme : notion élaborée par l'historien Henry Rousso pour qualifier l'idée développée par les gaullistes selon laquelle les Français auraient unanimement et naturellement résisté pendant la guerre. *Voir p. 28.*

Révolution culturelle : au début des années 1970, en Chine, transformation radicale de la société par une épuration de ses « éléments bourgeois ». *Voir p. 112.*

Royalties : redevances payées par une compagnie pétrolière au pays dont le pétrole est exploité ou que traverse un pipeline. *Voir p. 136.*

S

Scrutin majoritaire : système électoral attribuant les sièges en jeu au candidat ou à la liste ayant obtenu le plus grand nombre de voix (majorité absolue au premier tour ou relative au second). *Voir p. 176.*

Scrutin proportionnel : système électoral distribuant les sièges en jeu aux différents candidats ou partis en présence en fonction de leur nombre de voix. *Voir p. 176.*

Shoah : mot hébreu qui signifie « catastrophe » et qui désigne l'extermination de 6 millions de juifs par les nazis. *Voir p. 32.*

Sionisme : mouvement fondé à la fin du XIXᵉ siècle par des juifs européens pour la création d'un État juif en Palestine. *Voir p. 134.*

SMIC (salaire minimum interprofessionnel de croissance) : salaire horaire minimum en dessous duquel aucun salarié âgé de plus de 18 ans et à temps plein ne doit être payé. *Voir p. 177.*

SMIG (salaire minimum interprofessionnel garanti) : salaire horaire minimum en dessous duquel aucun salarié âgé de plus de 18 ans et à temps plein ne doit être payé. *Voir p. 170 et 177.*

Socialisme : au sens marxiste, système économique et social défini par la propriété collective des moyens de production et d'échanges (entreprises) avec rémunération versée à chacun « selon son travail ». *Voir p. 103.*

Soft power : capacité d'influence sans avoir recours à des moyens contraignants. *Voir p. 78.*

Souverainisme : le souverainisme est la doctrine défendue par ceux qui veulent protéger la souveraineté nationale mise en péril, selon eux, par un pouvoir accru de l'Union européenne.

À l'inverse des fédéralistes, les souverainistes militent pour une « Europe des nations », où l'autonomie politique des États serait préservée. Ils souhaitent donc un affaiblissement voire une disparition des institutions européennes communes. *Voir p. 188.*

Subprimes : crédits accordés aux États-Unis à des emprunteurs qui n'ont pas une capacité de remboursement suffisante. *Voir p. 196 et 224.*

Sunnites / Chiites : les sunnites et les chiites appartiennent à deux branches de l'islam qui ne reconnaissent pas la même succession du prophète Mahomet. Les sunnites sont majoritaires dans le monde musulman et considèrent les chiites comme des hérétiques, vénérant les chefs de leur communauté, qui seraient inspirés par Dieu. Le courant chiite est très sensible au martyr et à l'injustice sociale. *Voir p. 130.*

Superpuissance : désigne depuis 1945 tout pays qui détient le pouvoir d'influencer l'ordre mondial par ses capacités militaires, ses ressources économiques et son rayonnement culturel. *Voir p. 74.*

Supranational : se dit d'une autorité disposant de pouvoirs supérieurs à ceux des États et dont les décisions s'imposent à ceux-ci. *Voir p. 200.*

T

Technocratie : terme parfois péjoratif désignant un système dans lequel le pouvoir serait aux mains d'experts spécialistes de questions techniques plutôt que soucieux d'enjeux humains. *Voir p. 164.*

Témoin et historien : le témoin est un acteur de l'histoire, porteur d'une part du passé pour y avoir participé et qui veut en rendre compte. Son expérience est donc une source précieuse pour approcher le passé. Mais l'historien, préoccupé d'une approche plus globale et objective, se doit de confronter les témoignages entre eux et à d'autres sources. *Voir p. 24 et 48.*

Territoires occupés : après la guerre des Six Jours, territoires contrôlés (Cisjordanie, Gaza, Sinaï) ou annexés (Jérusalem-Est le 28 juin 1967, plateau du Golan en 1981) par Israël. *Voir p. 140.*

Tiers monde : ensemble des pays non industrialisés, selon la définition de l'économiste et démographe français Alfred Sauvy. *Voir p. 108.*

U

Unilatéralisme : organisation de la politique extérieure d'un État sans tenir compte des positions des acteurs concernés (autres États, organisations internationales, etc.). *Voir p. 93.*

Z

Zone économique spéciale (ZES) : territoire où les entreprises bénéficient de facilités douanières, d'impôts et de contraintes allégés par rapport aux normes nationales. *Voir p. 106.*

CRÉDITS PHOTOGRAPHIQUES

Achevé d'imprimer en Italie par L.E.G.O. S.p.A.
Dépôt légal : 08/2014 - Edition 02 - Collection n° 60
13/5612/0